Im Auftrag des Verfassers

Hans Conzelmann · Grundriß der Theologie des Neuen Testaments

HANS CONZELMANN

GRUNDRISS DER THEOLOGIE DES NEUEN TESTAMENTS

CHR. KAISER VERLAG MÜNCHEN

1967

Einführung in die evangelische Theologie
Band 2

© 1967 Chr. Kaiser Verlag München
Alle Rechte, auch die des auszugsweisen Nachdrucks, der photomechanischen Wiedergabe
und der Übersetzung vorbehalten. — Printed in Germany.
Umschlag- und Einbandentwurf von Claus J. Seitz.
Satz und Druck: Buchdruckerei Albert Sighart, Fürstenfeldbruck

INHALT

Vorwort und Einführung 11

EINLEITUNG

§ 1 Das Problem einer Theologie des Neuen Testaments . . 19
    I. Der Gegenstand 19
    II. Geschichte der Disziplin 19
    III. Literatur 23
    IV. Folgerungen für Methode und Aufbau 25

§ 2 Die Umwelt: Der Hellenismus 26

§ 3 Die Umwelt: Das Judentum 29
    I. Der Gottesgedanke 30
    II. Elemente des Weltbildes 31
    III. Der Mensch und das Heil 37

ERSTER HAUPTTEIL

Das Kerygma der Urgemeinde und der hellenistischen Gemeinde

§ 4 Historische Probleme 45
    I. Die Quellen für die Rekonstruktion des frühen Kerygmas . . 45
    II. Urgemeinde und hellenistische Gemeinde 46

§ 5 Entstehung und Selbstverständnis der Gemeinde . . 49
    I. Der Ursprung 49
    II. Das Selbstbewußtsein der Kirche 50

§ 6 Der Geist 54
    I. Der Urheber des Geistes 55
    II. Das Wesen des Geistes 55
    III. Die Wirkung des Geistes 56

§ 7 Gemeinde, Gottesdienst, Sakramente 58
    I. Organisation und Amt in der Urgemeinde . . . 58
    II. Der Gottesdienst 63
    III. Die Taufe 64
    IV. Das Abendmahl 67
        1. Wortgottesdienst und Eucharistie 68
        2. Eucharistie und Mahlzeit 69
        3. Lietzmanns Theorie von den beiden Mahltypen . . 70
        4. Die Einsetzungsworte 71

§ 8 Die Begriffe des Verkündigens und Glaubens 78

§ 9 Der Inhalt der Verkündigung 81
    I. Die Rekonstruktion 81
    II. Der Inhalt des Bekenntnisses: Person und Werk Christi . . 83
    III. Die Deutung der Auferstehung 83
    IV. Die Deutung des Todes Jesu 88

§ 10 Die christologischen Titel im Kerygma 91
    I. Messias 91
    II. Sohn Gottes 94
    III. Kyrios 101
    IV. Weitere Titel 103
        1. Prophet 103
        2. παῖς ϑεοῦ 104
        3. Ναζωραῖος 104
        4. σωτήρ 105

§ 11 Der Ausbau des Kerygmas 106
    I. Die Bekenntnisformeln 106
    II. Die Predigt 107
    III. Die Paränese 108

ZWEITER HAUPTTEIL
Das synoptische Kerygma

§ 12 Das Traditionsproblem 115

§ 13 Der Gottesgedanke 118
    I. Der Gottesglaube Jesu 118
    II. Die Gottesbezeichnungen in den Synoptikern . . . 119

§ 14 Das Reich Gottes 125
    I. Probleme 125
    II. Sprachgebrauch 126
    III. Der Stoff 128

§ 15 Die Forderung Gottes 135
    I. Allgemeine Probleme 135
    II. Der Stoff 139

§ 16 Die Frage nach dem Selbstbewußtsein Jesu 147
    I. Der Sohn 147
    II. Der Sohn Gottes 147
    III. Der Messias 149
    IV. Menschensohn 151
    V. Die Wunder Jesu 157
    VI. Das Messiasgeheimnis 158

Inhalt

§ 17 Die Theologie der drei Synoptiker	. . . . . .	160
I. Markus		160
II. Matthäus		164
III. Lukas		169

DRITTER HAUPTTEIL
Die Theologie des Paulus

A. Theologische Methode und Grundbegriffe   175

§ 18 Probleme der Forschung 175
    I. Die Quellen 175
    II. Die Fragestellung 175
    III. Zur Geschichte der Paulusforschung 175
    IV. Die theologiegeschichtliche Stellung des Paulus . 181
    V. Die Bedeutung der Bekehrung des Paulus . . 182
    VI. Probleme der Darstellung 184

§ 19 Die Arbeitsweise 186
    I. Die Verarbeitung der christlichen Tradition . . 186
    II. Die Verwendung des Alten Testament . . . 187

§ 20 πίστις 192

§ 21 Die anthropologischen (neutralen) Begriffe . . . 195
    I. Welt und Mensch 195
    II. Die Manifestationsbegriffe 196
    III. σῶμα 198
    IV. σάρξ 200
    V. ψυχή 201
    VI. πνεῦμα (anthropologisch) 202
    VII. Weitere anthropologische Begriffe 202
        1. ὁ ἔσω ἄνθρωπος 202
        2. νοῦς 202
        3. συνείδησις 204
        4. καρδία 206

§ 22 Die Hoffnung 207

§ 23 Der Mensch in der Welt 215

B. Das Heilsgeschehen 222

§ 24 Gottes Heilstat »in Christus« 222
    I. Die Grundlagen (die »objektive« Christologie) . 222
    II. Christus als die Heilstat Gottes 223
    III. Die Heilstat als Tat „für mich" 228
    IV. Die Formel ἐν Χριστῷ 232

C. Die Glaubensgerechtigkeit 236

§ 25 χάρις, δικαιοσύνη 236
    I. χάρις 236
    II. δικαιοσύνη θεοῦ 237

§ 26 Das Gesetz 244
    I. Allgemeine Probleme 244
    II. Gesetz und Heilsgeschichte 246
    III. Der Zweck des Gesetzes 249

§ 27 De servo arbitrio (Röm 7) 252

D. Die Gegenwärtigkeit der Offenbarung . 260

§ 28 Das Wort als die Krise der Selbstbehauptung . . . 260

§ 29 Der Zorn Gottes 263

§ 30 Das Wort als Torheit (Die Krise der Weisheit) . . . 266

§ 31 Das Wort als Ärgernis 272
    I. Die Krisis der eigenen Gerechtigkeit . . 272
    II. Israel (»Heilsgeschichte«) 273
    III. Prädestination und Theodizee . . . 277

§ 32 Die Kirche 280
    I. Grundlagen 280
    II. Kirche und Eschaton 282
    III. Der Gottesdienst 283
    IV. Die Charismata 284
    V. Die Einheit der Kirche (σῶμα Χριστοῦ) . . 286

§ 33 Das Heilsgeschehen in der Verkündigung: das Predigtamt 292

§ 34 Die Eingliederung in die Kirche durch die Sakramente 295
    I. Vorblick, Probleme 295
    II. Methode 296
    III. Sakrament und Ethik 296
    IV. Die Taufe 297
    V. Das Abendmahl 300

§ 35 De libertate Christiana 302
    I. Die Freiheit 302
    II. Die Freiheit vom Tode 308
    III. Das neue Leben 310

VIERTER HAUPTTEIL
Die Entwicklung nach Paulus

§ 36 Probleme 317

§ 37 Die regula fidei 325

§ 38 Orthodoxie und Häresie 329

§ 39 Die Kirche als Institution 333

§ 40 Die Eschatologie 338

FÜNFTER HAUPTTEIL
Johannes

§ 41 Der geschichtliche Ort des johanneischen Schrifttums   351
    I. Einleitungsfragen 351
    II. Der kirchengeschichtliche Ort 352
        1. Johannes und die Synoptiker 352
        2. Johannes und Paulus 356
    III. Der religionsgeschichtliche Standort . . . 360
    IV. Der »Zweck« des Buches 362

§ 42 Die Christologie 363
    I. Der Logos 364
    II. Die christologischen Titel 367
    III. Der Sinn der Abgrenzung in der Titulatur . 369

§ 43 Der Vater und der Sohn 371

§ 44 Die Sendung des Sohnes 373
    I. Präexistenz und Inkarnation 373
    II. Das wunderbare Wissen des Gesandten: das »Zeugnis« . 375
    III. Das wunderbare Können des θεῖος ἀνήρ: die Zeichen . . 376
    IV. Die Passion 379

§ 45 Die Selbstdarstellung Jesu: ἐγώ εἰμι 381

§ 46 Welt und Mensch (Die Enthüllung) 384

§ 47 Die Gemeinde in der Welt 387

§ 48 Die Eschatologie (Auferstehung, Gericht, der Paraklet)   388

REGISTER

Autorenregister 391
Sachregister 395
Stellenregister 398

ABKÜRZUNGSVERZEICHNIS

Die Abkürzungen folgen dem »Verzeichnis der Abkürzungen« in »Die Religion in Geschichte und Gegenwart« (RGG), 3. Aufl. 1957 ff.

Außerdem werden folgende Abkürzungen gebraucht:

CH   Corpus Hermeticum, hg. v. A. D. Nock und A. J. Festugière, 1945 ff.

StANT Studien zum Alten und Neuen Testament, hg. von V. Hamp und J. Schmid

WMANT Wissenschaftliche Monographien zum Alten und Neuen Testament, hg. v. G. Bornkamm und G. v. Rad

ψ   Psalm(en) nach LXX

VORWORT UND EINFÜHRUNG

I

In der Disziplin »Theologie des Neuen Testaments« laufen die je und je verhandelten, wechselnden Themen der Diskussion auf dem gesamten Feld der neutestamentlichen Exegese zusammen. Sie stellt jeweils im Modell das Gesicht einer theologischen »Zeit« dar: in der Synthese eines F. C. Baur, im liberalen Historismus, in dem Programm, die neutestamentliche Theologie durch eine Religionsgeschichte des Urchristentums zu ersetzen, zuletzt in der monumentalen Zusammenfassung des Ertrages der Epoche, die durch die dialektische Theologie gekennzeichnet ist, durch Bultmann. Diesem ist — nicht zufällig — wieder eine umfassende Synthese gelungen: Mit seinem Theologie-Begriff konnte er sowohl die Einheit im Neuen Testament als die Vielfalt der in ihm enthaltenen Anschauungen, Typen, Entwürfe, System-Ansätze erfassen, wenn er auch den Akzent bei der historischen Vielheit setzte (NT 585). Die Arbeit der beiden letzten Jahrzehnte hat die historischen Differenzen noch stärker ausgearbeitet. U. a. wurde die Theologie der einzelnen Synoptiker zum vielfach umgepflügten Feld. Dadurch entstand der — heute den Studenten weithin beherrschende — Eindruck, das Neue Testament löse sich in eine mehr oder weniger zufällige Anhäufung von »Konzeptionen«, Typen, »Theologien« auf. Dieser Eindruck wirkt umso stärker, als er mit einer neuen Neigung zum historischen Positivismus und Relativismus zusammenspielt. Die hohe Konjunktur, deren sich die Bibelwissenschaft jahrzehntelang erfreute, war doch auch eine Fluchtbewegung — ins Historische.

Durch den neuen Positivismus drohen der Exegese die von der dialektischen Theologie erarbeiteten Kriterien wieder verloren zu gehen, zumal er sich unmittelbar in exegetischen Thesen und Hypothesen auswirkt. So ist z. B. die Behauptung, das eigentliche Movens der urchristlichen Theologie sei im Widerspiel von Enthusiasmus und Apokalyptik zu finden, kein exegetisch erhobener Tatbestand, sondern eine wertende Deutung, die aus bestimmten systematischen Prämissen entworfen ist: aus einer Diastase von fides quae creditur und fides qua creditur. Dieser Riß wird nun in die Geschichte des

Urchristentums projiziert. So erscheint dieses als Entwurf eines objektiven, apokalyptischen Weltbildes auf der einen Seite, als psychologisches Erlebnis auf der anderen.

In dieselbe Richtung weist die Frage, ob die historische Rekonstruktion, also die Darstellung der neutestamentlichen Gedankenwelt in ihrer zeitbestimmten Form, zu betonen sei oder die »Interpretation«. Bultmann hatte die letztere ausgearbeitet und dadurch ein Korrektiv für den historischen *Aufbau* seiner Darstellung gewonnen. Nach einem Zeitalter der positivistischen Materialsammlung, der kausalgenetischen Erklärung (Motivgeschichte) und psychologischen Deutung der Texte galt es in der Tat, thematisch nach dem *Sinn* des Gesagten, nach der von den Texten vorgetragenen *Botschaft* zu fragen, also beispielshalber nicht nur nach dem Glaubens*begriff* des Paulus, Johannes, sondern nach dem Glaubensverstehen selbst.

Auch hier hat sich der Aspekt verschoben. Dem Rückzug in die Historie korrespondiert eine merkwürdige Neigung, die Aussagen des Neuen Testaments direkt als heutige Lehre zu übernehmen. Dabei macht sich natürlich die Zeitbedingtheit des Neuen Testament bemerkbar, und man sieht sich gezwungen, das auszuwählen, was »heute« »noch« vertreten werden kann. Die unbewußte Selbstverständlichkeit, mit der dieses Kriterium angewandt wird, scheint mir eines der gefährlichsten Symptome der derzeitigen Mentalität zu sein, die unter den jungen Theologen herrscht. Wenn sich die Theologie dem Zeitgeist und der Erfahrung als ihren Maßstäben unterwirft, dann ist die theologische Arbeit für die Katz.

II

Der Eindruck, den Bultmanns Darstellung machte, scheint so stark gewesen zu sein, daß seitdem im deutschen Sprachgebiet (außer der katholischen Behandlung dieses Gebietes durch Meinertz) keine zusammenfassende Gesamtdarstellung erschien. Das heißt natürlich nicht, daß Bultmann diese Disziplin beherrschte. Es gibt profilierte, andersartige Positionen (es sei nur O. Cullmann genannt). Jedenfalls: Es gibt weder ein neues Lehrbuch noch auch nur einen Leitfaden.

Bultmanns Werk wird noch für lange Zeit die Grundlage bleiben, und der hier vorgelegte Grundriß macht je und je sichtbar, was er ihm verdankt. Dennoch scheint mir der Versuch einer neuen Darstellung gerechtfertigt zu sein. Einige Gründe sind bereits angedeutet. Sie liegen einfach im Fortgang der theologischen Arbeit, im geschichtlichen Charakter der Theologie, in der Verschiebung der Fragestellungen, im Auftauchen von neuen. Z. B. fällt für Bultmann der Inhalt der synoptischen Evangelien nicht unter den Begriff der »Theologie«; entsprechend finden sie keine Besprechung, die dem angemessen ist, was auf diesem Gebiet neuerdings erarbeitet wurde.

Ein weiterer Anstoß für einen neuen Versuch ist dadurch gegeben, daß (wenigstens nach meinen Erfahrungen) Bultmanns Voraussetzungen, leitende Fragestellungen und Kriterien dem Studenten im Durchschnitt nicht mehr bekannt sind. Schon der Sprachgebrauch hat sich in bezeichnender Weise verändert. Für Bultmann diente seinerzeit der Begriff der »Entscheidung« der Ausscheidung des Psychologismus und der positiven Darstellung des durch den Glauben gesetzten Selbstverständnisses. Heute wird er im Sinn eines oberflächlichen Verständnisses von Willensfreiheit gebraucht, hat also genau gegenteiligen Sinn angenommen.

Bultmanns Darstellung der Theologie des Paulus (Der Mensch vor der Offenbarung des Glaubens — Der Mensch unter dem Glauben) ist von einem Glaubensverständnis aus entworfen, nach dem der Glaube durchaus von seinem Gegenstand bestimmt ist, nicht vom subjektiven Erlebnis her. Ist dies nicht mehr deutlich (und es *ist* heute dem Studenten nicht mehr klar), dann kann dieser Aufbau als pietistisches Schema wirken und den Eindruck erwecken, als sei nicht der Glaube das Thema, sondern der ungläubige und der gläubige *Mensch*. In diesem Sinn wird ja auch das Stichwort »Anthropologie« bis in die theologischen Nachfahren Bultmanns hinein heute aufgefaßt.

Bultmanns existentiale Interpretation (nicht des Kreuzes, wie ein unausrottbares, populäres Mißverständnis annimmt, sondern des *Textes*) kann (besonders in den Abschnitten über Paulus und Johannes) der Neigung entgegenkommen, das Ergebnis der Interpretation als reines Destillat zu schlürfen. Es scheint mir daher angebracht, die historische Komponente wieder hervortreten zu lassen, also z. B. im Fall des Paulus bei der zeitbedingten Form seines Denkens einzusetzen. Der Gefahr des Historismus sucht der vorliegende Entwurf dadurch zu entgehen, daß er die Theologie nicht nur allgemein als die jeweilige Interpretation des Glaubens faßt, sondern in einem spezielleren Sinn als Auslegung der ursprünglichen *Texte* des Glaubens, also der ältesten Formulierungen des Credo. Es wird hier versucht, die Theologie des Neuen Testaments nach dem heutigen Stand der Traditionsgeschichte zu disponieren und damit dem Leser einen einheitlichen Gesichtspunkt für die Erarbeitung dieser Disziplin zu geben. Diese Disposition kann vielleicht mithelfen, über die heute wieder herrschende Alternative »Einheit oder Vielheit« (s. o.) hinauszukommen und die Vielheit als der Sache entsprechend zu verstehen, da die Einheit ihrerseits eine geschichtliche ist.

Der einheitliche Ausgangs- und Zielpunkt bestimmen auch die Einordnung der nachpaulinischen Briefliteratur. Bultmann bespricht sie im Schlußteil unter der Thematik »Die Entwicklung zur Alten Kirche«. Das ist sinnvoll und historisch richtig. Aber diese Anordnung kann auch ein Werturteil suggerieren, als sei die Bewegung zur »Alten Kirche« eine Abwärtsbewegung. Das Schlagwort »Frühkatholizismus«, mit dem in den letzten Jahren erheblicher (historischer und systematischer) Unfug getrieben wurde, kann ein solches Werturteil nur bestärken. Im vorliegenden Entwurf ist diese Literatur im Anschluß an Paulus behandelt. Dafür sind drei Gründe bestimmend: 1. Der genannte, dem Einschleichen eines ungeschichtlichen Urteils entgegenzuwirken. 2. Die nachpaulinische Literatur steht nicht nur in einem allgemein-kirchlichen Zusammenhang, sondern weithin im speziellen Traditionszusammenhang mit Paulus und seinen Briefen. Das Bestehen einer Schule des Paulus als eines hervorragenden Trägers der theologischen Gedankenbildung in dieser Zeit muß gebührend in Erscheinung treten. 3. Die Darstellung muß der Tatsache gerecht werden, daß »apostolisches« und »nachapostolisches« Zeitalter nicht kirchengeschichtliche Wirklichkeit sind, sondern eine Geschichtsidee; sie sind nicht Voraussetzung, sondern selbst Bestandteil der neutestamentlichen Theologie.

III

Dieses Buch ist zunächst als Lehrbuch für den Studenten entworfen. Dieser soll in den heutigen Stand der Arbeit eingeführt werden und so viel Stoff und Information über die Interpretation des Stoffes erhalten, als er für die Erarbeitung dieses Gebiets benötigt. Ich hoffe, daß das Buch darüber hinaus dem Pfarrer, dem Religionslehrer und auch dem interessierten Laien als handliches Mittel der Orientierung dienen kann. Die Darstellung ist so gehalten, daß sie auch dem Leser verständlich bleibt, der nicht Griechisch kann. Die meisten der griechischen Vokabeln und Zitate stammen aus der Bibel und können durch die angegebenen Stellen erschlossen werden. Es kommt mir nicht auf die Darlegung des eigenen Standortes an (so wenig dieser verschwiegen wird), sondern auf übersichtliche Unterrichtung. Natürlich muß aus der Masse des Stoffes ausgewählt werden (zumal bei der gegenwärtigen Überproduktion von Sekundärliteratur). Dabei ist ein subjektives Moment im Urteil nicht auszuscheiden. Aber das betrifft mehr den Rand als den Kern des Stoffes. Und theologisches Verstehen ist etwas anderes als die Kenntnis einer Masse von Buchtiteln. Jedenfalls wird versucht, von Thema zu Thema charakteristische Beiträge vorzuführen und zugleich die Literaturangaben so knapp zu halten, daß der Leser nicht vor Bäumen den Wald aus dem Blick verliert. Es gibt zur Zeit im akademischen Betrieb etwas wie eine Perfektions-Psychose, die die Studenten konfus macht: Sie sehen sich dem Gefühl ausgeliefert, die wissenschaftliche Theologie sei eine Sache von Eingeweihten, vor denen der Normalverbraucher zugleich zu erschauern und zu resignieren habe. Er soll aber Mut zum eigenen Denken gewinnen und überdies begreifen, daß der größte Teil der literarischen Produktion überflüssig ist. Die Kürze des hier vorgelegten Abrisses ist nicht nur ein Notbehelf, sondern Absicht: Sie soll der durchaus möglichen, sachgemäßen Vereinfachung und Übersichtlichkeit dienen.

Wichtiger als die Anhäufung von Literaturangaben ist die Anleitung zum Umgang mit dem Text. Darum werden die Themen und Probleme so weit als möglich an »klassischen« Texten demonstriert; auf diese Weise soll auch die Einprägung im Gedächtnis unterstützt werden. Kurz, es soll ein Arbeitsbuch sein, das dazu anleiten will, sich durch Exegese ein eigenes Urteil zu bilden und einen Überblick über das Neue Testament zu erarbeiten.

IV

Ein Punkt wird vielleicht die Kritik besonders herausfordern: In diesem Buch fehlt ein Paragraph über »das Problem des historischen Jesus«.

Ich bin mir durchaus bewußt, daß das Fehlen noch nicht genügend begründet ist, wenn ich erkläre, daß dieses Problem für mich ein

Vexierproblem ist. Dem kann entgegengehalten werden, daß der Leser jedenfalls über Verlauf und Stand einer so extensiven Diskussion, wie sie in der letzten Zeit geführt wurde, informiert werden müsse. Ich glaube — nicht aus Eigensinn, sondern aus methodischer Konsequenz und auf Grund der Aufnahme des exegetischen Bestandes — dennoch darauf bestehen zu müssen, daß der »historische Jesus« kein Thema der neutestamentlichen Theologie ist. Daß das Wirken Jesu die Bedingung von Kirche, Glauben und Theologie ist, wird nirgends in Frage gestellt. Die Frage ist: Wie? Auf sie sucht dieses Buch dadurch zu antworten, daß die Lehre Jesu (einschließlich des Problems seines Selbstbewußtseins) im Rahmen des synoptischen Teils besprochen wird. Ich meine es aber dem Text schuldig zu sein, daß ihm keine Problematik aufoktroyiert wird, die ihm selbst fremd ist. Das Grundproblem der neutestamentlichen Theologie ist nicht: Wie wurde aus dem Verkündiger Jesus von Nazareth der verkündigte Messias, Gottessohn, Herr? Die Frage ist vielmehr: Warum hielt der Glaube nach den Erscheinungen des Auferstandenen an der Identität des Erhöhten mit Jesus von Nazareth fest? Diese Kontinuität wird ja auf sehr verschiedene Weise gewahrt. Paulus reduziert sie auf das Heilswerk im strengen Sinn; die Evangelien fassen sie in der Breite der überlieferten Taten und Worte Jesu. Aber die Identität als solche steht fest. Wo sie aufgegeben wird, da entsteht die Auseinander-Setzung von Rechtgläubigkeit und Häresie.

Mit Dank gedenkt der Verfasser Rudolf Bultmanns an seinem 83. Geburtstag. Bei der Herstellung des Manuskripts haben mir meine Assistenten Heinz-Dieter Knigge und Wolfgang Hinze unermüdlich geholfen. Mit ihren selbständigen Vorschlägen haben sie wesentlich zur Gestaltung beigetragen.

Göttingen, den 20. August 1967　　　　　　　　　　*H. Conzelmann*

EINLEITUNG

§ 1 DAS PROBLEM EINER THEOLOGIE DES NEUEN TESTAMENTS

R. BULTMANN, Theologie des Neuen Testaments, ⁵1965, 585 ff. — H. BRAUN, Die Problematik einer Theologie des Neuen Testaments, Bh. 2 zur ZThK, 1961, 3—18 (= Ges. Studien z. NT u. seiner Umwelt, 1962, 325—341) — R. SCHNACKENBURG, Neutestamentliche Theologie, 1963, 11 f. — H. SCHLIER, Über Sinn und Aufgabe einer Theologie des Neuen Testaments, BZ NF 1, 1957, 6—23

I. Der Gegenstand

Probleme: Ist der Gegenstand der neutestamentlichen Theologie stärker systematisch oder stärker historisch aufzufassen? Im ersten Fall steht die Frage nach der Gültigkeit des Kanons im Vordergrund, im zweiten die nach dem Reichtum der urchristlichen Gedankenwelt. Im ersten Fall wird sich die Darstellung auf das neutestamentliche Schrifttum beschränken, im zweiten auch darüber hinausgreifen. Beispiele für eine geschichtliche Darstellung: *H. Weinel*, der seinen Gegenstand definiert als »Die Religion Jesu und des Urchristentums«; *R. Bultmann*, der im dritten Teil seines Buches die Entwicklung zur Alten Kirche beschreibt und dabei über den neutestamentlichen Kanon hinausgreift.

II. Geschichte der Disziplin

H. J. HOLTZMANN, Lehrbuch der nt. Theologie, 2 Bde, 1897, ²1911 — H. WEINEL, Biblische Theologie des NT, ⁴1928 (jeweils die einleitenden Paragraphen) — R. BULTMANN, NT 585—599 (Epilegomena)

Die *Reformation* und Orthodoxie kennen keine biblische Theologie als besondere Disziplin. Für sie ist alle Theologie biblisch, Schriftgemäßheit das Kriterium der Wahrheit: Durch den Rückgriff auf die Schrift scheidet man die menschlichen Zusätze, also die Traditionen der katholischen Dogmatik, aus. Vorausgesetzt ist, daß die Schrift in sich selbst klar ist.

Luther sieht unbefangen die Verschiedenheiten in der Bibel, z. B. zwischen Paulus und Jakobus. Diese Unterschiede machen ihm keine Sorge. Denn er ist sich der sachlichen Mitte der Schrift sicher: der Rechtfertigung allein durch den Glauben. Sein Verhältnis zur Schrift ist bestimmt durch den Vorrang der viva vox evangelii.

Die *Orthodoxie* systematisiert den Ansatz der Reformation. Der Inhalt der Schrift wird jetzt als Summe der reinen Lehre aufgefaßt. So entwickelt sich die Disziplin der »Topik«, in der für die einzelnen dogmatischen loci Belegstellen aus der Schrift gesammelt werden. Vorausgesetzt ist, daß Bibel und Dogmatik sachlich übereinstimmen.

Diese Voraussetzung wird fraglich, einerseits im *Pietismus*, andererseits in der *Aufklärung*. Im Pietismus findet sich zum ersten Mal der Ausdruck »biblische Theologie«. Er bezeichnet das neue Bewußtsein, daß Schriftinhalt und Dogmatik nicht identisch sind. Der Gegenspieler des Pietismus ist die Aufklärung. Hier kommt die Kritik klar zum Durchbruch. Die bewegende Kraft ist die Vernunft, die sich — in der Auseinandersetzung mit der Orthodoxie — ihrer Macht bewußt wird.

Die Aufklärung erkennt den Unterschied zwischen der Bibel und dem orthodoxen Lehrsystem, mißt dieses mit ihrem Maßstab, der Vernunft, und entwirft die der Vernunft gemäße, »natürliche« Religion. Ihr Urteil über die Bibel lautet: Sie enthalte in der Tat die vernünftige Religion, sie sei nur von der Theologie unvernünftig ausgelegt worden. Die Aufklärung traut es sich zu, den Schaden zu heilen. Sie sieht zwar, daß nicht alles in der Bibel vernünftig ist, z. B. die Wundererzählungen. Aber dafür sei nicht die Bibel verantwortlich, sondern die beschränkte Auffassungskraft der damaligen Menschen. Als die Bibel entstand, war man noch nicht aufgeklärt; darum mußte man manche Wahrheiten in anschaulicher Fassung vermitteln. Die Aufklärung unterscheidet so zwischen dem Zeitlos-Vernünftigen und dem Zeitbedingten. Natürlich interessiert sie sich vor allem für das erste. Aber durch diese Unterscheidung wird das historische Verstehen insofern vorbereitet, als das geschichtlich Einmalige bewußt wird.

Die Wende erfolgt in der *Romantik*, deren philosophisches Fazit *Hegel* zieht. Er erarbeitet das Verständnis der Vernunft als einer geschichtlichen Größe. Die Wahrheit ist nicht einfach gegeben, sie entfaltet sich in einem geschichtlichen Prozeß. Für die neutestamentliche Disziplin wird *Hegels* philosophische Erkenntnis ausgewertet durch *Ferdinand Christian Baur* (»Tübinger Schule«). Die neutestamentlichen Schriften sind nicht einfach Dokumente der humanen Religion, sondern eines geschichtlichen Vorgangs. Sie können nur verstanden werden, wenn ihr geschichtlicher Zusammenhang erkannt ist. Die Geschichte des Urchristentums verläuft nach *Baur* in der Dialektik von Thesis, Antithesis, Synthesis. Die Thesis ist die Gesetzlichkeit des Judenchristentums, den Gegensatz bildet die Gesetzesfreiheit des Paulus; dann folgt im nachpaulinischen Christentum die Synthese. Die Schriften des Neuen Testaments sind Zeugnisse dieser Auseinandersetzung, bzw. sie bilden selber den geschichtlichen Prozeß bis hin zur Synthese. Die Erforschung der Geschichte des Urchristentums ist die Methode, das Wesen des Glaubens zu erfassen, der für *Baur* identisch ist mit der Wahrheit des Geistes. Neutestamentliche Theologie ist die Darstellung des Selbstverständnisses des Geistes, der im geschichtlichen Prozeß zu sich selber kommt.

Durch *Baur* ist die Aufgabe des geschichtlichen Verstehens gestellt. Die Epoche nach ihm sucht ihr gerecht zu werden, indem sie die verschiedenen »Lehrbegriffe« im Neuen Testament beschreibt. Der Klassiker dieser Epoche, *H. J. Holtzmann*, scheidet zwischen dem »Vergänglichen« und dem »Bleibenden«. Inhalt der Verkündigung ist nicht ein Lehrbegriff, z. B. der paulinische, sondern etwas Dahinterstehendes. Was? Man ist überzeugt von der Gültigkeit bestimmter sittlicher und religiöser Normen; diese findet man in der Lehre Jesu; sie sind das bleibende Gültige.

Dieser Fragestellung widerspricht *W. Wrede* (Über Aufgabe und Methode der sog. neutestamentlichen Theologie, 1897): Die Lehrbegriff-Methode sei intellektualistisch. Der Glaube sei nicht ein System von Gedanken, sondern eben — Religion. Daraus ergebe sich die Aufgabe der Forschung: die Darstellung der urchristlichen Religion. *Wrede* formuliert: Wir wollen nicht wissen, was damals über Glaube, Liebe, Hoffnung geschrieben wurde, sondern: was damals geglaubt, gedacht, gelehrt, gehofft, gefordert wurde.

Wredes Schrift ist das Programm der »Religionsgeschichtlichen Schule«. An die Stelle der neutestamentlichen Theologie tritt die urchristliche Religionsgeschichte[1]. Man entdeckt die geschichtlichen Voraussetzungen der christlichen Ideen in Judentum und Hellenismus und sucht sie zu verstehen, indem man sie historisch ableitet.

Völlig neu erarbeitet wird dabei das Verständnis des *Geistes*, den man seit *Baur* idealistisch verstanden hatte. Jetzt erkennt man: Das neutestamentliche Pneuma ist nicht Geistigkeit, sondern im

---

[1] Zu diesem Programm s. den Art. »Biblische Theologie« von H. Gunkel (AT) und M. Dibelius (NT) in der 2. Aufl. der RGG I 1089 ff. Durchgeführt ist es in den Darstellungen von W. Bousset, Kyrios Christos, 1913, und H. Weinel.

Gegenteil, es wirkt ungeistig; denn es bewirkt Ekstase. Man sieht, daß das Urchristentum das Heil nicht im reinen Denken suchte, sondern im »Mysterium«. Damit rückt Paulus in die Nähe spätantiker religiöser Mystik. Die christlichen Sakramente gleichen den hellenistischen Mysterien. Man begreift, wie fremd das neutestamentliche Denken dem modernen gegenübersteht.

Das zweite Gebiet der religionsgeschichtlichen Forschung ist die *Eschatologie*. Bisher hatte man das Reich Gottes als geistig-sittliche Größe verstanden, als einen Zustand, der sich in der Welt entfaltet, auf den hin sich die Welt entwickelt. Nun sieht man: Das Reich Gottes, wie es Jesu verkündete, ist ein supranaturaler Zustand; man kann es nicht durch sittliches, religiöses Verhalten schaffen. Die Welt entwickelt sich nicht zu ihm hin. Es ist nicht ein Weltzustand, sondern bedeutet das Ende der Welt, das wie die Flut von außen einbricht.

Wird durch diese geschichtliche Forschung das Christentum nicht zu einem relativen historischen Gebilde? Wie steht es mit der Wahrheit? Man kann das Problem historisch formulieren: »Urchristentum und Religionsgeschichte« *(Karl Holl; Rudolf Otto)*, oder systematisch: »Die Absolutheit des Christentums« *(Ernst Troeltsch)*.

Die religionsgeschichtliche Forschung brachte Ergebnisse, die bis heute gültig sind: In der Tat hat das Christentum bestimmte geschichtliche Voraussetzungen. Vor allem bedeutete sie eine Befreiung von dem Versuch, die modernen Ideen in die Bibel zurückzutragen. Sie drängte darauf, die Bibel in ihrer Eigenart zu verstehen. Aber es blieb das Problem: Wie steht es mit der Wahrheit der biblischen Aussagen? Die typische Antwort gibt *Weinel* (S. 10): »Also nicht über Wert und Wahrheit des Christentums urteilt die biblische Theologie, wohl aber über sein Wesen im Vergleich mit anderen Religionen.«

Man versucht nachzuweisen, daß das Christentum den höchsten Typ von Religion überhaupt darstelle (*Weinel:* als die monotheistische, sittliche Erlösungsreligion). Damit befindet man sich freilich in einem Zirkel: Was zu beweisen wäre, ist in Wirklichkeit schon vorausgesetzt, nämlich der Religionsbegriff, an dem gemessen das Christentum die höchste der Religionen ist. Die religionsgeschichtliche Schule klärt ihre eigenen Voraussetzungen nicht. Sie fragt nicht, ob der christliche Glaube zutreffend beschrieben ist, wenn er als Religion oder als Christentum definiert wird.

Die Theologie war durch das historische Denken in eine Krise geraten. Sie dokumentiert sich in zwei Vorgängen: 1. dem Zu-

sammenbruch der Leben-Jesu-Theologie durch die »Formgeschichte«;
2. dem Auftreten der »dialektischen Theologie«.

Die *Formgeschichte* stellt fest, daß ein wesentlicher Teil der Überlieferung über Jesus nicht geschichtstreu ist, sondern Konstruktion der Gemeindetheologie darstellt. Eine Fülle von Fragen begleitet diese Erkenntnis. Ist nun nicht das Fundament des christlichen Glaubens zerstört? Wie verhalten sich überhaupt Glaube und Geschichte zueinander? Sind bestimmte historische Fakten Voraussetzung des Glaubens? Die dialektische Theologie erklärt: Nein!

Die *dialektische Theologie* greift nicht die historisch-kritische Forschung an, wohl aber die Art und Weise, wie man deren Ergebnisse verabsolutiert und systematisch aufarbeitet. Aus der historischen Forschung zog man die Konsequenz, alle theologischen Gedanken seien relativ. Daraus ergab sich die Parole: Nicht Theologie, sondern Religion! Dem gegenüber erklärt die dialektische Theologie: Diese Parole ist ein Symptom der Auflösung. Das Programm heißt nicht: Weniger Theologie, sondern einfach: Theologie[2]. Freilich erarbeitet die dialektische Theologie ein neues Verständnis von Theologie überhaupt. Sie faßt Theologie auf als das Verstehen der Botschaft in den Texten — also nicht als System von Sätzen und nicht als die letztlich überflüssige Theorie zum religiösen Erleben, sondern als »theologische Existenz heute« *(Karl Barth)*.

III. Literatur

Das Lehrbuch der Religionsgeschichtlichen Schule: *Heinrich Weinel*, Biblische Theologie des Neuen Testaments, [4]1928. Das konservative Gegenstück: *Paul Feine*, Theologie des Neuen Testaments, [8]1951. *Adolf Schlatter*, Die Theologie des Neuen Testaments, 2 Bde, 1909/10, [2]1922: Viel schärfer als die beiden vorigen angelegt auf Eindringen in das Verständnis des Glaubens im Neuen Testament. Aber als Lehrbuch ungeeignet, da man nur des Verfassers eigene Meinung erfährt. Die historische Kritik wird ignoriert. *Schlatter* leitet nicht zur eigenen Urteilsbildung an. *Ethelbert Stauffer*, Die Theologie des Neuen Testaments, [4]1948: Rekonstruktion eines

---

[2] Für die Religionsgeschichtliche Schule war die »Theologie« als Inhalt der nt. Schriften unbefriedigend; sie wollte in ihnen »mehr« finden. Dagegen erklärt Bultmann programmatisch, »daß die weltgeschichtliche Bedeutung des Paulus nirgends anders als darin liegt, daß er Theologe war« (ThR NF 1, 1929, 59).

apokalyptischen Weltbildes. Katholische Darstellung: *Max Meinertz*, Theologie des Neuen Testaments, 1950. *F. Stagg*, New Testament Theology, 1962. Einführung in Literatur und Sachfragen: *Rudolf Schnackenburg*, Neutestamentliche Theologie, 1963.

Das z. Zt. maßgebende Werk: *Rudolf Bultmannn*, Theologie des Neuen Testaments, ⁵1965. Er geht zunächst historisch vor. Dadurch treten die einzelnen Typen von Theologie in ihrer Eigenart heraus. Aber im Gegensatz zu früheren Darstellungen will Bultmann nicht die urchristliche Religion beschreiben, sondern die neutestamentliche Theologie. Theologie wird bestimmt als Interpretation des »Kerygmas«. Das Kerygma wiederum wird nicht verstanden als Mitteilung von Sätzen über den Glauben, sondern als Mitteilung des Glaubens selbst. Gegenstand des Glaubens ist nicht eine Summe von Sätzen, auch nicht der Inhalt der neutestamentlichen Theologie, sondern der im Kerygma bezeugte Herr. Das Kerygma muß jeweils ausgelegt werden, weil seine Formulierungen geschichtlich sind. Dasselbe gilt von der Auslegung: Auch sie ist geschichtlich. Es kann gar keine endgültige, abgeschlossene Interpretation geben. Denn das Kerygma ist Anrede und muß je neu als solche gehört werden. Dieses Verständnis von Theologie ermöglicht es Bultmann, alle religionsgeschichtlichen Einflüsse auf das Urchristentum ohne Apologetik anzuerkennen. Er kann ebenso unbefangen die Verschiedenheit der theologischen Typen im Neuen Testament feststellen. Indem er nämlich stets nach dem Rückbezug auf das Kerygma fragt, wird in der Vielfältigkeit der theologischen Entwürfe eine sachliche Einheit sichtbar. Wie steht es nun mit der Wahrheit dieses Glaubens? Sie kann und soll nicht bewiesen werden; das folgt aus der Selbstevidenz der Botschaft, die sich selbst als absolute erweist, sofern sie den einen Herrn bekanntmacht.

Bultmanns Verständnis der neutestamentlichen Theologie kann am Aufbau seines Buches abgelesen werden. Zuerst stellt er die »Voraussetzungen« der neutestamentlichen Theologie dar. Zu diesen gehört zunächst die historische Lehre Jesu. Sie ist nach *Bultmann nicht* Bestandteil der neutestamentlichen Theologie, sondern Material, mit dem diese arbeitet. Es folgen im Aufbau: Das Kerygma der Urgemeinde; Das Kerygma der hellenistischen Gemeinde vor und neben Paulus. Auch diese beiden Teile stehen noch unter der Überschrift »Voraussetzungen und Motive der neutestamentlichen Theologie«. Der scharf definierte Theologiebegriff wird also durchgehalten: Erst bei Paulus und Johannes ist von Theologie zu reden.

Davon handelt der zweite Teil. Der dritte schildert die »Entwicklung zur Alten Kirche«. In diese Darstellung bezieht *Bultmann* auch die Apostolischen Väter ein. Dadurch wird der Zusammenhang von Neuem Testament und Kirchengeschichte sichtbar.

Zur Kritik: *Bultmann* nimmt einen Bestandteil zu wenig in den Blick: die synoptische Tradition. Von ihr erscheint nur, was sich der Kritik als authentische Lehre Jesu erwiesen hat. Dazu kommt im dritten Teil eine skizzenhafte Charakteristik der einzelnen Evangelisten.

IV. Folgerungen für Methode und Aufbau

Die folgende Darstellung setzt nicht bei der rekonstruierten Lehre Jesu ein, sondern da, wo uns die Motive der neutestamentlichen Theologie zuerst greifbar werden: beim Kerygma der frühen Gemeinde. Dann ist zu zeigen, wie in diesem Rahmen der Überlieferungsstoff von Jesus aufgearbeitet wird — zunächst auf der vorliterarischen Stufe der synoptischen Tradition, später auf der literarischen Stufe der Evangelisten. Dadurch, daß die Darstellung vom Kerygma ausgeht, gewinnt sie einen einheitlichen Gesichtspunkt für die beiden Teile des Neuen Testaments, die Evangelien und die Briefe: Sie erweisen sich als zwei verschiedene Arten der theologischen Erarbeitung des Kerygmas.

Setzen wir beim Kerygma ein, so ist die Alternative überwunden, ob die Einheit oder die Verschiedenheit innerhalb des Neuen Testaments zu betonen sei. Die geschichtliche Mannigfaltigkeit erscheint, und zugleich wird die Einheit sichtbar in dem Bezug der Theologie auf ihren Gegenstand, den im Kerygma bezeugten Herrn. So ergibt sich folgende Disposition:

Religionsgeschichtlicher Überblick
  I. Das Kerygma der Urgemeinde und der hellenistischen Gemeinde
 II. Die Interpretation der Lehre Jesu durch den Bericht über sein Auftreten und Lehren: die Theologie der synoptischen Tradition
III. Die begriffliche Ausarbeitung des Kerygmas: Paulus
IV. Die Entwicklung nach Paulus
 V. Die begriffliche Ausarbeitung der Überlieferung von Jesus: Johannes

§ 2 DIE UMWELT: DER HELLENISMUS

H. Preisker, Neutestamentliche Zeitgeschichte, 1937 — B. Reicke, Neutestamentliche Zeitgeschichte, 1965 — J. Leipoldt - W. Grundmann, Umwelt des Urchristentums I: Darstellung des neutestamentlichen Zeitalters, 1965; III: Bilder zum neutestamentlichen Zeitalter, 1966 — RGG³ III 209 ff. s. v. Hellenismus (Lit.) — P. Wendland, Die hellenistisch-römische Kultur, HNT I/2, 1907 — F. Cumont, Die orientalischen Religionen im römischen Heidentum, 1910 — H. Gressmann, Die orientalischen Religionen im hellenistisch-römischen Zeitalter, 1930 — G. Kittel, Die Religionsgeschichte und das Urchristentum, 1931 — R. Bultmann, Das Urchristentum im Rahmen der antiken Religionen, Kap. IV: Der Hellenismus, 1949, 149 ff. — W. W. Tarn, Hellenistic Civilisation, ³1952 — K. Prümm, Religionsgeschichtliches Handbuch für den Raum der altchristlichen Umwelt, 1954 — M. P. Nilsson, Geschichte der griechischen Religion II: Die hellenistische und römische Zeit, HAW V/2, ²1961 — Zur Gnosis: RGG³ II 1648 ff. s. v. Gnosis (Lit.) — W. Bousset, Hauptprobleme der Gnosis, FRLANT 10, 1907 — H. Jonas, Gnosis und spätantiker Geist I, FRLANT NF 33, ³1964 mit ErgH 1964; II/1, FRLANT NF 45, ²1966 — Ders., The Gnostic Religion, ²1963

Als Hellenismus bezeichnet man die Epoche der griechischen Weltkultur seit Alexander dem Großen. Das Verhältnis des klassischen Griechentums zur Welt war zunächst bestimmt durch die Polis und ihr Gesetz. Religion war Stadtkult, Erweis des den Göttern der Stadt geschuldeten Respekts. Der Hellenismus bringt die Umwandlung des Stadtstaates in den Flächenstaat, die Ausweitung der Stadtkultur zur Weltkultur. Das Individuum ist nicht mehr unmittelbar, als freier Bürger, am Staat beteiligt. Dadurch wird der Ausbau der privaten Sphäre ermöglicht. Die Philosophie wendet sich den Fragen der persönlichen Lebensgestaltung zu. Der Horizont ist jetzt der Kosmos und sein Gesetz. Die alte Religion lebt zwar weiter, aber für die Gebildeten ist sie weithin durch die philosophische Aufklärung ersetzt. Doch erreicht diese nur kleine Kreise. In die Lücke zwischen Volksreligion, die nicht die Probleme des Einzelnen löst, und Philosophie strömen neue Religionen aus dem Orient ein. Ursprünglich sind auch sie Volksreligionen. Aber sie verwandeln sich in Kulte, die auf den Einzelnen bezogen sind. Er erlangt durch die Teilnahme an ihren Weihen Anteil am Heil. Wie in der Philosophie herrscht eine monotheistische Tendenz. Götter werden miteinander identifiziert: der Baal von Doliche mit Zeus; Isis mit Istar und mit Aphrodite. Die vielen Götter gelten als Erscheinungen des einen, höchsten Gottes unter vielen Namen. Der Charakter dieser Erscheinungen ist nicht mehr griechisch. Die neuen Götter treten als »Herren« auf; ihre Verehrer sind »Knechte«.

Beispiele: *Die syrischen Gestirngötter.* Die Gestirne beherrschen das Schicksal. Der Kult bewirkt den Aufstieg der Seele in die obere Lichtwelt. Die Welt ist nicht mehr der harmonische Kosmos. Sie ist in zwei Sphären gespalten. Das Weltgesetz erforscht man nicht mehr durch philosophisches Denken und Naturwissenschaft, sondern durch die Deutung der Gestirnbahnen. Freiheit wird nicht mehr durch Erkenntnis gewonnen, sondern durch Erlösung und Aufstieg.

Einen zweiten Typ bilden *die sterbenden und wieder auflebenden Götter.* Ursprünglich stellen sie den Kreislauf in der Natur dar. Sie werden jetzt zu »Rettergöttern«: »Getrost, ihr Mysten, da der Gott gerettet ward, so wächst auch für uns Rettung aus dem Leiden« (Firm. Mat., De err. profan. relig. XXII 1).

Es entsteht eine neue Form *religiöser Gemeinschaft.* Der Kult wird jetzt nicht mehr vom Volk getragen, sondern von einer frei zusammenkommenden Gemeinde (etwa der Isis in Korinth, Rom usw.), in der die völkischen und sozialen Unterschiede aufgehoben sind (vgl. Gal. 3, 26 ff.).

Eine weitere religiöse Größe ist der hellenistische *Herrscherkult*[1]. Der König ist »Retter«. Sein Regierungsantritt ist Anbruch der Heilszeit[2].

Die üppigste Wucherung des Synkretismus und zugleich ein eigenständiges Phänomen ist die *Gnosis.* Sie ist bereits eine vorchristliche Erscheinung[3]. Die Gnosis bildet ein ungeheuerliches mixtum compositum aus iranischen, babylonischen, ägyptischen Ideen. Sie sind bereits unter dem Einfluß des Synkretismus mit griechischen Elementen durchsetzt. Dennoch ist daraus ein Gebilde eigener Art entstanden, ein umfassender Entwurf eines Seinsverständnisses (*H. Jonas*).

Die Gnosis will in die Tiefen der Welt und des Seins eindringen — aber nicht mehr durch Forschen, sondern auf Grund übernatürlicher Verwandlung. Das Ziel ist die Vergottung (C H I 26). Die Gnosis nimmt die Ideen des hellenistischen Dualismus auf und

---

[1] L. Cerfaux et J. Tondrian, Le culte des souverains, 1957.
[2] Vergil 4. Ekloge; Inschrift von Priene (Text bei Preisker, a. a. O. 301; vgl. Nilsson, a. a. O. 370 f.).
[3] E. Haenchen, Gab es eine vorchristliche Gnosis?, ZThK 49, 1952, 316—349; A. Adam, Die Psalmen des Thomas und das Perlenlied als Zeugnisse vorchristlicher Gnosis, BZNW 24, 1959; C. Colpe u. E. Haenchen, RGG³ II 1648 ff.

überbietet sie: Diese Welt ist nicht nur der finstere Ort, aus dem man sich ins Licht sehnt; sie ist aktive teuflische Macht. Die Seele ist in den Kosmos gesperrt und irrt in ihm, ohne ausbrechen zu können. Für den Griechen stellen die Gestirnbahnen die harmonische Gesetzmäßigkeit der Welt dar. Für die Gnosis sind die Gestirne die teuflischen Wächter, die das Selbst, das zum Licht aufsteigen will, in den Kosmos, in die Fremde zurückschrecken. Der vorgnositische Dualismus sah den Menschen dichotomisch, aus Leib und Seele bestehend, und die Seele in den Leib gebannt. Die Gnosis geht einen Schritt weiter: Auch die Seele ist noch kosmische Größe. Das wahre Ich, das aus dem Jenseits stammt, muß aus Leib *und* Seele befreit werden. Was aber ist dieses Ich jenseits von Leib und Seele? Es kann nicht mehr anschaulich gemacht werden, sondern ist nur noch vom Gnostiker in spiritueller Erleuchtung zu erfahren. Beim inneren Aufstieg erfährt er den Lichtfunken in sich, der Bestandteil des göttlichen Urlichtes ist. Das jenseitige Licht schickt in diese finstere Welt den Gesandten, der die zerstreuten Lichtteile zusammenruft, in sich sammelt und wieder in die Lichtheimat zurückführt. Der Vorgang der Erlösung wird in kosmologischen Mythen anschaulich gemacht. Im Mythos von Fall und Vergessenheit, Sendung und Ruf des Gesandten, Erweckung und Erleuchtung widerfährt das Heil. Das gnostische Heilsverständnis ist zusammengefaßt in einem Text der Valentinaner: Die Gnosis bezieht sich darauf,

τίνες ἦμεν, τί γεγόναμεν·	wer wir waren, was wir geworden sind;
ποῦ ἦμεν, ποῦ ἐνεβλήθημεν·	wo wir waren, wohin wir geworfen wurden;
ποῦ σπεύδομεν, πόθεν λυτρούμεθα·	wohin wir eilen, woraus wir erlöst werden;
τί γέννησις, τί ἀναγέννησις.[4]	was Geburt ist, was Wiedergeburt.

---

[4] Der Text ist zitiert bei Clem Alex, Exc ex Theod 78, 2. Zur Auslegung s. H. Jonas, a. a. O. I 206; vgl. 108. 261.

§ 3 DIE UMWELT: DAS JUDENTUM

E. Schürer, Geschichte des jüdischen Volkes im Zeitalter Jesu Christi I—III, 1901 ff. — W. Bousset - H. Gressmann, Die Religion des Judentums im späthellenistischen Zeitalter, ³1926 — P. Volz, Die Eschatologie der jüdischen Gemeinde im nt. Zeitalter, ²1934 — G. F. Moore, Judaism in the First Centuries of the Christian Era I—III, ⁷1954 — K. Schubert, Die Religion des nachbiblischen Judentums, 1955 — H. Braun, Qumran und das NT, 2 Bde, 1966
Quellen: a) LXX. b) Die Apokryphen u. Pseudepigraphen des AT, übers. u. hg. v. E. Kautzsch, 1900. c) Das rabbinische Schrifttum: Eine »Einleitung in Talmud u. Midrasch«, ⁵1921, bietet H. L. Strack. Die Mischna, Text u. Übers. hg. v. G. Beer u. O. Holtzmann usw., 1912 ff. Der Babylonische Talmud, hg. v. L. Goldschmidt, Text, 1933—1935; Übers., 1929—1936; eine Auswahl bei R. Mayer, Goldmann-Taschenbuch 1330—32, 1963. P. Billerbeck, Kommentar zum NT aus Talmud u. Midrasch, 1922 ff. d) Die Texte aus Qumran, hebr. u. dt. hg. v. E. Lohse, 1964

Das Judentum bildet nicht nur die Umwelt Jesu und der Urgemeinde, sondern auch ihre Religion. Daher haben wir es in diesem Paragraphen bereits mit Material der neutestamentlichen Theologie zu tun.
Das damalige Judentum ist freilich keine einheitliche Größe. Dazu wurde es erst nach dem jüdischen Krieg (70 n. Chr.) gemacht. Aus dem Neuen Testament sind die Gruppen der Pharisäer und Sadduzäer bekannt. Die Texte von Qumran geben Einblick in eine Sondergruppe mit rigoroser Gesetzesbeobachtung, mit synkretistischem Einschlag im Weltbild. Wir haben weitere Nachrichten von Taufgruppen im Jordantal. Wir kennen die Samaritaner mit ihrem eigenen Heiligtum auf dem Garizim, dazu die orientalische und hellenistische Diaspora, die z. T. in den Strudel des Synkretismus hineingezogen ist. Abgesehen von dieser Randerscheinung sind allen Gruppen der Monotheismus und das Gesetz gemeinsam. Die Bindung an den Tempel in Jerusalem ist die Regel; eine Ausnahme bilden die Samaritaner und die Qumran-Leute. Die Autorität des einen Gottes stellt sich im Gehorsam gegen das Gesetz dar und in der Regulierung des Lebens und des Kultes. Dadurch ist eigene religiöse Produktivität für das Judentum sehr eingeschränkt: Das Gesetz liegt fest. Aber es ist noch möglich, Gebete und Lieder zu dichten. Raum für freie Ausgestaltung bietet ferner das Zukunftsbild der Apokalyptik.

I. Der Gottesgedanke

Das Judentum reflektiert nicht erkenntnistheoretisch über Gott und den Weltzusammenhang. Es kennt keinen Naturbegriff — außer, wo es ihn von den Griechen übernimmt (Philo). Die Welt ist Gottes Schöpfung; aber diese Wahrheit wird nicht theoretisch erforscht, sondern ist Glaubenseinsicht, die zu Gehorsam und Lobpreis führt. Das gilt selbst da noch, wo Zweifel am Weltgefüge aufbrechen (4. Esra). Der Verfasser dieser Apokalypse versteht die Welt nicht mehr. Aber wenn er nach den Welträtseln fragt, so fragt er Gott.

Die Faktoren des Gottesgedankens sind: Schöpfung gleich Lenkung der Welt, Erwählung Israels, Gesetzgebung. Israel hat Gottes Lenkung (Führung, Strafe, Wiederannahme) in seiner Geschichte erfahren und kann daraus die Folgerungen für die Gegenwart ziehen. Gott ist nicht namenlos, und er ist nicht unsichtbar; aber es widerspricht seiner Majestät, gesehen zu werden. Man bemerkt die Tendenz, in zunehmendem Maße die Transzendenz Gottes zu steigern. Sein Name, ursprünglich seine Offenbarung, die Möglichkeit, ihn anzurufen, wird nun selber so heilig, daß man das Aussprechen des Gottesnamens meidet.

Im Zwischenraum zwischen Gott und der Welt siedeln sich *Mittelgrößen* an, die die Verbindung aufrechterhalten:

a) Hypostasen: seine »Weisheit«, »Wohnung« usw. Das bedeutet sachlich: Die Offenbarung wird Mittelgröße zwischen Gott und Mensch.

b) Die Engel; sie werden hierarchisch gegliedert.

c) Auf der Gegenseite: der Satan mit seinem Heer.

Einflüsse der orientalischen Dämonologie sind erkennbar. Das gilt besonders von Qumran mit seiner Lehre von den beiden Geistern. Der persische Einfluß ist deutlich. Zum Vergleich einige Züge der persischen Religion: zwei Bereiche, die miteinander im Kampfe liegen; Verbindung von Kosmologie und Ethik; Entscheidungsdualismus: Der Mensch ist in den Kampf gestellt und muß sich aktiv entscheiden. In diesem Kampf ist er bestimmt von den beiden Geistern. Zum Dualismus gehört die eschatologische Orientierung. Der Blick richtet sich über diese Welt hinaus auf den Ausgang des weltweiten Ringens, das Gottesreich. Vor dem Reich aber kommt das Gericht. Die persische Religion kennt ein doppeltes Gericht, ein individuelles sofort nach dem Tode und ein allgemeines beim

Weltende, bei der allgemeinen Auferstehung der Toten. Diese Doppelheit ist in die jüdische und christliche Eschatologie eingegangen. Die Vorstellung vom individuellen Gericht bedeutet, daß der Einzelne das ganze Gewicht der Verantwortung trägt. Er wird nicht selig als Angehöriger eines Volkes oder einer Kirche, sondern ausschließlich durch seine Taten. Der Gedanke des allgemeinen Gerichtes aber stellt fest, daß der endgültige Sieg dem Guten zufällt. Dadurch wird die Gewißheit des Heils verbürgt.

Die Anschauung, daß der Mensch nur nach seinen Werken gerichtet wird, ist konsequent durchgeführt. Für Gnade ist kein Raum. Der Richter ist an sein eigenes Gesetz gebunden.

Der Parsismus macht den Gedanken, daß Seligkeit durch Leistung und durch (als Leistung verstandene) Entscheidung erworben wird, zum radikal ausgeprägten System.

Er kennt nur absolute Gegensätze: Gut oder Böse. Es gibt keine Abstufungen, auch keine psychologischen: Der Mensch steht ganz auf der einen oder der anderen Seite.

II. Elemente des Weltbildes

Das Neue Testament entfaltet keine Kosmologie als eigenen Lehrinhalt. Es gibt kein besonderes, »christliches« Weltbild. Bezeichnend ist gerade, daß ein Weltbild einfach von der Umwelt übernommen wird: das jüdische oder das hellenistische. Im Urchristentum bemüht man sich nicht um Einheitlichkeit der kosmologischen Anschauungen. Man hat selbstverständlich eine gewisse Vorstellung vom Weltgebäude. Aber man lehrt sie nicht im Bekenntnis. Nicht über das Weltbild streiten Christen und Juden, sondern darüber, ob Jesus der Messias ist.

1. Die Welt

Das Alte Testament hat keinen dem griechischen Kosmos entsprechenden Begriff. Das Ganze der Welt heißt »*Himmel und Erde*«; beide sind Gottes Schöpfung (Gen 1, 1). Gott herrscht über beide (Mt 6, 10; 11, 25; Apg 17, 24). Himmel und Erde sind als Schöpfung vergänglich, und sie werden vergehen (Mk 13, 31; Mt 5, 18; 2 Petr 3, 7), während Jesu Worte bleiben werden. Man hofft auf einen neuen Himmel und eine neue Erde (Apk 21, 1; 2 Petr 3, 13). Der ursprüngliche, alttestamentliche Schöpfungsglaube ist im Juden- und Christentum ins Eschatologische abgewandelt worden[1]. Neben der Vorstellung von dem Vergehen dieser Welt und der Neuschöpfung einer anderen steht die Anschauung von der Verwandlung dieser Welt. Der Unterschied ist nicht allzu bedeutsam. Denn auch bei der zweiten Vorstellung erwartet man nicht, daß von der jetzigen Welt doch noch etwas übrig bleibt, sondern daß die kommende Heilswelt völlig anders, »neu« sein wird.

Außer Himmel und Erde ist als dritter Bestandteil der Welt das *Meer* zu nennen (ψ 145, 6 = Apg 2, 24; Apg 14, 15; Apk 14, 7; vgl. Ex 20, 11). Eine gewisse Bedeutung bekommt das Meer in der apokalyptischen Spekulation. Dort repräsentiert es das mythische Chaos. Darum kann es in der neuen Schöpfung kein Meer mehr geben (Apk 21, 1).

Himmel und Erde können auf ihre Zusammengehörigkeit hin betrachtet werden, etwa als Gottes Herrschaftsraum, im Christentum als Christi Herrschaftsraum: »Mir ist gegeben alle Gewalt im Himmel und auf Erden« (Mt 28, 18). Aber neben dem Aspekt des Himmels als eines Bestandteils des Weltganzen findet sich noch ein anderer: Der Himmel ist *Sitz Gottes* und als solcher natürlich unvergänglich. Beide Aspekte können harmlos nebeneinander stehen. Auch als Gottes Sitz ist der Himmel räumlich vorgestellt: Gott thront in der Höhe. Der Himmel ist sein Thron und die Erde sein Fußschemel (Jes 66, 1 = Apg 7, 49). Gott heißt ὁ ἐν τοῖς οὐρανοῖς. »Himmel« wird im Judentum zur Umschreibung des Gottesnamens (Bill. I 862 ff.). Vom Himmel her erfolgen die göttlichen Kundgebungen, z. B. bei der Taufe und Verklärung Jesu.

Zum Gott des Himmels gehört das Heer, das seinen Thron umgibt, die *Engel* (Mk 12, 25; 13, 32; Mt 18, 10; Gal 1, 8 usw.). Auf der anderen Seite kann der Himmel — als Bestandteil der Welt — auch Raum der bösen Mächte sein (1 Kor 8, 5; vgl. Eph 2, 2).

Der Himmel als Ort Gottes ist zugleich der Ort des *Paradieses* und der Seligkeit der Frommen. Dort ist unsere Hoffnung aufbewahrt (Kol 1, 5; vgl. 1 Petr 1, 4; Phil 3, 20)[2]. Man weiß noch Genaueres, z. B. daß das Paradies im dritten Himmel liegt (2 Kor 12, 2—4; sl Hen 8). Im Sprachgebrauch von »Himmel« finden sich Singular und Plural nebeneinander. Beim letzteren sind zwei

---

[1] G. Lindeskog, Studien zum nt. Schöpfungsgedanken, 1952, 46 ff. Ein Vorbild bietet Jes 65, 17 und 66, 22; solche Ansätze werden in der Apokalyptik entfaltet.

[2] J. Jeremias, παράδεισος, ThW V 763—771.

Gruppen von Stellen zu unterscheiden: οὐρανοί kann einfach Nachklang des semitischen שָׁמַיִם bzw. שְׁמַיָּא sein; dann darf man mit dem Singular übersetzen. Es kann aber auch die Vorstellung von einer Mehrzahl von Himmeln vorliegen (drei: 2 Kor 12, 2).

Eine ganz andere Begrifflichkeit und dementsprechend ein anderes Weltbild finden sich im Epheserbrief. Die Erde ist der unterste Teil des Kosmos. Von ihr aus erstrecken sich die ἐπουράνια nach oben bis hinauf zum höchsten Punkt, dem Gottesthron. In der untersten Schicht der ἐπουράνια, dem Luftraum, hat der Satan mit seinen Trabanten seinen Sitz. Nach dem Epheserbrief liegt also die Hölle in der Höhe.

2. Der Himmel und das christologische Heilsgeschehen

Wir können *zwei christologische Grundschemata* unterscheiden. Eines ist von apokalyptischen Vorstellungen her entworfen: Auferstehung bzw. Erhöhung — Parusie Christi; das andere von mythisch-kosmologischen aus: Abfahrt — Auffahrt des Offenbarers.

Vgl. zum zweiten Schema 1 Kor 2, 6 ff.; Eph 4, 9 f.; Himmel und Erde bilden den Bereich, in dem sich das Heilsgeschehen abspielt; die Erlösung ist Aufstieg. Für eine künftige Parusie ist in diesem Weltbild an sich kein Platz, sondern nur für ein Durchschreiten der Sphären durch Christus (vgl. Hebr 4, 14; 7, 26; 9, 24). Hier tritt also neben den apokalyptischen Zeitaspekt des Parusie-Schemas der Raumaspekt. Dort ist das Reich Gottes künftig, hier zeitlos-jenseitig.

Außer Himmel — Erde (— Meer) kennt das jüdische Weltbild noch die *Unterwelt* (Apk 5, 3). Auch dort hausen Mächte (Phil 2, 10). Dabei sind zwei ursprünglich verschiedene Vorstellungen miteinander verschmolzen worden, die vom Hades und die von der Hölle (*Volz* 327 ff.). Der Hades (die שְׁאוֹל) ist zunächst einfach die Totenwelt in der Tiefe. Daneben gibt es die γέεννα, den Strafort. Im Neuen Testament wird nicht ausdrücklich gesagt, wo er sich befindet. Aber es ist deutlich, daß er unten gedacht ist.

Vgl. Mt 11, 23: Man fährt hinunter. Gelegentlich klingt in der Ausdrucksweise noch ein anderes Bild nach: Der Strafort ist die äußerste Finsternis am Rande der Welt. Im jüdischen Schrifttum findet sich daneben noch die Vorstellung von der Hölle als einem Ort in der oberen Welt, dem Paradies gegenüber (sl Hen 10; vgl. Bill. IV 1084).

Im Hades herrscht nach der ursprünglichen Vorstellung Finsternis, in der Hölle verzehrende Feuerglut. Aber beides wird nicht mehr genau unterschieden, so daß auch die Hölle als heiß und kalt und zugleich als finster vorgestellt wird: Feuer neben Zähneklappern. Sie ist der Sitz des Tieres (Apk 11, 7; 17, 8), das Verließ für den

Teufel (Apk 20, 2). Alle Räume des Weltgebäudes sind von Wesen bevölkert. Es gibt himmlische und höllische und solche, die gewissermaßen neutral sind bzw. eine doppelte Möglichkeit vor sich haben:

3. Die Engel

Im Alten Testament finden wir den מַלְאַךְ יְהוָה (Bote Gottes). Wo das Neue Testament den ἄγγελος κυρίου nennt (Apostelgeschichte, Vorgeschichte des Lukas, Matthäus), da handelt es sich nicht um jene Gestalt des Alten Testaments, sondern um ein kreatürliches Lebewesen. Das Alte Testament kennt weitere himmlische Gestalten: Cherubim, Seraphim, ein ganzes »Heer«. Aber von daher erklärt sich noch nicht die überragende Rolle der Engel in der spätjüdischen Weltanschauung. Offenbar hat auf das Judentum außer dem Alten Testament der persische Dämonenglaube eingewirkt. Wichtiger als die Bestimmung der geschichtlichen Herkunft dieser Spekulation ist die Einsicht in ihre Funktion in der Weltanschauung. Die Engel heißen »die Heiligen« (Dan 4, 14; Mk 8, 38). Ihre primäre Aufgabe ist es, vor Gott zu stehen und seinen Hofstaat zu bilden.

Das Judentum kennt eine ganze Engel-Hierarchie. Am bekanntesten sind die Erzengel. Vergleicht man das Neue Testament mit dem jüdischen Weltbild, so stellt man eine erstaunliche Zurückhaltung in der Angelologie fest. An Engelhierarchien und Gruppenbildungen ist das Neue Testament desinteressiert. Nur vereinzelt tauchen Engelnamen auf (Gabriel: Lk 1, 19.26; vgl. Dan 8, 16; Michael: Jud 9; Apk 12, 7; vgl. Dan 10, 13. 21; 12, 1). Michael ist der himmlische Wesir. In der Kriegsrolle von Qumran scheint er identisch mit dem Lichtfürsten zu sein (1 QM 9, 15 f.; 17, 6 f.). Im Neuen Testament spielen die Engel nur am Rande mit: Sie sind Boten (Weihnachtsgeschichte, Apostelgeschichte). Sie geleiten die verstorbenen Frommen (Lk 16, 22). Man kennt die Gestalt des persönlichen Schutzengels (Mt 18, 10; vgl. Tob 5, 6. 22). Am stärksten ist die Rolle der Engel natürlich in der Johannesoffenbarung ausgeprägt. Eine Sondervorstellung ist die, daß sie den Menschen das Gesetz übermittelt haben (Apg 7, 53; Gal 3, 19; Hebr 2, 2).

Weitere Namen von »Mächten« sind: ἀρχαί Röm 8, 38 (vgl. ἄρχοντες τοῦ αἰῶνος τούτου 1 Kor 2, 8) zusammen mit δυνάμεις; ἐξουσίαι Eph, Kol; πνεύματα Hebr 1, 7. 14, Apk.

Wichtiger als die Vorstellung von diesen Mächten ist die Einstellung zu ihnen. Die Engel sind Christus untergeordnet (Mt 4, 11; 13, 41). Sie werden ihn bei der Parusie begleiten[3]. Die feindlichen

---

[3] Eine Ausnahme bildet die lukanische Engellehre: Hier unterstehen die Engel direkt Gott, nicht Christus.

Mächte sind für den Glauben bereits vernichtet (1 Kor 2, 6). Entsprechendes gilt vom *Satan*.

Er heißt διάβολος, Belial oder Beliar, Bee(l)zebub. Er ist ἄρχων τῶν δαιμονίων Mk 3, 22; ἄρχων τοῦ κόσμου τούτου Joh 12, 31; θεὸς τοῦ αἰῶνος τούτου 2 Kor 4, 4. Er haust in der Tiefe oder in der Luft (Eph 2, 2). Auch er hat seine Engel (Mt 25, 41; 2 Kor 12, 7; Apk 12, 7. 9). Am Rande erscheint der Mythos vom Engelsturz (Jud 6; 2 Petr 2, 4). Im Alten Testament begegnet die Gestalt des Satans selten. Er ist dort nicht der Böse, sondern der himmlische Staatsanwalt. Seine Rolle als Fürst der Bosheit wurde im Judentum ausgebildet, aber seine Gestalt ist dem jüdischen Monotheismus eingeordnet. Der Satan ist nicht gegen Gott. Am Ende wird er gestürzt (Apk 20, 7—10).

Im Neuen Testament ist der Teufel der Versucher (Versuchungsgeschichte; 1 Thess 3, 5) und der Verführer (Apg 5, 3). Er sucht die Mission zu hindern (1 Thess 2, 18) und löst Verfolgung aus (1 Petr 5, 8 f.). Er hat die Gewalt des Todes (Hebr 2, 14); er kann Weltreiche vergeben (Lk 4, 6) und sich in einen Engel des Lichtes verwandeln (2 Kor 11, 14).

Es geht nicht an, aus diesen Andeutungen eine „neutestamentliche Lehre über den Satan" zu rekonstruieren. Sie sind Restbestände. Beispiel: Der Teufel agiert in der Passion; aber das bleibt ohne jede Bedeutung für das theologische Verständnis. In der Darstellung von Gottes Walten wird er nicht berücksichtigt. Er kommt nicht im Glaubensbekenntnis vor. Paulus entfaltet die Stellung des Menschen vor Gott, das Wesen von Sünde, Gericht und Heil ohne Benutzung der Vorstellung vom Satan (Röm 5; vgl. dagegen die Darstellung der Sap Sal). Der Satan ist im Neuen Testament nicht ein Wesen, mit dem man z. B. die Sünde oder den Tod erklären kann. Er ist der Böse, vor dem man sich hüten muß und der durch das Bekenntnis vertrieben wird.

4. Der zeitliche Aspekt der Welt

Es ist bezeichnend, daß ursprüngliche Raumbegriffe in Zeitbegriffe übergehen. Die wichtigsten:

κόσμος: Die Bedeutung überschneidet sich mit αἰών. Der Kosmos ist Schöpfung und daher begrenzt: Er ist »diese« Welt. Vergleicht man mit Judentum und Gnosis, so bemerkt man die äußerste Reduzierung der kosmologischen Spekulation im Neuen Testament: Kosmos bezeichnet vor allem die Menschenwelt. Es findet sich keine Schilderung des Chaos, keine der apokalyptischen Astronomie und Astrologie. Wo christliche Sondergruppen den Kosmos religiös verehren, indem sie seine »Elemente« zum Gegenstand des Gottesdienstes machen, da wird scharf abgewehrt: Gal 4, 3; Kol 2, 8. 20.

αἰών: Dieses Wort ist Äquivalent zum hebräischen עולם »lange Zeit«, »Ewigkeit«. Das Wort bezeichnet einerseits die Ewigkeit

Gottes: εἰς τοὺς αἰῶνας (Doxologien); βασιλεὺς τῶν αἰώνων (1 Tim 1, 17); andererseits die Weltzeit, die durch die Schöpfung und das Weltende begrenzt ist. Man blickt voraus auf die συντέλεια τοῦ αἰῶνος (Mt 13, 39 f.).

5. Das Verhältnis von Zeit und Ewigkeit

Im Alten Testament wird die Ewigkeit zunächst als unbegrenzte Zeit vorgestellt. Gott ist immer gewesen und wird immer sein (Ps 90, 2). Hierauf stützt sich die Theorie, diese Vorstellung von der Ewigkeit als unendlich verlängerter Zeit gehöre konstitutiv zum biblischen Offenbarungsverständnis. Aber es ist festzustellen, daß es im Neuen Testament durchaus auch zeitlose Welt- und Ewigkeitsvorstellung gibt (Johannes; Epheser). Vor allem ist zu fragen, ob diese Vorstellung als solche konstitutiv ist. Ist die neutestamentliche Eschatologie angemessen beschrieben, wenn man sagt, das Neue Testament stelle sich das Jenseits als zeitlich erstreckt vor? Oder ist diese Vorstellung einfach damit gegeben, daß man sich die jenseitige Welt in einem Bild zur Anschauung bringt, das aber nun gerade auf seinen Sinn hin zu befragen ist? Fragt man so, dann erkennt man schnell, daß die Zeit nur die formale Bedingung des Vorstellens ist, nicht aber die Sinngebung (vgl. *H. Sasse*, ThW I 205). Es macht nicht das Wesen der Ewigkeit aus, daß sie sich zeitlich erstreckt, sondern daß Tod und Sünde nicht mehr sind. Sogar die Bilder sind auf Zeitlosigkeit angelegt: ewiger Gottesdienst, ewiges Festmahl. Die Intention der Aussage ist nicht auf Kontinuität zwischen Diesseits und Jenseits gerichtet, sondern auf den unendlichen Unterschied: Es wird »dort« ganz anders sein als hier; eine neue Welt kommt, und sie wird wunderbarer Art sein. Das ist der Sinn des apokalyptischen Schemas von den *»zwei Äonen«*, »diesem« und dem »kommenden«, הָעוֹלָם הַזֶּה und הָעוֹלָם הַבָּא. Dieses Zwei-Äonen-Schema ist im Neuen Testament vorausgesetzt; aber es wird nicht ausgebaut. Das Schema spielt keine Rolle in der Eschatologie Jesu. Bei Paulus ist es nur angedeutet. Er gebraucht nie den Ausdruck »der kommende Äon« (erst Eph 1, 21). Daß nicht die Zeitvorstellung das Konstitutivum der eschatologischen Hoffnung ist, gilt schon für die jüdische Apokalyptik:

»Wenn aber enden wird alle Kreatur, ... alsdann werden die Zeiten vernichtet werden, und Jahre werden fortan nicht sein und Monate und Tage und Stunden werden fortan nicht gezählt werden, sondern es beginnt der Eine Äon. Und alle Gerechten ... werden zusammen versammelt werden im Äon der Gerechten und sie werden ewig sein; und fortan wird unter ihnen nicht sein Arbeit noch Schmerz noch Leid noch Harren noch Not noch Gewalttat noch Nacht noch Finsternis, sondern ein großes beständiges Licht wird ihnen sein ...« (sl Hen 65; vgl. den Ausblick auf die »Ruhe« Hebr 4, 9).

III. Der Mensch und das Heil

Gott ist der Schöpfer, der die *Welt* gut geschaffen hat. Aber ist sie wirklich gut? Daß sie gut sei, ist für das Judentum Glaubensaussage, wahr im Blick auf Gott, nicht auf die empirische Wirklichkeit. Die Welt befindet sich nicht einfach in Übereinstimmung mit ihrem Wesen als Schöpfung, das sie durch die Sünde zerstört. Sie muß daher in den richtigen Zustand zurückgebracht werden. Die Harmonie zwischen Gott und Welt ist keine selbstverständliche Gegebenheit, sondern sie erfordert einen neuen Schöpfungsakt in der Zukunft.

Diese Einsicht, daß das Heil in der Zukunft liegt, kann in bezug auf die *Welt* festgestellt werden; dann wird ein Bild der neuen Welt entworfen. Oder der *Einzelne* ist im Blick; dann treten die Faktoren des Existierens in den Vordergrund: Gesetz und Sünde; die Notwendigkeit, sich um Gerechtigkeit zu bemühen; das künftige Gericht. Zur Kosmologie tritt die Anthropologie.

Vom *Menschen* gilt dasselbe wie von der Welt: Er ist Geschöpf, also von Gott gut erschaffen. An ihm ist kein an sich böser Bestandteil. Das Judentum kennt keine dualistische Verwerfung des Körpers und der Materie, überhaupt keinen Dualismus von Leib und Seele.

נֶפֶשׁ bedeutet nicht Seele als unsterblichen Bestandteil des Menschen, sondern die Kraft des natürlichen Lebens.

Der Mensch kann als ganzer verloren gehen oder als ganzer sein Heil gewinnen. Will er das, so muß er sich mühen. Der Weg zum Heil ist die Erfüllung des Gesetzes. Gott hat gelehrt, was zu tun ist, und fordert unbedingten Gehorsam. Der Mensch hat nicht zu fragen, warum dies und das befohlen ist, sondern das Gebotene auszuführen. Daher wird der Sinn des Gebotes nicht als Problem empfunden und auch nicht diskutiert. Eine Forderung ist z. B. nicht deshalb gültig, damit einem Menschen geholfen wird. Das mag der Fall sein. Aber vorgeordnet ist die formale Autorität.

Es gibt scheinbare Ausnahmen. Die bekannteste findet sich in der Überlieferung über Hillel: Die goldene Regel sei die Summe der ganzen Thora (Akiba: das Liebesgebot). Aber durch diese Erklärung wird die einzelne, kasuistische Vorschrift nicht kritisch begrenzt wie bei Jesus, sondern sogar noch gefestigt. Jochanan ben Zakkai: »Weder macht der Tote unrein, noch macht das Wasser rein. Aber der Heilige hat gesagt: Ein Gesetz habe ich festgesetzt, einen Entscheid getroffen. Du bist nicht befugt, meinen Entscheid zu übertreten, der geschrieben ist.«[4]

Da die Vorschrift formal gilt, also nicht an sich verständlich ist, muß man sie auslegen, um sie im einzelnen Falle richtig anwenden zu können. So gehört zum Gesetz sein Ausleger, der Schriftgelehrte. Die Auslegung zielt auf Ganzheit der Erfüllung durch umfassende Regulierung. Aber ist formale Erfüllung wirklich Gehorsam? Ist durch quantitatives Aufhäufen Erfüllung zu erreichen, durch umfassende Regulierung einzelner Fälle Ganzheit des Gehorsams? Kann das Gesetz überhaupt erfüllt werden? Und wenn nicht, was dann?

Natürlich ist der Fragenkreis in die historische Perspektive zu rücken.

Man kann nicht das dogmatische Urteil der Reformation über das Gesetz als Heilsweg in ein historisches Urteil über das Gesetzesverständnis der Juden umsetzen. Ebensowenig dürfen moderne Empfindungen leitend werden. Wenn man die talmudischen Debatten liest, hat man allerdings den Eindruck eines ungeheuerlichen Durcheinanders. Aber es gilt, diese aus der Perspektive des Judentums zu verstehen.

Dem Judentum ist das Gesetz nicht in erster Linie eine Summe von Vorschriften, sondern das Zeichen der Erwählung Israels, Satzung des Bundes, nicht Last, sondern Lust (Paulus: Phil 3, 4—6).

Es ist zu beachten, daß der Talmud nicht eine Anweisung für das tägliche Leben ist, sondern eine umfassende Sammlung von möglichen Fällen mit ausführlicher Diskussion. Er kann mit einem modernen Gesetzbuch samt Kommentar und Fachliteratur verglichen werden. Z. B. betrifft die ganze Gesetzgebung über den Tempelkult das tägliche Leben überhaupt nicht, zumal nach der Zerstörung des Tempels. Was an Regulierung des Lebens bleibt (die Gebote und Verbote, s. Bill. I 900 f.), ist weithin Sitte, die dem Juden von Kind an vertraut ist. In jeder einzelnen Regulierung wird der Sinn empfunden: Das Gesetz ist die Bedingung der Existenz Israels. Man kann es nur ganz haben oder gar nicht. Allerdings ist zu prüfen, ob diese Intention auch wirklich durchgehalten wird.

Die Frage ist: Kann durch gesetzliche Kasuistik überhaupt Gehorsam erreicht werden? Also nicht nur formale Erfüllung, sondern

---

[4] Die angeführten Stellen sind: Schab 31 a (vgl. Bill. I 460); SLev 19, 18 (vgl. Bill. I 357 f.); Pesikt 40 b (vgl. Bill. I 719).

die Übereinstimmung meines Willens mit dem Willen Gottes, die Überwindung des Widerspruchs gegen ihn, in dem ich mich befinde? Auf der Grundlage des Gesetzes wird das Verhältnis zu Gott, auch wenn man die Vorordnung des Bundes beachtet, notwendig ein rechtliches. Damit gilt auch die Grenze allen Rechtes: Was nicht verboten ist, das ist erlaubt. Das Gesetz läßt nämlich bestimmte Räume frei, in denen keine Regulierung vorgesehen ist. Hier kann sich der Mensch frei bewegen.

Es ist nicht entscheidend, ob der orthodoxe Jude diesen Spielraum wirklich ausnutzt. Entscheidend ist das Phänomen als solches, daß das Gesetz als Gesetz zu dieser Möglichkeit führt: Ich kann nicht nur fragen, was ich tun soll, sondern auch, was ich nicht zu tun brauche. Das Gesetz verleitet also zu einem gebrochenen Gehorsam. Ein Symptom dafür ist, daß man versucht, mit Schlichen das Gebot zu umgehen. Ein instruktives Beispiel bietet der Traktat Schabbat. Radikaler Gehorsam würde nach solchen Umwegen gar nicht fragen.

Es gilt weiter: Habe ich die Forderung absolviert, so bin ich frei, Überschüssiges zu tun; ich bin also zunächst mit Gott fertig. Das Gesetz eröffnet die Möglichkeit, Verdienste zu erwerben. Damit ist aber sein Sinn pervertiert. Denn es will den ganzen Menschen für Gott. Jetzt aber wird es zum Mittel des Menschen, durch Leistung vor Gott zu bestehen. Damit ist *Heilsgewißheit* unmöglich. Indiz dafür ist das jüdische *Sündenbewußtsein:* Man weiß, daß man die Forderung immer wieder nicht erfüllt und insgesamt ein Überschuß an Verfehlung bleibt. Ausnahmen (das Selbstbewußtsein von einzelnen Gerechten, vgl. Phil 3, 2 ff.) bestätigen die Regel. Aber auch das Sündenbewußtsein ist gebrochen, da man unter Sünde primär die einzelne Verfehlung versteht, die sich durch gute Werke kompensieren läßt. Allerdings kann das jüdische Bewußtsein an den Punkt geraten, wo man mit guten Werken nicht mehr auskommt. Was hilft dann? Objektiv der Kult, der sühnende Kraft hat. Freilich, Jerusalem ist weit, und der Kult bezieht sich in erster Linie nicht auf den Einzelnen, sondern auf das Volk. So bleibt als letzte Möglichkeit die demütige Ergebung, der Appell an Gottes Barmherzigkeit.

Man kann auch sagen: Gerechtigkeit. »Niemand ist der Weibgeborenen, der nicht gesündigt... Denn dadurch wird deine Gerechtigkeit und Güte, Herr, offenbar, daß du dich derer erbarmst, die keinen Schatz von guten Werken haben« (4 Esr 8, 35 f.). »Komme ich zu Fall durch die Sünde des Fleisches, so steht meine Rechtfertigung bei Gottes Gerechtigkeit in Ewigkeit« (1 QS XI 12).

Der *Gesetzes*gedanke führt konsequent auf den *Gerichts*gedanken. Das Gericht ist im Alten Testament ein geschichtliches Ereignis.

Im Judentum wird es zum transzendenten Akt, nach dem Tode des Einzelnen oder am Ende »dieser Welt«.

Die *jüdische Eschatologie* ist kein einheitliches System. Aber man kann einige Grundlinien herausheben. Einerseits wirkt die alttestamentliche, nationale Eschatologie nach. Hinzu kommt ein kosmologisches Zukunftsbild (»Apokalyptik«). Beide Typen finden sich nie rein; auch die kosmologische Hoffnung bleibt an das jüdische Volk gebunden.

Das wichtigste religionsgeschichtliche Problem ist die Frage nach der Herkunft der Apokalyptik. Bestimmend ist der persische Einfluß. Er wird durch die Qumrantexte bestätigt (s. u.). Charakteristisch ist a) die Verknüpfung von Weltuntergang und Auferstehung der Toten; b) das Nebeneinander von kosmologischem Akt der allgemeinen Totenauferstehung und individuellem Gericht unmittelbar nach dem Tode. Im ersten Fall hofft man auf den neuen Äon, im zweiten auf das Paradies. Aber beide Formen der Erwartung sind ineinander verschlungen, z. T. auch durch Ausgleichsversuche bewußt miteinander verknüpft: Man erwartet einen Zwischenzustand für den Einzelnen bis zum Anbruch des neuen Äons. Dieses Nebeneinander ist auch in die christliche Eschatologie eingegangen. Vgl. 1 Kor 15 (allgemeine Totenauferstehung) mit Lk 16, 19—31 (Erzählung vom armen Lazarus). Zum Teil wird nur die Auferstehung der Gerechten erwartet; die Sünder bleiben im Tode (Test Sim 6; Lev 18). Zum Teil erwartet man die Auferstehung aller mit Gerechtsprechung oder Verurteilung (4 Esr 7, 32 f.; äth Hen 51, 1 — 3).

Zur eschatologischen Erwartung gehört nicht notwendig die Gestalt eines Vollstreckers (also für die Gerechten: Retters). Eine solche Gestalt ist in beiden Typen, dem nationalen und dem apokalyptischen, nur verhältnismäßig selten belegt, der nationale Messias im Ps Sal 17, der apokalyptische im äth Hen und 4 Esr; vgl. Dan 7.

Der Sinn des eschatologischen Gemäldes ist das Bewußtsein, daß das Heil zwar noch aussteht, aber gewiß kommt und daß es Entscheidung, Gehorsam fordert. Wenn die neue Welt auch in bizarren Bildern ausgemalt wird, so ist doch nicht zu übersehen, was eigentlich gemeint ist: Die Heilswelt ist Wunder, Gegenstand der Hoffnung, deren Verwirklichung jede Vorstellung übersteigt, Heil schlechthin. Der Sinn der Eschatologie ist radikale Einstellung auf Gott. Aber dieser Sinn ist eben weithin verdeckt durch wuchernde Bilder. Sie sind wohl Entwürfe der Hoffnung, aber — aus Angst. Wo diese wirklich überstiegen ist, braucht man nicht mehr nach Himmel und Erde zu fragen. Aber gerade diese Frage ist Thema der Apokalyptik. Freilich muß man beachten, wann die Apokalyptik geschichtlich entstanden ist: in der Zeit der Verfolgung.

Daß der Zusammenhang von Gesetz und Eschatologie für die Gestaltung des Lebens und das Verständnis des Heilsweges konstitutiv ist, zeigt sich besonders deutlich in der »*Gemeinde des neuen Bundes*«. Die Weltanschauung dieser Gruppe ist synkretistisch (apokalyptisch, parsistisch) beeinflußt, ihre Praxis rigoristisch. Sie stellt sich dar als die Gruppe der Erwählten. Damit ist ein Urteil über das gesamte Israel gegeben: Nicht das empirische Israel ist das Gottesvolk, sondern diese Auswahl, die aus Israel weichen mußte. Damit ist jeder Einzelne in die Entscheidung gefordert: Der Eintritt in den Bund ist die Bedingung des Heils. Im Bund herrscht radikaler Gehorsam gegen das Gesetz. Man erfüllt es, indem man sich der Regel der Sekte unterwirft. Die Angehörigen der Sekte nennen sich, wie die Christen, »Heilige«, »Erwählte (Gottes)«.

Auch die christliche Urgemeinde weiß sich als eine eschatologische, von der Welt abgesonderte Gemeinschaft der Erwählten aus Israel. Aber ihre Organisation hat nicht als solche Heilsbedeutung: Die christliche Gemeinde besitzt keine Gemeindeordnung, deren Befolgung das Heil schafft. Als Beispiel kann die Gütergemeinschaft dienen. Wenn die Apostelgeschichte auch kein historisch zutreffendes, sondern ein ideales Bild entwirft, so ist immerhin festzustellen, daß es bei den Christen das Ideal der Gütergemeinschaft gibt. Sie ist verstanden als freie Liebesgemeinschaft. Jeder gibt das Seine, je nachdem es nötig ist. In der Sekte dagegen ist die Gütergemeinschaft Gesetz. Beim Eintritt liefert man seinen Besitz ab, da er sonst das Heil gefährdet. Das entspricht der Meinung Jesu und der Urkirche. Der Unterschied: In der Kirche ist jeder für sich verantwortlich, also frei. Die Sekte dagegen nimmt dem Einzelnen das Risiko ab. Sie erhält sein Vermögen, aber garantiert ihm dafür die materielle Sicherheit. Jesus dagegen fordert die Entscheidung mit dem vollen Risiko. Dort rettet die regulierte Befolgung des Gesetzes der Gruppe, hier das Annehmen des Reiches Gottes wie ein Kind. Es liegt hier und dort eine grundverschiedene Einstellung zur Welt vor. Diese drückt sich aus in der Weltanschauung.

Die Gemeinde von Qumran bildet die Gruppe der »Kinder des Lichts«. Sie haben sich gegenseitig zu lieben, aber die draußen, die Kinder der Finsternis, zu hassen. Es herrscht ein dualistischer Prädestinationsgedanke iranischer Herkunft: Die Entscheidung des Einzelnen ist vorbestimmt durch die beiden Geister der Wahrheit und der Lüge. Wohl wird der alttestamentliche Monotheismus festgehalten: Gott ist der Schöpfer der beiden Geister und ihr Herr. Aber tatsächlich ist das Sein in der Welt bestimmt durch die Bindung in den einen der beiden Bereiche.

Freilich sind die Gedanken nicht logisch konsequent durchgeführt. In der einen Schicht der Sektenregel gibt es nur das reine Entweder-Oder: Man bewegt sich im einen oder im anderen Raum. Lehre ist hier Aufklärung über das Sein und Aufforderung, es durchzuhalten. Daneben finden sich Aussagen, in denen der Dualismus psychologisch erweicht ist: Der Einzelne hat größeren oder kleineren Anteil am einen oder anderen Reich. Hier bedeutet Lehre ethische Unterweisung, Erziehung.

Texte:

1. 1 QS III 15 ff.:
»Vom Gott der Erkenntnis kommt alles Sein und Geschehen. Bevor sie sind, hat er ihren ganzen Plan festgesetzt... Das sind die Geister der Wahrheit und des Frevels. An der Quelle des Lichtes ist der Ursprung der Wahrheit, aber aus der Quelle der Finsternis kommt der Ursprung des Frevels. In der Hand des Fürsten des Lichts liegt die Herrschaft über alle Söhne der Gerechtigkeit. Auf den Wegen des Lichtes wandeln sie. Aber in der Hand des Engels der Finsternis liegt alle Herrschaft über die Söhne des Frevels... Und er hat die Geister des Lichts und der Finsternis geschaffen und jede Tat auf sie gegründet.«

2. 1 QS IV 15 f.:
»In diesen (beiden Geistern) befinden sich die Generationen aller Menschen... Auf ihren Wegen wandeln sie, und alles Tun ihrer Werke geschieht in ihren Bereichen entsprechend dem Anteil eines jeden, es sei viel, es sei wenig.«

3. Die wichtigste persische Parallele ist Yasna 30, 3—4: »Dies sind die beiden grundlegenden Bestrebungen, die Zwillinge, die als beiderlei Träume bekanntgeworden sind, als beiderlei Gedanken und beiderlei Worte, als beiderlei Werke, das bessere und das schlechte; und zwischen diesen beiden scheiden recht die Gutesgebenden, nicht die Schlechtesgebenden. Und wenn diese beiden Bestrebungen feindlich aufeinander stoßen, dann schafft man sich die Grundlage seines Lebens, Lebensfülle und Mangel an ihr, und die Art, wie das Leben zuletzt sein wird. Gar schlecht wird das der Trughaften sein, aber dem Wahrhaften wird der beste Gedanke zuteil werden.«[5]

---

[5] Zitiert nach H. Humbach, Die Gathas des Zarathustra I, 1959, 84 f. Vgl. K. F. Geldner, Die zoroastrische Religion, Religionsgeschichtliches Lesebuch I, 1926, 2.

ERSTER HAUPTTEIL

Das Kerygma der Urgemeinde und der
hellenistischen Gemeinde

Vorbemerkung

Es wäre noch keine wirklich geschichtliche Darstellung, wenn man versuchte, aus den vorhandenen Texten die Lehre der frühen Kirche zu rekonstruieren. Einmal ist die Frage, wie weit eine Darstellung der Lehre überhaupt möglich ist. Denn die Lehre über Gott stimmt mit der jüdischen überein. Entsprechendes gilt vom Weltbild. Auch in der Christologie und Ekklesiologie ist jüdisches Vorstellungsmaterial aufgenommen (Messias, Gottesvolk). Es ist weiter zu bedenken, daß die Lehre der Kirche nicht nur Wissen vermitteln will, sondern den Menschen in eine bestimmte Situation vor Gott, in das Heil bringen will. Die Verkündigung ist selber Faktor der Heilsübermittlung, damit aber auch die verkündigende Kirche. Diese, ihr Selbstverständnis, muß in die Darstellung einbezogen werden.

§ 4 HISTORISCHE PROBLEME

BULTMANN, NT 34 ff. 66 ff. (Lit.) — C. WEIZSÄCKER, Das apostolische Zeitalter der christlichen Kirche, ³1901 — A. SEEBERG, Der Katechismus der Urchristenheit, 1903 — E. v. DOBSCHÜTZ, Probleme des apostolischen Zeitalters, 1904 — J. WEISS, Das Urchristentum, 1917 — A. OEPKE, Die Missionspredigt des Apostels Paulus, 1920 — R. ASTING, Die Verkündigung des Wortes im Urchristentum, 1939 — W. G. KÜMMEL, Kirchenbegriff und Geschichtsbewußtsein in der Urgemeinde und bei Jesus, SyBU 1, 1943 — O. CULLMANN, Die ersten christlichen Glaubensbekenntnisse, ThSt(B) 15, 1943 — Ders., Die Christologie des Neuen Testaments, ²1958 — J. N. D. KELLY, Early Christian Creeds, 1950 — C. H. DODD, The Apostolic Preaching and its Developments, ³1956 — E. SCHWEIZER, Erniedrigung und Erhöhung, AThANT 28, ²1962 — F. HAHN, Christologische Hoheitstitel, FRLANT 83, 1963 — W. KRAMER, Christos Kyrios Gottessohn, AThANT 44, 1963 — V. H. NEUFELD, The Earliest Christian Confessions, 1963 — L. GOPPELT, Die apostolische und nachapostolische Zeit, in: Die Kirche in ihrer Geschichte, Bd 1 (A) — Weitere Literatur s. RGG³ VI 1192 f. (s. v. Urchristentum), III 972 f. (s. v. Judenchristentum), III 141 (s. v. Heidenchristentum).

I. Die Quellen für die Rekonstruktion des frühen Kerygmas

Wir besitzen keine Schriften aus der frühesten Kirche vor Paulus.
Eine gewisse Ausnahme bildet lediglich die aus Matthäus und Lukas zu rekonstruierende Quelle Q. Aber sie gibt keine historischen Daten über die früheste Gemeinde. Sie will die Lehre Jesu überliefern. Immerhin spiegelt sie Gedanken der Gemeinde, die diese Lehre nicht nur tradiert, sondern dabei aktualisiert. So

kann durch kritische Analyse ein Typ frühen theologischen Denkens in Umrissen wiedergewonnen werden.

Wir haben die Darstellung der Apostelgeschichte. In ihr sind alte Nachrichten verwendet. Aber schon das Material des Lukas ist legendarisch gefärbt. Und er selbst benützt es, um sein Geschichtsbild zu gestalten. Ungeschichtlich ist z. B. das Bild von der Stellung der »Zwölf Apostel« an der Spitze der Kirche. Die »Zwölf Apostel« gab es nie. Es gab die »Zwölf«, aber ihre Stellung ist nicht mehr durchsichtig; und es gab Apostel (s. u.). Aber das lukanische Bild der apostolischen Zeit ist das Bild einer späteren Epoche. Dennoch ergeben sich positive Anhaltspunkte für die Rekonstruktion, z. B. in den Auseinandersetzungen über Fragen des Gesetzes, in den Skizzen einer Gemeindeordnung, die uns die Synoptiker erhalten haben. Auch die Briefe des Paulus haben vorpaulinisches Gedankengut aufbewahrt, ebenso die nachpaulinischen Briefe, z. B. Bekenntnisformeln, Lieder.

II. Urgemeinde und hellenistische Gemeinde

Für den Anfänger ist es verwirrend, daß er in der Literatur eine unterschiedliche Verwendung des Stichwortes »Hellenisten« findet. Es bezeichnet sowohl Angehörige des hellenistischen Judentums (Apg 9, 29) als auch des hellenistischen Christentums, und hier wieder in zweifacher Bedeutung. Apg 6 gibt einen Bericht über eine Gruppe von Christen in Jerusalem, die als Hellenisten bezeichnet werden (Kreis um Stephanus). Seit der Religionsgeschichtlichen Schule (Heitmüller, Bousset) ist ein weiterer Gebrauch aufgekommen: Das Wort bezeichnet die Missionskirche außerhalb des engeren Radius von Jerusalem, weil in ihr Gedanken und Lebensformen der hellenistischen (jüdischen und außerjüdischen) Religiosität wirksam werden. Sie sind uns zuerst bei Paulus faßbar. Aber bei ihm ist noch zu erkennen, daß er diese hellenistischen Motive in einer Kirche kennenlernte, die bereits von ihnen geprägt war.

Die Hellenisten in Jerusalem

N. A. Dahl, Das Volk Gottes, 1941, 193 ff. — A. Oepke, Das neue Gottesvolk, 1950, 188 ff. — M. Simon, St Stephen and the Hellenists, 1958 — Vgl. die Kommentare zu Apg 6 f.

Die Urgemeinde versteht sich selbst nicht als neue Religionsgesellschaft, sondern der jüdischen Religionsgemeinschaft angehörig, ja als das wahre Judentum, das an die Erfüllung der Verheißung für

Israel in Christus glaubt. Sie hält sich auch an die Bestimmungen des Gesetzes.

Die Isolierung der Urgemeinde vom Judentum ist — äußerlich gesehen — weniger markant als die der Taufsekten im Jordantal (Qumran), die sich vom Tempelkult äußerlich distanziert haben. Aber gerade in diesem Minus steckt eine weit schärfere sachliche Distanzierung. Im Verzicht auf Isolierung demonstriert die Kirche die Öffentlichkeit ihrer Botschaft und Existenz. Sie geht nicht in die Wüste, um dort ihr Eigenleben zu pflegen, sondern konfrontiert Israel in Jerusalem mit ihrer Botschaft.

Der entscheidende Punkt, der zwischen der Kirche und dem übrigen Judentum zur Debatte steht, ist die Botschaft von dem gekreuzigten Jesus als dem Messias Israels. Mit einer bloßen Pflege der Lehre Jesu hätte sich das Judentum abfinden können. Aber jetzt wird eine Stellungnahme zu seiner Person als Bedingung des Heils verlangt. Im Grunde ist damit bereits gesagt, daß nicht die Erfüllung des Gesetzes das Heil schafft, sondern der Glaube. Allerdings muß die Tragweite der Christusbotschaft erst in konkreten Auseinandersetzungen bewußt werden. Dann wird das Verhältnis von Glaube und Gesetz, Kirche und Israel und darüber hinaus von Glaube und Welt zum zentralen theologischen Thema werden.

Die Problematik, die in der Glaubenspredigt als solcher angelegt ist, bricht zum ersten Mal in der Jerusalemer Gemeinde auf und führt zum Konflikt mit der Gruppe der »Hellenisten«. Leider ist der Bericht der Apostelgeschichte darüber stark gefärbt. Die Vorgänge und vor allem die theologische Position der Hellenisten lassen sich nur vermutungsweise rekonstruieren. Man kann mit Vorsicht feststellen: Auch diese Hellenisten verstehen sich als Juden, sie wissen sich in der Kontinuität der Heilsgeschichte und an das Alte Testament gebunden. Aus ihm begründen sie ihr Geschichtsbild: Die Geschichte Israels ist die Geschichte des Ungehorsams (zu rekonstruierende Grundlage der Rede des Stephanus Apg 7). Den wahren Gehorsam lehrte Jesus. Dazu gehört auch seine Kritik an der kasuistischen Erfüllung des Gesetzes, am Sabbat, am Tempel. Damit distanzieren sich die Hellenisten nicht vom Gesetz, wohl aber von der jüdischen Form der Gesetzeserfüllung, auch in der nichthellenistischen Urgemeinde.

Diese Vermutung über die Lehre der Hellenisten wird dadurch gestützt, daß es in Jerusalem zu ihrer Verfolgung kommt. Stephanus wird gesteinigt; die übrige Urgemeinde bleibt unbehelligt. Eine Bestätigung liegt auch darin, daß sich die Gesetzeskritik der Hellenisten nicht mit der des Paulus deckt. Paulus übt keine Kritik am Tempelkult, sondern fragt nach dem Gesetz als Heilsweg und nach seiner Gültigkeit für die Heiden. Stephanus dagegen scheint noch nicht an Heidenmission zu denken. Er kritisiert auch nicht das Gesetz als solches, sondern nur das Kultgesetz. Offenbar stellt er diesem den monotheistischen Glauben und das Sittengesetz gegenüber.

Durch die Vertreibung der Hellenisten aus Jerusalem bleibt das Gesetzesproblem in der Urgemeinde zunächst latent. Aber ihre Vertreibung führte sie zur Heidenmission (Apg 11, 19 ff.). Sie können dabei an die Mission des hellenistischen Judentums anknüpfen. So entsteht jene hellenistische Kirche im weiteren Sinn, mit neuen Denk- und Lebensformen. Natürlich kann man Urgemeinde und hellenistische Gemeinde nicht im einzelnen scharf trennen. Es bestehen Verbindungen hin und her. Dennoch heben sich beide mit genügender Deutlichkeit voneinander ab. Es geht nicht um schematische Zuordnung jedes einzelnen Gedankens zu dieser oder jener Gruppe, sondern um das Erkennen der beiden Typen. Der Unterschied wird faßbar in der Christologie (»Kyrios«), in der Gestaltung des Gottesdienstes, in der Bedeutung des Geistes, im Verständnis des Sakraments, im Kirchengedanken, in der Organisation, in der Stellung zum Gesetz. Natürlich darf man keine Einheitlichkeit der Denk- und Lebensformen postulieren.

Die hellenistische Kirche läßt Tendenzen erkennen, die zur Lösung von den geschichtlichen Voraussetzungen führen könnten, zur Umwandlung des Christentums in eine ungeschichtliche Mysterienreligion. Dem wirkt aber stets das Vorhandensein des Alten Testaments entgegen und damit die Bindung an Israel und die Heilsgeschichte.

Die Unterscheidung der beiden Typen (Urgemeinde und hellenistische Gemeinde) ist fundamental für das Verständnis der Theologie des Paulus.

Es wirkt immer noch das Bild nach von Paulus als dem einsamen Genius, dem Mann, der das Christentum vom historischen Jesus löste und an einem mythischen Bild orientierte. Diese Ausrichtung am erhöhten Herrn fand Paulus aber schon in der hellenistischen Kirche vor, als er sich ihr anschloß. Seine Leistung ist es, daß er den Glauben an den Kyrios theologisch aufarbeitete. Dasselbe gilt von seiner Lehre vom Gesetz.

Durch das Dasein einer gesetzesfreien heidenchristlichen Kirche ist grundsätzlich nach dem Wesen des Gesetzes gefragt. Die Antwort wird in den harten Kämpfen des Paulus gewonnen. Dabei genügt es nicht, einen praktischen modus vivendi zwischen Judenchristen und Heidenchristen zu finden. Ihr Zusammenleben muß *theologisch* möglich sein.

§ 5 ENTSTEHUNG UND SELBSTVERSTÄNDNIS DER GEMEINDE

Bultmann, NT 39 ff. – E. Schweizer, Gemeinde und Gemeindeordnung im NT, AThANT 35, ²1962

I. Der Ursprung

Natürlich ist das Auftreten und Lehren Jesu die Voraussetzung für die Entstehung der Kirche. Aber Jesus hat keine Kirche gegründet. Als Gemeinde gesammelt wird sie durch die Erscheinungen des Auferstandenen und durch die Predigt der Zeugen dieser Erscheinungen. Die Existenz der Kirche ist von Anfang an mit der Auferstehung verknüpft. Die Kirche blickt auf das abgeschlossene irdische Wirken Jesu zurück.

Dieser Behauptung widerspricht freilich eine berühmte Stelle: Mt 16, 18—19: »Du bist Petrus, und auf diese Petra will ich meine Ekklesia bauen, und die Pforten des Hades sollen sie nicht überwältigen. Ich will dir die Schlüssel des Himmelreiches geben...« Aber ist dies ein echtes Wort Jesu?[1]

Allgemein aufgegeben ist heute die Hypothese, es handle sich um eine spätere Interpolation in den Matthäustext. Das ist die falsche Deutung einer zutreffenden Beobachtung: Dieser Passus steht nicht bei Markus, und er sprengt bei Matthäus den Zusammenhang. Daß er von Matthäus selbst in seine Quelle (Markus) eingefügt ist, beweist die Dublette Mt 18, 18. Matthäus fand das Wort in seiner Sondertradition vor. Es handelt sich um ein Stück hohen Alters. Das zeigen Inhalt und Sprache: Das Aramäische schimmert noch deutlich durch. Damit ist freilich nicht die Echtheit bewiesen; vielmehr sprechen folgende Argumente gegen sie:

Das Wort Ekklesia findet sich in den Synoptikern nur an dieser einen Stelle und dazu in der Dublette Mt 18, 17. Nun ist der singuläre Gebrauch des Wortes für sich noch kein genügendes Argument gegen die Echtheit. Wichtiger ist,

---

[1] F. Obrist, Echtheitsfragen und Deutung der Primatsstelle Mt 16, 18 f. in der deutschen protestantischen Theologie der letzten dreißig Jahre, NTA 21 (3/4), 1960; R. Bultmann, Die Geschichte der synopt. Tradition, ⁶1964, 147 ff.; ders., ThBl 20, 1941, 265—279; W. G. Kümmel, Kirchenbegriff und Geschichtsbewußtsein in der Urgemeinde und bei Jesus, SyBU 1, 1943, 37 ff.; ders., Jesus und die Anfänge der Kirche, StTh 7, 1954, 1—27; K. L. Schmidt, Die Kirche des Urchristentums, Festschr. Deißmann, 1927, 258 ff.; spez. 281—302; ders., ἐκκλησία, ThW III 522 ff.; A. Oepke, Das neue Gottesvolk, 1950, 166 ff.; O. Cullmann, Petrus, ²1960, 179 ff.; A. Vögtle, Messiasbekenntnis und Petrusverheißung, BZ NF 1, 1957, 252—172; 2, 1958, 85—103.

daß sich die Eschatologie Jesu, die Ankündigung des nahen Gottesreiches, nicht mit dem Gedanken einer organisierten Kirche verträgt. Man pflegt freilich einzuwenden, beides vertrage sich dennoch: Zum Messias gehöre das Gottesvolk, also zur Eschatologie Jesu die Kirche. Habe sich Jesus für den Messias gehalten, habe er auch eine Kirche nicht nur gründen können, sondern müssen. Aber erstens ist es fraglich, ob sich Jesus für den Messias hielt; und zweitens gilt, daß zum Messias gerade nicht die Gründung einer Organisation gehört. Es ergibt sich also: Hielt sich Jesus für den Messias, ist das Wort als unecht anzusehen; hielt er sich nicht dafür, gilt dasselbe.
Der historische Jesus sonderte nicht eine Gruppe als Schar der Erwählten aus dem jüdischen Volke aus; er rief das ganze Volk. Die Erwählten sammelte er nicht anders als durch seine Predigt. Nicht die Mitgliedschaft in einer Organisation zeigte die Zugehörigkeit zu Jesus, sondern darüber wird beim Eintreffen des Reiches Gottes das Urteil über Aufnahme oder Ausschluß entscheiden. Dies unterschied Jesus von den jüdischen Sekten, daß er die Zugehörigkeit zum Gottesvolk nicht empirisch sichtbar machte. Gewiß forderte er Nachfolge, und es gab Leute, die ihm in dem besonderen Sinne nachfolgten, daß sie mit ihm wanderten. Jesus konnte solche Nachfolge in bestimmten Fällen fordern, aber er machte sie nicht allgemein zur Bedingung des Heils.
Der Kreis der Nachfolgenden war nicht organisiert. Er besaß keine Verfassung, keine feste Lebensordnung. Auch falls der Kreis der »Zwölf« schon zu Lebzeiten Jesu konstituiert gewesen sein sollte, so enthielt gerade die Erwählung der »Zwölf« den Anspruch auf ganz Israel und den Hinweis auf die kommende Gottesherrschaft, nicht auf eine Kirchenstiftung. Das eschatologische Selbstbewußtsein Jesu schließt den Gedanken an eine gegenwärtige Kirche aus.
Mit der Erkenntnis, daß es sich um kein authentisches Wort Jesu handelt, ist das Wort freilich theologisch nicht »erledigt«. Die liberale Theologie zog aus der Unechtheit die Konsequenz, die *Loisy* boshaft so formulierte: Jesus erwartete das Reich Gottes — gekommen ist die Kirche. Diese Feststellung ist historisch richtig. Aber was besagt sie? Die theologische Sachfrage ist, ob und inwiefern nach Jesu Tod durch die Entstehung der Kirche er selber und sein Werk richtig verstanden und fortgeführt wird. Wenn das Heil Gottes in Jesus gültig mitgeteilt wird, also auch nach seinem Tode jeweils als gegenwärtige Möglichkeit angeboten wird, wenn die Offenbarung nicht nur als Übermittlung von Lehrsätzen verstanden wird, sondern als aktuelles Geschehen, dann gehört zur Offenbarung ihre ständige Aktualisierung in der Predigt hinzu, damit aber auch der Ort, an dem gepredigt wird, also die sichtbare, zum Hören versammelte Kirche. Die Kirche ist daher nicht die direkte Fortsetzung des Zusammenseins der »Jünger« mit Jesus. Sie ist entstanden, als der Gestorbene ihnen als Lebendiger erschien. Das wichtigste Dokument darüber ist 1 Kor 15, 3—5.

II. Das Selbstbewußtsein der Kirche

Die Christen bleiben zunächst Juden. Wenn sie sich innerhalb des Judentums als eine besondere Gruppe zusammenschließen, so entspricht das durchaus den damaligen Verhältnissen (Qumran, Taufgruppen). Aber wie versteht sich nun die christliche Gemeinschaft positiv? Auskunft geben ihre *Selbstbezeichnungen:* οἱ ἅγιοι, οἱ ἐκλεκτοί, ἡ ἐκκλησία (τοῦ θεοῦ). ἅγιοι und ἐκλεκτοί sind im Judentum eschatologische Termini. Sie bezeichnen die Sammlung der (wenigen) Erwählten der Endzeit aus dem empirischen Israel. Nennt sich eine jüdische Gruppe so (z. B. die Gruppe von Qumran), spricht sie damit ihre Exklusivität aus: Nur in ihr findet man den Zugang zum Heil. Vorausgesetzt ist, daß Israel das erwählte Gottesvolk ist, aber als Ganzes seine Erwählung durch sein Verhalten zunichte gemacht hat, daß also nur ein »Rest« das Heil erlangt.

In der Sekte von Qumran gewinnt das Heil, wer das Gesetz erfüllt, indem er die Gebote der Ordensregel auf sich nimmt; bei den Christen, wer sich zu Jesus als dem Retter Israels bekennt. Die entscheidende Frage ist: Wird dieses Bekenntnis — wie bei der Sekte von Qumran — zur sektenhaften Abkapselung führen? Werden die Erwählten damit zufrieden sein, daß sie selbst zum Heil bestimmt sind? Oder wird man den Glauben als positive Möglichkeit des Existierens in der Welt begreifen? Welche Verfassung wird sich demnach die Kirche geben, wie ihre Lehre gestalten?

Die Begriffe im einzelnen:

οἱ ἅγιοι.

Im Alten Testament ist »heilig« ursprünglich kein moralischer, sondern ein spezifisch religiöser Begriff: Was heilig ist, ist vom Profanen abgegrenzt, als heiliger Bezirk, heiliger Gegenstand, heilige Person. Das Heilige erscheint in Machtwirkungen: Wer die Lade Jahwes berührt, der stirbt. Das Judentum bezeichnet als die Heiligen: a) Israel — gegenüber den Heiden (ψ 82, 4; Sap Sal 18, 9); b) die Frommen im Volk (1 Makk 1, 46); c) im Sinne der jüdischen Eschatologie das Volk der Endzeit (äth Hen; Qumran; Test Lev 18, 11. 14). Entsprechend dieser Herkunft gebrauchen die Christen das Wort von der Gemeinde (vgl. die Präskripte der Paulus-Briefe). Es ist deutlich, daß dies nicht das moralische Urteil bedeutet, die Gemeinde sei tadellos. »Die Heiligen« meint vielmehr die durch Gottes Heilstat Bestimmten, also:

οἱ ἐκλεκτοί.

Der eschatologische Sinn erscheint Mk 13, 22. 27. Zur Verbindung mit κλητοὶ ἅγιοι vgl. Röm 1, 7; Kol 3, 12: ὡς ἐκλεκτοὶ τοῦ θεοῦ ἅγιοι καὶ ἠγαπημένοι. Natürlich gehört zur Heiligkeit auch die sittliche Verpflichtung. Aber die Heiligkeit ist nicht das Ergebnis sittlicher Leistung, sondern deren Voraussetzung. Zuerst sind die Erwählten heilig, d. h. geheiligt; daraus folgt die sittliche Aufgabe.

ἡ ἐκκλησία.[2]

---

[2] Literatur: O. Linton, Das Problem der Urkirche in der neueren Forschung, 1932; K. L. Schmidt (s. vorige Anm.). Mit Schmidt setzen sich auseinander:

Schwierig zu bestimmen und heftig umstritten sind Herkunft und Bedeutung des Terminus Ekklesia. Es besteht weitgehende Übereinstimmung, daß die Christen dieses Wort aus der Septuaginta (vgl. Deuteronomium) übernahmen: Es bezeichne die Parallelität der Kirche mit dem Gottesvolk am Sinai. Die Kirche sage damit, daß in ihr die Hoffnung auf die Sammlung Israels erfüllt sei.

Dagegen wendet *Schrage*[3] ein, aus der Septuaginta sei nicht zu erklären, warum sich die Kirche gerade »Ekklesia« nennt und nicht etwa »Synagoge«. Beide Wörter werden in der Septuaginta weithin synonym gebraucht, ja, gerade »Synagoge« ist in den späteren Teilen der Septuaginta ein eschatologischer Terminus, nicht aber »Ekklesia«. *Schrage* erklärt den Befund so: Das Wort Ekklesia ist gerade nicht als biblischer, »heiliger« Begriff aufgekommen, sondern aus dem profangriechischen, politischen Gebrauch von den Hellenisten übernommen, die durch diese Bezeichnung der Kirche ihre Ablehnung des Gesetzes ausdrücken. Das ist der Grund, weshalb sie sich nicht »Synagoge« nennen; denn mit diesem Begriff war das Gesetz unlösbar verknüpft. *Schrage* begründet seine These mit Gal 1, 13 f.: Paulus verfolgt im Eifer um das Gesetz »die Kirche Gottes«. Gegen seine Erklärung spricht aber die Tatsache, daß auch Matthäus »Ekklesia« gebraucht. Die Entgegnung, dieser wolle den Begriff den Hellenisten entreißen, ist eine Notlösung.

Abgesehen von der Frage der Herleitung ist deutlich, daß sich die Kirche aus der Welt herausgerufen weiß und doch zugleich als in der Welt existierend versteht.

Das verbreitete Schlagwort zur Bezeichnung dieses Befundes ist, die Kirche verstehe sich »eschatologisch«. Aber was heißt das? Wie begreift sie das Verhältnis von Zukunft und Gegenwart? Einerseits erwartet sie in der Zukunft die Vollendung des Heils, andererseits sieht sie es schon in ihrer Mitte wirksam, nämlich im Walten des Geistes. Stellt ihr Denken und Empfinden also eine Mischung von Apokalyptik und Enthusiasmus dar (*Käsemann*)? Dieses doppelte Phänomen ist in der Tat vorhanden. Aber mit dieser Erkenntnis fängt die Aufgabe des Verstehens erst an. Die Frage ist: Wird die Kirche ihr Dasein in der Welt geistig-geistlich überspringen — durch apokalyptischen Ausblick, der die Welt vergessen macht, oder durch Enthusiasmus, der sie ebenfalls überfliegt? Das würde bedeuten, daß man des Heils nur im einzelnen Augenblick inne wird, daß man sich auf der geistigen Flucht vor der Welt befindet, also die Welt als Macht fürchtet und damit widerwillig anerkennt. Die Alternative ist, daß man die zu Ende gehende Welt positiv als den Ort des Glaubens begreift. Das bedeutet praktisch, daß man die Verwirklichung des Heils in der Gemeinschaft der Heiligen erkennt und in der Verkündigung des Evangeliums an die Welt. Die Frage ist also, ob sich die Kirche als die Kirche des Wortes verstehen wird.

Für die Frühzeit ist natürlich kein ausgebildeter, durchreflektierter Kirchenbegriff zu erwarten; aber die Ansätze sind da. Wenn das Glaubensbekenntnis in die Nennung der Zeugen einmündet, also in

---

N. A. Dahl, Das Volk Gottes, 1941; W. G. Kümmel (s. vorige Anm.); L. Rost, Die Vorstufen von Kirche und Synagoge im AT, BWANT IV 24, 1938.
[3] W. Schrage, „Ekklesia" und „Synagoge", ZThK 60, 1963, 178 ff.

den Hinweis auf die Verkündigung⁴, dann ist damit die Ausbildung des Kirchengedankens angelegt. Dasselbe gilt, wenn sich Zukunftserwartung und Walten des Geistes gegenseitig kritisch begrenzen. Es ist schon Heilszeit, deren Kräfte sichtbar wirken. Das bedeutet eine Versuchung zur Schwärmerei. Ihr begegnet jedoch der eschatologische Vorbehalt: Noch ist das Reich Gottes nicht angebrochen; noch leben wir nicht im Schauen, sondern im Glauben, unter dem ethischen Imperativ. Andererseits gilt: Wenn wir in die Zukunft ausblicken, dann schauen wir nicht ins Blaue, nicht eine Zukunftsphantasie. Die Zukunft verbürgt sich schon in der Gegenwart. Diese Dialektik wird formuliert, wenn der Geist als ἀπαρχή (Erstlingsgabe) oder ἀρραβών (Angeld) des Künftigen bezeichnet wird.

---

⁴ 1 Kor 15, 3 ff.; Apg 10, 40 ff. Es gibt einen Typ von bekenntnishaften Formulierungen, in denen die Verkündigung ausdrücklich in die Offenbarung einbezogen ist, z. B. Tit 1, 2 f. Paulus denkt das Verhältnis von Offenbarung und Verkündigung theologisch durch, indem er den Zusammenhang von Versöhnung, Wort der Versöhnung und Dienst der Versöhnung darlegt (2 Kor 5, 16 ff.).

§ 6 DER GEIST

BULTMANN, NT 155 ff. — E. SCHWEIZER, πνεῦμα, ThW VI 394 ff. — H. GUNKEL, Die Wirkungen des Heiligen Geistes nach der populären Anschauung der apostolischen Zeit und der Lehre des Apostels Paulus, ³1909 — H. WEINEL, Die Wirkungen des Geistes und der Geister im nachapostolischen Zeitalter bis auf Irenäus, 1899 — C. K. BARRETT, The Holy Spirit and the Gospel Tradition, ²1954

An den merkwürdigen Erscheinungsweisen des Geistes machte einst die Religionsgeschichtliche Schule ihre grundlegenden Beobachtungen. Bis dahin hatte man πνεῦμα vorwiegend idealistisch als »Geist« verstanden, etwa im Sinn des griechischen νοῦς oder auch der ψυχή, als die Fähigkeit des Erkennens und als ethisches Prinzip; als das Geistige im Gegensatz zur Sinnlichkeit oder zum Körper, zur Natur. Aber die Schilderung des Geistes im Neuen Testament ist völlig anders. Sein Wirken ist nicht rationaler, sondern supranaturaler Art: Wunder, göttliche Machterweise; nicht sittliche Einsicht, sondern Ekstase, Glossolalie. Nun sagt Paulus freilich, das Pneuma bewirke den neuen Wandel. Aber das bedeutet gerade nicht, daß der Pneumabegriff ethisch verstanden ist; vielmehr will Paulus sagen, daß die Möglichkeit des neuen Wandels ein übernatürliches, von Gott gewirktes Wunder ist.

Die Urgemeinde teilt die jüdische Anschauung, welche im Geist die Gabe der Endzeit sieht, die allen zuteil werden wird (Joel 3, 1—5, zitiert Apg 2, 17 ff.). So sieht sie in den ekstatischen Erscheinungen, die in ihrer Mitte geschehen, die Erfüllung der Verheißung, den Anbruch der Endzeit: Der Geist ist ἀπαρχή (Röm 8, 23), ἀρραβών (2 Kor 1, 22; 5, 5); die Getauften haben schon die Kräfte des kommenden Äons geschmeckt (Hebr 6, 4).

Manche Exegeten bezweifeln, daß Ekstase und Glossolalie schon in der Urgemeinde eine Rolle spielten. Wirklich bekannt geworden seien sie erst in der hellenistischen Gemeinde, die Prophetie in Antiochia, die Glossolalie in Korinth. Daran ist richtig, daß erst in der hellenistischen Gemeinde der Pneumatismus beherrschend in den Vordergrund trat. Erst hier wurden Taufe und Geistmitteilung fest verknüpft, d. h., erst hier galt der Geist als die Gabe, die jedem Gläubigen zuteil wird[1]. Aber das besagt nicht, daß es nicht schon in der Urgemeinde ekstatische Erscheinungen gab. Daß dies der Fall war, wird durch die Pfingstgeschichte bewiesen, wenn sie auch in ihrer heutigen Fassung legendarisch übermalt ist.

Zu den Wirkungen des Geistes gehört die Neubelebung der Prophetie (Apg 11, 28; 21, 8 ff.; 1 Kor 12. 14). Prophetenworte gelten

---

[1] E. Schweizer, ThW VI 396, 5 ff.; 400, 16 ff.; ders., Gemeinde und Gemeindeordnung, 35.

als Worte des Herrn selbst, gesprochen durch den Geist. Solche Worte sind z. T. als Worte Jesu in die Tradition eingegangen (1 Thess 4, 15 ff.).
Die Hauptschwierigkeit für die Interpretation ergibt sich daraus, daß die Anschauung vom Wesen des Geistes nicht einheitlich ist: Wir haben über sein Wirken eine doppelte Reihe von Aussagen. Dabei lassen sich die beiden Reihen nicht auf verschiedene Zeiten — als Stufen einer Entwicklung — verteilen, auch nicht auf verschiedene Schriftsteller; sie kommen vielmehr ständig zusammen vor.

I. Der Urheber des Geistes

Man spricht zunächst — im Anschluß an das Judentum — vom Geist *Gottes*, dann aber auch vom Geist *Christi* bzw. des *Herrn*. Beides ist natürlich derselbe Geist. Gerade daß man den Geist-Begriff mit Gott wie mit Christus verbindet, ist ein wichtiger Hinweis auf das Verständnis der Christologie und Soteriologie: Gott und Christus werden als Personen klar unterschieden; aber hinsichtlich der Heilswirkung werden sie zusammen gesehen. Sie wirken dasselbe Heil, bzw. Gott schafft es durch Christus, der nichts anderes als Gottes Heilstat ausführt.

Gelegentlich, in der späteren Zeit, reflektiert man ausdrücklich, wie sich Gott und Christus als Spender des Geistes zueinander verhalten; z. B. Apg 2, 33: Christus empfängt den Geist vom Vater und gießt ihn auf die Gläubigen aus.

II. Das Wesen des Geistes

Der Geist wird bald mehr *animistisch*, bald mehr *dynamistisch* vorgestellt, ohne daß man sich über den Unterschied der beiden Vorstellungen klar ist. Darum sucht man auch keinen Ausgleich zwischen ihnen. Es überwiegt die dynamistische.

»Animismus« und »Dynamismus« bezeichnen von Haus aus zwei religionsgeschichtliche Theorien über die Urform und die Entwicklungsstufen der Religion. Wir können dieses genetische Problem unbeachtet lassen und die beiden Begriffe lediglich zur Charakteristik von zwei Vorstellungsweisen benützen. Die animistische besagt: Der Geist ist persönliches Wesen (anima); die dynamistische: Der Geist ist unpersönliche δύναμις (Macht).

Mehr als persönliches Wesen erscheint der Geist 1 Kor 2, 10 ff.: τὸ ... πνεῦμα πάντα ἐρευνᾷ; Apg 10, 19: »Der Geist« redet zu Petrus. Aber es handelt sich an diesen Stellen mehr um personifizierende Redeweise, nicht um Charakterisierung des Geistes als Person. Meistens erscheint der Geist als Kraftwirkung, die im hellenistischen Denken als substanzhaftes Fluidum vorgestellt wird. Diese Anschauung liegt da vor, wo man vom »Ausgießen« des Geistes spricht. Nahe verwandt mit Pneuma ist Dynamis.

Lk 1, 17: Der Täufer wird wirken ἐν πνεύματι καὶ δυνάμει. 1 Kor 2, 4: Die Verkündigung führt den Erweis ihrer Wahrheit nicht als rationalen (σοφία), sondern als den »Beweis des Geistes und der Kraft« (vgl. 1 Thess 1, 5). Apg 10, 38: Gott salbte Jesus πνεύματι ἁγίῳ καὶ δυνάμει. Verwandt ist auch δόξα (Herrlichkeit); vgl. die Varianten 1 Petr 4, 14: ὅτι τὸ τῆς δόξης (+ καὶ δυνάμεως ἡ außer B; p^m) καὶ τὸ τοῦ θεοῦ πνεῦμα ἐφ᾽ ὑμᾶς ἀναπαύεται. Auch die χάρις (Gnade) erscheint als pneumatische δύναμις. Stephanus ist πλήρης χάριτος καὶ δυνάμεως (Apg 6, 8); dafür hieß es 6, 5: πλήρης πίστεως καὶ πνεύματος ἁγίου. Darum heißen die konkreten Geisterscheinungen sowohl πνευματικά (Geistesgaben) als auch χαρίσματα (Gnadengaben; 1 Kor 12 ff.).

Die harmlose Art, wie animistische und dynamistische Ausdrucksweise ineinander liegen, ist ein Hinweis darauf, daß die Vorstellungen als solche übernommen sind, daß das Neue, das spezifisch Christliche, nicht in der Vorstellung als solcher liegt. Die Erkenntnis, daß das Pneuma als eine Art Substanz gedacht ist, kann vor der idealistischen Umdeutung schützen. Dies ist der Fortschritt, den die Religionsgeschichtliche Schule brachte. Aber der Sinn des Begriffs ist damit noch nicht verstanden. Gerade das Schwebende der Vorstellungen führt zu der Frage, was eigentlich *gemeint* sei. Dabei stoßen wir auf folgende Probleme: Wie ist das Verhältnis von Geist und Gemeinde, der Bezug des Heilsgeschehens auf die Gemeinde — und auf den Einzelnen — verstanden? Wie verhält sich die Gemeinde — und der Einzelne — zur Welt? Die religionsgeschichtliche Analyse muß in die phänomenologische Bestimmung einmünden.

III. Die Wirkung des Geistes

Wieder beobachten wir eine Doppelheit: a) Der Geist gilt als eine Macht, die sich je und je in besonderen Erscheinungen manifestiert, vor allem im Gottesdienst. b) Aber er gilt auch als die Kraft, die den neuen, gläubigen Menschen ständig erfüllt, weil sie durch die Taufe ein für allemal eingeflößt wurde. So gelten als Pneumatiker einerseits besonders hervorgehobene Einzelne: Propheten, Wundertäter; andererseits aber alle Gläubigen, d. h. Getauften.

Beispiele:
a) 1 Kor 2, 10 ff. wird der pneumatische Mensch beschrieben: Sein Wesen ist übernatürlicher Art; der Geist erkennt alles; der Pneumatiker hat die Macht, alles zu richten; er selbst wird von niemandem gerichtet. Ihm stellt Paulus die Korinther gegenüber: Sie sind noch Sarkiker bzw. Psychiker.
b) Andererseits spricht Paulus von den Gläubigen schlechthin als denen, die den Geist empfangen haben bzw. im Geiste leben (Röm 8, 9 ff.). So verheißt auch am Ende der Pfingstrede Petrus allen, die Buße tun und sich taufen lassen, den Geist (Apg 2, 38). Wiederum wird dann in derselben Apostelgeschichte Stephanus als Pneumatiker im ausgezeichneten Sinn charakterisiert. Gerade in der Apostelgeschichte erweist ja der Geist seine Wirksamkeit in besonderen Augenblicken.

Das wichtigste Dokument über das Walten des Geistes ist der große Katalog der Pneumatika (= Charismata) *1 Kor 12—14*[2]. Ekstatische Geisterscheinungen beherrschen den Gottesdienst in Korinth. Dabei wird eine Skala der Wertschätzung sichtbar: Als höchste Wirkung des Geistes gilt das „Zungenreden", also die ekstatische Rede. Dazu kommt als weiteres Charisma die Fähigkeit, diese Rede zu verstehen und zu übersetzen. Die nächstniedrige Gabe ist die Prophetie, die in verständlicher Weise vorgetragen wird. Sie enthüllt nicht Künftiges, sondern Verborgenes: das Innere des Menschen (1 Kor 14, 25). Paulus kehrt aber die korinthische Wertung um: Prophetie ist mehr als Zungenrede, weil sie verständlich ist. Der Maßstab der Korinther ist das Ekstatische als solches. Paulus dagegen erklärt, daß dieses zweideutig ist und daher selber kritisch beurteilt werden muß: Es gibt auch heidnische Ekstasen (1 Kor 12, 2). Er stellt zwei Kriterien auf: 1. das Bekenntnis (1 Kor 12, 3); 2. die οἰκοδομή (Aufbau) der Gemeinde. Der Zungenredner erbaut nur sich selbst, der Prophet die Gemeinde. Darum ist die Prophetie die höhere Gabe.

Von diesem Doppelkriterium her stellt Paulus nun auch solche Leistungen als Wirkungen des Geistes dar, die nichts mit Ekstase zu tun haben. Wirkung des Geistes ist jeder Beitrag zum Aufbau der Gemeinde wie Hilfeleistungen (Diakonie), Verwaltungsaufgaben usw., also »profane« Dienstleistungen. Das entspricht seinem Verständnis von der Stellung der Kirche in der Welt: Ihre Form ist profan, weil ihr Wesen eschatologisch ist. Sie lebt nicht neben der Welt, sondern in der Welt, aber auch nicht aus der Welt. Paulus wendet hier die Einsicht in die „Profanität" der christlichen Existenz auf den Kirchengedanken an. Entsprechendes wird uns in der paulinischen Ethik wiederbegegnen.

---

[2] H. Greeven, Die Geistesgaben bei Paulus, WuD NF 6, 1959, 111—120. S. die Exkurse bei J. Weiß (MeyerK) und H. Lietzmann (HNT) zu 1 Kor 14.

§7 GEMEINDE, GOTTESDIENST, SAKRAMENTE

Der Streit über das ursprüngliche Wesen der Urkirche ist bis heute bestimmt durch die Auseinandersetzung zwischen *Rudolf Sohm* und *Adolf Harnack*[1]. Die Frage ist: Wie verhalten sich Wesen der Kirche, äußere Gestalt, Kirchenbegriff, Kirchenrecht und Kirchenamt zueinander? Das Thema ist ausführlich erst an späterer Stelle zu besprechen. Denn es führt weit über die Frühzeit hinaus bis zur frühkatholischen Ausbildung von Begriff, Verfassung und Amt der Kirche. Hier sind nur die ersten Ansätze einer kirchlichen Ordnung zu besprechen.

I. Organisation und Amt in der Urgemeinde

K. HOLL, Der Kirchenbegriff des Paulus im Verhältnis zu dem der Urgemeinde, (SAB 1921) Ges. Aufs. II 44—67 — H. v. CAMPENHAUSEN, Kirchliches Amt und geistliche Vollmacht in den ersten drei Jahrhunderten, BHTh 14, 1953 — E. SCHWEIZER, Gemeinde und Gemeindeordnung im NT, AThANT 35, ²1962 — R. SCHNACKENBURG, Die Kirche im NT, 1961

Sohm erklärt: Kirche und Kirchenrecht, Kirche und kirchenrechtlich geordnetes Amt stehen grundsätzlich im Gegensatz zueinander. Das Wesen der Kirche ist durch das Walten des Geistes bestimmt. In ihr ist also nur eine solche Ordnung möglich, die direkt vom Geist gewirkt ist. Eine leitende Funktion kann nur derjenige ausüben, der unmittelbar von Gott berufen ist, dadurch, daß er mit dem Geist ausgerüstet wurde: also nur der Charismatiker. Dieser fällt seine Entscheidungen aus dem Geist. Er ist nicht an rechtliche Vorschriften gebunden. Es kann also kein „Amt" in der Kirche geben. Dagegen wendet *Harnack* ein, von Anfang an seien Amt und rechtliche Ordnungen vorhanden gewesen; sie ständen nicht im Widerspruch zum Wesen der Kirche. *Karl Holl* will weiterführen, indem er zwei Kirchenbegriffe unterscheidet. Der des Paulus sei in der Tat charismatisch bestimmt, derjenige der Urgemeinde (des Jakobus)

---

[1] R. Sohm, Kirchenrecht I, 1892; A. Harnack, Entstehung und Entwicklung der Kirchenverfassung und des Kirchenrechts, 1910; vgl. O. Linton, Das Problem der Urkirche in der neueren Forschung, 1932; Bultmann, NT 446 ff.

dagegen rechtlich. Sollten also *Sohm und Harnack* recht haben? Aber das ist wohl nicht möglich; denn man muß fragen, welcher Kirchenbegriff der legitime ist.

Holl hat mit Recht darauf hingewiesen, daß im Glauben selbst ein Prinzip der Tradition, also ein rechtlicher Faktor gegeben ist: Man ist auf das Zeugnis der Augenzeugen angewiesen und muß dieses sachgemäß tradieren (1 Kor 15, 3 ff.)[2]. *Bultmann* (NT 449 f.) weist im Anschluß an *Holl* darauf hin, daß gerade der Geist als Prinzip kirchlicher Ordnung wirken kann: Das Wort des Charismatikers ist rechtlich gültig und schafft kirchliches Recht[3].

Der Befund in der Urgemeinde

Unser Quellenmaterial ist dürftig. Noch erkennbar ist vor allem der Gedanke des eschatologischen Gottesvolkes, der sich in den Selbstbezeichnungen ausdrückt: ἡ ἐκκλησία, οἱ ἅγιοι, οἱ ἐκλεκτοί (s. o. S. 51). Die wichtigsten Probleme betreffen die Bedeutung der Stadt Jerusalem für den Kirchengedanken, die Rolle der „Zwölf", das Wesen des Apostolats, die Anfänge von Verfassung und Amt, das Verständnis des Gottesdienstes.

Wenn die Christen das *Volk Gottes* sind, so besagt das für das Verständnis der Kirche: Was die Kirche zur Kirche macht, ist nicht der Entschluß von Einzelnen, sich zur Pflege ihrer religiösen Überzeugung zusammenzuschließen. Die Kirche ist vor dem Einzelnen und auch vor der Einzelgemeinde da. Sie ist durch den Erwählungsakt Gottes konstituiert. Einzelgemeinde ist möglich, weil die Kirche zuvor existiert.

Der Gedanke des Gottesvolkes enthält eine kritische Bestimmung des Kirchenverständnisses. Er kann wirksam werden gegen eine Entwicklung der Kirche zu einer Religionssozietät, zu einer gnostischen Vereinigung oder zur katholischen Heilsanstalt. Freilich ist der heilsgeschichtlich-eschatologische Gedanke

---

[2] Mit Holl setzt sich auseinander W. G. Kümmel, Kirchenbegriff und Geschichtsbewußtsein in der Urgemeinde und bei Jesus, SyBU 1, 1943, 1 ff.

[3] H. v. Campenhausen, a. a. O. 324 f. E. Käsemann, Sätze heiligen Rechtes im NT, NTS 1, 1954/5, 248—260: Der Geist ist die Macht, die Gottes Recht auf Erden proklamiert. Das schlägt sich in Rechtssätzen eines bestimmten Stils nieder, z. B. 1 Kor 3, 17: εἴ τις τὸν ναὸν τοῦ θεοῦ φθείρει, φθερεῖ τοῦτον ὁ θεός. H. v. Campenhausen, Tradition und Geist im Urchristentum, in: Tradition und Leben, 1960, 1—16. J. B. Leuba, Der Zusammenhang zwischen Geist und Tradition nach dem NT, KuD 4, 1958, 234—250.

nicht die einzige Möglichkeit, das Prae der Kirche vor dem Einzelnen auszudrücken. Auch reicht er für sich allein zur Wesensbestimmung der Kirche nicht aus. Die Kirche als das Gottesvolk — das kann im Sinne eines radikalen Judentums verstanden werden. Bei Paulus tritt zum Gedanken des Gottesvolkes der andere von der Kirche als dem Leibe Christi hinzu (s. u. § 32 V).

Daß die Kirche vor der empirischen christlichen Gemeinde da ist, wird dadurch demonstriert, daß die *Geschichte Israels* als die *Vorgeschichte der Kirche* reklamiert wird. Allerdings setzt die Kirche Israel nicht geradlinig fort. Es ist ein Bruch eingetreten. Wenn sich die Kirche als das wahre Israel bezeichnet, so erklärt sie, daß das empirische Israel nicht zu seiner Bestimmung gelangt ist, da es den Glauben verweigerte. In der Kirche ist die Verheißung Wirklichkeit geworden; die Erfüllung wird realisiert, indem sie verkündigt wird.

Lk 16, 16: ὁ νόμος καὶ οἱ προφῆται μέχρι Ἰωάννου · ἀπὸ τότε ἡ βασιλεία τοῦ θεοῦ εὐαγγελίζεται . . . Damit sind die Probleme gestellt, auf die Paulus Röm 9 bis 11 eingeht: das Wesen der Verkündigung und die Beziehung zwischen Kirche und Israel.

Das Verhältnis von Verheißung und Erfüllung, von Kirche und Israel ist kein allgemein einsichtiges. Natürlich besteht eine äußere Kontinuität dadurch, daß die ersten Christen Juden sind, die nicht nur einzelne jüdische Gedanken übernehmen, sondern den jüdischen Glauben an den einen Gott. Der Vater Jesu Christi ist mit dem Gott des Alten Testaments identisch. Aber in diesen empirischen Fakten erschöpft sich das Verhältnis von Kirche und Israel nicht. Es erscheint erst im Vollzug der Verkündigung, kommt also nur für den Glauben in den Blick. Das geschichtliche Selbstbewußtsein der Kirche, das wahre Israel zu sein, dokumentiert sich darin, daß sie das Alte Testament als ihre Heilige Schrift nicht etwa „übernimmt", sondern beibehält. Schon in dieser Tatsache liegt das Urteil über dasjenige Israel, das dem Glauben nicht folgt. Das Festhalten am Alten Testament wirkt einer möglichen Verengung des Glaubens zu einer ungeschichtlichen Erlösungslehre entgegen. Denn die Kirche ist davon überzeugt, daß der in Christus handelnde, in der Verkündigung begegnende Gott kein anderer ist als der Schöpfer und Weltherr. Das Alte Testament wehrt der Isolierung der Erlösung von der Welt. Und es hält Gottes Gebot im Bewußtsein, also den Gehorsamscharakter des Glaubens. Auch die Heidenchristen glauben an diesen Gott Israels. So stellt das Alte Testament die Einheit der Kirche aus Juden und Heiden her — im Glauben an den Gott, den man nicht durch mythische Spekulationen und Mysterienpraktik gewinnt, sondern in seinem Reden vernimmt.

Das *Alte Testament*[4] wird nicht nur gelesen und rezitiert, sondern auch ausgelegt. Die Exegese kann sehr einfach sein: Stellen wie Jes 53, Ps 22 liest man als Beschreibung der Passion Jesu.

Darum kann man auch umgekehrt die Erzählung von der Passion aus dem Alten Testament ergänzen. Dort stellt man z. B. die Summe fest, die Judas für seinen Verrat erhielt[5].

Man benützt die damaligen jüdischen Methoden der Schriftauslegung, die allegorische (Gal 4), die typologische (Hebr). Um das alttestamentliche Kultgesetz kümmert man sich zunächst nicht. Später muß man sich auch darüber Gedanken machen, weil es nun einmal in der Schrift steht[6].

Der Gedanke des Gottesvolkes bewirkt, daß sich die Urgemeinde an den Ort *Jerusalem* gebunden weiß.

Das ist stark unterstrichen bei Lukas: Nur in Jerusalem erscheint der Auferstandene. Er gebietet den Jüngern, hier zu bleiben. Von hier aus muß sich die Kirche in der Welt ausbreiten; auch die Heidenkirche bleibt mit Jerusalem verbunden.

Karl Holl verstand die Stellung Jerusalems kirchenrechtlich: Jerusalem sei der rechtliche »Vorort« der Kirche gewesen (wie später Rom). In Wirklichkeit erkennt Paulus der Stadt Jerusalem zwar den Traditionsvorrang zu, nicht aber eine rechtliche Überordnung. Es gibt keine Behörde, die eine rechtliche Aufsicht über die ganze Kirche ausübt. Weder die Zwölf noch die Apostel hatten eine solche Funktion.

Ist das Wesen der Kirche durch das Ausrichten der Verkündigung bestimmt, dann haben *Organisationen und Amt* nicht als solche Heilsmächtigkeit.

Das ist gegen das katholische Amts- und Kirchenverständnis festzustellen. Gelegentlich wird argumentiert, in der Kirche habe es von Anfang an Ämter gegeben. Aber damit ist über das Amts*verständnis* noch gar nichts gesagt. Es kommt darauf an, ob das Amt vom Wort oder das Wort vom Amt her bestimmt wird.

Auf der anderen Seite ist die Kirche nicht ecclesia invisibilis, sondern die sichtbare Gemeinde, die durch die Predigt gesammelt wird. Das Sein der Kirche ist nicht durch ein bestimmtes Amt garantiert.

---

[4] W. Dittmar, Vetus Testamentum in Novo, 1903; B. Lindars, New Testament Apologetic, 1961; C. Smits, Oud-Testamentische Citaten in het Nieuwe Testament I—IV, 1952 ff.
[5] Mt 26, 15 geht auf Sach 11, 12 zurück. Vgl. M. Dibelius, Die Formgeschichte des Evangeliums, [5]1966, 187 f.
[6] Hebräerbrief! Andere Lösungsversuche des alttestamentlichen Problems erörtert Bultmann, NT 109 ff.

Es vollzieht sich vielmehr immer neu durch die Predigt, die das Heilsgeschehen nicht nur erzählt, sondern vollzieht. Dadurch bildet sich die Tradition der Kirche als die Tradition des Predigens. Es ist also zu fragen: Wie muß das Amt aussehen, wenn es dem Wesen der Kirche als der Kirche des Wortes gemäß sein soll?[7]

Über die einzelnen Ämter der Frühzeit wissen wir wenig. Das Bild der Apostelgeschichte ist unhistorisch, vor allem darin, daß sie die Apostel mit den Zwölfen identifiziert. Man muß aber beide unterscheiden[8].

Die Funktion der *Zwölf* ist keine rechtliche, sie haben nicht die Stellung einer Behörde, sondern sie repräsentieren die Kirche als das wahre Zwölf-Stämme-Volk (Mt 12, 28). Über ihre konkrete Tätigkeit erfahren wir so gut wie nichts. Eine Ausnahme macht nur Petrus; aber auch von ihm wissen wir äußerst wenig, lediglich, daß er außerhalb Jerusalems und Palästinas missionierte. Von einer Mission der übrigen ist nichts bekannt.

Als Autorität werden weiter die drei »Säulen« genannt: Petrus, der Zebedaide Johannes und Jakobus, der Bruder Jesu. Paulus nennt sie Gal 2 bei seiner Darstellung des Apostelkonzils. Die Zwölf dagegen erwähnt er hier nicht; sie waren offensichtlich als Kreis schon nicht mehr beisammen. Ihre hervorragende Bedeutung gewinnen die Zwölf erst in der Erinnerung, bei der Ausbildung des Traditionsgedankens. In der dritten Generation wird der Aposteltitel auf sie übertragen und zugleich auf sie beschränkt. In Jerusalem scheint an ihre Stelle als Autorität der Herrnbruder Jakobus getreten zu sein. Näheres wissen wir nicht.

Am schwierigsten ist der Begriff des *Apostels* zu bestimmen. Umstritten ist schon die Entstehung dieser Bezeichnung.

Aus dem griechischen Sinn von ἀπόστολος („Flottenexpedition") läßt sich der Titel nicht ableiten. Meistens verweist man auf das jüdische Institut des שָׁלִיחַ. (šaliaḥ; Gesandter). Dieser ist ein Bevollmächtigter mit einer bestimmten Aufgabe[9]. Aber die Stellung des שָׁלִיחַ ist eine vorübergehende, die des Apostels eine

---

[7] Bultmann, NT 452 ff. Zur Verdeutlichung: Die eine Möglichkeit ist die katholische: Das Amt ist autoritatives Lehramt und Amt der Sakramentsverwaltung in der als Heilsanstalt verstandenen Kirche. Die Gegenmöglichkeit ist der reine Spiritualismus, in dem Autorität nur durch die subjektive Inspiration gesetzt ist. Dort gibt es eine Kirche, aber nicht mehr das freie Wort; hier waltet das Wort frei, aber es gibt keine Kirche.

[8] H. v. Campenhausen, a. a. O. 13 ff.; ders., Der urchristliche Apostelbegriff, StTh 1, 1947, 96 ff.; G. Klein, Die zwölf Apostel, FRLANT NF 59, 1961; W. Schmithals, Das kirchliche Apostelamt, FRLANT NF 61, 1961.

[9] Vgl. vor allem K. H. Rengstorf, ἀπόστολος, ThW I 414 ff.

dauernde. Der Auftrag des שָׁלִיחַ ist ein beliebiger, der des Apostels ein bestimmter.

Konstitutiv für den Apostelbegriff ist die Beauftragung, und zwar durch den erhöhten Herrn selbst. Es gibt keine andere Einsetzung in dieses »Amt«. Daher gibt es auch keine andere Begrenzung seiner Autorität als die im Auftrag selbst enthaltene. Die Stellung der Apostel, deren Zahl offen ist, erstreckt sich über die ganze Kirche. Die Bindung an ihren Auftrag verknüpft ihre Autorität mit dem Kerygma. Als dessen Verkündiger werden sie die ersten Träger der Tradition. Daher kann später, als der Traditionsgedanke mehr und mehr kirchenrechtlich verstanden wird, der Apostelitel auf die ersten bekannten Garanten der Lehre, die Zwölf, bezogen werden.

II. Der Gottesdienst

Zur Rekonstruktion des frühen Kerygmas: H. LIETZMANN, Symbolstudien, ZNW 21, 1922, 1 ff.; 22, 1923, 257 ff.; 24, 1925, 193 ff.; 26, 1927, 75 ff. — W. BAUER, Der Wortgottesdienst der ältesten Christen, SGV 148, 1930 — G. DELLING, Der Gottesdienst im NT, 1952 — O. CULLMANN, Urchristentum und Gottesdienst, AThANT 3, ³1956 — H. CONZELMANN, Christus im Gottesdienst der nt. Zeit, Pastoraltheologie 55, 1966, 355—365

Wenn man den Kult allgemein als Mittel bestimmt, auf die Gottheit einzuwirken, wird es fraglich, ob die Urgemeinde überhaupt einen Kult kennt[10]. Es gibt keine Opfer, keine heiligen Zeiten und Räume, keine Priester. Die Bestandteile des Gottesdienstes sind: Schriftlesung, Predigt, allerdings auch Anrede an Gott in Gebet und Lied (1 Kor 14; 1 Tim 4, 13). Die Einwirkung auf Gott geschieht also in der worthaften Form von Lob, Dank und Bitte. Hinzu kommt die Akklamation an den Kyrios. So ist der gesamte »Kult« worthaft. Ist dieser Verzicht auf Kult nur ein Negativum, oder steht dahinter ein positives Begreifen des neuen Umgangs mit Gott?

Wenn man auf menschliche Segenshandlungen verzichtet, ist offenbar das Bewußtsein wirksam, daß die einzige Segensmacht Gottes in Christus erwiesene Gnade ist. Es gibt also keine dingliche Heiligkeit mehr. An die Stelle des Kultus tritt die λογικὴ λατρεία (Röm 12, 1; vgl. 1 Petr 2, 5). Der Gesichtspunkt für die Beurteilung der

---

[10] Bultmann, NT 123 f.

weiteren Entwicklung: Wird dieser »Gottesdienst« mit der Zeit doch wieder zur kultischen Segenshandlung, zu einem neuen, christlichen Mysterium mit christlichen heiligen Handlungen und Personen? Diese Frage stellt sich besonders im Blick auf die beiden Begehungen, die man nun doch als »kultische« bezeichnen möchte: die Taufe und das Abendmahl, die beiden »Sakramente«.

III. Die Taufe

BULTMANN, NT, 135 ff. (Lit.) — W. G. KÜMMEL, Das Urchristentum, ThR NF 18, 1950, 32 ff. (Forschungsbericht) — W. HEITMÜLLER, Taufe und Abendmahl im Urchristentum, 1911 — J. LEIPOLDT, Die urchristliche Taufe im Lichte der Religionsgeschichte, 1928 — O. CULLMANN, Die Tauflehre des NT, AThANT 12, 1948 — N. ADLER, Taufe und Handauflegung, NTA 19(3), 1951 — J. SCHNEIDER, Die Taufe im NT, 1952 — G. DELLING, Die Zueignung des Heils in der Taufe, 1961 — G. R. BEASLEY-MURRAY, Baptism in the NT, 1962 — G. BRAUMANN, Vorpaulinische christliche Taufverkündigung bei Paulus, BWANT V 2, 1962 — J. YSEBAERT, Greek Baptismal Terminology, 1962 — Weitere Lit. s. RGG³ VI 637

Die neuere Diskussion wurde lebhaft in Gang gebracht durch *Karl Barth*[11], der die kirchliche Praxis der Kindertaufe in Frage stellt. Daß in der frühen Kirche Kinder getauft wurden, ist nicht strikt zu widerlegen, aber noch weniger zu beweisen. Ein Überblick über die Kirchengeschichte zeigt, daß die Kindertaufe um das Jahr 200 n. Chr. aufkam (mit *Aland* gegen *Jeremias*)[12].
Die Taufe ist von Anfang an der allgemeine Aufnahmeritus in die Gemeinde.
Paulus setzt voraus, daß alle Christen getauft sind (Röm 6, 3; 1 Kor 12, 13). Diesen Brauch hat die Kirche von Johannes dem Täufer übernommen. Die weitere, religionsgeschichtliche Frage, wie der Taufbrauch überhaupt entstand, ist hier nicht zu besprechen. Es bestehen folgende Hypothesen:

[11] K. Barth, Die kirchliche Lehre von der Taufe, ThEx NF 4, 1947.
[12] J. Jeremias, Die Kindertaufe in den ersten vier Jahrhunderten, 1958; dagegen: K. Aland, Die Säuglingstaufe im NT und in der Alten Kirche, ThEx NF 86, 1961; darauf wieder Jeremias, Nochmals: Die Anfänge der Kindertaufe, ThEx NF 101, 1962, und wiederum Aland, a. a. O., ²1963, und ders., Die Stellung der Kinder in den frühen christlichen Gemeinden — und ihre Taufe, ThEx NF 138, 1967. — Vgl. auch A. Strobel, Säuglings- und Kindertaufe in der ältesten Kirche, in: Begründung und Gebrauch der heiligen Taufe, 1963, 7—69; ders., Der Begriff des ‚Hauses' im griechischen und römischen Privatrecht, ZNW 59, 1965, 91—100. — W. Grundmann, Die νήπιοι in der urchristlichen Paränese, NTS 5, 1958/9, 188 ff.

a) Die Taufe ist aus der jüdischen Proselytentaufe abgeleitet.
b) Sie ist von jüdischen Taufgruppen im Jordantal übernommen[13].
Schwierig ist auch der Sinn der Johannes-Taufe zu rekonstruieren. Die Christen charakterisieren sie in doppelter Weise:
a) Negativ: Sie verlieh nicht den Geist. Denn diesen schenkt erst die christliche Taufe. Daß der Geist in der Predigt des Johannes keine Rolle spielte, mag zutreffen. Die Frage ist aber, ob die Geistverleihung von Anfang an mit der christlichen Taufe verknüpft war.
b) Positiv: Die Johannestaufe wird beschrieben als βάπτισμα μετανοίας εἰς ἄφεσιν ἁμαρτιῶν (Bußtaufe zur Vergebung der Sünden; Mk 1, 4). Ist das historisch oder christliche Deutung? Dafür, daß dies bereits das Verständnis des Täufers war, plädiert *H. Thyen*[14].

Klar ist, daß die christliche Taufe von Anfang an mit der Buße verknüpft ist (Mk 1, 4 setzt das bereits für Johannes voraus). Sie verleiht die Vergebung der Sünden, nämlich der bis zur Taufe begangenen. Sie ist aber nicht nur Bereinigung der Vergangenheit, sondern die Eröffnung des neuen Lebens: Die Getauften sind wie die neugeborenen Kinder (1 Petr 2, 2). Wie sieht dieses Leben aus? Ist es ein Leben unter einem neuen, rigorosen Gesetz (vgl. Qumran)? Zur Taufe gehört ja die Taufparänese, die Belehrung über das Ausziehen des alten und das Anziehen des neuen Menschen. Es wird darauf ankommen, wie die neue Gemeinschaft, in die der Getaufte eintritt, sich versteht und ihre Existenz in der Welt gestaltet. Wird sie in der Welt bleiben oder als Sekte aus der Welt ausziehen? Wird der neue Gehorsam selber als das neue Leben verständlich, oder wird er als ein Weg aufgefaßt, sich das Heil zu sichern?

Zum Ritus: Offenbar wird die Taufe zunächst als Tauchbad praktiziert (Apg 8, 36; Hebr 10, 22; Barn 11, 11; vorausgesetzt Did 7, 1—3, wo auch das Übergießen des Täuflings gestattet wird, nämlich bei Mangel an fließendem Wasser). Konstitutiv ist aber nicht der äußere Ritus: Das Wasser als Element spielt keine Rolle. Es gilt nicht als »Todeswasser«. Es wird keine Symbolik des Ein- und Auftauchens entwickelt (*A. Schweitzer*, Mystik 19 f.). Wirksam ist die Taufe dadurch, daß sie Taufe »im Namen« oder »auf den Namen« des Herrn ist[15]. *Heitmüller* versteht die Taufformel so: »unter Nennung des Namens Jesu«; sie bedeute den Akt der Übereignung des Täuflings an den Herrn. Für diese Deutung kann man

---

[13] Über diese Gruppen handelt J. Thomas, Le Mouvement Baptiste en Palestine et Syrie, 1935 (noch vor Entdeckung der Qumran-Schriften).
[14] H. Thyen, Βάπτισμα μετανοίας εἰς ἄφεσιν ἁμαρτιῶν, in: Zeit u. Geschichte (Festschr. Bultmann), 1964, 97—125.
[15] Der Gebrauch der Präpositionen in der Tauformel: a) εἰς 1 Kor 1, 13. 15; b) ἐν Apg 10, 48; c) ἐπί mit Dativ Apg 2, 38.

sich auf die Verwendung des Namens Jesu beim Exorzismus berufen. *Delling*[16] wendet ein, in der Wendung »im Namen Jesu« spiele das Moment des Namens keine selbständige Rolle. Sie entspreche der Formel »in Christus« (Paulus kann das Stichwort ὄνομα weglassen). Die Bedeutung sei: Man wird getauft auf Grund dieses Namens. Die Taufe sei nicht Zueignung des Täuflings an den Herrn, sondern umgekehrt Zueignung des Heilsgeschehens an den Täufling.

Es ist richtig, daß das Heilsgeschehen »im Namen Jesu« auf den Getauften übertragen wird. Aber es ist andererseits nicht zu bezweifeln, daß dabei der Name Jesu genannt wird. Das bedeutet, daß der Getaufte ihm gehört und unter seinem Schutz steht. Vgl. die Wendung Χριστοῦ εἶναι (Gal 3, 27 ff.). Die älteste Taufformel ist eingliedrig. Eine triadische Formel findet sich Mt 28, 19; später Did 7, 1—3; Justin Apol I 61. Zur Taufe gehört das Bekenntnis des Glaubens in formelhafter Zusammenfassung. Ob es vor oder nach dem Bad gesprochen wird, ist nicht auszumachen. Im Neuen Testament besteht ein bemerkenswert geringes Interesse an liturgischer Regulierung. Apg 19, 5 f. gehört zum Ritus die Handauflegung (bei Nennung des Namens?), Did 7, 4 ein vorbereitendes Fasten. Der Gedanke des Schutzes ist in der Bezeichnung der Taufe als Versiegelung ausgedrückt (2 Kor 1, 22).

In der Apostelgeschichte weist der feste Zusammenhang von Taufe und Geist scheinbar Ausnahmen auf. a) Apg 8: Der Geist kommt nicht mit der Taufe (durch Philippus), sondern erst bei der Handauflegung durch die Apostel (Petrus und Johannes). b) Apg 10: Der Geist kommt vor der Taufe. Doch ist zu beachten, daß Lukas an beiden Stellen gerade voraussetzt, daß Taufe und Geist nicht voneinander zu lösen sind.

An die Mysterien erinnert die Bezeichnung der Taufe als »Bad der Wiedergeburt« (Tit 3, 5; vgl. 1 Petr 1, 23). Paulus selber gebraucht den Begriff der Wiedergeburt nicht. Die Taufe bringt die »Erleuchtung« (Hebr 6, 4; 10, 32).

In welcher Weise ist die Taufe mit dem geschichtlichen Heilswerk, mit Tod und Auferstehung Jesu, verknüpft? Einen ersten Hinweis gibt die Bedeutung des Namens (s. o.). Das Heilswerk wird auf den Täufling übertragen. Damit kreuzt sich ein anderer Gedanke, der mit dem Mysteriendenken verwandt ist: Die Taufe verleiht Anteil am Schicksal Christi. Sie ist ein Mitsterben und Mitauferstehen mit ihm.

---

[16] G. Delling, a. a. O. 68 ff.

Der wichtigste Text für diese Deutung ist Röm 6. Den Zusammenhang mit dem Mysteriendenken bestreitet G. *Wagner*[17]; aber wahrscheinlich besteht er, da man den Gedanken der Schicksalsgemeinschaft nicht aus dem Taufritus selbst entwickeln kann. Wie nahe Mysterienideen liegen, zeigt der 1. Korintherbrief — gerade auch durch die Abgrenzungen, die Paulus vollziehen muß (1 Kor 10)!

Eine Schranke gegen die Mysterien ist bereits mit dem Kirchengedanken aufgerichtet: Die Mysterienvereine sind auf den Kult begrenzt; die Kirche dagegen umspannt das ganze Leben. Vom Kirchengedanken her wird verständlich, wieso die Taufe objektiv wirksam ist, aber nicht magisch feit.

IV. Das Abendmahl

M. GOGUEL, L' Eucharistie des origines à Justin Martyr, 1910 — W. HEITMÜLLER, s. o. III. — H. LIETZMANN, Messe und Herrenmahl, 1926 — O. CULLMANN, La signification de la Sainte Cène dans le Christianisme primitif, 1936 — E. LOHMEYER, Vom urchristlichen Abendmahl, ThR NF 9, 1937, 168—227. 273—312; 10, 1938, 81—99 — E. KÄSEMANN, Anliegen und Eigenart der paulinischen Abendmahlslehre, EvTh 7, 1947/8, 263—283 (= Exegetische Versuche und Besinnungen I 11—34) — G. BORNKAMM, Herrenmahl und Kirche bei Paulus, ZThK 53, 1956, 312—349 (= Ges. Aufs. II 138—176) — J. JEREMIAS, Die Abendmahlsworte Jesu, ³1960 — P. NEUENZEIT, Das Herrenmahl, StANT 1, 1960 — J. BETZ, Die Eucharistie in der Zeit der griechischen Väter II/1, ²1963 — E. SCHWEIZER, RGG³ I 10—21 (dort weitere Lit.)

Es bestehen vier voneinander verhältnismäßig unabhängige *Probleme:* Wie verhält sich der Wortgottesdienst (mit Schriftlesung, Predigt, Gebet, Glossolalie, Prophetie) zur Begehung der Eucharistie, der sakramentalen Mahlzeit? Werden beide getrennt gefeiert, oder sind sie stets verbunden, so daß jedes Zusammenkommen der Gemeinde auch eine Sakramentsfeier in sich schließt (so O. *Cullmann*)?

2. In der Frühzeit erscheint die Eucharistie verknüpft mit einer wirklichen Mahlzeit, der Agape, die die Gemeinde als Darstellung ihrer Gemeinschaft feiert. Wie verhalten sich also Eucharistie und Agape zueinander?

3. Das dritte Problem betrifft die Eucharistie selbst — unabhängig davon, ob sie zusammen mit einem Wortgottesdienst oder für sich gefeiert wurde.

[17] G. Wagner, Das religionsgeschichtliche Problem von Römer 6, 1—11, AThANT 39, 1962.

Lietzmann stellte die Hypothese auf, daß es zwei verschiedene Typen von Abendmahl gegeben habe, den der Urgemeinde und den des Paulus. In der Urgemeinde sei das Abendmahl nicht als Wiederholung des letzten Mahles Jesu mit seinen Jüngern verstanden worden, also nicht als Todesgedächtnismahl, sondern als Erinnerung an die ständige Tischgemeinschaft der Jünger mit Jesus; das Abendmahl sei deren Fortsetzung nach seiner Auferstehung. Dieses »Brotbrechen« mit seiner ἀγαλλίασις sei in der Apostelgeschichte noch zu erkennen. Paulus aber habe das Mahl als Todesgedächtnis verstanden.

4. Was ist die Bedeutung der »Einsetzungsworte«?

1. Wortgottesdienst und Eucharistie

Ein einheitlicher Ritus ist wohl kaum vorauszusetzen. Man kann weder postulieren, daß Wortgottesdienst und Abendmahl immer vereinigt waren, noch, daß beide stets gesondert begangen wurden. Ihre Verbindung ist im 1. Korintherbrief zu erkennen, nämlich am Aufbau:

Paulus verknüpft Anweisungen für das Mahl und für den Wortgottesdienst: a) Mahl 10, 14 ff.; b) Wortgottesdienst 11, 2 ff.; c) Mahl 11, 17 ff.; d) Wortgottesdienst 12, 1 ff. Die Verbindung ist auch Apg 2, 42 vorausgesetzt.

Dagegen aber, daß beides stets zusammengehörte, spricht die Analogie des synagogalen Gottesdienstes, der reiner Wortgottesdienst ist. Er hat auf die christliche Gottesdienstgestaltung stark eingewirkt. Dagegen spricht ferner die Missionspredigt[18]. 1 Kor 14, 23 ff. setzt Paulus voraus, daß auch Ungläubige in die Gemeindeversammlung kommen. Zur Eucharistie aber werden nur die Getauften zugelassen. Es sind also mindestens zwei getrennte gottesdienstliche Akte anzunehmen[19]. Man darf vielleicht vermuten, daß da, wo man der synagogalen Tradition folgte, der Wortgottesdienst am Morgen stattfand, das Mahl dagegen am Abend.

Plinius in seinem berühmten Brief an Trajan (Ep X 96) berichtet: Die Christen versammeln sich stato die (natürlich am Sonntag) ante lucem im Freien, dann wieder abends ad capiendum cibum. *Lietzmann* will die morgendliche Feier nicht als Wortgottesdienst verstehen, sondern als Tauffeier. Aber Plinius redet von einem regelmäßigen Nebeneinander[20]. Es ergibt sich also, daß man um das Jahr 100 in Kleinasien Wort- und Mahlfeier getrennt beging. Bei Justin ist dann

---

[18] Ferner außerchristliche Analogien: W. Bauer, Der Wortgottesdienst der ältesten Christen, SGV 148, 1930.
[19] Bultmann, NT 147; W. G. Kümmel, Das Urchristentum, ThR NF 17, 1948/9, 21. Vgl. Justin Apol I 66, 1. Gegen obige Interpretation G. Bornkamm, Aufs. I 123 ff.
[20] Kümmel (s. vorige Anm.) 43.

beides vereinigt. Aber dazu gehört eine weitere Veränderung: Das Mahl erscheint bei Plinius noch als wirkliche Mahlzeit, während bei Justin Eucharistie und Agape getrennt sind.

Die älteste Bezeichnung für das Abendmahl ist κυριακὸν δεῖπνον. (Herrenmahl; 1 Kor 11, 20). Später setzt sich εὐχαριστία durch (Didache, Ignatius, Justin). Dieses Wort bezeichnet zunächst nur das Dankgebet, wird aber dann auf die ganze Feier ausgedehnt. In der Apostelgeschichte findet sich noch der Ausdruck »Brotbrechen«. Es ist umstritten, ob das eine technische Bezeichnung ist oder einfach die Feier als Mahlzeit kennzeichnen soll (vgl. Apg 27, 35). Auf die Frage, wie oft man feierte, gibt Did 14, 1 die Auskunft: κατὰ κυριακὴν κυρίου (jeden Sonntag) [21].

2. Eucharistie und Mahlzeit

Ursprünglich wurde das Sakrament im Rahmen einer wirklichen Mahlzeit genossen. Das ergibt sich sowohl aus den Berichten der Apostelgeschichte als auch aus der Tatsache, daß die Kultformel (s. u.) die Stiftung in den Rahmen einer Mahlzeit setzt, ferner aus den Vorgängen in Korinth (1 Kor 10 f.).
Paulus gibt noch einen weiteren Hinweis. Er überliefert die Stiftung folgendermaßen: Jesus spendet das Brot, dann — μετὰ τὸ δειπνῆσαι (nach dem Mahl) — den Becher. Das heißt: Als man diese Formel gestaltete, lag die Mahlzeit zwischen den beiden sakramentalen Akten der Brot- und Weinspende[22]. Man sieht aber, daß zu der Zeit, als Paulus den 1. Korintherbrief schreibt, die Entwicklung schon weiter fortgeschritten ist. Denn aus den weiteren Andeutungen von 1 Kor 11 ergibt sich, daß inzwischen beide Akte des Sakraments als ein in sich geschlossener Ritus ans Ende der Mahlzeit getreten sind. Paulus hat offensichtlich kein Interesse daran, diese Entwicklung rückgängig zu machen. Die Mißstände, die er bekämpft, sind anderer Art: Die Reichen essen bei der Sättigungsmahlzeit, die dem Sakrament vorausgeht, für sich, während die Armen darben müssen. Damit ist das Leben der Gemeinde gestört. Dem will Paulus begegnen, indem er verlangt, daß man das Sättigungsmahl überhaupt

---

[21] Vgl. Justin Apol I 67: am Sonntag, ebd 65: nach der Tauffeier.
[22] G. Bornkamm, a. a. O. 154; anders W. Schmithals, Die Gnosis in Korinth, FRLANT 66, ²1965, 238 f.

von der Eucharistie absondert. Der 1. Korintherbrief ist also das erste Dokument der Entwicklung, die bei Justin abgeschlossen ist.

Der Hintergrund der korinthischen Mißstände: Früher nahm man im allgemeinen an, diese seien eingerissen, weil die Korinther das Sakrament nicht als solches ernst nahmen; sie hätten eine Art Bankett daraus gemacht (*Lietzmann, Karl Barth*). Das paßt aber nicht zur sonstigen Haltung der korinthischen Enthusiasten (*H. von Soden, E. Käsemann, G. Bornkamm*). Die Entartung entstand vielmehr dadurch, daß die Korinther massive Sakramentalisten (im Sinn der Mysterien) waren. Sie meinten, die sakramentale Speise wirke qua Substanz. Jeder genoß sie für sich. Durch diesen pneumatischen Individualismus wurde die Gemeinschaft aufgelöst. Paulus ruft die Korinther auch gar nicht auf, den sakramentalen Sinn der geweihten Speise anzuerkennen – das tun sie schon. Sie sollen vielmehr begreifen, daß das Sakrament in die Kirche eingliedert und also durch die Verwirklichung der Gemeinschaft zu aktualisieren ist.

Schwieriger sind die beiden weiteren Probleme.

3. Lietzmanns Theorie von den beiden Mahltypen

Schon die Urgemeinde feierte Mahlzeiten. Es ist aber kaum anzunehmen, daß sie diese schon wie die hellenistische Gemeinde im spezifisch sakramentalen Sinn als Genießen einer pneumatischen Substanz verstand. *Lietzmann* deutet den Befund folgendermaßen: Die Urgemeinde beging nicht das Todesgedächtnis, sondern setzte die Tischgemeinschaft mit Jesus fort.

So auch *Bultmann* (NT 153). Modifiziert von
a) *Lohmeyer:* Er will beide Typen schon in der Urgemeinde finden, nämlich in zwei verschiedenen Gruppen, der galiläischen und jerusalemischen Gemeinde. An seiner These ist nur richtig, daß die sakramentale Deutung nicht erst von Paulus geschaffen wurde. Er fand sie bereits vor.
b) *Cullmann* will das Brotbrechen der Urgemeinde nicht auf die Tischgemeinschaft mit dem historischen Jesus zurückführen, sondern auf die Mahlzeiten mit dem Auferstandenen. Aber für die Berichte von den Ostererscheinungen ist die Mahlsituation nicht konstitutiv.

Was die Apostelgeschichte von den Mahlfeiern und dem dabei herrschenden Jubel erzählt, weist nicht auf eigentlich kultische Feiern, sondern auf die tägliche Hauptmahlzeit, die feierlich ausgestaltet wurde. Heißt sie »Brotbrechen«, so gleicht sie den jüdischen Mahlzeiten, die mit Segensspruch und Brotbrechen eröffnet werden (Mk 6, 41; 14, 22; Lk 24, 30; Did 9, 3; 14, 1).

Wein kann natürlich dabei sein, hat aber keine kultische Bedeutung, wie der Name »Brotbrechen« zeigt. *Lietzmann* verwies zum Vergleich auf jüdische Mahlzeiten im Kreise einer »Genossenschaft«. Doch vgl. *J. Jeremias*, Abendmahlsworte 23–25.

Näher liegen die Mahlzeiten der Qumran-Gemeinde, bei denen Brot und Most gesegnet und ausgeteilt wurden[23].
Den Zusammenhang mit der jüdischen Tischsitte zeigen die Abendmahlsgebete der Didache. Sie sind christlich überarbeitete jüdische Gebete[24]. Ihr Inhalt: Dank für die Gaben; Bitte um die eschatologische Vollendung. Es ist aufschlußreich, daß Did 9, 1—10, 5 zunächst ein Mahl ohne Bezug auf den Tod Jesu und ohne sakramentale communio erwähnt, daß dann aber 10, 6 der Übergang zur sakramentalen Eucharistie erfolgt. Diese Stelle ist eine der stärksten Stützen für *Lietzmanns* These. Hier scheinen die beiden Typen sekundär kombiniert zu sein. Freilich ist diese Deutung des Befundes nicht sicher. Zu beweisen ist lediglich, daß die Eucharistie mit einer Mahlzeit verbunden ist. Did 9 f. ist daher kaum ein Beleg für das Nebeneinander zweier Mahltypen, sondern für die Verbindung von Eucharistie und Agape. Fest steht nur, daß es verschiedene Deutungen des Mahles gab und daß man auch Mahlzeiten nicht-sakramentaler Art beging, die die Gemeinschaft der Gläubigen darstellten. Nicht bewiesen ist, daß diese Mahlzeiten als Fortsetzung der Tischgemeinschaft mit dem historischen Jesus galten. Das ist sogar äußerst unwahrscheinlich, denn wir finden nirgends den Niederschlag einer solchen Anschauung. Hätte es diese Deutung gegeben, so hätte man von solchen Mahlzeiten während des Lebens Jesu erzählt. Die Stelle, auf die man sich zu berufen pflegt, die Speisung der Fünftausend, beweist das Gegenteil, weil es sich nicht um eine Jüngermahlzeit handelt, sondern um ein öffentliches Wunder. Nicht bewiesen ist ferner, daß es in der Urgemeinde nur solche Gemeinschaftsmahle ohne sakramentale Begehung gab.

Vergleicht man den Befund in der Apostelgeschichte, bei Paulus und in der Didache, so findet man nicht die zwei Abendmahlstypen *Lietzmanns*, also nicht zwei verschiedene Weisen der Rückführung auf Jesus, sondern einerseits Gemeinschaftsfeiern, bei denen man an den Erhöhten denkt, andererseits das Abendmahl, bei dem die Feier mit dem Tode Jesu und dem Stiftungsakt verknüpft ist.

4. Die Einsetzungsworte

Die Stiftung des Abendmahls ist in vier Varianten überliefert: Mk 14, 22—25; Mt 26, 26—29; Lk 22, 15—20; 1 Kor 11, 23—25[25]. Die Fassung des Matthäus beruht völlig auf der des Markus und hat keinen selbständigen Quellenwert.

1 Kor 11, 23—25

Paulus zitiert ausdrücklich geprägte Gemeindetradition. Das Zitat reicht bis V. 25 (»Das tut zu meinem Gedächtnis«). V. 26 ist ein kommentierender Zusatz des Paulus: Beim Mahl wird der Tod des

---

[23] K. G. Kuhn, Über den ursprünglichen Sinn des Abendmahls und sein Verhältnis zu den Gemeinschaftsmahlen der Sektenschrift, EvTh 10, 1950/1, 508—527.
[24] M. Dibelius, Die Mahlgebete der Didache, ZNW 37, 1928, 32 ff.
[25] Bequemer Überblick bei Lietzmann im HNT zu 1 Kor 11, 25.

Herrn verkündigt, »bis er kommt«. Zum Verständnis des Mahles gehört also der Ausblick auf die Parusie, das Wissen um die Vorläufigkeit, in der die Gläubigen des Heils teilhaftig werden. Das Mahl ist nicht Vorwegnahme des himmlischen Mahles, sondern dessen Ersatz für die Zwischenzeit.

Obwohl V. 26 nicht mehr zur zitierten Kultformel gehört, hat Paulus ihn doch in Übereinstimmung mit der Tradition hinzugesetzt. Auch bei Markus und Lukas findet man einen eschatologischen Ausblick; in ihrer Überlieferung ist er in die Stiftungsworte selbst aufgenommen.

Der Inhalt der Kultformel: a) Die Einleitung »Der Herr Jesus in der Nacht, da er verraten ward« gibt die Situation an. Dieser Vermerk ist mehr als eine bloße historische Erinnerung. Der sakrale Rechtscharakter der Stiftung des Sakraments wird festgestellt, also seine Gültigkeit begründet. Damit ist eine Abgrenzung vom geschichtslosen Mysterium vollzogen.

Dieses kennt nur eine mythische »Stiftung«. Es wird nicht als »Erinnerung« begangen, sondern als Wiederholung des Sterbens des Kultgottes.

Paulus sagt nicht, daß das ursprüngliche Abendmahl ein Passamahl gewesen sei (s. u. S. 76).

b) Handlung und Deutewort bilden den Einsetzungsakt. Am Anfang steht das Dankgebet; das ist jüdische Mahlsitte, die die Kirche übernimmt. Es folgt das Brotbrechen und die Brotspende mit dem sinngebenden Wort: Das Brot ist der Leib des Herrn, der »(Leib) für euch«. Durch das Stichwort ὑπέρ ist Jesu Tod als Opfertod gedeutet, und zwar entweder »für euch« (Sühne) oder »an eurer Statt« (Stellvertretung). Schließlich wird zur Wiederholung aufgefordert. Damit ist wieder mehr gemeint als »Erinnerung«, nämlich wirksame Vergegenwärtigung. Das geschieht beim Genuß wirkkräftiger Speise, die ihre Kraft durch den Ritus erhält. Daß der Ritus auf den Tod des Herrn bezogen ist, wird zwar deutlich, aber über das Wie, die Art und Weise dieses Bezuges, gibt der Text keine präzise, dogmatisch zu definierende Auskunft. Nur das Verständnis des Todes konnte noch einigermaßen geklärt werden: Er ist als sühnender oder stellvertretender Opfertod gedeutet (s. o.). Hinzu kommt im Kelchwort der Gedanke an die Stiftung des neuen Bundes, also an die Gründung des neuen Gottesvolkes. Der Wiederholungsbefehl steht am Ende des Kelchwortes noch einmal.

ποιεῖν (tun) grenzt schon an den kultisch-technischen Sinn, den dieses Wort haben kann: »rituell begehen«[26]. Der Wiederholungsbefehl wird nicht zum ältesten

---

[26] H. Braun, ThW VI 481 f.; Bauer, WB s. v. ποιέω I. b. ε.

Bestand gehören, sondern ein liturgischer Zusatz sein *(G. Bornkamm)*. Bei Markus fehlt er. Sachlich bringt er allerdings nichts Neues, da die Überlieferung der Kultformel an sich schon die Wiederholung fordert.

Besonders auffällig ist die formale Inkongruenz zwischen Brotwort und Kelchwort (von *Käsemann* und *Bornkamm* mit Recht betont). Parallel stehen nicht σῶμα (Leib) und αἷμα (Blut), sondern σῶμα und διαθήκη (Bund). Das Sakramentsverständnis ist also nicht an den Elementen orientiert, sondern an dem in der Gemeinde gegenwärtigen Herrn.

Daß es auch nicht »Fleisch« und Blut heißt, sondern »Leib« und Blut, zeigt, daß diese nicht als Bestandteile des Herrn aufgefaßt sind. So wurden sie später allerdings verstanden; dann trat ganz konsequent an die Stelle von σῶμα die σάρξ (vgl. Joh 6, 51 ff. und Ignatius). Schließlich ergeben nicht erst Brot- und Kelchwort zusammen das ganze Sakrament; vielmehr ist jedes für sich eine vollgültige Mitteilung. Daß die Darbietung des Brotes auch allein den Herrn darbietet, wird aus 1 Kor 10, 16 f. ersichtlich, wo Paulus den Sinn des Sakraments als der Teilhabe am Leibe Christi ausschließlich vom Leib und Brot her darlegt. Da Brot- und Becherwort ursprünglich durch die Mahlzeit getrennt sind, mußte jedes in sich selbständig sein.

σῶμα ist nicht mit »Person« zu übersetzen (»das bin ich selbst«), sondern mit »Leib«. Nur so ist der Zusatz τὸ ὑπὲρ ὑμῶν verständlich. Es ist also gesagt: Das Brot gibt realen Anteil am Todesleib, an der durch den Tod gestifteten διαθήκη.

Paulus entfaltet die Mahl-Paradosis theologisch dahin, daß er die Gemeinschaft im Sinne seines Kirchengedankens interpretiert. Was den sakramentalen Elementen ihren pneumatischen Charakter verleiht und Speise und Trank in pneumatische Substanz verwandelt (1 Kor 10, 3 f.), das ist die Anwesenheit des Geistes, der den Herrn vertritt. Er stellt den Menschen vor die Wahl, mit der Gemeinde den Tod des Herrn zu verkündigen oder mit der Welt an seinem Tode schuldig zu sein.

Mk 14, 22—25
Beim Brotwort fehlt das Interpretament τὸ ὑπὲρ ὑμῶν. Dafür findet sich beim Becherwort ein entsprechender Zusatz: τὸ ἐκχυννόμενον ὑπὲρ πολλῶν. Die Deutung durch ὑπέρ kann also beliebig zu »Leib« oder »Blut« gesetzt werden. Man sieht daran, daß das Element nicht als solches die sinngebende Größe ist.

Das Blut ist — wie bei Paulus — als Bundesblut gedeutet, aber mit einer charakteristischen Variation. Bei Paulus stehen σῶμα und διαθήκη parallel; αἷμα ist die nähere Bestimmung zu διαθήκη. Bei Markus ist umgekehrt διαθήκη Bestimmung zu αἷμα: τοῦτό ἐστιν τὸ αἷμά μου τῆς διαθήκης (das ist mein Blut des Bundes). Jetzt stehen also σῶμα und αἷμα parallel. Dadurch wird die weitere

Entwicklung möglich, daß σῶμα im Sinne von σάρξ verstanden wird. Ein Wiederholungsbefehl steht bei Markus nicht. Sachlich ist er natürlich vorausgesetzt. Der eschatologische Ausblick ist in das Wort Jesu aufgenommen. Er erklärt, daß dies sein letztes Mahl auf Erden ist. Damit ist der Abschiedscharakter unterstrichen, ebenso die Hoffnung auf das künftige himmlische Mahl.

Welche Fassung ist die ursprüngliche? Man wird die Frage so gar nicht stellen können. Sie setzt nämlich voraus, daß eine einheitliche Urform existierte. Aber wenn es sie je gegeben haben sollte, dann ist sie aus dem vorhandenen Material nicht mehr zu rekonstruieren. Weit verbreitet ist die Meinung, Paulus habe gegenüber der Markusfassung geglättet. Dafür läßt sich anführen, daß sich bei Markus die beiden Attribute zu αἷμα hart stoßen: a) τῆς διαθήκης (des Bundes); b) τὸ ἐκχυννόμενον ὑπὲρ πολλῶν (das für viele ausgegossene). Diese Härte habe man dadurch beseitigt, daß man das ὑπὲρ πολλῶν in verkürzter, sprachlich leichterer Fassung zu σῶμα gezogen habe. Dagegen betont *G. Bornkamm* mit Recht, daß sich in beiden Fassungen jeweils ältere und jüngere Elemente finden.

Die Inkongruenz bei Paulus macht einen ursprünglicheren Eindruck als die Parallelisierung von σῶμα und αἷμα bei Markus. Auch jenes harte Nebeneinander der beiden Deutungen des Blutes (als Bundesopfer und als Sühnopfer) ist nicht die Urform, aus der der Paulustext abgeleitet werden kann, sondern eine sekundäre Anhäufung von Deutungsmotiven. Andererseits dürfte Markus mit seinem eschatologischen Ausblick gegenüber Paulus primär sein. Damit ist aber keineswegs gesagt, daß er die älteste Fassung bietet. — Durch diesen Vergleich werden noch Stadien sichtbar, die sowohl vor der markinischen als auch vor der paulinischen Textform liegen.

Fragt man nach der Urfassung der Deuteworte, so zeigen sich drei Möglichkeiten:

1. Das ursprüngliche Deutungsmotiv ist das ὑπέρ, also der Gedanke des sühnenden oder stellvertretenden *Opfers*. Der älteste wäre dann etwa der Markus-Text, aber ohne den Zusatz τῆς διαθήκης: τοῦτό ἐστιν τὸ αἷμά μου τὸ ἐκχυννόμενον ὑπὲρ πολλῶν.[27]

2. Die Deuteworte sprechen vom *Bund;* dann wäre die Urfassung: Dies ist mein Leib; dieser Kelch ist der neue Bund in meinem Blute.[28]

3. Beides, Sühne- und Bundesgedanke, fehlte ursprünglich; die Wor-

---

[27] J. Jeremias, a. a. O. 186, der darauf hinweist, daß der Ausdruck »mein Blut des Bundes« (Suffix) im Aramäischen sehr hart sei.
[28] So W. G. Kümmel in: H. Lietzmann, An die Korinther I. II, HNT 9, ⁴1949; E. Schweizer, a. a. O. 14.

te lauteten dann nur: Dies ist mein Leib, dies ist mein Blut. In diesem Falle wäre der Gedanke der *sakramentalen communio* mit dem Kultherrn konstitutiv.[29]

Gegen die dritte Deutung spricht die Tatsache, daß man ihren Parallelismus, der dem liturgischen Stil entspricht, schwerlich zerstört hätte. Zu den beiden anderen Hypothesen ist zu sagen: Man wird die Urform überhaupt nicht mehr rekonstruieren können. Es stehen zwei Überlieferungen nebeneinander, die nahe verwandt sind, die beide sekundäre Bestandteile enthalten. Man kann also annehmen, daß es noch ältere Stufen gab. Aber damit ist die Grenze unserer Einsicht schon erreicht.

Sehr eigenartig ist der dritte Text: *Lk 22, 15 ff. bzw. 19 f.*[30]

Der »westliche« Text (D it sy ˢ·ᶜ) bietet V. 19. 20 in einer verkürzten Fassung. Lange Zeit galt diese als Urtext. Man erklärte, die längere Fassung sei aus Paulus ergänzt worden, um die Differenz auszugleichen. Doch ist ein Umschwung eingetreten[31]. Heute gilt überwiegend die längere Textform als die ursprüngliche. Es läßt sich in der Tat zeigen, daß die Kurzfassung sekundär entstanden ist, um eine Schwierigkeit zu beseitigen. Sie streicht die Deutung des Brotes und die Spendung des Bechers, weil im Bericht des Lukas der Becher schon vorher vorkommt (V. 17 f.). Im längeren Text steht also eine zweimalige Spende des Bechers, die man durch die Kürzung beseitigen wollte. Die zweimalige Spendung des Bechers ist literarisch zu erklären: Lukas hat zwei Traditionen kombiniert, den Bericht des Markus und einen weiteren Mahlbericht. Auch dieser enthielt die Bestandteile Brot — Wein — eschatologischer Ausblick. Außerdem bezeichnet er das Mahl als Passamahl. Die ursprüngliche Form dieses weiteren (dritten) Einsetzungsberichtes kann nicht mehr rekonstruiert werden, da Lukas ihn nicht vollständig bringt, sondern ihn bei der Zusammenarbeitung mit dem Markus-Text gekürzt hat. Durch Kombination und Kürzung ergab sich die jetzige merkwürdige Abfolge: Becher — Brot — Becher. Man kann aber noch erkennen, daß auch in diesem dritten Bericht ursprünglich vor dem Becher das Essen erwähnt war (vgl. V. 15 f.). Er enthielt also folgende Elemente: Essen (des Passa) mit eschatologischem Hinweis; Trinken mit eschatologischem Hinweis. Der Opfergedanke fehlte.

---

[29] Bultmann, NT 148: Von den drei Motiven: sakramentale communio, Sühne, Bund, müsse das erste das primäre sein; denn es handle sich um ein Mahl. Das bedeutet, daß diese Worte erst in der hellenistischen Gemeinde entstanden sein können. Jeremias dagegen legt alles Gewicht darauf, daß der Grundbestand der Überlieferung auf Jesus selbst zurückgeht. Wir stellen eine Entscheidung noch zurück. Jedenfalls hat Bultmann das sakramentale Denken der hellenistischen Gemeinde zutreffend bestimmt. Nur ist damit noch nicht gesagt, daß seine literarkritische These stimmt.

[30] J. Jeremias, a. a. O. 117 f.; H. Schürmann, Der Paschamahlbericht Lk 22, (7—14) 15—18, NTA 19 (5), 1953; ders., Der Einsetzungsbericht Lk 22, 19—20, NTA 20 (4), 1955; ders., Jesu Abschiedsrede Lk 22, 21—38, NTA 20 (5), 1957.

[31] H. v. Soden, Sakrament und Ethik bei Paulus (1931), in: Das Paulusbild in der neueren deutschen Forschung, 1964, 368 Anm. 37; W. G. Kümmel, HNT 9, ⁴1949, 185; J. Jeremias, a. a. O. seit der 2. Aufl.

Sieht man von der lukanischen Sondertradition ab, so spielt es für den Einsetzungsbericht keine Rolle, daß es sich um ein Passamahl handelt. Das Passa erscheint bei Paulus gar nicht, bei Markus nur im sekundären Rahmen.

Dieser Befund ist besonders beachtlich, da Paulus durchaus die Deutung des Todes Jesu als Passaopfer kennt — aber außerhalb der Abendmahls-Überlieferung (1 Kor 5, 7).

Die Versuche, den Ablauf des letzten Mahles Jesu zu rekonstruieren und dadurch zu beweisen, daß es ein Passamahl gewesen sei, sind vergeblich. Sie beruhen ebenso auf einer petitio principii wie die ganze Diskussion um die Authentizität der Einsetzungsworte. Es ist klar, daß für Jesus ein hellenistisch-sakramentaler Sinn nicht in Frage kommt. Also fragt man, ob die Einsetzungsworte nicht auch unsakramental verstanden werden können. Und dann beweist man aus dem unsakramentalen Sinn die Echtheit und aus der Echtheit den unsakramentalen Sinn. Aber die jetzigen Texte sind eindeutig sakramental. Ihr Sinn ist an Tod und Auferstehung Christi gebunden. Das heißt aber: Das Abendmahl ist im selben Sinn von ihm gestiftet wie die Kirche.

Daß im hellenistischen Christentum der Gedanke der sakramentalen communio vorherrscht, zeigt 1 Kor 10, 16. Dabei braucht sie nicht substanzhaft gedacht zu sein. Es findet sich auch der Gedanke der sakralen Tischgemeinschaft (in Analogie zu heidnischen Kultmählern): Das Abendmahl ist Teilnahme an der τράπεζα κυρίου (Tisch des Herrn; 1 Kor 10, 18 ff.). Doch ist der Substanzgedanke schon bei Paulus spürbar. Stärker erscheint er in der interpolierten Stelle Joh 6, 51 b bis 58.

Viel diskutiert ist die Frage, ob die Teilnahme am Sakrament Anteil am Fleischesleib des Gekreuzigten oder am pneumatischen Leib des Erhöhten gewährt. *Bultmann* erklärt mit Recht, diese Frage sei falsch gestellt: Der Leib des Gekreuzigten und der des Erhöhten sind identisch — das ist gerade der Grundgedanke des Sakraments (vgl. Röm 7, 4: der getötete Leib ist der wirkungsmächtige Auferstehungs-Leib).

Wie in der Deutung der Taufe, so findet man auch in der des Abendmahls Mysteriengedanken. Aber auch hier bekommen sie durch das Kirchenverständnis einen geschichtlichen Sinn. Das geschieht schon durch den Rückbezug auf den Akt der Stiftung, weiter durch die Verknüpfung mit dem Opfergedanken. Dadurch beruht die Wirkung des Sakraments nicht auf einem magischen Substanzglauben, sondern auf der glaubenden Annahme des Todes Christi als Heilstat.

Besonders klar zeigt Paulus 1 Kor 10 und 11, daß das Sakrament den Menschen nicht mysterienhaft verwandelt, sondern in das geschichtliche Zusammenleben der Gläubigen in der Kirche hineinstellt; daß es nicht magischer Schutz ist, sondern in die gelebte Gemeinschaft führt. Natürlich ist damit zu rechnen, daß im hellenistischen Milieu Mysteriengedanken aufkommen. Bei Ignatius ist die sakramentale Speise zum φάρμακον ἀθανασίας (Unsterblichkeitsarznei) geworden. Dann dient der Kult nicht mehr der Aufrichtung des »alltäglichen« Glaubens in der Welt, sondern zur Ausgrenzung eines heiligen Bezirkes aus der Welt.

§ 8 DIE BEGRIFFE DES VERKÜNDIGENS UND GLAUBENS

BULTMANN, NT 68 f. (Lit.); 89—94 — G. FRIEDRICH, εὐαγγελίζομαι usw. ThW II 705 ff. — Ders., κηρύσσω, ThW III 695 ff. — R. BULTMANN, πιστεύω usw., ThW VI 197 ff. — R. ASTING, Die Verkündigung des Wortes im Urchristentum, 1939 — H. CONZELMANN, Die Mitte der Zeit, BHTh 17, ⁵1964, 204—210

Es entwickelt sich früh ein technischer Gebrauch der Begriffe, welche die Inhalte der Verkündigung und des Glaubens bezeichnen. Die wichtigsten sind die beiden Wortgruppen εὐαγγέλιον / εὐαγγελίζεσθαι und πίστις / πιστεύειν.

εὐαγγέλιον

Etymologie und Begriffsgeschichte sind nicht ergiebig. Das Wort bedeutet in der Profangräzität das Botengeld und die Botschaft selbst. Es wird oft behauptet, εὐαγγέλιον sei terminus technicus des Herrscherkultes gewesen und von da ins Christentum gekommen. Dem politischen Herrscher werde der wahre Weltherrscher gegenübergestellt. Aber der Gebrauch im Herrscherkult[1] ist nicht technisch. In der Septuaginta ist εὐαγγέλιον Übersetzung für בְּשׂוֹרָה. Aber das Wort ist nicht bedeutsam und weder spezifisch religiös verwandt noch technisch absolut.

Das Wort kann mit Genitiven verbunden werden. a) Gen. object.: Mk 1,1 ἀρχὴ τοῦ εὐαγγελίου Ἰησοῦ Χριστοῦ, Mt 4,23 τὸ εὐαγγέλιον τῆς βασιλείας, vgl. Mt 13,19 ὁ λόγος τῆς βασιλείας; b) Gen. subject.: Mk 1,14 Jesus verkündet das εὐαγγέλιον τοῦ θεοῦ· Daneben bildet sich ein technischer Sprachgebrauch (ohne Genitiv) aus. Das bedeutet für die Exegese, daß das Wort nicht überall emphatisch mit »die frohe Botschaft« zu übersetzen ist. Wo τὸ εὐαγγέλιον / εὐαγγελίζεσθαι nicht besonders betont ist, heißt es einfach die »Predigt« / »predigen«.

Das Wort kann auch gebraucht werden, wo es sich nicht um die »gute« Botschaft handelt: Lk 3,18; Apg 14,15; Apk 10,7; 14,6. Dementsprechend kann die Septuaginta sagen εὐαγγελίζεσθαι ἀγαθά (Jes 52,7, zitiert Röm 10,15)! εὐαγγελίζεσθαι bedeutet sachlich dasselbe wie κηρύσσειν τὸν λόγον τοῦ κυρίου, κηρύσσειν τὸν λόγον, κηρύσσειν τὸν Χριστόν Apg 8,5 (vgl. 8,4) oder nur κηρύσσειν. Auch διδάσκειν hat dieselbe Bedeutung. Mt 11,1 steht es mit κηρύσσειν zusammen. Oft wird behauptet, διδαχή bezeichne die ethische Lehre im Unterschied zum christologischen Kerygma. Aber Mk 8,31; 9,31 ist der Inhalt der διδαχή gerade die Christologie.

---

[1] Inschrift von Priene (Deißmann, LvO 313 f.; Ditt. Or. 458, 40): ἦρξεν δὲ τῷ κόσμῳ τῶν δι' αὐτὸν εὐαγγελί[ων ἡ γενέθλιος] τοῦ θεοῦ, sc. des Augustus.

πίστις
Der Verkündigung entspricht auf seiten des Hörers das Glauben. Das Neue Testament kann sich an den jüdischen Sprachgebrauch anlehnen. πίστις kann einmal die Treue Gottes bezeichnen (Röm 3, 3), ferner in den Wundergeschichten der Synoptiker das Vertrauen zum Wundertäter (Mk 5, 36) oder die Wunderkraft (Mk 9, 23). Aber das Besondere des neutestamentlichen Sprachgebrauchs versteht man nicht von der Bedeutung »Vertrauen« her. πίστις bedeutet vielmehr die Annahme der Botschaft vom Heilsgeschehen in Christus. Auch diese Bedeutung ist aus dem jüdischen Sprachgebrauch abgeleitet. Dort bedeutet »Glaube« das Festhalten am Bekenntnis zu dem einen Gott und die Treue zum Gesetz.[2]

Der Glaube wird nicht vom Psychologischen her verstanden (wie bei Philo), sondern ausschließlich von seinem Inhalt her: »Der Glaube kommt aus der Predigt« (Röm 10, 14 ff.). Fides quae creditur und fides qua creditur sind eine Einheit im Akt des Hörens und des Sichverstehens aus der Botschaft. Dieser Sinn drückt sich im Sprachgebrauch aus. Es gibt den absoluten Gebrauch: οἱ πιστεύοντες bzw. πιστεύσαντες. Dies sind nicht die religiös Veranlagten, sondern die Christen. πίστις ist der Akt des Christwerdens (Apg 20, 21) und das Christsein (1 Kor 2, 5). πιστεύειν εἰς meint nicht ein psychologisches Verhältnis zu Jesus, sondern ist einfach eine verkürzte Wendung für den Satz: »Ich glaube, daß Gott Jesus von den Toten erweckte« (Röm 10, 9).

Die Septuaginta gebraucht für die Bezeichnung des Verhältnisses zu Gott nicht πιστεύειν εἰς, sondern den Dativ oder ἐπί mit Dativ. Dieser Sprachgebrauch ist wiederum im Neuen Testament selten für den Glauben an Christus: Dativ Apg 5, 14; 18, 8; ἐπί mit Dativ 1 Tim 1, 16; dazu ἐπί mit Akkusativ Apg 9, 42; ἐν mit Dativ Mk 1, 15; πρός Phlm 5 (*Bultmann*, NT 93).

Da der Glaube Annahme der Botschaft ist, gibt es kein kollektives »Glauben«. Der Glaube qualifiziert zunächst den Einzelnen. Er holt ihn aus seinem bisherigen Kollektiv heraus. Im Augenblick des Hörens der Botschaft ist der Hörer weder Jude noch Grieche, sondern nichts als Angesprochener, der sein Heil vernimmt. Aber die Isolierung des Einzelnen durch das Wort bedeutet nicht religiösen Individualismus. Denn der Glaube bezieht sich auf das Heilsgeschehen, das jedem gilt und in die Gemeinschaft der Hörer eingliedert. Die Entscheidung ist die meinige, aber nicht als mein Werk, meine Lei-

---

[2] Bultmann, ThW VI 200 f., 205 f.; H. Lietzmann im HNT zu Röm 4, 25; A. Meyer, Das Rätsel des Jacobusbriefes, 1930, 123—141.

stung, die von mir verrechnet werden kann. Entscheidung fällt im Hören. Im Glauben kann ich nicht auf mein Mich-Entscheiden blicken. Dieses wird mir nur als Bezug auf das Wort erkennbar. Indem ich glaube, bin ich nicht an mir als Gläubigem orientiert, sondern weiß, daß ich durch Gnade bin, was ich bin.

§9 DER INHALT DER VERKÜNDIGUNG

C. H. Dodd, The Apostolic Preaching and its Developments, (1936) ⁸1956 — O. Cullmann, Die ersten christlichen Glaubensbekenntnisse, ThSt (B) 15, 1943 — O. Michel, ὁμολογέω, ThW V 199–220 — J. N. D. Kelly, Early Christian Creeds, 1950 — Bultmann, NT 68 ff. — H. Conzelmann, Was glaubte die früheste Christenheit?, Schw. Theol. Umschau 25, 1955, 61–74 — H. W. Boers, The Diversity of NT Christological Concepts and the Confession of Faith, Diss. Bonn 1962 — V. H. Neufeld, The Earliest Christian Confessions, 1963

Der Glaube spricht sich von Anfang an in formelhaften Prägungen aus. Diese unterliegen einer geschichtlichen Entwicklung. Das Apostolikum bzw. dessen Vorform, das Romanum, stellt bereits ein Endstadium dar.

F. Kattenbusch, Das Apostolische Symbol I, 1894; II, 1900 — A. Seeberg, Der Katechismus der Urchristenheit, 1903 (= ThB 26, 1966) — K. Holl, Zur Auslegung des 2. Artikels des sog. apostolischen Glaubensbekenntnisses (1919), Ges. Aufs. II 115–122 — H. Lietzmann, Die Anfänge des Glaubensbekenntnisses, Festg. für A. Harnack, 1921, 226–242 — Ders., Symbolstudien, ZNW 21, 1922, 1 ff.; 22, 1923, 257 ff.; 24, 1925, 193 ff.; 26, 1927, 75 ff. — E. v. Dobschütz, Das Apostolicum, 1932 — Die Bekenntnisschriften der Evangelisch-Lutherischen Kirche, ⁵1963, XI ff.; 21 ff.

I. Die Rekonstruktion

Am einfachsten ist geprägtes Überlieferungsgut zu erkennen, wo es ausdrücklich als solches bezeichnet wird. 1 Kor 15, 3 führt Paulus eine Formel ein: παρέδωκα γὰρ ὑμῖν ἐν πρώτοις, ὃ καὶ παρέλαβον.

παραλαμβάνειν und παραδιδόναι sind feste Begriffe des Tradierens. Sie entsprechen hebräisch מסר ל und קבל מן; vgl. 1 Kor 11, 23[1].

Einen weiteren Anhalt können die Stichworte πιστεύειν und ὁμολογεῖν geben. Beide gewinnen früh einen technischen Sinn: den der Wiedergabe von Glaubensgut in geprägter Rede; vgl. 1 Joh 4, 15: ὃς ἐὰν ὁμολογήσῃ, ὅτι Ἰησοῦς ἐστιν ὁ υἱὸς τοῦ θεοῦ mit 1 Joh 5, 5: ὁ πιστεύων, ὅτι Ἰησοῦς ἐστιν ὁ υἱὸς τοῦ θεοῦ. Dieser technische Sprachgebrauch kann bis Paulus zurückverfolgt werden. Dadurch werden Prägungen sichtbar, die schon für ihn Tradition waren. Die klassische Stelle ist Röm 10, 9: ὅτι ἐὰν ὁμολογήσῃς ἐν τῷ στόματί

---

[1] O. Cullmann, Die Tradition, 1954, 13 gegen E. Norden, Agnostos Theos, 1913, 270, der hier hellenistische Terminologie findet.

σου κύριον Ἰησοῦν καὶ πιστεύσῃς ἐν τῇ καρδίᾳ σου, ὅτι ὁ θεὸς αὐτὸν ἤγειρεν ἐκ νεκρῶν, σωθήσῃ. Hier bezeichnen die beiden Stichwörter zwei Grundformen: die »*Homologie*« und das »*Credo*«. Beide unterscheiden sich nach Form und Inhalt. Das Credo bezeichnet das Heils*werk*: Gott hat Jesus von den Toten auferweckt. Die Homologie ist Anruf an die *Person* des Erhöhten. Die Akklamation an diesen ist konstitutiver Bestandteil des Gottesdienstes. Zur Akklamation gehört die Proklamation vor der Welt; die Gemeinde erklärt öffentlich, wer ihr Herr ist.

Das Bekenntnis *fordert* nicht nur eine Entscheidung. Es hat die Kraft, sie selbst *herbeizuführen*. Der Bekenner weiß, daß sein Glaube nicht seine eigene Leistung ist. Ebenso bestimmt das Bekenntnis auch den, der den Glauben verweigert. Die Entscheidung ist nicht auf die Innerlichkeit begrenzt; sie bedeutet vielmehr den Anschluß an die Gemeinde der Bekennenden. Christi Herrschaft wird vor der Welt bekannt, weil sein Herrschaftsbereich nicht nur die Kirche, sondern die Welt ist. Die Kirche weiß das, während es der ungläubigen Welt verborgen ist. Darum muß die Kirche ihr immer neu die Wahrheit über sie selbst enthüllen.

Ein weiteres Kriterium für die Rekonstruktion bietet die Formanalyse. Gelegentlich kehren bei verschiedenen Schriftstellern Sätze wieder, die sich in Form, Begrifflichkeit und Inhalt gleichen. Dann kann man auf traditionelles Gut schließen, besonders wenn sich solche Sätze von ihrer Umgebung abheben: durch rhythmische Gliederung (Röm 4, 25; 1 Tim 3, 16), durch Relativ- oder Partizipialstil (ebd.), durch einen dem Verfasser fremden Wortschatz, durch abweichende Vorstellungen. So häufen sich z. B. Röm 1, 3 f. unpaulinische Begriffe, in denen sich eine unpaulinische Christologie ausspricht.

Schließlich kann man von den späteren entwickelten Bekenntnisformulierungen ausgehen und ihre Vorstadien bis ins Neue Testament zurückverfolgen.

Alfred Seeberg nahm an, daß alle formelhaften Sätze im Neuen Testament Anspielungen auf eine umfassende Formel, eine Art Katechismus seien, den man durch die Kombination der einzelnen Stellen rekonstruieren könne. Dagegen zeigt *Lietzmann*, daß jede — noch so kurze — Formel nicht ein Teil des Credo ist, sondern das ganze Credo. Man kann sich den Sachverhalt an der Lage des Bekenners vor Gericht veranschaulichen. Von ihm wird verlangt, daß er das Bekenntnis spreche: κύριος Καῖσαρ. Aber er antwortet darauf mit seinem Bekenntnis: κύριος Ἰησοῦς. Damit hat er 1. den ganzen Glauben bekannt; im Augenblick ist nichts weiter zu sagen. Er hat 2. verständlich bekannt, das Gericht versteht ihn; es bekundet das, indem es ihn verurteilt. Er hat 3. verbindlich bekannt und 4. die Herrschaft des Kyrios nicht nur behauptet, sondern vollzogen. Sein Bekenntnis hat das weltliche Imperium dem Herrn Jesus unterworfen, in der Form, die dem Kreuz gemäß ist.

II. *Der Inhalt des Bekenntnisses: Person und Werk Christi*

Die Credo-Formeln lassen sich danach klassifizieren, ob sie nur *einen* Glaubensartikel enthalten: das Bekenntnis zu Christus (so die Mehrzahl der Formeln), oder *zwei:* das Bekenntnis zu Gott und Christus. Der christologische Artikel kann eine Aussage über die Person oder das Werk Christi sein.

1. Aussagen über die Person Christi

Er wird bekannt a) als der Messias: Mk 8, 29 σὺ εἶ ὁ χριστός, par Lk 9, 20 τὸν χριστὸν τοῦ θεοῦ, und Mt 16, 16 σὺ εἶ ὁ χριστὸς ὁ υἱὸς τοῦ θεοῦ ζῶντος; b) als der »Sohn Gottes«: 1 Joh 4, 15 usw.; c) als der »Herr«: Röm 10, 9; 1 Kor 12, 3.

2. Aussagen über das Werk Christi

Den Grundbestand bildet der Satz, daß Gott Jesus auferweckt hat (Röm 10, 9). Er wird erweitert durch Aussagen über das Sterben und dessen Heilssinn (Röm 4, 25; 1 Kor 15, 3—5; s. u. III.).
Beide Aussagen werden dann so kombiniert, daß die Personaussage an die Spitze rückt und die Werkaussage den Titel Jesu interpretiert.

III. *Die Deutung der Auferstehung*

Die Vorstellung von der Auferweckung bzw. Auferstehung Jesu ist in der Frühzeit nicht einheitlich. Man findet nebeneinander die Anschauungen, a) daß Jesus aus dem Grabe direkt in den Himmel aufgefahren sei, daß also Auferstehung und Himmelfahrt, Auferstehung und Erhöhung identisch seien; b) daß er aus dem Grabe zunächst auf die Erde zurückgekehrt und erst dann, nachdem er eine

Zeitlang mit seinen Jüngern verkehrt hatte, aufgefahren sei. Über den Zeitpunkt dieser Himmelfahrt gibt es keine einheitlichen Angaben. Selbst im lukanischen Geschichtswerk stehen nebeneinander die Auffahrt am Ostertag und die Auffahrt nach vierzig Tagen. Dementsprechend modifiziert sich auch die Anschauung vom Wesen der Erscheinungen des Auferstandenen. Ist Jesus aus dem Grabe direkt in den Himmel aufgefahren, erscheint er jeweils vom Himmel her. Ist er erst nach den Erscheinungen aufgefahren, sind die Ostererscheinungen grundsätzlich von allen späteren Erscheinungen des erhöhten Herrn (vor Paulus bei Damaskus!) unterschieden.

Diese Unterscheidung spielt in der Apostelgeschichte eine Rolle. Der Umgang des Auferstandenen mit den Jüngern hat andere Qualität als spätere Epiphanien des Erhöhten. Jener Umgang mit den Jüngern vor der Himmelfahrt begründet den einmaligen Rang der Auferstehungszeugen. Diesen Rang bekommt Paulus in der Apostelgeschichte nicht — im Gegensatz zu seinem eigenen Bewußtsein.

Tritt die Kirche mit dem Osterzeugnis vor die Welt, muß sie dessen Wahrheit begründen. Das geschieht 1) durch den Verweis auf die Augenzeugen: 1 Kor 15, 3 ff.; Apg 1, 22; 2, 32; 3, 15; 10, 40 f.; 2) durch die Berufung auf das Zeugnis der Schrift: 1 Kor 15, 4; Lk 24, 27; Apg 2, 30 ff.; 13, 34 ff. Der grundlegende Text ist die von Paulus 1 Kor 15, 3 ff. zitierte Formel[2]:

ὅτι Χριστὸς ἀπέθανεν   ὑπὲρ τῶν ἁμαρτιῶν ἡμῶν
     κατὰ τὰς γραφάς,
     καὶ ὅτι ἐτάφη,
καὶ ὅτι ἐγήγερται   τῇ ἡμέρᾳ τῇ τρίτῃ
     κατὰ τὰς γραφάς,
     καὶ ὅτι ὤφθη Κηφᾷ,
     εἶτα τοῖς δώδεκα.

Die Begrifflichkeit der Formel ist unpaulinisch. Dadurch wird bestätigt, daß sie bereits vor Paulus geprägt wurde.

Unpaulinisch ist der Plural ἁμαρτίαι, ὤφθη, ἐγήγερται, κατὰ τὰς γραφάς, οἱ δώδεκα. Der Sprachcharakter zeigt semitischen Einschlag. Daraus wird meistens

---

[2] Literatur: W. G. Kümmel, Kirchenbegriff und Geschichtsbewußtsein in der Urgemeinde und bei Jesus, SyBU 1, 1943, 2 ff.; E. Schweizer, Erniedrigung und Erhöhung bei Jesus und seinen Nachfolgern, AThANT 28, ²1962, 89 f.; K. H. Rengstorf, Die Auferstehung Jesu, ⁴1960 (passim); H. v. Campenhausen, Der Ablauf der Osterereignisse und das leere Grab, SAH ³1966, 8 ff.; H. Conzelmann, Zur Analyse der Bekenntnisformel I. Kor. 15, 3—5, EvTh 25, 1965, 1—11; J. Jeremias, Artikelloses Χριστός. Zur Ursprache von I Cor 15, 3b—5, ZNW 57, 1966, 211—215. — Zusammenfassend: H. Graß, Ostergeschehen und Osterberichte, ²1962, 94—106 (mit Ergänzungen).

Der Inhalt der Verkündigung 85

geschlossen, die Urform der Formel sei aramäisch gewesen; sie sei also in frühester Zeit, in Jerusalem selbst, entstanden. Aber eine genaue Stilanalyse zeigt, daß es sich nicht um Übersetzung aus dem Aramäischen handelt, sondern um Einwirkung der Sprache der Septuaginta — daher der Eindruck semitischer Färbung. Das bedeutet, daß die Gemeinde, die diese Formel verfaßte, das Alte Testament in der griechischen Übersetzung benützte, also griechisch sprach. Damit ist nicht bestritten, daß in ihr jerusalemische Tradition verarbeitet ist.

Subjekt des Satzes ist »Christus«. Es ist fester Stil, daß man da, wo Jesus als das tätige Subjekt des Heilswerks erscheint, die Bezeichnung »Christus« gebraucht. Bezeichnend ist, daß in bezug auf die Auferstehung passivisch gesprochen wird. Aus den vier Aussagen der Formel: ἀπέθανεν — ἐτάφη — ἐγήγερται — ὤφθη, heben sich zwei als die eigentlichen Heilsaussagen heraus: ἀπέθανεν und ἐγήγερται. Beide werden doppelt begründet: je durch den Hinweis auf die Schrift (κατὰ τὰς γραφάς) und durch einen historischen Beweis (ἐτάφη bzw. ὤφθη). ἐτάφη und ὤφθη haben keine selbständige Bedeutung. ἐτάφη soll vielmehr das vorausgehende ἀπέθανεν akzentuieren: Jesus war wirklich tot, aus den Toten wurde er auferweckt.

Manche Exegeten finden in ἐτάφη einen Hinweis auf das leere Grab. Diese Deutung wird aber durch die Tatsache widerlegt, daß ἐτάφη nicht der Auferweckung zugeordnet ist, sondern dem Sterben.

Nach wie vor nicht erklärt ist die Zeitbestimmung »am dritten Tage«.[3]

Sie findet sich durchgehend im frühen Osterkerygma, und zwar in zwei Fassungen: »am dritten Tage« und »nach drei Tagen«. Ein Unterschied in der Bedeutung besteht nicht. Erklärungsversuche: 1. Zu diesem Zeitpunkt seien die ersten Erscheinungen erfolgt. Diese Erklärung ist möglich. 2. Nach *H. von Campenhausen* handelt es sich um den Zeitpunkt der Entdeckung des leeren Grabes. Dagegen spricht aber die Tatsache, daß das Datum älter ist als die Grabeslegenden. 3. Das Datum sei aus der Tatsache herausgesponnen, daß sich die Christen am ersten Wochentag zu versammeln pflegten. Aber gerade das Umgekehrte ist wahrscheinlich: Dieser Tag wurde zum Versammlungstag, weil er als Tag der Auferstehung des Herrn galt. 4. Drei sei eine typische Zahl. Es gebe religionsgeschichtliche Parallelen, z. B. die Vorstellung, nach dem Tode bleibe die Seele drei Tage in der Nähe des Leichnams. Aber diese Analogie ist vage. 5. Das Datum sei aus der Schrift herausgesponnen. Fragt man jedoch, welche Schriftstelle in Frage kommt, gerät man in Verlegenheit. Im Matthäusevangelium gibt es freilich einen ausdrücklichen Schriftbeweis aus Jona 2, 1 für das Datum: Mt 12, 40. Aber diese Stelle ist traditionsgeschichtlich spät. Auch kann die Formel »am dritten Tage« deswegen nicht aus ihr herausgesponnen sein, weil sie mit dem Datum des Zitats: τρεῖς ἡμέρας καὶ τρεῖς νύκτας, nicht übereinstimmt. Andere verweisen auf Hos 6, 2: ὑγιάσει ἡμᾶς μετὰ δύο ἡμέρας, ἐν τῇ ἡμέρᾳ τῇ

---

[3] H. Graß (s. vorige Anm.) 127—138.

um auf die Psyche der Jünger abzuheben, sondern um zu zeigen, daß hier Neues geschah, das Glauben weckte: Es gibt keinen Auferstehungszeugen, der nicht gläubig wurde.

Mit der Auferstehung liegt bereits die Parusie im Blickfeld.

In den Formeln wird sie nicht angeführt, denn sie handeln vom vergangenen Heilsgeschehen. Aber aus diesem ergibt sich die Hoffnung. Paradigma: 1 Thess 1, 9 f., eine schematische Zusammenfassung der Missionspredigt. Sie enthält: a) die Bekehrung zum »wahren« Gott; b) Belehrung über den richtigen Gottesdienst; c) καὶ ἀναμένειν τὸν υἱὸν αὐτοῦ ἐκ τῶν οὐρανῶν, ὃν ἤγειρεν ἐκ τῶν νεκρῶν, Ἰησοῦν τὸν ῥυόμενον ἡμᾶς ἐκ τῆς ὀργῆς τῆς ἐρχομένης. Jesus erscheint hier nicht als der Richter, sondern als der Retter, σωτήρ. Wie sich Paulus den Vorgang denkt, zeigt 1 Thess 4, 13 ff.: Die Gläubigen werden beim Kommen des Herrn zu ihm in die Luft entrückt. Daneben findet sich auch die Vorstellung von Jesus als dem künftigen Weltrichter. Nach jüdischer Erwartung ist der Richter Gott (1 Thess 3, 13 usw.). Die christliche Anschauung ist dann, daß Gott sein Amt an Jesus delegiert (2 Kor 5, 10). Das Nebeneinander von Gott und Christus als Richter macht Paulus kein Kopfzerbrechen. Für die Vorstellung von der Parusie wurde Dan 7, 13 wichtig; vgl. Mk 13, 26; 14, 62. Das Neue der christlichen Erwartung liegt darin, daß man den Richter als den Retter kennt. Damit ist die Eschatologie nicht mehr nur formelle Erwartung, sondern positive Hoffnung. Sie ist nicht durch das apokalyptische Gemälde, sondern im Heilswerk, im Glauben begründet. Darum hat man wenig Interesse daran, Bilder vom Vorgang der Parusie zu malen oder deren Zeitpunkt zu berechnen. Das Interesse konzentriert sich auf die Verkündigung des Glaubens. Die Eschatologie ist christologisch entworfen.

Die Auferstehung Christi begründet die Hoffnung auf Auferstehung der Gläubigen. Der Zusammenhang zwischen beiden wird so dargestellt: a) wie Christus, so auch die Gläubigen; b) weil Christus, darum auch die Gläubigen.

Dieses »Wie« oder »Weil« könnte freilich immer noch im Sinne einer apokalyptischen Weltanschauung verstanden sein, also phantastisch bleiben. Die theologische Sachfrage ist, ob die Hoffnung ein Stück apokalyptisches Weltbild ist oder ob sie als Element des Glaubens selbst durchsichtig wird.

Paulus verknüpft Auferstehung Christi und Auferstehung der Gläubigen in 1 Kor 15. Indem er die Hoffnung nicht nur äußerlich auf das Credo gründet, sondern das Credo selbst existential interpretiert, zeigt er, inwiefern in Christi Schicksal unser eigenes gesetzt ist. In Röm 5—8 erscheint die Hoffnung als Form des Existierens angesichts der Welt und der Weltmächte, Sünde, Tod, Anfechtung. Das neue Leben ist im Geist schon da. Das Hoffnungsgut ist also nicht nur versprochen, sondern es verbürgt sich heute als Leben im Geist.

IV. Die Deutung des Todes Jesu

Zur Deutung des Todes Jesu verwendet man kultische und juristische Vorstellungen. Sie werden nicht scharf auseinander gehalten,

wie ja der Kult seine juristische Komponente hat. Der Sinn der folgenden Übersicht ist nicht die reinliche Einordnung jeder Stelle in eine bestimmte Kategorie, sondern gerade der Gesamteindruck.
1. Der Tod Jesu gilt als Loskauf (Gal 3, 13; 4, 5; 1 Kor 6, 20; 7, 23), sein Blut ist der Kaufpreis (1 Petr 1, 18 f.). Den Ertrag beschreibt die Wortgruppe (ἀπο-) λύτρωσις. Sachlich besteht somit eine Brücke zwischen der Vorstellung vom Loskauf und der anderen von der
2. Stellvertretung. Diese ist am klarsten in dem Liedfragment 1 Petr 2, 21—24 ausgesprochen. Schwebend ist der Übergang auch zur
3. Opfervorstellung, wie Mk 10, 45; 1 Tim 2, 6 zeigen, vgl. Röm 4, 25; Eph 5, 2. Gelegentlich wird das Opfer genauer definiert, a) als Passaopfer (1 Kor 5, 7), wobei auch der Bundesgedanke anklingt; b) als Bundesopfer (Hebr 13, 20); c) weitaus am wichtigsten ist der Gedanke des Sühnopfers. Christus heißt ἱλαστήριον (Röm 3, 25; vgl. Hebr 2, 17; 1 Joh 2, 2; 4, 10)[8]. An das Sühnopfer ist vor allem gedacht, wenn man kurz sagt, er sei gestorben ὑπὲρ ἡμῶν.

Doch kann ὑπέρ auch den Gedanken des Loskaufens ausdrücken (Gal 3, 13) und den der Stellvertretung (2 Kor 5, 21). Das Stichwort ὑπέρ fehlt Apostelgeschichte, Jakobus, Judas, 2. Petrus, Didache, 2. Klemens, Hermas.

Auf die Formulierung hat Jes 53 eingewirkt (Röm 4, 25!). Die Tat Christi wird charakterisiert durch παραδιδόναι, διδόναι (Röm 4, 25; Mk 10, 45; Gal 1, 4[9]).

Eine hervorragende Rolle spielt der Gedanke »ὑπὲρ ἡμῶν« in der Abendmahlstradition. Der Opfergedanke ist akzentuiert durch den Hinweis auf das Blut, d. h. das vergossene Opferblut.

Vgl. 1. Petrus; Hebräer; 1. Johannes; Apokalypse; Apg 20, 28. Paulus spricht vom Blut Christi nur, wo er Tradition zitiert oder wo diese nachklingt (Röm 5, 9). Deuteropaulinen: Kol 1, 20; Eph 1, 7. Die Besprengung mit Opferblut bedeutet Reinigung, Sühnung (1 Petr 1, 2; Hebr 9, 13 usw.).

Der Ertrag des Heilswerks wird definiert als Befreiung: (ἀπο-) λύτρωσις, Sündenvergebung (s. u.), Reinigung, Heiligung (Eph 5, 25 f.), Versöhnung (Paulus, Kolosser, Epheser), Rechtfertigung (ein Hauptbegriff der Theologie des Paulus, aber aus vorpaulini-

---

[8] G. Fitzer, Der Ort der Versöhnung nach Paulus, ThZ 22, 1966, 161—183, bestreitet für ἱλαστήριον die Bedeutung »Sühnopfer«; doch wird diese auch durch den jeweiligen Kontext nahegelegt. Richtig ist aber, daß keine isolierte Sühnetheorie entworfen wird.

[9] Gal 1, 4a wird als Traditionsgut erwiesen durch die unpaulinische Diktion (Plural von ἁμαρτία) und den Vergleich mit anderen Stellen (Röm 4, 25, einer traditionellen Formel; Eph 5, 2. 25; Tit 2, 14).

schen Ansätzen entwickelt, wie zwei von Paulus zitierte Stellen zeigen: Röm 4, 25; 3, 24 ff.).

Röm 4, 25 wird durch Stil (Parallelismus membrorum) und Inhalt als Traditionsgut erwiesen. In dieser Formel ist dem Tod die Sühnung als die negative Bedingung des Heils zugeordnet, der Auferweckung die positive Übermittlung des Heilsguts, der Gerechtigkeit. Paulus kommentiert sie Röm 5, 1 ff., indem er den Glaubensbegriff einführt und die Konsequenz zieht: εἰρήνην ἔχομεν.

Röm 3, 24 ff. finden sich gehäuft unpaulinische Begriffe und Gedanken: ἱλαστήριον, πάρεσις, ἁμάρτημα, αἷμα (nur noch Röm 5, 9 und Abendmahlstext). Der Sinn von δικαιοσύνη weicht charakteristisch vom paulinischen ab[10]: Gott hat durch die Stiftung eines Sühnopfers seine Gerechtigkeit, nämlich seine Bundestreue erwiesen. Warum dieser komplizierte Vorgang, daß Gott eine Versöhnung mit sich selber herstellt? Es soll erklärt werden, a) daß der Alte Bund nicht einfach fortgesetzt werden kann, da er gebrochen ist; b) daß die Schuld nicht beseitigt wird, indem sie von Gott übersehen wird. Sie muß getilgt werden. c) Von der anderen Seite her zeigt sich, daß wir auf Gottes Gnade angewiesen sind. Diese kann nicht lediglich in einer Gesinnung Gottes bestehen, sondern muß ein wirksamer Akt sein. Der Gedankengang wird nicht von einem abstrakten Gottesbegriff und einer Opferidee her durchsichtig. Es handelt sich um einen Versuch, den Glauben zu interpretieren: Er ist Stiftung eines neuen Verhältnisses zur Vergangenheit (Schuld), Gegenwart und Zukunft (neuer Bund).

Die Grenze dieser Auslegung des Heilsgeschehens ist allerdings, daß die Sühne nur die vergangenen Verfehlungen umfaßt. Wie steht es mit Gegenwart und Zukunft? Die Formel blickt nicht auf den Einzelnen, sondern auf das Kollektiv des Gottesvolkes. Der Einzelne ist durch seine Aufnahme in dieses geheiligt. Mit neuen Verfehlungen wird nicht mehr gerechnet.

Es ist klar, daß diese Sühnetheorie auf die Dauer nicht ausreicht. Sie bezieht sich nur indirekt auf den Einzelnen. Sie kann das Existieren in der Welt nicht positiv beschreiben. Auch der Begriff der »Sündenvergebung« genügt nicht. Paulus weiß das. Er verwendet ihn nicht, wo er selbst formuliert. Das Stichwort ἄφεσις fehlt bei ihm; πάρεσις steht nur in der zitierten Formel, dazu noch einmal ἀφιέναι in einem Zitat aus dem Alten Testament (Röm 4, 7). Der Gedanke der Sündenvergebung ist an der Vergangenheit orientiert und versteht unter »Sünde« den einzelnen Verstoß gegen Gottes Gebot. Paulus entwickelt den Gedanken weiter: a) Er deutet die δικαιοσύνη als das Gerechtmachen des Menschen durch Gott in der Gegenwart. b) ἁμαρτία ist bei ihm nicht der einzelne Verstoß, sondern die Macht der Sünde. Das drückt sich im Sprachgebrauch aus: Er verwendet das Wort im Singular (im Plural nur, wo er Tradition aufgreift). Der Blick richtet sich nicht in die Vergangenheit, sondern in die Zukunft, auf die Freiheit von der Sünde als die Freiheit des neuen Wandels.

---

[10] E. Käsemann, Zum Verständnis von Römer 3, 24—26, ZNW 43, 1950/1, 150—154 (= Ex. Vers. u. Bes. I 96—100); W. G. Kümmel, Πάρεσις und ἔνδειξις, ZThK 49, 1952, 154—167 (= Heilsgeschehen und Geschichte, Marb. Theol. Stud. 3, 1965, 260—270).

§ 10 DIE CHRISTOLOGISCHEN TITEL IM KERYGMA

O. CULLMANN, Die Christologie des Neuen Testaments, ²1958 — H. W. BOERS, The Diversity of NT Christological Concepts and the Confession of Faith, Diss. Bonn 1962 — W. KRAMER, Christos Kyrios Gottessohn, AThANT 44, 1963 — F. HAHN, Christologische Hoheitstitel, FRLANT 83, 1963 — PH. VIELHAUER, Ein Weg zur neutestamentlichen Christologie?, EvTh 25, 1965, 24—72 (= Aufs. z. NT, ThB 31, 1965, 141—198) — gegen Hahn

I. Messias

Es ist ein zweifacher Sprachgebrauch zu unterscheiden:

1. „χριστός" ist Titel: »der Messias«; Mk 8, 29: σὺ εἶ ὁ χριστός.

2. Christus ist aber auch zum bloßen Namen geworden in der Zusammensetzung Ἰησοῦς Χριστός.

Das gilt auch da, wo Paulus den Artikel setzt, dessen Gebrauch nur formale Gründe hat (*Kramer* 206 ff.). Die Entwicklung der Bedeutung von χριστός zum Namen erfolgt natürlich im griechischen Sprachgebiet. Die Griechen verstehen den Messiastitel nicht. So muß man ihnen das Wesen des Erlösers durch andere Titel erläutern.

Seiner Herkunft nach gehört der »Messias« zum nationalen Typ der jüdischen Eschatologie. »Gesalbter« ist im Alten Testament Bezeichnung des Königs.

Der König ist (im orientalischen Hofstil) Heilbringer. Die bekannteste Stelle ist Ps 2, der im Judentum (Ps Sal 17, 32; 18, 7) eschatologisch gedeutet wird, freilich innerweltlich-eschatologisch. Auch im Neuen Testament wird er aufgenommen (Apg 4, 25 f.).

Der Messias ist also von Haus aus keine supranaturale Gestalt, sondern ein menschlicher Retter. Natürlich verschmelzen im Laufe der Zeit die verschiedenen Typen der Hoffnung und damit die Vorstellungen vom Retter. Die Messiasgestalt wird ins Transzendente gesteigert. Aber im Grunde bleibt die Messianität dem apokalyptischen Denken immer fremd. Sie fehlt in großen Partien des apokalyptischen Schrifttums (äth Hen 1—36. 91—104; slawischer Henoch; Assumptio Mosis; Jubiläen usw.). Wo sie in die Apokalypsen eingedrungen ist (Henoch; 4. Esra; Baruch), liegt eine sekundäre Entwicklungsstufe vor. Denn ein Retter paßt eigentlich nur zur Wiederherstellung des irdischen Reiches Israel, nicht zum Gottesreich, das von oben kommt. So sind im Judentum Messias und Gottesreich nicht begrifflich verbunden (ThW I 573); es fehlt der Gedanke, daß der Messias das Gottesreich herbeiführt.

Wo man doch eine Verknüpfung von eschatologischer Rettergestalt und neuer Welt herstellt, handelt es sich nicht um eine lebendige Hoffnung, sondern um eine gelehrte Konstruktion, etwa der Art, daß der Messias und sein Reich dem künftigen Äon vorangehe; es ist die bekannte Vorstellung vom tausendjährigen Reich. (*Bill.* IV 968 f.).

Einen eigenartigen Typ, der ebenfalls künstlich-konstruiert wirkt, stellen die Qumrantexte dar. Man erwartet zwei Messiasse, den Messias Arons und den Messias Israels. Der erstere ist übergeordnet. Das entspricht der Organisation und der Idee der Sekte. Die hierarchische Ordnung Israels ist der politischen übergeordnet[1].

Neues Testament

Der Messias ist der eschatologische Heilsbringer; im Unterschied zur Tradition aber ist jedes politische Element verschwunden. Natürlich wandelt sich der Sinn des Begriffes vor allem dadurch, daß er nicht mehr nur eine reine Zukunftserwartung ausspricht, die man sich nach Belieben ausmalen kann, sondern zur Deutung einer bestimmten, geschichtlichen Person verwendet wird. Das Neue liegt darin, daß man behauptet, der Messias sei schon dagewesen.

Im christlichen Gebrauch des Wortes χριστός herrscht eine bestimmte Tendenz: Man verwendet es mit Vorliebe, wenn man sagt: »Christus« ist gestorben und auferstanden (bzw. auferweckt). Dabei steht Christus als Subjekt des Satzes. Der Stil ist der der Feststellung von Tatsächlichem (Röm 5, 8; 8, 4; mehrfach in 1 Kor 15). Jesus wird also »Christus« genannt, wenn er als der Vollbringer des Heilswerks bezeichnet werden soll. Der zeitliche Aspekt dieses Titels ist hauptsächlich die Vergangenheit, die als Heilsgeschehen verstanden wird. Folglich tritt hier stärker als bei anderen Titeln Jesu Tod ins Blickfeld.

Aus der Orientierung am Heilswerk (Tod und Auferstehung) wird ein negativer Befund erklärlich: In der Frühzeit interessiert man sich nicht dafür, wann oder wie Jesus Messias geworden ist.

---

[1] Stellen: Test Jud 21; vgl. auch die Bedeutung Levis Test Lev 4.18; 1QS IX 11; Dam B XIX 10 f. XX 1; 1QSa II 11 ff. (messianische Tischordnung, die in der Sekte vorweggenommen ist). K. G. Kuhn, Die beiden Messias Aarons und Israels, NTS 1, 1954/5, 168—179; H.-W. Kuhn, Die beiden Messias in den Qumrantexten und die Messiasvorstellung in der rabbinischen Literatur, ZAW 70, 1958, 200—208.

Einen anderen Befund ergeben die Titel »Gottessohn« und »Kyrios«. Sie bezeichnen primär eine Würde. Nun muß man auch sagen, wie Jesus in diese Würde gelangte. »Messias« aber weist zunächst darauf, was er tat.
Anders sieht den Sachverhalt *F. Hahn* (179 ff.). Die Urgemeinde habe einseitig auf die Parusie ausgeblickt, nicht zurück auf das Werk Christi. Alle christologischen Titel hätten ursprünglich streng eschatologischen Sinn gehabt. Auch χριστός habe die endzeitliche Stellung Jesu bezeichnet. Belege: Mk 13, 21 f. 26; 14, 61 f.; Apg 3, 20 f.; Mt 25, 31—46; Apk 11, 15; 12, 10.
Zur Kritik: Es handelt sich durchweg um späte Stellen. Daher ist *Hahn* nicht zuzustimmen, wenn er die Verbindung von »Christus« mit der Passionstradition als völlig neuen Ansatz versteht. Die traditionsgeschichtlich ältesten Belege für Jesus als den Messias sind nämlich die Formeln über seinen Tod.
Bei Paulus ist »Christus« bereits Name. Dagegen wird in späteren Schriften der titulare Sinn (»der Messias«) reaktiviert, besonders von Lukas. Denn an diesem Titel läßt sich die heilsgeschichtliche Verankerung des Heilswerks und die Wahrheit der Christusoffenbarung mit Hilfe der Schrift zeigen. Die Verknüpfung von »Christus«, Passion und Schrift findet sich schon in der Formel 1 Kor 15, 3 ff. Vgl. auch Apg 17, 2 f. Lk 24 wird ein hermeneutischer Zirkel sichtbar: Man versteht das Schicksal Jesu aus dem Alten Testament, wo es geweissagt ist, das Alte Testament seinerseits aber von der Auferstehung Christi her.

Der Messias gilt als Nachkomme Davids (vorchristlich nur Ps Sal 17, 21)[1a]. Daher wird Jesus auch »Davids Sohn« genannt (nicht häufig, aber schon früh, nämlich in zwei alten Formeln: Röm 1, 3 f.; 2 Tim 2, 8). Das ist zunächst eine dogmatische Aussage. Später führt man einen »historischen« Nachweis, indem man einen Stammbaum Jesu konstruiert. Daß der Titel zunächst dogmatisch, ohne Rücksicht auf die physische Abstammung Jesu, gemeint ist, zeigt die merkwürdige Reflexion Mk 12, 35—37.

Mk 12, 35—37: Vom Messias wird gelehrt, daß er Davids Sohn sei. Aber im Alten Testament nennt David doch den Messias seinen Herrn (Ps 110, 1). Wie kann er also sein Sohn sein? Manche Exegeten deuten so: Nach jüdischer Lehre sollte der Messias Davidide sein. Das war Jesus aber nicht. Wollte die Gemeinde dennoch seine Messianität verteidigen, mußte sie zeigen, daß der Messias gerade auf Grund des Alten Testaments nicht Davidide sei. Eine derartige Polemik findet sich in der Tat bei Johannes, aber nicht bei Markus, der den Titel »Davids Sohn« positiv benützt. Er muß die angeführte Psalmstelle also anders verstanden haben. Man kann natürlich argumentieren, ursprünglich habe die Perikope diesen Sinn gehabt; Markus habe sie nicht mehr verstanden oder bewußt umgedeutet. Allerdings muß man dann annehmen, daß Matthäus und Lukas die sekundäre Interpretation durch Markus nicht bemerkt hätten. Daß sich zudem der Sinn noch erkennen läßt, zeigt ein Vergleich mit anderen Stellen: Röm 1, 3 f.; Apg 2, 25 ff. Zu Lebzeiten ist Jesus der Messias, d. h. Davids Sohn. Dann wurde er erhöht zu Davids Herrn, d. h. zum Gottessohn (Röm 1, 3 f.). Es sind also zwei Epochen seines Wirkens unterschieden, denen zwei Stufen seines Seins entsprechen.

[1a] Vgl. F. Hahn 242 ff.; Bill. I 525; P. Volz, Die Eschatologie der jüdischen Gemeinde im nt. Zeitalter, ²1934, 174; Bousset, Rel. 226 f.

Beim Einzug Jesu in Jerusalem wird nach Mk 11, 10 die kommende Herrschaft Davids begrüßt (Mt 21, 9: der Sohn Davids; Lk 19, 38: der König; Joh 12, 13: der König Israels). Die Vorgeschichten des Matthäus und Lukas stellen einen Stammbaum Jesu auf, der von Abraham (Matthäus) bzw. Adam (Lukas) über David zu Jesus führt[2]. Es liegt eine heilsgeschichtliche Periodisierung zugrunde.

Es handelt sich um ein Siebener-Schema, das bei Matthäus direkt gekennzeichnet ist, variiert aber auch bei Lukas zu erkennen ist. Ursprünglich führen die Stammbäume auf Joseph als den Vater Jesu. Dadurch entsteht ein Widerspruch zu dem anderen Motiv der Kindheitsgeschichten: daß Jesus Sohn der Jungfrau Maria sei. Beide Motive sind aber schon vor Matthäus und Lukas verschmolzen. Bei Ignatius sind beide in das Bekenntnis aufgenommen (Eph 18, 2; Trall 9, 1). Einen merkwürdigen Ausgleichsversuch unternimmt der Sinaisyrer.

Sachlich identisch mit »Davids Sohn« ist die Titulierung Jesu als βασιλεύς.

So bezeichnen ihn Lukas und Johannes in der Einzugsgeschichte. In der Passion wird Jesus als »König der Juden« verspottet. Dem entspricht auch der Titulus am Kreuz (Mk 15, 26 par). Die Geschichtlichkeit desselben ist umstritten.

Auffällig ist folgender Befund: Einerseits heißt Jesus βασιλεύς, andererseits wird von seiner βασιλεία gesprochen. Aber beides steht unverbunden nebeneinander[3]. Der Befund erklärt sich aus der Motivgeschichte. »Jesus ist König« ist nur eine andere Wendung für »er ist der Messias«. Dagegen ist der Begriff der Königsherrschaft Jesu nicht aus seiner Messiaswürde abgeleitet, sondern eine Analogiebildung zur Königsherrschaft Gottes.

Beides wird künstlich ausgeglichen: Die Herrschaft Jesu dauert von seiner Erhöhung bis zum Anbruch des Gottesreiches (1 Kor 15, 25 ff.; vgl. Mt 13, 41)[4].

II. Sohn Gottes

W. BOUSSET, Kyrios Christos, (1913) [5]1965, 52—57 — G. P. WETTER, Der Sohn Gottes, 1916 — E. KLOSTERMANN im HNT zu Mk 1, 11 — W. BAUER im HNT zu Joh 1, 34 — BULTMANN, NT 52 f. 130—135 — E. SCHWEIZER, Erniedrigung und

---

[2] Hahn 242 f. (der annimmt, daß Jesus wirklich von David abstammte): Der Matthäus-Stammbaum reichte ursprünglich nur bis David. Das ist aber reines Postulat. Daß die Stammbäume christologische Konstruktionen sind, zeigt a) die Tatsache, daß es zwei verschiedene gibt; b) der Vergleich mit dem Alten Testament.
[3] Königstitel Jesu und seine βασιλεία sind erst von Johannes verknüpft: Bist du der König...?... Meine βασιλεία ist nicht von dieser Welt (18, 33 ff.).
[4] Matthäus formuliert allerdings: βασιλεία »des Menschensohnes«.

Erhöhung, AThANT 28, ²1962, 62 ff. — O. CULLMANN, Christologie 276 ff. — W. GRUNDMANN, Sohn Gottes, ZNW 47, 1956, 113—133 — Material: H. BRAUN, Der Sinn der neutestamentlichen Christologie, ZThK 54, 1957, 353—356 (= Ges. Stud. z. NT, 255—259); BAUER, WB s. v.

Im Gegensatz zur Herkunft des Messiastitels ist die geschichtliche Ableitung des Gottessohntitels dunkel. Ob Jesus sich selber schon so nannte oder ob ihm erst die Gemeinde diesen Titel zulegte, ist gleichgültig für die Frage, woher er genommen ist und was er meint. Im Alten Testament heißt »Sohn Gottes«: 1. Israel (Ex 4, 22); 2. der König (also gleichbedeutend mit »Messias«).

Ps 2, 2: »Gesalbter«; V 7: υἱός μου εἶ σύ, ἐγὼ σήμερον γεγέννηκά σε. Das ist orientalischer Hofstil. Natürlich kann das Judentum bei der Gottessohnschaft nicht an physische Zeugung durch Gott oder Inkarnation Gottes denken. Auf Grund dieser Psalmstelle wird vielfach angenommen, die alttestamentliche Königstitulatur sei auf Jesus übertragen worden. Der Sinn von »Gottessohn« sei derselbe wie von »Messias«. Dagegen spricht aber, daß im Judentum der Gebrauch des Gottessohntitels für den Messias nicht zu belegen ist.
Bill. III 17 gibt zwar einige Stellen aus dem äthiopischen Henoch und 4. Esra an. Aber diese Belege entfallen sämtlich. Die Stelle aus Hen 105, 2 ist eine spätere Zufügung; im 4. Esra stand im Urtext nicht »Sohn«, sondern »Knecht« (παῖς). Ps Sal 17 deutet Ps 2 auf den Messias, aber der Begriff »Sohn« wird nicht aufgenommen. Scheuten sich die Juden vor dem Wort, da es Assoziationen an die heidnischen Göttersöhne der Umwelt wecken konnte? Trotz fehlender Belege wollen manche Exegeten doch die Möglichkeit offenlassen, daß das Judentum dieses Wort auf den Messias bezog (*Bultmann, Cullmann, H. Riesenfeld*).

3. Im jüdischen Schrifttum heißt gelegentlich auch ein einzelner Mensch, der Gerechte, Gottessohn (Sir 4, 10). Besonders aufschlußreich ist Sap Sal 2, 10 ff., wo das Leiden beschrieben ist, das dem Gerechten in der Welt widerfährt. Nacheinander heißt er παῖς κυρίου (V. 13) und υἱὸς θεοῦ (V. 18). Soll der Titel also Jesus als den leidenden Gerechten bezeichnen? Dagegen spricht die Tatsache, daß der Sprachgebrauch der Sapientia vereinzelt bleibt. υἱὸς θεοῦ ist hier nicht Titel. Andererseits enthält »Gottessohn« im Neuen Testament gerade keinen besonderen Hinweis auf das Leiden.

Einen neuen Vorschlag macht *Walter Grundmann:* Im Test Lev 4 wird dem Levi verheißen, er werde Gott zum Sohn und Helfer werden. Das Testament Levi steht im Zusammenhang mit den Qumrantexten: Levi ist der Stammvater der Priester, und in Qumran erwartet man den hohenpriesterlichen Messias. *Grundmann* schließt, daß es in diesem esoterischen Kreis die Benennung des Hohenpriesters als Sohn gegeben habe. Der Titel bezeichne im Neuen Testament Jesus als den eschatologischen Hohenpriester. Diese Annahme ist aber unwahrscheinlich, da im Testament Levi vom Sohn nicht titular die Rede ist. Außerdem gehört im Neuen Testament die Bezeichnung Jesu als des Hohenpriesters den späteren Schichten an. Eher ist auf Joseph und Aseneth hinzuweisen, wo Joseph deutlich als Erlösergestalt gezeichnet ist und »Sohn Gottes« heißt.

Der neutestamentliche Befund ist nicht einheitlich. Die Belege: Röm 1, 3 f. zitiert Paulus eine überlieferte Formel:

περὶ τοῦ υἱοῦ αὐτοῦ,
τοῦ γενομένου ἐκ σπέρματος Δαυὶδ κατὰ σάρκα,
τοῦ ὁρισθέντος υἱοῦ θεοῦ ἐν δυνάμει κατὰ πνεῦμα ἁγιωσύνης
ἐξ ἀναστάσεως νεκρῶν.

Die Formel hebt sich durch Stil und Begrifflichkeit heraus: Partizipialstil, präpositionale Wendungen, Parallelismus; Begriffe und Vorstellung sind unpaulinisch. Umstritten ist, ob sich in ihr paulinische Zusätze finden. Diese Frage stellt sich besonders bei κατὰ σάρκα — κατὰ πνεῦμα. *E. Schweizer* und *F. Hahn* (251 ff.) sehen das nicht als paulinischen Zusatz an. Es handele sich nicht um den paulinischen Gegensatz von σάρξ und πνεῦμα, sondern um die Konfrontierung zweier Sphären, die sich auch in anderen christologischen Bekenntnissen und Liedern finde: 1 Tim 3, 16; 1 Petr 3, 18; Ign Eph 7, 2; 10, 3; Sm 1, 1; 3, 3; 12, 2; Magn 13, 2; Pol 1, 2; 2, 2.

Der Sinn: Zu Lebzeiten war Jesus der Messias (Davidide); nach seinem Tode[5] wurde er von Gott zum Gottessohn eingesetzt. Die Gottessohnschaft ist rechtlich verstanden, nicht physisch. Die Formel unterscheidet also nicht zwei »Naturen«, sondern zwei Epochen der Existenz Jesu. Die Präexistenz ist ihr unbekannt. Als Messias war Jesus nicht ein supranaturales Wesen, sondern ein Mensch in einer besonderen Würdestellung.

Bultmann, NT 28: In Röm 1, 3 f. sei die »Messianität« Jesu erst von der Auferstehung an datiert. Dadurch gewinnt *Bultmann* einen Beleg für seine These, in der frühesten Zeit habe man das irdische Leben Jesu noch nicht als messianisch angesehen. Aber damit ist der Befund mißdeutet: Nicht die »Messianität« Jesu beginnt mit der Auferstehung, sondern die Gottessohnschaft. Vorher war er gerade Davids Sohn, d. h. Messias. Das ist seine irdische Würde.

Die Formel zeigt ein frühes Stadium einer »adoptianischen« Christologie, wie sie auch Mk 12, 35 ff. zu erkennen war.

Sie könnte auch 2 Tim 2,8 vorliegen: μνημόνευε Ἰησοῦν Χριστὸν ἐγηγερμένον ἐκ νεκρῶν, ἐκ σπέρματος Δαυίδ. Der genaue Sinn des jetzigen Textes ist nicht mehr zu erkennen. Aber im Hintergrund steht offenbar eine Formel, die mit Röm 1, 3 f. verwandt ist.

Dieses Verständnis von Gottessohnschaft ist auch in den synoptischen Geschichten von der Taufe und von der Verklärung Jesu vorausgesetzt.

In beiden ertönt die Stimme: »Du bist mein Sohn.« Das bedeutet, daß in diesem Augenblick Jesus in diese Würde eingesetzt wird. Beide Geschichten sind ursprünglich selbständige Einzelerzählungen. Jede will die Stiftung der Gottessohnschaft berichten. Als sie dann in den Rahmen des Evangeliums eingefügt

---

[5] ἐξ ἀναστάσεως: seit, oder: auf Grund der Auferstehung.

wurden, modifizierte sich der Sinn. Die Verklärung wird jetzt zur Bestätigung der Gottessohnschaft, die Jesus seit der Taufe innehat. Die letztere ist bei Markus noch der Einsetzungsakt. Bei Matthäus und Lukas ist die Geburtsgeschichte vorgeordnet. Dadurch wird hier bereits die Taufgeschichte zur Bestätigung der Würdestellung Jesu.

Ein anderes Verständnis von Gottessohnschaft enthält die Geburtsgeschichte: Jesus ist Gottes Sohn durch seine wunderbare Erzeugung. Dieser Gedanke ist unjüdisch. Er stammt aus dem Polytheismus. Im Alten Orient und im Hellenismus ist er weit verbreitet.

Es lassen sich zwei Typen unterscheiden: a) die Inkarnation; b) die Epiphanie.
a) Der ägyptische Pharao ist Gottessohn, d. h. von Gott gezeugt. Dasselbe erzählen die Griechen von großen Männern: Königen (Alexander d. Gr.), Philosophen (Pythagoras, Plato), Thaumaturgen (Apollonius von Tyana). Der Gottessohn und Retter kat' exochen im Hellenismus ist Herakles. Mit dem Motiv der göttlichen Zeugung kann sich das weitere verbinden, daß die Mutter des göttlichen Kindes bis zur Berührung durch den Gott Jungfrau war. Diese Vorstellung dringt auch ins hellenistische Judentum ein, und zwar in Ägypten (Philo). Sie kann sublimiert werden, daß die Zeugung nicht durch physische Berührung mit dem Gott erfolgt, sondern durch seine Dynamis oder sein Pneuma[6].
b) Für den Typ der Epiphanie liegt der Ton nicht eigentlich auf der Geburt. Sie ist nur eine sekundäre Erklärung für die wunderbaren Taten, die ein θεῖος ἀνήρ vollbringt, als Herrscher, Denker usw. Hier ist die Grundvorstellung, daß in ihm eine göttliche Kraft waltet. Im ersten Typ wird das Wesen des Gottmenschen beschrieben, im zweiten die Manifestation des Göttlichen in seinen Taten. Diese hellenistische Inspirationsvorstellung kann sich mit der jüdischen verbinden. Das zeigen die synoptischen Geburtsgeschichten, wo sich das Motiv vom Retterkind und das von der Inspiration gegenseitig durchdringen. Apg 2, 22 ist die Vorstellung von Jesus als dem θεῖος ἀνήρ formelhaft zusammengefaßt; vgl. Apg 10, 38.
Einen ganz anderen Typ stellen die Sohnesgottheiten dar, die aus dem Orient kommen und in Mysterien verehrt werden. Hier wird nicht von Taten berichtet, sondern vom Sterben und Wiederaufleben des Gottes; das heißt, der Mythos hat soteriologischen Sinn. Konstitutiv ist hier das Schicksal des Gottes. Der Sinn tritt noch klarer hervor, wenn sich die Soteriologie mit der Kosmologie verbindet: wenn Abstieg und Aufstieg eines Offenbarergottes das Heilsgeschehen darstellen.

In einer weiteren Gruppe von Stellen enthält »Sohn Gottes« den Gedanken von Präexistenz, Weg und Schicksal des Offenbarers. Präexistenz ist vorausgesetzt, wenn Paulus formuliert: »Gott sandte seinen Sohn« (Röm 8, 3). Die Vorstellung ist aber bereits vor Paulus fest geprägt. Um sie zu erfassen, muß man allerdings über den statistischen Befund von »Sohn Gottes« hinausgreifen. Der wichtigste Beleg ist Phil 2, 6 ff.[7]:

---

[6] Parallelen zu den Vorgeschichten des Matthäus/Lukas bei Plutarch bietet H. Braun, a. a. O. 354 (= 256 f.); vgl. M. Dibelius, Jungfrauensohn und Krippenkind, Botsch. u. Gesch. I, 1953, 25—35.
[7] Literatur: E. Käsemann, Kritische Analyse von Phil. 2, 5—11, ZThK 47, 1950, 313—360 (= Ex. Vers. u. Bes. I 51—95); G. Bornkamm, Zum Verständnis des

... Jesus Christus ...
ὅς ἐν μορφῇ θεοῦ ὑπάρχων
οὐχ ἁρπαγμὸν ἡγήσατο τὸ εἶναι ἴσα θεῷ,
ἀλλὰ ἑαυτὸν ἐκένωσεν
μορφὴν δούλου λαβών,
ἐν ὁμοιώματι ἀνθρώπων γενόμενος
καὶ σχήματι εὑρεθεὶς ὡς ἄνθρωπος
ἐταπείνωσεν ἑαυτὸν
γενόμενος ὑπήκοος μέχρι θανάτου [θανάτου δὲ σταυροῦ].
διὸ καὶ ὁ θεὸς αὐτὸν ὑπερύψωσεν
καὶ ἐχαρίσατο αὐτῷ τὸ ὄνομα τὸ ὑπὲρ πᾶν ὄνομα,
ἵνα ἐν τῷ ὀνόματι Ἰησοῦ πᾶν γόνυ κάμψῃ
    ἐπουρανίων καὶ ἐπιγείων καὶ καταχθονίων,
καὶ πᾶσα γλῶσσα ἐξομολογήσηται
ὅτι κύριος Ἰησοῦς Χριστός,
εἰς δόξαν θεοῦ πατρός.

Die Form läßt eine Gliederung in Strophen erkennen (wenn auch im einzelnen strittig). Die Begrifflichkeit ist vorpaulinisch: μορφή, σχῆμα. Der Sinn ist nicht mehr der der klassischen griechischen Formbegriffe, sondern hellenistischer Manifestationsbegriffe. Der erste Teil beschreibt den Abstieg als Tat des Offenbarers, der mit dem Tod endet; der zweite die Erhöhung als Tat Gottes. Am Punkte des Umschwungs hat Paulus ergänzt: „bis zum Tode am Kreuz". Weiteres als paulinische Zusätze auszuschneiden, ist nicht möglich und nicht nötig.

Der Titel »Sohn« steht zwar nicht da, ist aber der Sache nach gemeint. Der Offenbarer ist Gott gleich, nämlich substanzgleich, d. h. wesensgleich: ἐν μορφῇ θεοῦ ὑπάρχων. Dieser Göttlichkeit ist das Knechtsein des Inkarnierten gegenübergestellt. Zugrunde liegt das Schema Inkarnation, Tod, Erhöhung. Paulus hat es aber umgedeutet im Sinne seines Schemas von Kreuz und Auferstehung. In diesem Lied ist der Tod paradox das Konstitutivum des Heils. Gott reagiert auf ihn, indem er den Gestorbenen erhöht, über seine ursprüngliche Würde hinaus. Ursprünglich, in der Präexistenz, war er Gottes Sohn. Jetzt wird er eingesetzt zum „Herrn". Mit der Erhöhung ist das Heilswerk vollendet. Hier wird nicht auf eine künftige Parusie vorausgeblickt.

Christus-Hymnus Phil 2, 6—11, Studien zu Antike und Urchristentum, Ges. Aufs. II 177—187; J. Jeremias, Zu Phil 2, 7, Nov Test 6, 1963, 182—188; G. Strecker, Redaktion und Tradition im Christushymnus Phil 2, 6—11, ZNW 55, 1964, 63—78; D. Georgi, Der vorpaulinische Hymnus Phil 2, 6—11, Zeit u. Gesch. (Festschr. Bultmann), 1964, 263—293.

Von dieser Christologie aus läßt sich kein Evangelium schreiben, weil die Taten des Inkarnierten keine Rolle spielen. Dagegen kann man von hier aus leicht eine mythische Christologie entfalten, gerät dann freilich sofort in das Dilemma der mythischen Erlösungslehre, daß sie den Bezug des Heilsgeschehens auf den Einzelnen nicht zeigen kann. Inwiefern soll denn in jenem Weg des Erlösers mein Heil dargestellt sein? Wie soll dieses Geschehen mein heutiges Sein in der Welt bestimmen? Ist die Heilslehre mythisch, ist auch das Heil mythisch — jenseitig — phantastisch. Es bleibt letztlich nur die geistige Auswanderung aus der Welt übrig. Daran ändert sich auch nichts, wenn das Heil durch Mysterien sakramental übermittelt wird. Die Frage ist also, ob es eine positive Möglichkeit gibt, den Bezug zwischen diesem kosmischen Vorgang und meinem Existieren aufzuzeigen. Paulus arbeitet den Existenzsinn der mythischen Vorstellung in seiner theologia crucis aus. (Beispiel: der Gedankengang von Röm 4, 25 zu 5, 1 ff.). Es bleibt allerdings die Frage nach der mythischen Vorstellung selber und ihrem Sinn. Ist sie preiszugeben?

Das Lied enthält nicht nur objektivierende Beschreibung, sondern auch das Moment der Übereignung. Die Pointe besteht gerade darin, daß es nach der Darstellung der Inthronisation in eine Homologie mündet. Die Gemeinde wird in das kosmische Geschehen einbezogen. Ihr ist offenbart, was in der Welt wirklich, aber noch verborgen ist, die Herrschaft Jesu. Sie hat durch ihr Existieren dieser Wirklichkeit zu entsprechen. Wie? Eine Möglichkeit ist, daß sie zur Mysteriengemeinde wird. Dann würde sie den Herrn kultisch, durch Rückzug aus der Welt in einen irrealen, religiösen Raum verehren. Aber diese Möglichkeit wird ihr verwehrt durch das Wesen der Herrschaft Jesu selber: Er ist nicht lediglich religiöser Erlöser oder Herr über die himmlische Welt, sondern über die irdische Welt. Er fordert einen Gehorsam, der nicht nur in der Beobachtung kultischer und moralischer Regeln besteht, sondern das ganze Dasein umfaßt. Die Gemeinde ist nicht nur Kultgemeinschaft, sondern Lebensgemeinschaft in der Welt. Der konkrete Gehorsam besteht in der Verkündigung — einschließlich des Risikos, das durch das Bekennen entsteht. In der Verkündigung stellt sich die Freiheit des Glaubens dar. So ist der Weg vom Inhalt des Bekenntnisses zum Existieren durch den Text selber gewiesen.

Mit diesem Lied und seiner »realisierten Eschatologie« wurden wir bereits zum Titel κύριος geführt. Bevor er besprochen wird, sind noch einige Stellen zu nennen, die ebenfalls das Heilswerk als schon vollendet erklären und seine kosmische Erstreckung aufweisen.

1 Tim 3, 16:

ὃς ἐφανερώθη ἐν σαρκί,
   ἐδικαιώθη ἐν πνεύματι,
ὤφθη ἀγγέλοις,
   ἐκηρύχθη ἐν ἔθνεσιν,
ἐπιστεύθη ἐν κόσμῳ,
   ἀνελήμφθη ἐν δόξῃ.

Inhalt: Epiphanie, Inthronisation, Verkündigung, universale Erstreckung des Heilsgeschehens. σάρξ und πνεῦμα bezeichnen auch hier nicht Gegensätze, sondern Sphären: Welt und Überwelt (s. o. zu Röm 1, 3 f.).

1 Petr 3, 18 ff.:

⟨ὅς⟩ ἅπαξ περὶ ἁμαρτιῶν ἔπαθεν,
δίκαιος ὑπὲρ ἀδίκων,
ἵνα ⟨ἡ⟩μᾶς προσαγάγῃ τῷ θεῷ,
θανατωθεὶς μὲν σαρκί
ζωοποιηθεὶς δὲ πνεύματι·
ἐν ᾧ καὶ τοῖς ἐν φυλακῇ πνεύμασιν [...] ἐκήρυξεν,
ὅς ἐστιν ἐν δεξιᾷ θεοῦ,
πορευθεὶς εἰς οὐρανόν
ὑποταγέντων αὐτῷ ἀγγέλων καὶ ἐξουσιῶν καὶ δυνάμεων.

Auch hier sind Geist und Fleisch die beiden genannten Sphären. Der kosmische Aspekt wird sichtbar in der Predigt an die Geister im Gefängnis. Der Text ist undeutlich. Offenbar dachte die Vorlage nicht an eine »Höllenfahrt«, sondern an eine Auffahrt — entsprechend dem Weltbild von Eph 2, 2[8] (ähnlich Pol Phil 2, 1; vgl. *Bultmann*, NT 505. 508).

Hier ist die kosmische Erlösungslehre mit der traditionellen Sühnelehre verbunden; vgl. 1 Petr 2, 22 ff. In dieser Verknüpfung liegt die Intention, den Bezug auf »uns« auszuarbeiten.

Verwandt ist auch Eph 4, 8—10. Diese Stelle wird ebenfalls vielfach auf die Höllenfahrt gedeutet. Aber die κατώτερα μέρη sind nicht die Unterwelt, sondern die Erde als der unterste Teil des Kosmos.

In diesen Stellen wird wie in Phil 2 das Erlösungsgeschehen als Weg des Erlösers dargestellt. Aber anders als dort bilden die Pointe nicht Erniedrigung und Gehorsam, sondern Erscheinung in der Welt und Auffahrt.

Statt des Weges kann auch das Wesen des Erlösers beschrieben werden: Er ist das »Bild« Gottes (2 Kor 4, 4; Kol 1, 15 ff.).[9]

εἰκών ist ein hellenistischer Manifestationsbegriff. Er bezeichnet nicht die Gestalt, sondern das Wesen (wie Phil 2, 6 ff. μορφή und σχῆμα). In der ursprünglichen Fassung dieses Liedes war der *Kosmos* der Leib des Erlösers; Erlösung ist Versöhnung des Alls. Der Verfasser des Kolosserbriefes deutete dann den Leib Christi auf die *Kirche*. Ihm ist Erlösung Sühnung der Schuld durch das Blut Christi.

Der geschichtlich folgenreichste der Manifestationsbegriffe, welche die Idee der Gottessohnschaft ausdrücken, ist ὁ λόγος (Joh 1; s. u. § 42 I.).

---

[8] Vgl. R. Bultmann, Bekenntnis- und Liedfragmente im 1. Petrusbrief, CN 11, 1947, 1 ff.; anders J. Jeremias, ZNW 42, 1949, 194 ff.
[9] H. J. Gabathuler, Jesus Christus, Haupt der Kirche — Haupt der Welt, AThANT 45, 1965.

III. Kyrios

W. Bousset, Kyrios Christos, (1913) ⁵1965 — W. Foerster, κύριος, ThW III 1081 ff. — H. Lietzmann im HNT zu Röm 10, 9 — O. Cullmann, Christologie 200—244 — I. Hermann, Kyrios und Pneuma, 1961 — F. Hahn, Hoheitstitel 67—125 — Ph. Vielhauer, Aufs. 147—167

In diesem Titel spiegelt sich besonders deutlich die Wandlung von der Urgemeinde zum hellenistischen Christentum. Zwei Fragen sind bis heute heftig umstritten: 1. Woher stammt der Titel? 2. Wann und wo ist er in das Christentum eingedrungen, schon in der Urgemeinde oder erst in der hellenistischen Gemeinde?
Es ist möglich, daß schon die Urgemeinde Jesus als Herrn anrief. Es ist ja der aramäische Ruf maranatha erhalten[10]. Wichtiger als die Frage, ob schon die Urgemeinde diesen Titel benutzte, ist die andere, welchen Sinn er hatte. Hier ist nun ein grundlegender Wandel zu bemerken, sobald man auf das hellenistische Gebiet blickt. Jener Ruf maranatha ist Ausdruck einer rein apokalyptischen Christologie. Die Gemeinde versteht sich als die Harrenden. Im Hellenismus dagegen bildet den Horizont nicht das eschatologische Gottesvolk, das auf den Kommenden wartet, sondern die Gemeinde, die sich zur Verehrung des gegenwärtig herrschenden Herrn versammelt. Der Ruf heißt jetzt: κύριος Ἰησοῦς. Er ist nicht mehr Bitte, sondern Akklamation und Proklamation. Die Nachweise führt *Bousset*. Allerdings sollte man nicht von Kultmystik und Präsenz des Herrn im Gottesdienst reden. Gegenwärtig ist nicht der Herr persönlich, sondern der Geist. Auch das Verhältnis seiner Verehrer zu ihm ist kein mystisches; es ist bestimmt durch Homologie und Akklamation. Durch sie ist der Gottesdienst eine rechtswirksame Institution. Daher ist dieser Anruf das eigentliche Wesensmerkmal des Christseins. Die Christen heißen schlechthin »die den Namen des Herrn anrufen« (1 Kor 1, 2; Röm 10, 13). Die Wendung stammt aus der Septuaginta (z. B. Joel 3, 5; vgl. Apg 2, 21). Die Christen haben sie von Gott auf den Herrn Jesus umgedeutet.
Paulus hat den Titel κύριος schon in festem Gebrauch vorgefunden, wie eben die geprägte Akklamation beweist und die Selbstverständlichkeit, mit der er den Titel benutzt.

---

[10] Er ist wohl imperativisch zu übersetzen: Unser Herr, komm! S. K. G. Kuhn, ThW IV 470 ff.

Der Gebrauch von »Gottessohn« und »Herr« kann sich überschneiden; dennoch bestehen klar zu erkennende Tendenzen. Als Faustregel kann gelten: υἱός ist das Wesen, κύριος bezeichnet die Stellung, die dem Sohne verliehen ist. Daher sagt man κύριος, wenn man ihn anruft.

In diesem Titel stellt der Glaube die Gegenwärtigkeit des Bezuges zum Erhöhten dar. Daher ist er eng mit dem Geistbegriff verknüpft: Der Geist ist die wirksame Präsenz des Herrn.

2 Kor 3, 17: ὁ δὲ κύριος τὸ πνεῦμά ἐστιν. Dies ist der berühmte locus classicus der mystischen Paulusdeutung. Der Satz meint aber nicht, der Kyrios sei eine Art Fluidum, in das wir mystisch eintauchen, sondern besagt im dortigen Sachzusammenhang: Der Herr ist die Freiheit.

Das Anrufen des Herrn ist selber ein geistgewirkter Akt (1 Kor 12, 3).

Die religionsgeschichtliche Herleitung des Titels stellt ein ungelöstes Problem. Das Judentum nennt den Messias nicht »Herrn«. Zwei Hypothesen stehen sich gegenüber: Die Christen übernahmen den Titel a) aus der Septuaginta; b) aus der heidnischen Umwelt, wo sich Kyrios als Gottesbezeichnung findet.

Die Septuaginta gibt יהוה mit κύριος wieder. Daraus wird vielfach gefolgert, die Christen hätten Jesus mit Jahwe identifiziert. Dagegen sprechen aber folgende Argumente:
1. Bei Paulus dient der Kyriostitel gerade dazu, Jesus und seine Stellung von Gott zu unterscheiden (1 Kor 8, 6).
2. Unerklärt bleibt die Tatsache, daß dieser Titel primär in der Akklamation gebraucht wird.
3. Kyrios ist außerhalb der Septuaginta bei den Juden als Gottesbezeichnung nicht üblich.
4. Es wird neuerdings bestritten, daß die Septuaginta überhaupt יהוה mit Kyrios wiedergibt[11]. Kyrios steht nämlich nur in christlichen LXX-Handschriften, nicht dagegen in jüdischen. Belege:
a) Papyrus Fouad 266 (2. Jh. v. Chr.): Er hat im Zitat aus Dtn 31 f. יהוה; s. O. *Paret*, Die Bibel. Ihre Überlieferung in Druck und Schrift, 1949, 75 und Tafel 2.
b) 4Q, Kleine Propheten: ebenfalls Tetragramm.
c) 4Q, Fragmente von Lev 2—5 LXX: ΙΑΩ.
d) Aquila-Fragmente aus Kairo: Tetragramm.
e) Fragmente der 2. Kolumne der Hexapla: Tetragramm (vgl. Origines und Hieronymus).
f) Belege für ΠΙΠΙ bei *Hatch-Redpath*, A Concordance to the Septuagint, Suppl. 1906, 126.
g) Symmachus: vgl. ThW III 1082, 12 f.
Zu vergleichen ist auch der Gebrauch der althebräischen Schrift beim Tetra-

---

[11] Ph. Vielhauer, Aufs. 148—150, gegen Hahn; S. Schulz, Maranatha und Kyrios Jesus, ZNW 53, 1962, 125—144.

gramm in den Zitaten der Q-Pesarim: 1QpH; 4QpPs 37; אל: 1QH I 26. II 34. XV 25; 1 Q 35 I 5.

Aus der Septuaginta ist also die christliche Verwendung von κύριος nicht abzuleiten. Es verhält sich gerade umgekehrt: Nachdem der Titel einmal in Gebrauch war, fand man ihn in der Bibel wieder. κύριος ist Gottesbezeichnung zwar nicht bei den Griechen, wohl aber in Syrien, Ägypten und Kleinasien.

Kyrios heißt im hellenistischen Herrscherkult auch der König. *W. Foerster* (1053 f.) will ihn hier als rein politisch erklären, im Unterschied zu θεός. Diese Unterscheidung ist aber nicht möglich. *F. Hahn* (81 f.) nimmt an, daß »Herr« ursprünglich nicht Titel gewesen sei, sondern Anrede an den historischen Jesus (Monsieur oder Sir). Der titulare Gebrauch sei erst allmählich entstanden, unter Einwirkung der Septuaginta. Zur Kritik s. *Ph. Vielhauer* a.a.O.

Der neutestamentliche Gebrauch und Sinn

Primär ist der Gebrauch in der kultischen Akklamation, ferner in Segenswünschen. Die Taufe geschieht auf den Namen des Herrn (Apg 22, 16). Das Abendmahl ist Teilnahme am Tisch des Herrn (1 Kor 10, 21).

Einerseits übt Jesus als Herr die Funktionen Gottes aus: Er regiert über die Welt. Andererseits ist er aber von Gott klar unterschieden. Die Vorstellung ist: Gott hat die Weltherrschaft für eine bestimmte Zeit, von der Erhöhung bis zur Parusie, und zu einem bestimmten Zweck, zur Vollendung des Heilswerks, der Unterwerfung der Mächte, an Jesus delegiert. Vor allem bezeichnet »Herr« Jesus als den ständigen Vermittler des Gottesverhältnisses. Darum ruft man ihn an.

Die Anrufung Jesu ist vom Gebet zu unterscheiden. Angebetet wird nur Gott. Aber daß man überhaupt beten kann, ist Wunder, vermittelt durch den Herrn. Darum beruft man sich auf ihn; man betet im Namen des Herrn.

IV. Weitere Titel

1. Gelegentlich heißt Jesus »*Prophet*«[12]. Man bezieht Dtn 18, 15 auf Jesus (Erwartung eines Propheten wie Mose in der Endzeit).

Apg 3, 22; 7, 37. Zur jüdischen Erwartung eines endzeitlichen Propheten vgl. Joh 1, 21; 1 QS IX 11: »bis daß kommt ein Prophet und die Messiasse Arons und Israels«. Dazu 4 Q test 5 (Dtn 18, 18 f. in einer Reihe von Testimonia für das Kommen des Propheten und der beiden Gesalbten).

---

[12] G. Friedrich, προφήτης, ThW VI 829 ff.; O. Cullmann, Christologie 11—49; F. Hahn, Hoheitstitel 351—404.

2. παῖς θεοῦ[13]: Dieser Titel wird vielfach als besonders alt angesehen: Jesus habe sich (nach Deuterojesaja, besonders Jes 53) als der leidende Gottesknecht verstanden. Diese Hypothese ist aber nicht zu halten.

»Gottesknechte« sind im Alten Testament einzelne hervorragende Gottesmänner, besonders Mose und David und die Propheten. In den Qumrantexten ist »deine Knechte, die Propheten« stehende Wendung. Im Judentum findet sich »Knecht« nur am Rande als Messiasbezeichnung (4. Esra; syrischer Baruch). Aber dabei ist nicht an das Leiden des Messias gedacht, sondern an seine Herrlichkeit. Nur an einer Stelle könnte man ein Vorbild für den leidenden Gottesknecht finden: Sap Sal 2, 13—18; dort heißt der leidende Gerechte nacheinander παῖς und υἱός. Aber bei genauem Zusehen ergibt sich, daß παῖς nicht auf das Leiden, sondern auf die Gotteserkenntnis des Gerechten weist.

Der Befund im Neuen Testament

In den Evangelien findet sich παῖς ein einziges Mal, Mt 12, 18, in einem späten Stück, einem redaktionellen Zusatz des Matthäus zu einem Summar des Markus (Mk 3, 7—12), also zu einem seinerseits schon redaktionellen Stück. Matthäus zitiert hier Jes 42, 1—4, aber nicht um auf das Leiden Jesu hinzuweisen, sondern auf sein Heilen.

Jesus selber bezog Jes 53 nicht auf sich. Das tat erst die Gemeinde, weil sie hier die Deutung seines Todes fand. Es ist zu beachten: Da, wo Jes 53 zitiert wird, fehlt der Titel παῖς; wo er sich findet, wird nicht auf das Leiden hingewiesen.

Das Wort steht ferner in dem Gebet Apg 4, 27—30. Aber es weist auch dort nicht auf das Leiden, sondern auf die Taten Jesu hin. Apg 3, 13 ist zwar vom Leiden die Rede, aber παῖς heißt Jesus gerade wieder im Blick auf seine Hoheit.

Manche Exegeten nehmen an, die Taufstimme habe Jesus ursprünglich παῖς statt υἱός genannt. Ihre Formulierung lehnt sich ja an Jes 42, 1 an (*Bousset*, Kyrios Christos 57 A 2; *Jeremias*, ThW V 699). Aber die Stimme klingt ebenso an Ps 2, 7 an, wo υἱός steht.

Der Titel ist in begrenztem Umfang in der liturgischen Sprache gebraucht worden, vgl. Did 9, 2 f.; 10, 2; 1 Clem 59. Eine eigene christologische Bedeutung besitzt er nicht.

3. Ναζωραῖος[14]: Es ist umstritten, ob dieser Titel vom Ortsnamen

---

[13] J. Jeremias, παῖς θεοῦ, ThW V 698 ff.; O. Cullmann, Christologie 50—81.
[14] H. H. Schaeder, Ναζαρηνός, Ναζωραῖος, ThW IV 879—884; B. Gaertner, Die rätselhaften Termini Nazoräer und Iskariot, 1957.

Nazareth abgeleitet werden kann[15], also ursprünglich einfach Jesu Herkunft bezeichnete. Jedenfalls versteht schon Markus das Wort als Herkunftsbezeichnung (von Nazareth), denn er schreibt regelmäßig Ναζαρηνός. Matthäus weist auf diese Ableitung hin (2, 23), obwohl er Ναζωραῖος sagt[16].

4. σωτήρ[17]: Dieser Titel gehört erst zur hellenistischen Schicht der Christologie. Er ist keine jüdische Messiasbezeichnung. An manchen Stellen wird er noch nicht streng titular gebraucht, sondern bezeichnet einfach die rettende Tätigkeit Jesu (Phil 3, 20). Dieser Gebrauch hat sein Vorbild in der Septuaginta. Streng titular steht das Wort erst in späten Schriften, vor allem in den Pastoralbriefen. Hier befinden wir uns in einem Sprachbereich, der seine Parallelen in der hellenistischen Epiphanie-Soter-Religiosität hat, die sich vor allem in der Mysterienfrömmigkeit und im Herrscherkult ausprägt.

Zusammenfassend ist festzustellen: In der Entwicklung von den früheren zu den späteren Schichten bemerkt man eine gewisse Tendenz, die Titel mehr und mehr promiscue zu gebrauchen. Gern stellt man mehrere zusammen, vgl. das Petrusbekenntnis in der Fassung des Markus und Matthäus. Zum ersten Mal heißt Jesus jetzt auch direkt »Gott«: Joh 20, 28 wird der Auferstandene angerufen: ὁ κύριός μου καὶ ὁ θεός μου.

---

[15] Schaeder bejahend; ablehnend M. Lidzbarski, Mandäische Liturgien, 1920, XVI ff. und K. Rudolph, Die Mandäer I, FRLANT 74, 1960, 112 ff.
[16] Die Form Ναζωραῖος steht auch in einigen formelhaft geprägten Stellen der Apostelgeschichte: 2, 22; 3, 6; 4, 10; 6, 14.
[17] W. Staerk, Soter I, 1933; II, 1938; M. Dibelius/H. Conzelmann im HNT zu 2 Tim 1, 10.

§ 11 DER AUSBAU DES KERYGMAS

I. Die Bekenntnisformeln

Die Masse der alten Formeln hat nur einen »Artikel«, den christologischen. Inhalt des Bekenntnisses ist ja nicht die ganze religiöse Überzeugung, sondern nur das Neue, also: Christus als der Messias, sein Tod als Heilsgeschehen und seine Auferweckung. Die Voraussetzung dieses Glaubens, der Glaube an Gott, braucht nicht in das Bekenntnis aufgenommen zu werden, da er für den Juden selbstverständlich ist. Nach dem Verständnis der Urkirche bringt das Christentum keinen neuen Gottesgedanken. In der Mission unter Heiden muß natürlich ausdrücklich über Gott belehrt werden. Dabei kann man an die jüdische Mission anknüpfen[1]. So wird nun das Bekenntnis zu dem einen Gott ausdrücklich in das Credo aufgenommen. Damit entstehen Formeln mit zwei »Artikeln«: 1 Kor 8, 6; 1 Tim 6, 13.

An beiden Stellen wird das Wesen Gottes als des Schöpfers betont. Dieser Punkt wird später in der Abwehr der gnostischen Entweltlichung wirksam werden.

Der weitere Ausbau erfolgt in zwei Richtungen: 1. auf das triadische Bekenntnis hin; 2. durch Aufgliederung des christologischen Artikels in einen Rahmen und einen eingefügten ausführlichen Exkurs. Den Rahmen und seinen Ausbau zeigt (neben 1 Kor 8, 6) Eph 4, 4 f.:

ἓν σῶμα καὶ ἓν πνεῦμα . . .
εἷς κύριος, μία πίστις, ἓν βάπτισμα·
εἷς θεὸς καὶ πατὴρ πάντων.

Den Einbau des christologischen Exkurses in den Rahmen zeigt 1 Thess 1, 9 f.: Der Rahmen spricht von dem lebendigen und wahren Gott und von der Erwartung seines Sohnes. An dieser Stelle ist nun eine Erweiterung eingefügt:

a) ὃν ἤγειρεν ἐκ τῶν νεκρῶν
b) τὸν ῥυόμενον ἡμᾶς.

Ein gewisser Abschluß ist mit dem zweiten Artikel des Romanum (um 150 n. Chr.) erreicht[2]:

---

[1] Bultmann, NT 68 ff.
[2] K. Holl, Aufs. II 115 ff.; E. v. Dobschütz, Das Apostolicum, 1932.

πιστεύω
    εἰς θεὸν πατέρα παντοκράτορα
καὶ
    εἰς Χριστὸν Ἰησοῦν
        a) υἱὸν αὐτοῦ τὸν μονογενῆ
        b) τὸν κύριον ἡμῶν
            a) τὸν γεννηθέντα ἐκ πνεύματος ἁγίου καὶ Μαρίας τῆς παρθένου,
            b) τὸν ἐπὶ Ποντίου Πιλάτου σταυρωθέντα καὶ ταφέντα ...
καὶ
    εἰς πνεῦμα ἅγιον,
        ἁγίαν ἐκκλησίαν,
        ἄφεσιν ἁμαρτιῶν,
        σαρκὸς ἀνάστασιν.

Ein ganz anderer Typ von Formeln wird in den Deuteropaulinen entwickelt[3]. Der regelmäßige Grundriß ist: Einst war das Heil verborgen, jetzt ist es offenbart. 2 Tim 1, 9 f.: ... κατὰ ἰδίαν πρόθεσιν καὶ χάριν, τὴν δοθεῖσαν ἡμῖν ἐν Χριστῷ Ἰησοῦ πρὸ χρόνων αἰωνίων, φανερωθεῖσαν δὲ νῦν διὰ τῆς ἐπιφανείας τοῦ σωτῆρος ἡμῶν Χριστοῦ Ἰησοῦ ...

Dieses Schema ist schon bei Paulus angedeutet (1 Kor 2, 7 ff.). Ausgebildet wird es aber erst in den Deuteropaulinen: Kol 1, 26 f.; Eph 3, 4 f. 9 f.; 2 Tim 1, 9 f.; Tit 1, 2 f.; die nichtpaulinische Schlußdoxologie Röm 16, 25—27[4]. In diesem Formeltyp wird nicht nur das Erscheinen des Offenbarers angeführt, sondern auch das durch ihn gebrachte Heilsgut, ferner ausdrücklich die fortdauernde Vergegenwärtigung der geschichtlichen Offenbarung durch die Verkündigung. Sie ist also selber Bestandteil des Heilsgeschehens, Übermittlung der offenbarten Gnade. Dieser Typ von Soteriologie enthält keine apokalyptischen Aussagen über die Zukunft. Er blickt nicht auf eine Parusie aus. Er macht nur die Existenzaussage, daß die Hoffnung auf das ewige Leben offenbart, ans Licht gebracht ist. Durch die Aufnahme der Predigt in das Credo ist die Gnostisierung abgewehrt: Die Weltsituation ist nicht durch gnostische Innerlichkeit, sondern durch die Verkündigung bestimmt. Und sofern der Kirche das Heil enthüllt ist, ist der gnostische Individualismus abgewiesen.

II. Die Predigt

Es ist keine urchristliche Predigt überliefert[5]. Aber der Niederschlag der Predigt ist in den Briefen zu fassen, aus denen noch Typen und Schemata zu rekonstruieren sind:

---

[3] N. A. Dahl, Formgeschichtliche Beobachtungen zur Christusverkündigung in der Gemeindepredigt, BZNW 21, 1954, 3—9; D. Lührmann, Das Offenbarungsverständnis bei Paulus und in paulinischen Gemeinden, WMANT 16, 1965, 124—133.
[4] E. Kamlah, Traditionsgeschichtliche Untersuchungen zur Schlußdoxologie des Römerbriefes, Diss. Tübingen 1955.
[5] Die älteste ist der 2. Klemensbrief.

a) Heilszusage (Credo) — Paränese. Dieses Schema — erkennbar im Römer-, Galater-, Kolosser- und Epheserbrief — stellt den Primat des Heilsgeschehens (des Evangeliums) dar; in der Ethik wird dieses aktualisiert.

b) Der Zusammenhang mit der Schrift erscheint in Überblicken über die Geschichte des Gottesvolkes mit lehrhaftem Fazit: Apg 7; 13, 17 ff.; Hebr 11; vgl. 1 Clem.

c) Die Neuheit des christlichen Daseins im Gegensatz zur Vergangenheit wird im Schema Einst-Jetzt dargestellt: einst Heiden in Laster und Finsternis, jetzt erleuchtet (Röm 7, 5; Gal 4, 3 ff.). Das Heidentum wird nicht neutral beschrieben, sondern ausschließlich aus der Perspektive des Neuen gewertet.

Wenn es z. B. heißt, daß die Heiden Gott nicht kennen, so ist damit nicht gesagt, daß sie keinen Gottesglauben haben, sondern daß sie den »wahren« Gott nicht kennen. Man benutzt Gedanken und Ausdrucksweise der hellenistisch-jüdischen polemischen Literatur. Vgl. Sapientia Salomonis: Die Götzen vermögen nichts; darum ist der Götzendienst »eitel«. Jene sind φύσει μὴ ὄντες θεοί (Gal 4, 8; vgl. 1 Kor 8, 1—6). Man redet von der ἄγνοια bzw. πλάνη des Heidentums, positiv von »Erkenntnis« des »wahren Gottes«. Das Erkennen Gottes schließt seine praktische Anerkennung ein. Vgl. Sap Sal 13–15: Falsche Anschauung über Gott stürzt ins Laster.

Diesen Zusammenhang von Erkennen und Anerkennen, Indikativ und Imperativ, setzt Paulus in Röm 1, 18 ff. voraus: Das Laster ist die Folge der einen Ursünde, der Vertauschung von Schöpfer und Geschöpf. Für die Christen gilt daher, auf Grund der Erkenntnis nicht mehr zu wandeln wie die Heiden (Eph 4, 17). Die Laster können in der Form eines »Katalogs« aufgezählt werden (s. u.).

Die »Predigten« der Apostelgeschichte sind weder wirklich gehaltene Predigten noch Auszüge daraus, sondern rein literarische Gebilde von der Hand des Lukas. Das stellt *Dibelius* mit Recht fest. Immerhin, meint er, habe sich Lukas dabei an die kirchliche Predigt seiner Zeit als Vorbild angelehnt, so daß man diese noch einigermaßen nach der Apostelgeschichte rekonstruieren könne. Aber das Schema der Acta-Reden ist kein homiletisches, sondern ein rein literarisches[6].

III. Die Paränese

R. Völkl, Christ und Welt nach dem NT, 1961 – R. Schnackenburg, Die sittliche Botschaft des NT, ²1962

Die frühe Kirche ist durch die Erwartung des Weltendes bestimmt. Was bedeutet das für die Führung des Lebens? Askese, Auszug aus der Welt, Gleichgültigkeit?

---

[6] Mit U. Wilckens, Die Missionsreden der Apostelgeschichte, WMANT 5, 1961.

In diesem Sinn könnte man die urchristliche Gütergemeinschaft deuten. Aber in Wirklichkeit handelt es sich um ein ideales Gemälde, das die christliche Gemeinschaft als Liebesgemeinschaft zeigen soll. Keinesfalls realisiert sich in ihr ein Grundsatzprogramm. Daß kein asketisches Prinzip entwickelt ist, zeigt sich auf drei Gebieten: a) Nahrung: Das Fasten ist nicht Askese, sondern rituell bestimmt. Zwar zeichnen sich da und dort asketische Tendenzen ab; aber sie werden zurückgewiesen, denn die Erde ist des Herrn und was darin ist (1 Kor 10, 26; vgl. Röm 14, 14. 20; 1 Tim 4, 3 f.). b) Geschlechtliche Askese: Paulus heißt sie angesichts der letzten Weltzeit und ihrer Gefahren gut. Aber er macht daraus kein Gesetz (1 Kor 7). c) Besitz: Der Reichtum ist nicht an sich böse, aber er ist gefährlich. Dieser Gefährlichkeit entgeht man gerade nicht durch eine gesetzliche Regulierung (im Stile Qumrans), sondern durch die Übung der Liebe, die in der Gemeinschaft möglich wird.

Die ethischen Motive

Natürlich kann der ethische Appell eschatologisch begründet werden: »Der Herr ist nahe« (Phil 4, 5; vgl. Röm 13, 11). Eschatologisch bestimmt ist der Aufruf zu Bereitschaft, Wachen, Nüchternheit (Mk 13, 35—37). Aber die urchristliche Ethik ist keine »Interimsethik«. Sie ist nicht als Regulierung nur für die Endzeit gedacht. Gewiß gibt es Weisungen, die sich auf das Verhalten in der letzten bösen Zeit beziehen (1 Kor 7: Es ist besser, nicht mehr zu heiraten). Aber die Enderwartung ist kein Prinzip, aus dem man alle oder auch nur die meisten ethischen Inhalte ableiten kann. Es gilt vielmehr die Regel: Gott will nichts, was er nicht immer schon wollte, also was er in den Geboten niedergelegt hat.

Verweis auf den Willen Gottes: Röm 12, 1 f.; auf das Vorbild Gottes (der seine Sonne aufgehen läßt über Böse und Gute): Mt 5, 45.

Die ethischen Inhalte sind also die alten jüdischen, wie sie sich im Alten Testament und speziell in der Weisheitsliteratur finden. Verstärkt wird der Appell durch den Hinweis auf das Gericht (Mt 25, 31 ff.) und den Lohn (Lk 6, 32 ff.). Weitere Motive sind die Nachfolge und die Nachahmung Jesu.

Beides meint nicht das Ideal der imitatio Jesu als Nachahmung seiner irdischen Lebensführung, sondern den Gehorsam gegen das Gebot im Glauben an ihn. Nachfolge und Nachahmung sind am Heilswerk orientiert, speziell an der Niedrigkeit (Mk 10, 43 ff.)[7].

Diese Motive sind ein Antrieb zur Sammlung der Worte Jesu, ihrer Zusammenstellung zu Katechismen (Mk 9, 33—50, Feldrede, Bergpredigt, Quelle Q).

---

[7] A. Schulz, Nachfolgen und Nachahmen, 1962.

Die Paränese wird mit der Taufe verknüpft. Diese vermittelt die Kraft zum neuen Leben. Bei ihr wird dem Täufling das neue Leben geschildert. Auf die Taufe ist hingewiesen, wenn vom Ablegen des alten und Anziehen des neuen Menschen gesprochen wird (Kol 3, 5. 9 f.; Eph 4, 22—24). Die Getauften sind die Heiligen. Nun müssen sie ihrer Heiligkeit gemäß leben (1 Thess 4, 1 ff.).

Formen der ethischen Unterweisung

Die größte geschichtliche Bedeutung hat die Überlieferung der Worte Jesu. In der Frühzeit erreicht sie allerdings nur einen begrenzten Bereich der Kirche. Im Umkreis des Paulus und der aus seinen Briefen zu erschließenden hellenistischen Kirche dominieren andere Formen, die im wesentlichen aus der hellenistischen Synagoge stammen. Diese ist ihrerseits von den Formen der griechischen Ethik beeinflußt. Manchmal ist eine Synthese ohnehin naheliegend. Das Judentum hat seine alte und breite Tradition der Spruchweisheit (Proverbien; Sirach). Auch das Griechentum kennt Sammlungen von Sentenzen (christianisierte Sammlung: die Sprüche des Sextus). So entwickelt sich als Form der ethischen Belehrung die lockere Aufreihung kurzer Sentenzen über verschiedene ethische Probleme.

Beispiel: Röm 12, 3 ff.[8] Es ist methodisch wichtig zu beachten, daß an solchen Stellen kein logischer Gedankengang zu konstruieren ist. Die Aufreihung der Sentenzen ist einigermaßen beliebig. Allerdings muß gefragt werden, ob nicht im Hintergrund ein leitender Grundgedanke zu erkennen ist.

Zwei besondere typische Formen sind die *Tugend- und Lasterkataloge* und die *Haustafeln*[9]. Der Tafelcharakter weist auf griechischen Ursprung hin. Es finden sich verschiedene Typen von ethischen Tafeln: Regentenspiegel, Berufspflichtenlehren, allgemeine Tugend- und Lasterkataloge, wie sie vor allem die Stoa ausgebildet hat[10].

Die antithetische Darstellung von Tugenden und Lastern ist durch die Sache selbst gegeben. Die Stoa kennt nicht psychologische Abstufungen, sondern nur

---

[8] Zu dieser Form s. M. Dibelius, Jakobusbrief, MeyerK XV, [11]1964; ders., ThR NF 3, 1931, 212 ff.
[9] M. Dibelius/H. Conzelmann im HNT, Exkurs zu 1 Tim 3, 1; A. Vögtle, Die Tugend- und Lasterkataloge im NT, NTA XVI (4./5.), 1936; S. Wibbing, Die Tugend- und Lasterkatologe im NT, BZNW 25, 1959; E. Kamlah, Die Form der katalogischen Paränese im NT, WUNT 7, 1964.
[10] Vögtle 56 ff.; Kamlah 139 ff.

die absolute Bestimmung *der* Tugend bzw. *des* Lasters. Man braucht also keinen weltanschaulichen Dualismus als Voraussetzung dieser Antithetik. Es gilt vielmehr umgekehrt, daß sich solche Tafeln natürlich zur Aufnahme in eine dualistische Weltanschauung eignen. Das Judentum übernimmt diese Darstellungsform von der Stoa, aber die Strenge der Form wird aufgelöst. Denn im Judentum tritt die Aufzählung unter ein anderes Vorzeichen. Die Begründung der Ethik ist nicht mehr philosophisch, nicht aus dem philosophisch erarbeiteten Welt- und Menschenbild gewonnen. Voraussetzung ist nicht mehr die Autonomie, sondern das Gebot Gottes. Da also das zugrunde liegende philosophische System bedeutungslos wird, löst sich auch die Form auf.

Die Erkenntnis, daß eine feste Stilform vorliegt, bedeutet für die Exegese: Die Kataloge sind nicht zeitgeschichtlich als realistische Schilderung wirklicher Zustände auszuwerten. Eine Lastertafel wie 1 Kor 6, 9 f. stellt Paulus nicht zusammen, weil ihn der Anblick der Hafenstadt Korinth dazu veranlaßte, so sehr er hier Illustrationsmaterial finden mochte. Vielmehr benützt er den jüdischen »Heidenspiegel«. Daß dieser schon vor Paulus von den Christen verwendet wurde, zeigt die unpaulinische Ausdrucksweise (»das Reich Gottes ererben«). Paulus fährt zwar fort: »Solche wart ihr einst.« Dennoch darf man daraus nicht auf die Vergangenheit des einzelnen Mitgliedes der korinthischen Gemeinde schließen. Paulus sagt vielmehr: In diese Welt wart ihr verstrickt; ihr wart selbst ein Teil dieser Welt.

Die Kataloge sind auch nicht Ausdruck der persönlichen moralischen Anschauung des einzelnen Schriftstellers. Natürlich entsprechen sie seiner Moral, aber sie ist nicht von ihm entworfen, sondern übernommen. Es gibt einen gewissen festen Grundbestand[11].

In den einzelnen Begriffen liegt kein besonderer »christlicher« Sinn. Es wird hier nicht eine neue Moral entwickelt, sondern gelehrt, was moralisch ist. Was Moral ist, darüber besteht ja gar kein Zweifel. Das wissen nach Röm 2 die Heiden ebenso wie die Juden; denn alle Menschen besitzen das Gewissen.

Ein charakteristisches Beispiel ist Phil 4, 8: »Übrigens, Brüder, was wahr ist, was sittlich, gerecht, rein, beliebt und anerkannt, was es an Tugend und Lobenswertem gibt, dem denket nach!« Keiner dieser Begriffe wird den (heidenchristlichen) Lesern erklärt. Es ist verfehlt, in ihnen einen besonderen, christlichen Gehalt zu suchen. Vielmehr ist gerade bezeichnend, daß es allgemein geläufige Moralwerte sind.

Das Christliche findet sich an einer anderen Stelle: Im Kontext wird zur Freude im Herrn aufgefordert und eingeschärft, daß der

---

[11] Wibbing 87 f. Z. B.: πορνεία 8mal, μοιχεία 3, ἀκαθαρσία 5, ἀσέλγεια 6, ἔρις 5, βλασφημία 6, πλεονεξία 6.

Herr nahe ist. Der Ort, an dem solche Paränesen erteilt werden, ist mitzubedenken: die Gemeinde. In ihr werden diese Forderungen einsichtig als Umgangsregeln unter den Brüdern.

Die Freiheit des Glaubens stellt sich dar als kritische Mitte zwischen Weltlichkeit und Weltenthaltung. Die eschatologische Neutralität gegenüber der Welt bedeutet ja nicht Gleichgültigkeit, sondern Freiheit zur Liebe. Der schmale Grat zwischen Weltseligkeit und Askese, zwischen christlicher Rechtfertigung der Welt und praktizierter Entweltlichung, wird eingehalten.

Ähnliches wie von den Katalogen gilt von den »Haustafeln«[12]. Auch ihre Form ist hellenistischen Ursprungs. Sie werden etwas später rezipiert als die Kataloge, im Kolosser-, Epheser- und 1. Petrusbrief; abgewandelt in den Pastoralbriefen; Did 4, 9—11; Barn 19, 5—7; 1 Clem 1, 3; 21, 6—9. Zu den Pastoralbriefen vgl. Polyk Phil 4, 2—6, 3. Instruktiv ist die zunehmende Durchsetzung mit spezifisch christlichen Gedanken, wie z. B. ein Vergleich des Epheserbriefes mit dem Kolosserbrief zeigt. Das bedeutet keinen Widerspruch zu der Feststellung, daß die Moral allgemein-bürgerlich ist. Denn natürlich gibt es auch speziell christliche Regeln, da die Gemeinde als besondere Organisation mit besonderer Lebensform existiert. Damit wird aber noch keine christliche Sonderethik geschaffen: Die Begriffe erhalten keinen neuen christlichen Inhalt; die Vorschriften selber haben keinen Heilssinn. Der ist ja bereits in der Voraussetzung dieser Ethik gegeben, in Kerygma und Glaube.

---

[12] O. Schroeder, Die Haustafeln im NT, Diss. Hamburg 1959.

ZWEITER HAUPTTEIL

Das synoptische Kerygma

§ 12 DAS TRADITIONSPROBLEM

S. die Werke zur Formgeschichte: M. Dibelius, Die Formgeschichte des Evangeliums, mit einem Nachtrag von G. Iber, ⁵1966, und R. Bultmann, Die Geschichte der synoptischen Tradition (mit ErgH), ⁶1964. Dazu: R. H. Lightfoot, History and Interpretation in the Gospels, 1935

Die Abendmahlstexte (s. § 7 IV. 4) warfen die Frage auf: In welcher Weise führt das Kerygma zum historischen Jesus zurück[1]?
Es wurde schon früher festgestellt, daß der Bericht über das historische Auftreten Jesu im Kerygma angelegt ist; vgl. Apg 2, 22: Jesus ist ἀνὴρ ἀποδεδειγμένος ἀπὸ τοῦ θεοῦ εἰς ὑμᾶς δυνάμεσι καὶ τέρασι καὶ σημείοις. Die obige Frage fragt also nach den Augenzeugen der Ereignisse und den weiteren Tradenten bis zur Abfassung der Evangelien. Die Stufen des Traditionsprozesses sind im Lukasprolog noch zu erkennen: a) Augenzeugen; b) schriftliche Aufzeichnungen, auf die Lukas bereits zurückblicken kann. Er selbst reiht sich also an dritter oder sogar erst an vierter Stelle in der Traditionskette ein.
Die Formgeschichte zeigt, daß am Anfang nur einzelne Erzählungen und Worte weitergegeben wurden. Jedes Traditionsstück hat für sich christologischen Sinn: Es will den Glauben an Jesus begründen bzw. erklären. Jesus wird als Wundertäter dargestellt, in dem die göttliche Macht epiphan wird, und zwar so, daß er nicht nur formal als der Mächtige erscheint, sondern als der »Heiland«, der die Dämonen, die Krankheiten, die Sünde vertreibt (Apg 10, 38). Weiter ist Jesus der Lehrer — in Gesprächen, Gleichnissen, Logien. Auf der nächsten Überlieferungsstufe werden die ersten Sammlungen greifbar, vor allem die Quelle Q. Zwar enthält sie überwiegend Worte Jesu (noch kein Passionskerygma); dennoch ist der Sinn der ganzen Sammlung ein christologischer[2].
Die literarische Form des Evangeliums ist von Markus geschaffen[3]. Auch auf dieser Stufe erscheint der christologische Sinn in der Gesamtdarstellung des Evangelienbuches. Die theologische Leistung

---

[1] Literatur: R. Bultmann, Das Verhältnis der urchristlichen Christusbotschaft zum historischen Jesus, SAH 1960 (3); Der historische Jesus und der kerygmatische Christus, hg. v. H. Ristow u. K. Matthiae, 1960.
[2] Das zeigt H. E. Tödt, Der Menschensohn in der synoptischen Überlieferung, ²1963.
[3] H. Conzelmann, Gegenwart und Zukunft in der synoptischen Tradition, ZThK 54, 1957, 293.

des Markus liegt darin, daß er eine Erkenntnis bewußt macht, die bisher nur latent vorhanden war: In der gesamten, formal so mannigfaltigen Tradition herrscht eine sachliche Einheit; in allen ihren Formen (Glaubensbekenntnis, Erzählung über Jesus, Worte Jesu) stellt sie den Christus des Glaubens dar. So ist bei äußerster Einfachheit der literarischen Mittel Markus' Buch ein theologiegeschichtlicher Markstein.

Nach *Bultmanns* Theologiebegriff kann man bei den Synoptikern noch nicht von Theologie reden. Als solche gilt erst die begriffliche Ausarbeitung des Kerygmas durch Paulus und Johannes. Diese Auffassung wird aber dem geschichtlichen Tatbestand nicht gerecht. Das Kerygma wird eben nicht nur durch begriffliche Entfaltung ausgelegt, sondern auch durch Geschichtserzählung. Außerdem vertritt jeder der Synoptiker eine ausgeprägte theologische Gesamtkonzeption. *Bultmann* ist noch beherrscht von der ursprünglichen Perspektive der Formgeschichte, die primär nach den einzelnen Traditionsstücken und deren Sinn fragte. Diese Betrachtung hat ihr Recht, bedarf aber der Ergänzung durch die Interpretation jedes Evangeliums als eines Ganzen.

Die Aufgabe der Exegese ist eine dreifache:
1. Interpretation der Evangelien in ihrer jetzigen Gestalt;
2. Interpretation der Tradition, die ihnen vorausliegt;
3. Rekonstruktion der Verkündigung Jesu.

Man kann methodisch wie *Bultmann* vorgehen. Er bietet in kurzer Zusammenfassung das Ergebnis der Rekonstruktion und verweist für die zugrunde liegenden Analysen auf seine »Geschichte der synoptischen Tradition«. Man kann aber auch das synoptische Kerygma so, wie es als Ergebnis der Traditionsgeschichte vorliegt, darstellen und dann jeweils fragen, was der authentische Grundbestand ist. Wir wählen das zweite Verfahren, weil so ein besserer Überblick zu gewinnen ist.

Die Gliederung ergibt sich aus dem Stoff selbst. Drei Themen heben sich heraus, die sich relativ unabhängig voneinander darstellen lassen: Eschatologie, Ethik, Christologie. Die gemeinsame Grundlage ist der Gottesgedanke.

Literatur über Jesus

H. Conzelmann, Jesus Christus, RGG³ III, 1959, 619—653 (dort weitere Lit.) — A. Vögtle, Jesus Christus, LThK² V, 1960, 922—932 — A. Schweitzer, Geschichte der Leben-Jesu-Forschung, (1906) ²1913 (= Siebenstern Bd 77—80) — Außerhalb der Formgeschichte: R. Otto, Reich Gottes und Menschensohn, ³1954 — R. Bultmann, Jesus, 1926 — M. Dibelius, Jesus, SG Bd 1130, ²1949 — E. Käsemann, Das Problem des historischen Jesus, ZThK 51, 1954, 125–153 (= Ex. Vers. u. Bes. I 187–214) — G. Bornkamm, Jesus von Nazareth, Urban-Bücher Bd 19, 1956 — E. Fuchs, Die Frage nach dem historischen Jesus, Ges. Aufs. II, 1960 — G. Ebeling, Jesus und Glaube, ZThK 55, 1958, 64–100 (= Wort u.

Glaube, 1960, 203—254) — Ders., Die Frage nach dem historischen Jesus und das Problem der Christologie, ZThK 56, 1959 Bh 1, 14—30 (= Wort u. Glaube, 1960, 300—318) — H. Braun, Der Sinn der neutestamentlichen Christologie, ZThK 54, 1957, 341—377 (= Ges. Stud. z. NT, 243—282) — J. M. Robinson, Kerygma und historischer Jesus, 1960 — R. Bultmann, Das Verhältnis der urchristlichen Christusbotschaft zum historischen Jesus, SAH 1960 (3) — W. G. Kümmel, Verheißung und Erfüllung, AThANT 6, ³1956 — Ders., Heilsgeschehen und Geschichte, Marb. Theol. Stud. 3, 1965 (passim) — W. Grundmann, Die Geschichte Jesu Christi, 1957 — J. Jeremias, Das Problem des historischen Jesus, Calwer Heft 32, 1960 — W. Manson, Bist du, der da kommen soll?, 1952 — T. W. Manson, The Servant Messiah, 1953 — X. Léon-Dufour, Die Evangelien und der historische Jesus, 1966 — N. Perrin, Rediscovering the Teaching of Jesus, 1967 — Der historische Jesus und der kerygmatische Christus, hg. v. H. Ristow u. K. Matthiae, 1960 — Der historische Jesus und der Christus unseres Glaubens, hg. v. K. Schubert, 1962 (kath.)

§ 13 DER GOTTESGEDANKE

I. Der Gottesglaube Jesu

Jesus will keinen neuen Gottesgedanken lehren, sondern einschärfen, wer der Gott Israels, der Schöpfer, Weltregent, Gesetzgeber und Richter ist — nicht in seinem metaphysischen An-sich-sein (danach wird überhaupt nicht gefragt), sondern was er für den Einzelnen bedeutet.

Natürlich spricht Jesus auch über Eigenschaften Gottes: Gott ist gut, ja der einzige, dem die Bezeichnung »gut« zukommt (Mk 10, 18). Aber eben damit ist sein Bezug zur Welt bestimmt.

Nur in einem eingeschränkten Sinn kann man den Gottesgedanken Jesu als eschatologisch bezeichnen. Eschatologisch ist der Begriff des Reiches Gottes. Aber der Gottesgedanke erschöpft sich nicht in Aussagen über das kommende Gottesreich. Daneben stehen Aussagen vom heutigen Walten Gottes, die nicht auf ein baldiges Weltende ausblicken. Wenn Jesus aufruft: »Sorget nicht für den morgigen Tag!«, dann begründet er diese Aufforderung nicht eschatologisch: »Denn bald wird die böse Welt zu Ende sein«, sondern mit dem Hinweis auf Gott als den Vater: »Denn er sorgt für euch.« Gott läßt seine Sonne aufgehen über Gute und Böse. In solchen Worten ist die Welt nicht als dem Ende entgegeneilend gesehen, sondern einfach als Schöpfung, als Raum der Herrschaft und Fürsorge Gottes.

Bultmann bemerkt die Spannung zwischen beiden Aussagereihen, der eschatologischen und der kosmologischen, wenn er die Thematik der Gotteslehre Jesu formuliert: Der ferne und der nahe Gott. Er schließt aber allgemeine Weltbetrachtung im Stil des »Sorget nicht!« und Eschatologie zu eng zusammen. Das exegetische Problem liegt zunächst gerade in der Unverbundenheit beider Aussagereihen. Natürlich ist dann auch zu fragen: Läßt sich dieses Nebeneinander sachlich begründen?

Das Nebeneinander der beiden Aussagereihen ist geschichtlich zu verstehen. Jesus geht von der Lehre des Judentums aus. Er setzt dabei mehrfach an. Einmal knüpft er an die alttestamentlich-jüdische Gotteslehre an, dem Gedanken von Gott als dem Schöpfer und Regenten. Ein andermal setzt er bei der Lehre vom Gesetz ein, wieder ein andermal bei der jüdischen Auffassung von den letzten Dingen. Er bemüht sich nicht, die einzelnen Lehren in ein System zu bringen, sondern sein Denken führt jeweils an den Punkt, wo ihr

aktueller Gegenwartssinn verständlich wird. Die Zielrichtung ist die unmittelbare, heutige Konfrontation des Menschen mit Gott.
Gott ist der Vater. Diese Lehre ist nicht neu. Neu ist aber die Art, wie sie aktualisiert wird. Gott ist der Schöpfer. Aber man leitet nicht aus theoretischer Weltbeobachtung den metaphysischen Satz ab, daß es »einen Gott gibt«. Das ist gar keine Frage. Weil man Gott als den Schöpfer anerkennt, deshalb kann man die Welt verstehen.

Verstehen vollzieht sich nicht theoretisch, im griechischen Stil, als Erhellung des Seinszusammenhangs. Es gibt keine kausale Welterklärung, keinen Naturbegriff. Die Welt wird nicht als etwas Vorhandenes betrachtet. Welt ist, indem sich der Mensch in ihr, zu ihr verhält. Sie wird erschlossen, indem er Gottes Wort vernimmt und die Welt als Gottes Welt begreift. Damit begreift er sich selbst und verwirklicht diese Erkenntnis im Überstieg in die Freiheit von der Sorge.

Der Schöpfer ist zugleich der Gesetzgeber und damit der Richter. Jesus ersetzt nicht das Bild des gerechten Gottes durch das des gütigen. Er scheidet den Gerichtsgedanken nicht aus.

II. Die Gottesbezeichnungen in den Synoptikern

H. WEINEL, Biblische Theologie des NT, 41928, 122 ff.

Am häufigsten ist: (ὁ)[1] θεός. Anders als im Judentum besteht im Neuen Testament keine Scheu, das Wort »Gott« zu gebrauchen[2]. Nur in einem Fall wird θεός durch eine Umschreibung jüdischen Stils ersetzt: Matthäus sagt mit Vorliebe statt »Reich Gottes« ἡ βασιλεία τῶν οὐρανῶν.

Sonst findet sich diese Umschreibung nur noch Mk 11, 30: War die Taufe des Johannes vom Himmel oder von Menschen?

Seltener ist der Titel »*der Höchste*« (Mk 5, 7 par Lk 8, 28; Lk 1, 32. 35. 76; 6, 35).

Bei der Häufigkeit des Redens von Gottes βασιλεία fällt auf, daß Gott nur selten als βασιλεύς bezeichnet wird. Beides, seine βασιλεία und sein βασιλεύς-Sein, ist nicht begrifflich miteinander verknüpft.

Der Grund: Den Ausdruck βασιλεία τοῦ θεοῦ haben Jesus und das Urchristentum nicht aus dem Königstitel Gottes abgeleitet, sondern schon als feste Wen-

---

[1] Zum Artikelgebrauch s. Bl-Debr 254, 1.
[2] אֵל ist häufig in Qumran.

dung vorgefunden, die bereits mit spezifisch eschatologischem Sinn gefüllt war. Der Königstitel dagegen bezeichnet die immerwährende Herrschaft Gottes. Vgl. die Doxologien: τῷ δὲ βασιλεῖ τῶν αἰώνων, ἀφθάρτῳ ἀοράτῳ μόνῳ θεῷ, τιμὴ καὶ δόξα εἰς τοὺς αἰῶνας τῶν αἰώνων (1 Tim 1, 17; ähnlich 1 Tim 6, 15 f.).

βασιλεύς findet sich Mt 5, 35; vgl. 18, 23[3]. κύριος als Gottesbezeichnung[4] kommt in den Synoptikern nur in Zitaten und feierlichen Wendungen vor (Lk 10, 21 par Mt 11, 25).
Wichtig und in mancher Hinsicht auffallend ist der Befund beim Titel *Vater*.

Das Wort enthält die Momente der Macht und des Schutzes. Im Alten Testament heißt Gott »Vater« im Blick auf das auserwählte Volk (Dtn 14, 1). Der Beter ruft ihn als Vater an (Ps 89, 27). Philo verwendet den Titel im kosmologischen und genealogischen Sinn. Den Weg von der kollektiven zur individuellen Frömmigkeit zeigen Stellen wie Sap Sal 2, 16; 14, 3; Sir 23, 1; Tob 13, 4; 3 Makk 5, 7. Zur Ausdrucksweise[5]: Der Ausdruck »Vater in den Himmeln« (Matthäus; Mk 11, 25) findet sich in der palästinischen Synagoge seit dem Ende des 1. Jahrhunderts n. Chr. Er fehlt in der Apokalyptik und den Pseudepigraphen.

Überblickt man den synoptischen Befund ohne Rücksicht auf die Echtheitsfrage, so zeigen sich folgende Motive: Mt 23, 9: »Nennt niemanden auf Erden euren Vater. Denn einer ist euer Vater, der himmlische.« »Vater« trifft also das Wesen Gottes so genau, daß der Titel eigentlich nur ihm gebührt. Mt 6, 25 ff.: »Sorget nicht... Euer himmlischer Vater weiß, daß ihr des alles bedürft.« Mt 7, 7—11 par Lk 11, 9—13: Der Vater gibt denen Gutes, die ihn bitten. Und: »Fürchte dich nicht, du kleine Herde, denn es hat eurem Vater gefallen, euch das Reich zu geben« (Lk 12, 32).

Es ist weit verbreitete Meinung, daß der Vatertitel für Gott das eigentlich Kennzeichnende in Jesu Gottesgedanken sei: Einerseits drücke Jesus mit diesem Titel sein besonderes Sendungsbewußtsein (als »der Sohn«) aus, andererseits eröffne er auch den Menschen, daß sie Kinder Gottes seien und Gott als ihren Vater ansehen dürfen.

Wenn also die Gottesbezeichnung »Vater« auftaucht, ist stets zu fragen: Ist die allgemeine Vaterschaft Gottes gemeint (»auf daß ihr Söhne eures Vaters im Himmel seid« Mt 5, 45) oder die besondere Bezeichnung Gottes als des Vaters Jesu?

Diese Unterscheidung drückt sich im Sprachgebrauch aus: Der Jesus der synoptischen Evangelien sagt einerseits »mein Vater«, anderer-

---

[3] Dagegen ist das Wort Mt 25, 40 nur als Bild gebraucht.
[4] Zur Frage nach dem Befund in LXX s. o. § 10 IV.
[5] Vgl. Bill. I 392 ff.

seits »euer Vater«. Aber er faßt nie sich und seine Jünger zusammen unter einem »unser Vater«.

Auch das »unser Vater« am Anfang des Herrengebets ist keine Ausnahme. Lk 11, 2 hat nur das einfache πάτερ. Bei Matthäus schließt Jesus nicht sich mit den Jüngern zusammen, sondern gibt ihnen die Anweisung: So sollt ihr zu Gott sprechen.

Geht nun dieser Sprachgebrauch auf Jesus selbst zurück?

Übersicht[6]:

Eine Reihe von Stellen läßt sich auf Grund des synoptischen Vergleichs ausscheiden. Das Wort Vater steht viel seltener in den alten Quellen Q und Markus als in der spätesten Schicht, der Redaktion des Matthäus und Lukas.

Vgl. Mk 3, 35 »Wer den Willen Gottes tut« mit Mt 12, 50 »Wer den Willen meines Vaters tut«. Zusätze des Matthäus sind: 7, 21; 20, 23; 26, 29. 42 (Wiederholung von V 38 par Mk 14, 36).

a) Der Vater
1. Markus hat nur eine Stelle, 13, 32 par Mt 24, 36: »Jenen Tag aber oder jene Stunde kennt niemand, nicht die Engel im Himmel und nicht der Sohn, sondern nur der Vater.« Die absolute Redeweise von »dem Sohn« ist Gemeindesprache[7]. Daraus ergibt sich, daß auch die Wendung »der Vater« an dieser Stelle Formulierung der Gemeinde ist.
2. In Q steht ebenfalls nur eine Stelle, Mt 11, 27 par Lk 10, 22: »Niemand kennt den Sohn außer dem Vater.« Hier gilt dasselbe Urteil. Die ganze Stelle ist eine hellenistische Bildung[8].
3. Im Lukas-Sondergut fehlt der absolute Gebrauch.
4. Im Matthäus-Sondergut findet er sich nur 28, 19, in der triadischen Taufformel, einer Gemeindebildung.
5. Es bleibt übrig Lk 9, 26: Der Menschensohn (!) kommt ἐν τῇ δόξῃ αὐτοῦ καὶ τοῦ πατρός. Das ist eine lukanische Abwandlung von Mk 8, 38: ἐν τῇ δόξῃ τοῦ πατρὸς αὐτοῦ.

Selbst wenn dieses Wort für echt gehalten wird, bleibt das Problem der eschatologischen Menschensohnworte: Hält sich Jesus selber für den kommenden Menschensohn (s. u. § 16 IV)?

---

[6] H. Braun, Spätjüd.-häret. und frühchristl. Radikalismus II, BHTh 24, 1957, 127 f.; J. Jeremias, Abba, 1966, 15 ff.
[7] W. Kümmel, Verheißung 35 f.
[8] R. Bultmann, Syn. Trad. 171 f. 179; M. Dibelius, Formgeschichte 246. 279 ff.

b) Mein Vater

Im Gethsemane-Gebet, wo Jesus Gott anredet (also nicht wie Mt 6, 9 ff. zu Menschen spricht), sagt er: ἀββά ὁ πατήρ (Mk 14, 36). Es handelt sich um eine Gemeindebildung: Das Gebet hat niemand hören können.

An das Wort ἀββά knüpft sich eine besondere Diskussion[9]. Für diese Anrede an Gott gibt es keine alten rabbinischen Belege. Die Form ἀββά ist Vokativ[10] und kann familiären Klang haben: »Vati«. Eine solche Gottesanrede, meint man, könne nur auf Jesus selber zurückgehen. Das sei eine neue Weise, mit Gott zu reden. Sie erkläre sich aus dem besonderen Sohnesbewußtsein Jesu. Aber erstens muß das Wort durchaus nicht familiären Klang haben. Zweitens: Selbst wenn es sicher wäre, daß Jesus so sprach, dann ist doch die Hauptfrage gerade, ob er sich mit dieser Anrede von den Seinen unterschied, ob er also diese Anrede für sich reservierte, um damit sein besonderes Sohnesbewußtsein zu erkennen zu geben. Die Antwort ist klar: Zwei Stellen bei Paulus zeigen, daß ἀββά die allgemeine Gebetsanrede der Gemeinde ist: Gal 4, 6; Röm 8, 15. Geht diese Anrede auf Jesus selber zurück, dann ist bewiesen, daß er sie nicht für sich reservierte.

Außerdem trifft es nicht zu, daß der Jude nicht in dieser Weise zu Gott sprechen konnte. Rabbinen sagen immerhin »mein Vater«. Das macht keinen wesentlichen Unterschied gegenüber ἀββά aus. Und 3 Makk 6, 3. 8 findet sich auch das absolute πάτερ.

Gibt es Stellen, an denen Jesus vor Menschen sagt: »mein Vater«?
1. Markus: kein Beleg.
2. Q: eine Stelle, die oben erwähnte hellenistische Bildung Mt 11, 25—27 par Lk 10, 21 f. Aus Q stammt auch Mt 10, 33: »Wer mich verleugnet vor den Menschen, den werde auch ich verleugnen vor meinem Vater im Himmel.« In der (ursprünglichen) Parallelfassung Lk 12, 9 steht: »vor den Engeln Gottes«. — Der Befund in den alten Quellen hinsichtlich eines zu Menschen gesprochenen »mein Vater« ist also negativ.
3. Lk 22, 29: »Wie mir mein Vater das Reich vermachte . . .« Es handelt sich um eine späte Bildung innerhalb der lukanischen Abendmahlsgespräche. Spät ist auch Lk 24, 49, ein Wort des Auferstandenen.

---

[9] G. Schrenk, πατήρ, ThW V 981 ff.; J. Jeremias, Abba 15 ff.
[10] Nicht Emphatikus, s. ThW V 984 gegen I 4, 26 und Bill. II 49 f.; J. Jeremias a. a. O.

4. Mt 16, 17; 26, 53, zwei sekundäre Worte, das eine an Petrus, das andere an einen ungenannten Jünger. In allen übrigen Stellen bei Matthäus geht die Wendung wohl auf seine Redaktion zurück: 15, 13; 18, 10. 19. 35; 25, 34.

c) Euer Vater
1. Markus: eine Stelle, 11, 25 par Mt 6, 14 f. Traditionsgeschichtlich handelt es sich um eine Frömmigkeitsregel der Gemeinde[11].
2. Q: Mt 5, 48 par Lk 6, 36: »Ihr sollt barmherzig (vollkommen) sein wie euer Vater.« Diese Stelle dürfte primär sein. Mt 6, 32 par Lk 12, 30: »Euer Vater weiß, daß ihr des alles bedürft.« Auch dieses Wort kann primär sein.

Bei einer Reihe von Belegen aus Q weichen Matthäus und Lukas voneinander ab. Hier ist das Urteil natürlich durchweg unsicher. Vgl. Mt 7, 11 mit Lk 11, 13; Mt 6, 26; 10, 29 mit Lk 12, 24. 6; Mt 5, 45 mit Lk 6, 35; Mt 10, 20 mit Lk 12, 12; Mt 18, 14 mit Lk 15, 7.

3. Lk 12, 32 ist ein typisches Gemeindewort[12].
4. Matthäus: 5, 16 ist vielleicht vom Evangelisten geformt; 6, 1 ist redaktionell; 6, 8 ist vorweggenommene Dublette von 6, 32 (s. o.); 23, 9 (»einer ist euer himmlischer Vater«) kann echt sein[13].

Bei Matthäus findet sich noch »dein Vater« (6, 4. 6. 18); »ihr Vater« in der redaktionellen Deutung des Gleichnisses vom Unkraut 13, 43.

Ergebnis
Daß Jesus Gott als Vater bezeichnet hat, ist nicht zu bezweifeln. Aber die grundsätzliche Unterscheidung von »mein« und »euer« Vater ist christologischer Stil der Gemeinde. Es zeigt sich eine weitere, typisch kirchliche Tendenz: In den alten Quellen sagt Jesus »euer Vater« zu allen Hörern. Das heißt, er erklärt sie zu Gotteskindern, indem er ihnen predigt. In der Tradition dagegen besteht die Tendenz, dieses »euer Vater« auf die Jünger einzuschränken. Darin zeigt sich die Perspektive der Kirche: Sie stellt klar, daß nicht einfach jedermann Gottes Kind ist, daß die Gotteskindschaft vielmehr die Nachfolge, den Glauben einschließt.

Natürlich meint auch Jesus nicht, Gottes Kind sei der Mensch quasi von Natur. Er wird es, indem er begreift, daß Gott uns als seine Kinder behandelt; er wird Gottes Kind, indem er Gottes Geschenk annimmt »wie ein Kind«, das heißt vorbehaltlos. Die Bedingung der Gotteskindschaft ist also einfach das Vertrauen zu

---

[11] R. Bultmann, Syn. Trad. 156.
[12] H. Braun, Radikalismus II 102 Anm. 1.
[13] R. Bultmann, Syn. Trad. 154 f.

Gott. Mit dem Tod Jesu ändert sich die Situation. Jetzt muß klargestellt werden, daß man das Wort Jesu, die Zusage der Gotteskindschaft, nicht haben kann ohne die Stellungnahme zu Jesus selbst, und das schließt in sich: zur Kirche. Sie ist ja der Ort, wo Jesus als der Gepredigte gegenwärtig ist. Diese Beziehung der Gotteskindschaft auf die Kirche ist legitim, solange sich diese als die Kirche des Wortes versteht und nicht als Heilsanstalt, als Zwischeninstanz zwischen Gott und den Menschen mit eigener Heilsmächtigkeit.

Aus der Gottesbeziehung ergibt sich das Verständnis der menschlichen Existenz. Es gibt keine theoretische Lehre von Gottes Allwirksamkeit, keine Lehre von der allgemeinen Determination. Gottes Vorsehung wird in actu aufgezeigt: Ohne seinen Willen fällt kein Sperling vom Dach. Damit ist dem Menschen gesagt, daß er sich in der Welt nicht zu fürchten braucht. Gottes Walten und menschliche Freiheit werden nicht gegeneinander abgewogen. Gott wäre mißverstanden, wenn der Mensch meinte, seine Freiheit ihm gegenüber wahren zu müssen. Indem er ihn sorgen läßt, wird er frei, gewinnt er die Harmlosigkeit zur Welt und das Privileg, sich direkt an Gott zu wenden. Jesus gibt die Anrede an Gott ohne Vorbehalt frei, ohne eine andere Bedingung als die im Gottesverhältnis selbst gesetzte: Wenn ihr betet, dann vergebt.

Im gelebten Bezug zu Gott werden die Probleme überholt, mit denen das Judentum nicht fertig wird: Schuld und Schicksal, Theodizee, Entstehung des Bösen. Das Böse wird nicht erklärt, sondern aufgedeckt. Jesus entwickelt keinen Sündenbegriff. Das tut erst Paulus. Aber im Hören der Forderung Gottes ist der Mensch so gestellt, daß er Gott um Vergebung bitten muß. Gott rechtfertigt nicht sein Tun. Der Mensch hat ihn nicht in die Schranken seines Gerichtes zu fordern, sonst verfällt er Gott. Aber er kann Gott jederzeit erreichen. Gott ist kein Orakel, das über die allgemeine Frage nach dem Sinn des Lebens, der Welt Auskunft gibt. Aber indem sich der Mensch als sein Kind begreifen kann, ist diese Sinnfrage überstiegen.

§ 14 DAS REICH GOTTES

Vgl. die vor § 13 genannte Lit. — K. L. Schmidt, βασιλεία, ThW I 579—592 — E. Grässer, Das Problem der Parusieverzögerung in den synoptischen Evangelien und in der Apostelgeschichte, BZNW 22, ²1960 — Ph. Vielhauer, Gottesreich und Menschensohn in der Verkündigung Jesu, Festschr. G. Dehn, 1957, 51—79 (= Aufs. z. NT, ThB 31, 1965, 55—91) — H. Conzelmann, Gegenwart und Zukunft in der synoptischen Tradition, ZThK 54, 1957, 277—296 — H. E. Tödt, Der Menschensohn in der synoptischen Überlieferung, ²1963 — R. Schnackenburg, Gottes Herrschaft und Reich, ²1965 — E. Lohse, Die Gottesherrschaft in den Gleichnissen Jesu, EvTh 18, 1958, 145—157 — H. Schürmann, Das hermeneutische Hauptproblem der Verkündigung Jesu, in: Gott in Welt (Festschr. K. Rahner) I, 1964, 579—607 — S. Aalen, »Reign« and »House« in the Kingdom of God in the Gospels, NTS 8, 1961/2, 215—240 — Vgl. die Artikel: Eschatologie, Jesus Christus, Reich Gottes in der RGG³

I. Probleme

Ist das Reich Gottes künftig oder ist es schon da? Und wenn es schon gegenwärtig ist, in welcher Weise?

Die Antworten auf diese Fragen liegen weit auseinander. Die Evangelien enthalten nämlich solche Aussagen, denen zufolge das Reich erst kommt (vgl. die Bitte des Vaterunsers: Dein Reich komme!), und solche, nach denen es als bereits eingetroffen gilt. Meistens erklärt man: Das Verhältnis beider Aussagen ist ein Sowohl-Als-auch[1]. Aber wie hätte dann Jesus das Nebeneinander von Künftigkeit und Gegenwärtigkeit gedacht?

Etwa so, daß sich das Reich Gottes erst noch zur vollen Größe entwickeln müsse, wie die Saat, das Senfkorn? Oder so, daß es in Jesu Person schon da sei und in der Zukunft offen hervorbrechen werde? Aber was heißt das: in Jesu Person gegenwärtig? *Karl Ludwig Schmidt* (ThW I 590 f.) nimmt das von Origenes geprägte Schlagwort von Jesu αὐτοβασιλεία wieder auf: Jesus selbst ist in seiner Person das Reich. Wenn das einen Sinn haben soll, kann es nur ein spiritualistischer sein (Origenes!).

Oder stammt die eine Gruppe von Aussagen von Jesus selbst, die andere aus der Gemeinde? Aber welche stammt von wem? In welcher Richtung soll die Entwicklung verlaufen sein? Predigte Jesus mehr apokalyptisch, die Gemeinde mehr spiritual — oder war es gerade umgekehrt?

Die wichtigsten Hypothesen:
1. Jesus sprach nur vom künftigen Reich: Dieses sei nahe, aber noch

---

[1] W. G. Kümmel, Verheißung 133 ff.

nicht da. Dann sind die präsentischen Aussagen als Gemeindebildung anzusehen.

So *A. Schweitzer, R. Bultmann.* Zwar erkennen beide die Eschatologie als die Mitte der Lehre Jesu an. Aber sie werten diesen Befund völlig verschieden. *Schweitzer* will die Eschatologie als zeitbedingte Weltanschauung ausscheiden, *Bultmann* will sie interpretieren, indem er fragt: Welches Gottes- und Weltverständnis ist in ihr ausgesprochen? Ganz verschieden verstehen beide auch das Verhältnis von Reich Gottes und Person Jesu. Nach *Schweitzer* hofft Jesus, er werde in den Menschensohn verwandelt werden. *Bultmann* erklärt: Jesus versteht sich selber als das Zeichen des nahen Reiches Gottes. Er hält seinen Ruf für Gottes letzten Ruf vor dem Anbruch des Reiches. Er erwartet den Menschensohn als eine von ihm unterschiedene Gestalt, die vom Himmel herabkommt.

2. Jesus lehrt, daß das Reich Gottes in seiner Person schon eingetroffen sei[2]. Nach C. H. *Dodd* bedeutet ἤγγικεν »has come« (»realisierte Eschatologie«; von *J. Jeremias* abgewandelt in »sich realisierende Eschatologie«). Daß das Reich in der Zukunft komme, ist eine sekundäre Vorstellung, die erst in der Gemeinde entstand.

Welche Kriterien gibt es? Es besteht der methodische Grundsatz: Man kann nicht mit Sicherheit nachweisen, daß Jesus dieses oder jenes Wort sprach. Mit größerer Sicherheit läßt sich zeigen, daß in diesem oder jenem Fall eine Gemeindebildung vorliegt. Dennoch ist ein Grundbestand an authentischer Überlieferung nicht anzufechten. Dazu gehört der größte Teil der Gleichnisse. Sie sind nach Form und Inhalt weder aus dem Judentum ableitbar noch aus der nachösterlichen Gemeinde. Sie spiegeln nämlich ein spezifisches Verständnis der Situation vor Ostern. Echt sind dementsprechend auch solche Worte, die die Nähe des Reiches und dessen Gegenwärtigkeit in einer Situation ansagen, die nur vor Ostern zu datieren ist. Der Ausdruck »Reich Gottes« wird nicht definiert. Jesus übernimmt ihn aus dem Judentum, bestimmt aber seinen Sinn völlig neu durch die Aktualisierung der Botschaft vom Reich. Man kann die Faustregel aufstellen: Im Judentum bedeutet der Ausdruck: den Akt des Herrschens Gottes; bei Jesus: Gottes Reich[3].

II. Sprachgebrauch

Gleichbedeutend sind die beiden Ausdrücke „Reich Gottes" und „Reich der Himmel".

---

[2] C. H. Dodd, The Parables of the Kingdom, 1936; T. W. Manson, The Servant Messiah, 1953.
[3] S. Aalen a. a. O.

Der letztere findet sich fast nur bei Matthäus. »Himmel« ist nichts anderes als Umschreibung des Gottesnamens im jüdischen Stil; sie ist sekundär; vgl. Markus, Q.

Es findet sich auch das einfache βασιλεία.

Das ist ohne Vorbild im Judentum. Dort bedeutet das absolute מַלְכוּת das römische Reich (Bill. I 183).

Begriffsgeschichte:
Im Alten Testament spielt der Satz eine Rolle: מָלַךְ יהוה (Königspsalmen).
Die Rabbinen meiden, wie den Gottesnamen überhaupt, so auch Sätze mit Gott als Subjekt. Sie sagen daher nicht mehr: מָלַךְ יהוה, sondern reden von seiner מַלְכוּת [4]. Dieser Ausdruck bedeutet also nicht: Gottes Königsreich, sondern bezeichnet die Tatsache, daß Gott herrscht. Er ist nichts anderes als eine Abstraktbildung für den Satz »Gott ist König«, zu übersetzen mit »Gottesherrschaft«. Zwei Momente sind bedeutsam:
1. Gottes Herrschaft ist eschatologisch, als kommende verstanden.
2. Der Einzelne hat sich angesichts der Gottesherrschaft zu entscheiden. Noch besteht die Gelegenheit dazu. Aber die Frist ist begrenzt.
In diesem Gedankenkreis spielt nicht das Volk eine Rolle, sondern der Einzelne — als der, der in die Entscheidung gefordert ist. Der Gedanke von Gott als dem König Israels steht unverbunden daneben. Auch besteht keine Verbindung mit der Erwartung des Messias[5].
Auf Grund der verbalen Bedeutung des Ausdrucks wird verständlich, daß er in der apokalyptischen Literatur selten ist. Hier erwartet man den neuen Äon oder den Menschensohn. Eine Verbindung zwischen beiden ist nur im Buch Daniel hergestellt[6].

Die künftige Welt ist nur an folgenden Stellen als »Reich« bezeichnet:
Dan 2, 44: στήσει ὁ θεὸς τοῦ οὐρανοῦ βασιλείαν ἄλλην, ἥτις ἔσται εἰς τοὺς αἰῶνας ... Eine messianische Gestalt fehlt.
Dan 3, 33: מַלְכוּתֵהּ מַלְכוּת עָלַם = 4, 3 Θ: ἡ βασιλεία αὐτοῦ βασιλεία αἰώνιος.
Dan 7, 13 f.: ... καὶ ἰδοὺ ἐπὶ τῶν νεφελῶν τοῦ οὐρανοῦ ὡς υἱὸς ἀνθρώπου ἤρχετο ... καὶ ἐδόθη αὐτῷ ἐξουσία ... καὶ ἡ ἐξουσία αὐτοῦ ἐξουσία αἰώνιος ... καὶ ἡ βασιλεία αὐτοῦ.
Ass Mos 10, 1: »Und dann wird sein Reich über alle seine Kreatur erscheinen.«
Or Sib III 767: »Und dann wird er ein Königreich errichten für alle Zeiten.«

Ergebnis: Die Begriffsgeschichte ist nicht sehr ertragreich. Das wesentlichste Moment ist der eschatologische Sinn.

---

[4] K. G. Kuhn, ThW I 570 ff.
[5] K. G. Kuhn, ThW I 573; Ph. Vielhauer, Aufs. 175 ff.
[6] S. Ph. Vielhauer, Aufs. 80 ff.; Bousset, Rel. 213 ff.

Wird die Gottesherrschaft oder das Gottesreich als künftig angesagt, erheben sich eine Reihe von Fragen: Ist Gott in der Gegenwart ohne Herrschaftsbereich? Was für ein Gott wäre das? Führt die Idee der Künftigkeit seiner Herrschaft nicht in den Bereich mythischer Vorstellungen von der Ankunft eines Gottes? Eine Antwort kann nur gegeben werden, wenn man auf die weitere Frage nach dem Existenzsinn der Vorstellung vom Gottesreich bei Jesus und in der synoptischen Tradition zurückgreift. Natürlich ist nicht gemeint, daß Gottes Regierung zur Zeit suspendiert sei — vgl. die uneschatologischen Worte vom Walten Gottes: Ohne seinen Willen fällt kein Spatz zur Erde (Mt 10, 29). Letztlich meint »Reich Gottes« nicht einen analysierbaren, metaphysischen Tatbestand, sondern besagt, daß der Mensch Gott vor sich hat, daß Gott ihm nicht gegenständlich, auch nicht als Idee, gegeben ist. Daß Gott kommt, schließt nicht aus, sondern ein, daß er jetzt Gott ist. Eben dies wird durch die Ansage seines Kommens konsequent zu Ende gedacht. Seines Kommens kann man gerade darum gewiß sein, weil er der Herrscher bereits ist. Dieser Sinn liegt schon in den Zukunftsbildern der alttestamentlichen Propheten, wenn sie den Retterkönig erwarten (Jesaja), den neuen Bund (Jeremia), die Wiederherstellung von Tempel und Kult. Der diesen Hoffnungen gemeinsame Sinn ist der Glaube, daß Gott es ist, der das Heil bringt, daß »Gott« das kommende Heil bedeutet, daß daher radikal auf ihn angewiesen ist und gerade dies das Hoffnungsvolle ist. Bei den Propheten ist die Erwartung des Heils an das Volk Israel gebunden. Aber die eigentliche Pointe besteht doch darin, daß die Hoffnung sich nicht auf Israel, sondern auf Gottes Heilstat gründet.

III. Der Stoff

Eine der bekanntesten Stellen ist nur mit Vorsicht zu verwenden, Mk 1, 14 f. Es handelt sich um eine thematische Zusammenfassung der Predigt Jesu, so wie sie Markus versteht: a) Ankündigung: πεπλήρωται ὁ καιρὸς καὶ ἤγγικεν ἡ βασιλεία τοῦ θεοῦ; b) Aufforderung: μετανοεῖτε καὶ πιστεύετε ἐν τῷ εὐαγγελίῳ. Diese Formulierung hat ihren Sitz in der hellenistischen Gemeinde, die Jesus selbst zum Verkünder des christologischen Kerygmas gleich »Evangeliums« und des »Glaubens« an Jesus macht. Mit der historischen Predigt Jesu stimmt die Ansage überein, daß das Reich Gottes nahe ist. Sie findet sich noch Mk 13, 29 und in Q: Mt 10, 7 par Lk 10, 9 (Aussendungsrede)[7].

Das Reich »kommt« — es wird nicht geschaffen. Es ist selber Subjekt der Bewegung, nicht Ziel unserer Bewegung. Wir können es nicht herbeiführen, sondern sollen für sein Eintreffen bereit sein. Aber: Wie nahe ist es?

---

[7] Die Kirche formuliert dann: ὁ κύριος ἐγγύς (Phil 4, 5).

Aus dem Wortsinn von ἐγγύς / ἐγγίζειν ist die Frage nicht zu beantworten. Sicher ist allerdings, daß die Deutung von *Dodd* (has come) zu weit geht[8]. ἐγγύς bedeutet zunächst: räumlich nahe, dann auch: zeitlich nahe; ἐγγίζειν heißt nicht: eintreffen, sondern: nahekommen (Mt 26, 18 von der Todesstunde). ὁ κύριος ἐγγύς (Phil 4, 5) kann nicht heißen »ist da«. Vgl. Mk 13, 29: ἐγγὺς ἐπὶ θύραις; Apk 1, 3; 22, 10: ὁ καιρὸς ἐγγύς.

Das Reich ist noch nicht sichtbar da; es kann und muß noch angekündigt werden. Aber es ist so nahe, daß es mit Sicherheit angesagt werden kann. Es wird von Gott selber herbeigeführt. Daher kann man beten: Dein Reich komme! Die Hoffnung beruht darauf, daß Menschen das Kommen des Reiches nicht verhindern können.

Aber können sie es beschleunigen? Ja, durch das Gebet. Es besteht scheinbar ein Widerspruch: Gott allein handelt, und doch kann der Mensch eingreifen und Gott bestimmen. Es ist der Scheinwiderspruch des Gebets überhaupt, der sich im Akt des Gebets auflöst. Denn das Bekenntnis zu Gott als dem alleinigen Täter und die Bitte an ihn sind Verwirklichung des komplexen Verhältnisses zu Gott, dem Vater.

Das Reich bricht plötzlich ein, wie der Blitz, die Flut, das Feuer über Sodom und Gomorrha (Lk 17, 20 ff.). Man kann ihm nicht ausweichen; es wird überall sein (Lk 17, 37). Das Reich bringt die Scheidung. Es wird darauf ankommen, in welchem Zustand es einen antrifft. Zum Gedanken des Reiches gehört das Gericht, das je nachdem als Zorn oder Heil über die Menschen kommt.

Wie nahe ist das Reich also?[9] Wie verhalten sich die Worte, in denen es schon da zu sein scheint, zu denen, die noch einen gewissen Zwischenraum bis zu seinem Eintreffen ansetzen? Wenn man beide für echt erklärt *(Kümmel)*, muß eben dieser Befund erklärt werden.

Man wird die Fragestellung selber überprüfen müssen: Jesus ist nicht an der Frage nach dem Zeitraum als solchem interessiert. Wird die Erwartung des Reiches radikal verstanden, dann bedeutet ἤγγικεν nicht eine zunächst neutrale Feststellung über Länge oder Kürze eines Zeitraums, sondern eine Bestimmung des Menschen: Diesem bleibt keine übrige Zeit mehr für sich selbst. Er muß sich im jetzigen Augenblick auf das Reich einstellen. Noch ist es nicht da, sonst wäre die Gelegenheit zu dieser Einstellung, zur Buße, vorbei. Das Reich würde nicht mehr gepredigt. Aber es ist so nahe, daß der Mensch nicht mehr fragen kann: Wie lange habe ich noch eigene

---

[8] Vgl. W. G. Kümmel, Verheißung 13 ff.
[9] W. G. Kümmel, Die Naherwartung in der Verkündigung Jesu, Zeit u. Gesch. (Festschr. Bultmann), 1964, 31—46 (= Heilsgeschehen und Geschichte, 1965, 457—470); O. Cullmann, Heil als Geschichte, 1965, 173 ff.

Zeit, in der ich die Buße aufschieben kann? Keine mehr! Für den Angeredeten ist jetzt der letzte Augenblick. Man kann die Zeitfrage deshalb gar nicht neutral stellen. Jesu Perspektive ist nicht die der apokalyptischen Betrachtung.

Das Reich steht also noch bevor. Andererseits darf man nicht einfach erklären, es sei noch nicht da, sondern muß die Beziehung zwischen dem Kommen des Reiches und der Gegenwart erkennen: Die Zeichen des Reiches sind schon sichtbar.

In dieser Verknüpfung ist das Selbstbewußtsein Jesu zu fassen: »Selig sind die Augen, die sehen, was ihr seht« (Lk 10, 23 f.). »Selig ihr Armen, denn euer ist das Reich Gottes« (Lk 6, 20): Das Reich ist noch nicht da — es gibt noch Arme. Aber es manifestiert sich; den Armen wird nicht nur eine schönere Zukunft vorausgesagt, sondern die jetzige Ansage verwandelt sie in Selige. Es gilt also die Faustregel: Das Reich steht bevor — die Zeichen sind da. Dagegen scheinen allerdings die präsentischen oder die präsentisch aussehenden Aussagen zu sprechen. Es handelt sich um folgende Stellen:

1. Die Sprüche, in denen vom »Eingehen« ins Gottesreich die Rede ist, beweisen Gegenwärtigkeit des Reiches nicht[10]. Mk 10, 23—25: Für die Reichen ist es schwer, ins Gottesreich hineinzukommen. Mk 10, 15: Wer es nicht empfängt wie ein Kind, wird bestimmt nicht hineinkommen. Diese Sprüche wollen nicht über den Zeitpunkt der Ankunft des Reiches belehren, sondern über die Bedingungen der Aufnahme. Vgl. Mk 9, 47: Wer nicht eingelassen wird, der wird in die Hölle geworfen. Mt 21, 31: Die Zöllner und Sünder kommen vor euch hinein. Das Reich kann weggenommen werden (Mt 21, 43). Man kann für das Reich Gottes unbrauchbar sein (Lk 9, 62). Mk 12, 34: Du bist nicht ferne vom Reich, das heißt, du erfüllst die Bedingung der Aufnahme. Lk 12, 32: Es gefiel dem Vater, euch das Reich zu geben — nicht als inneren Besitz, sondern als Hoffnung.

2. Dunkel ist der »Stürmerspruch« Mt 11, 12: Von den Tagen des Täufers bis jetzt ἡ βασιλεία τῶν οὐρανῶν βιάζεται καὶ βιασταὶ ἁρπάζουσιν αὐτήν. Man kann schließen: Das Reich leidet Gewalt, also muß es da sein. Aber abgesehen davon, daß der Sinn nicht aufzuhellen ist, ist zu fragen, ob Matthäus das überlieferte Wort richtig verstanden hat. Die Parallele Lk 16, 16 weist in andere Richtung. Vielleicht bedeutet das Wort: Man versucht, das Reich mit

---

[10] H. Windisch, Die Sprüche vom Eingehen in das Reich Gottes, ZNW 27, 1928, 163—192; W. G. Kümmel, Verheißung 46. 118.

Gewalt herbeizuführen; das ist verwerflich. Dann würde es gerade die Künftigkeit des Reiches voraussetzen[11].

3. Mk 3, 27: Man kann den Starken nicht berauben, wenn man ihn nicht vorher gebunden hat. Das Wort ist ganz auf Sieg gestimmt, aber in die Situation des Kampfes hineingesprochen. Im gleichen Zusammenhang findet sich in der Fassung von Q (Mt 12, 28 par Lk 11, 20): εἰ ἐν δακτύλῳ (Lk) / ἐν πνεύματι θεοῦ (Mt) ἐκβάλλω τὰ δαιμόνια, ἄρα ἔφθασεν ἐφ' ὑμᾶς ἡ βασιλεία τοῦ θεοῦ.
Das Wort φθάνειν heißt: eintreffen. Aber wir kennen nicht das hebräische Äquivalent. Auch dieses Wort dürfte auf die gegenwärtigen Zeichen des kommenden Reiches hinweisen.

4. Lk 17, 21: Das Reich Gottes ist ἐντὸς ὑμῶν. Die Bedeutung kann sein: a) inwendig in euch; b) mitten unter euch; c) es steht in eurer Hand (nämlich wenn es kommt)[12]. Auch hier ist nichts Sicheres festzustellen, da wir die Urfassung des Wortes nicht besitzen.

5. Die Gleichnisse (besonders die »Wachstumsgleichnisse«)[13]: In einer Anzahl von Gleichnissen ist über die Zeit des Reiches gar nichts gesagt, sondern nur über seinen Wert: Schatz im Acker, Perle (Mt 13, 44—46), Finden des Verlorenen (Mt 18, 12—14; Lk 15, 1—10). Der Zeitfaktor liegt bezeichnenderweise an einer anderen Stelle: Durch das Gleichnis selber soll jetzt eine Einstellung zum Reich herbeigeführt werden.

Die Künftigkeit des Reiches ist klar vorausgesetzt im Gleichnis vom Fischnetz (Mt 13, 47—50)[14]. Künftigkeit ist die Pointe auch im Gleichnis vom Unkraut unter dem Weizen (Mt 13, 24—30). Das Bild von der selbstwachsenden Saat (Mk 4, 26—29) meint nicht, daß das Reich schon da ist und sich in der Welt entfaltet, sondern daß es »von selbst« kommt. Im Bild vom Senfkorn (Mk 4, 30—32) wird nicht der Prozeß des Wachsens betont, sondern der Kontrast; vgl. das Bild vom Sauerteig (Mt 13, 33).

Der Sinn ist durchweg, den Bezug des kommenden Reiches auf das jetzige Wirken Jesu darzustellen und dadurch die Entscheidung angesichts des heutigen Angebotes des Heils herbeizuführen.

[11] G. Braumann, »Dem Himmelreich wird Gewalt angetan« (Mt 11, 12 par.), ZNW 52, 1961, 104—109, erklärt das Wort als apologetische Gemeindebildung: Nicht Jesus und die Christen reißen die Himmelsherrschaft an sich, sondern die Verfolger. [12] A. Rustow, ZNW 51, 1960, 197.
[13] Literatur: C. H. Dodd, The Parables of the Kingdom, 1936; J. Jeremias, Die Gleichnisse Jesu, [7]1965; N. A. Dahl, The Parables of Growth, StTh 5, 1951, 132—166; E. Linnemann, Gleichnisse Jesu, [4]1966.
[14] Ob die Deutung (V. 49 f.) ursprünglich ist oder nicht, spielt dabei keine Rolle.

Die Ansage lautet nicht formal: Es gibt Heil und Unheil, sondern: Da ist das Heil. Es nicht anzunehmen, bringt Verlorenheit.

Das Reich Gottes ist Heil. Daher kann ohne Sinnunterschied sowohl gesagt werden: ins Gottesreich eingehen, als auch: ins Leben eingehen; vgl. Mk 9, 47 mit 43. 45.

Auch »Leben« hat nicht nur den formalen Sinn, daß man nach dem Tode überhaupt wieder existiert, sei es im Heil oder im Unheil, sondern meint positiv das Sein im Heil. Es kann im Bilde des Mahles dargestellt werden.

Das Heil wird vorbehaltlos angeboten: Gerufen sind die Armen und — in weiterer Zuspitzung — die Sünder (vgl. die Gleichnisse vom Verlorenen, vom Gastmahl; die Seligpreisungen).

An einer Stelle taucht der Gedanke der ausgleichenden Gerechtigkeit auf, im Gleichnis vom armen Lazarus. Ihm entspricht der apokalyptische Satz: »Die Ersten werden die Letzten sein.« Aber das ist gezielt gesagt, als Angebot und Appell. Die Armut ist weder ein Ideal noch ein Mittel, um selig zu werden, sondern einfach Not. Aber wer arm ist, erfährt das Evangelium und dadurch schon heute die Verwandlung seiner Situation.

Bedingung der Seligkeit ist lediglich die Annahme der Botschaft.

Also doch eine Bedingung? Natürlich! Man wird nicht automatisch in das Reich Gottes versetzt. Daß man hineinkommt, ist angebotene Gnade, Wunder, allein durch Gott möglich (Mk 10, 24—27). Das wird im Bild ausgesprochen: Die Pforte ist eng (Mt 7, 13 f.). Viele sind gerufen, wenige erwählt (Mt 22, 14).

Da das Heil reines Geschenk ist, gibt es keinen weltlichen status, der einen Vorzug verschafft, auch nicht die Zugehörigkeit zum erwählten Volk. Viele werden kommen von Ost und West und mit den Vätern zu Tische liegen, aber die Söhne des Reiches werden hinausgeworfen (Mt 8, 11 f.). Die Königin des Südens, die Leute von Ninive werden wider sie aufstehen (Lk 11, 31 f.).

Der Einzelne steht auf dem Spiel: Wer sein Leben verliert, wird es gewinnen (Mt 10, 39; Lk 9, 24; 17, 33). Und: Jetzt ist der Augenblick: Laßt die Toten ihre Toten begraben (Lk 9, 60). Mit einem Wort: Die Bedingung ist die Buße. Es liegt in der Sache selbst, daß man sie nicht aufschieben kann.

Ist die Botschaft Jesu »universalistisch«?[15] Wenn es nur noch auf die Annahme des Angebots, auf die Buße ankommt, wenn es also keinen völkischen Vorzug mehr gibt, ist dann der Gedanke von Israel als dem Gottesvolk nicht aufgehoben? Die Pointe in den zitierten Stellen ist zunächst nicht das Heil für die Heiden, sondern die Gerichtsandrohung für die Juden, wenn sie die Buße verweigern. Jesus greift nicht über den jüdischen Volksgedanken hinaus: Die Juden sind das erwählte Volk. Aber dadurch ist der Einzelne nicht gesichert, sondern gefordert. Jesus entwirft kein Programm der

---

[15] J. Jeremias, Jesu Verheißung für die Völker, 1956.

Heidenmission. Aber wenn er das Heil bedingungslos anbietet, so ist damit tatsächlich der Universalismus gegeben.

Der Widerspruch zwischen den »präsentischen« und den futurischen Aussagen ist nur ein scheinbarer. Beide haben denselben Existenzsinn: die augenblickliche Einstellung auf das zukommende Reich. Ist diese Pointe erkannt, so löst sich auch ein anderer scheinbarer Widerspruch auf. Einerseits wird gesagt, daß das Reich plötzlich, ohne Vorankündigung einbricht. Andererseits wird aufgefordert, die Zeichen zu begreifen, die ihm vorausgehen (Gleichnis vom Feigenbaum Mk 13, 28 f.). Beide Motive (Plötzlichkeit des Kommens und vorausgehende Zeichen) sind schon in der jüdischen Apokalyptik kombiniert. Solange die Hoffnung am apokalyptischen Bild hängt, bleibt der Widerspruch bestehen. Er verschwindet in der Verkündigung Jesu aber dadurch, daß er die Aussage der Bilder auf den Existenzsinn konzentriert. Nun erfordert beides, die Ankündigung der Plötzlichkeit und der Vorzeichen, dieselbe Situation: die augenblickliche Einstellung. Denn von den Zeichen ist in der Weise die Rede, daß man sie nicht in neutraler Distanz konstatieren kann. Sie sind ja nichts anderes als — Jesu Wirken selbst.

Auch der Gerichtsgedanke wird von Jesus nicht spekulativ entfaltet, sondern völlig auf die Situation des Heilsangebotes zugespitzt. Er dient dazu, das Heil als Verheißung verständlich zu machen. Die Vorstellungen können dabei vielfältig sein und ziemlich beliebig aus der Tradition aufgegriffen werden. Der alttestamentliche Gedanke von Schuld und Vergeltung wird aufgenommen (Lk 13, 1 ff.). Es dominiert aber der Gedanke vom Gericht im Jenseits. Nicht die Weltgeschichte ist das Weltgericht. Das Weltgericht ist vielmehr das Ende der Welt.

Auch über das Gericht finden sich zwei Gruppen von Aussagen:

1. Das Kommen des Reiches selber ist das Gericht, d. h. die Scheidung (Lk 17, 34 f.). Als Kriterium gilt der Glaube im Augenblick des Anbruchs des Reiches, mit dessen Kommen der Mensch unmittelbar konfrontiert wird. Gefordert ist Buße. Dafür empfängt man Vergebung.

2. Das Gericht ist als Gerichtssitzung beschrieben, in der über die Werke geurteilt wird. Sie sind Kriterium. Gefordert ist die Erfüllung der Gebote. Das Leben ist bestimmt durch Gehorsam oder Ungehorsam. Jeder empfängt dafür den gerechten Lohn.

Also doch Werkgerechtigkeit? Es muß wieder die Zuspitzung der jüdischen Anschauung durch Jesus gesehen werden. Paradigma ist das (redaktionelle) Gerichtsgemälde Mt 25, 31 ff.: Wir kennen unsere Werke gar nicht! Wir erfahren sie durch den Spruch des Richters. Das bedeutet, daß man sie Gott nicht vorspielen oder sich Gott gegenüber auf sie berufen kann. Vgl. das Gleichnis vom Pharisäer und Zöllner!

Die Ankündigung des Reiches muß die Frage auslösen: Was muß ich tun, um das ewige Leben zu gewinnen (Mk 10, 17)? Die Antwort besteht in dem Hinweis auf die Gebote. Aber das war ja gerade das jüdische Problem: Was will Gott, und wie kann man sein Gebot erfüllen? Wie ist also das Verhältnis der Forderung Gottes zu ihrer Erfüllung durch den Menschen verstanden?

§ 15 DIE FORDERUNG GOTTES

BULTMANN, NT 10—21 — W. PESCH, Der Lohngedanke in der Lehre Jesu, MThS I 7, 1955 — H. BRAUN, Spätjüdisch-häretischer und frühchristlicher Radikalismus II, BHTh 24, 1957 (s. Reg.) — R. SCHNACKENBURG, Die sittliche Botschaft des NT, ²1962 — E. NEUHÄUSLER, Anspruch und Antwort Gottes — Zur Lehre von den Weisungen innerhalb der synoptischen Jesusverkündigung, 1962 — C. SPICQ, Théologie morale du NT, 2 Bde, 1965

I. Allgemeine Probleme

Die Form der ethischen Lehre in den Synoptikern entspricht der jüdischen Tradition. Darin spricht sich schon ein Gesamtverständnis von Ethik aus: Es gibt kein »System«, keine Rückführung der einzelnen Forderung auf ein systematisches Prinzip, keine »formale« Ethik.

Zwar findet sich einmal eine Zusammenfassung der Forderung in einer formalen Bestimmung, der »Goldenen Regel« (Mt 7, 12; s. u. II): »Alles, was ihr wollt, daß euch die Leute tun sollen, das tut ihr ihnen.« Aber das ist kein »kategorischer Imperativ«, aus dem man alle konkreten Forderungen ableiten könnte. Denn diese Regel berücksichtigt nicht die Gesinnung, in der gehandelt wird, und nicht das Verhalten gegen Gott (Fasten, Beten).

Jesu Ethik ist keine »Gesinnungsethik«. Zwar spricht Jesus vom Inneren, vom Herzen. Aber damit ist nicht gemeint, daß es nicht auf die Tat ankomme. Im Gegenteil: Gott fordert die Tat, und auch die Gesinnung ist noch Tat, die verantwortet werden muß.

Ist also die Ethik Jesu (und darüber hinaus der Synoptiker) eine materiale Wertethik? Nein, denn es findet sich keine Bestimmung eines Höchstwertes und keine Aufstellung einer Tafel der Werte.

Gelegentlich scheint der Begriff der Gerechtigkeit als Höchstwert zu fungieren: Mt 6, 33. Aber dieser Begriff kommt nicht in der authentischen Lehre Jesu vor, sondern erst in der Redaktion des Matthäus. Er steht neben anderen, ebenso generellen Zusammenfassungen. Nach einem systematischen Ausgleich wird gar nicht gefragt. Vgl. Mt 5, 48 mit Lk 6, 36. Auch der Begriff des Reiches Gottes kann nicht als Höchstwert bezeichnet werden. Denn konkrete Forderungen sind nicht mit dem Hinweis auf das Gottesreich begründet, sondern etwa mit dem immerwährenden Verhalten Gottes, mit seinem Willen. Die ganze Forderung kann auch im Liebesgebot zusammengefaßt werden. Aber man darf den Begriff der Liebe weder als Formalprinzip noch als Höchstwert fassen. Die Liebe dokumentiert sich je und je als Ausdruck der Einstellung zur Welt überhaupt, der »Sorglosigkeit«.

Von Prinzip und Höchstwert ist auch deswegen nicht zu reden, weil keine Vollständigkeit angestrebt wird. Weite Gebiete fallen aus:

der Staat fast ganz, die Wirtschaft, Kultur, Erziehung, persönliche Lebensgestaltung.
Um so dringlicher ist die Frage, ob nicht im Hintergrund doch eine sachliche Einheit zu erkennen ist. Es kann vorläufig festgestellt werden, daß sich Jesu ethische Lehre als Auslegung des Willens Gottes versteht; der Ausgangspunkt ist das offenbarte, im Alten Testament niedergelegte Gesetz. Dem »offenen« Charakter der ethischen Gesamtauffassung entspricht die Form: einzelne Sprüche[1], Lehrgespräche[2], Gleichnisse[3]. Allerdings liegt die Überlieferung nur in überarbeiteter Fassung vor, so daß wir in jedem einzelnen Falle a) nach der Urform, b) nach der Echtheit fragen müssen.

Beispiel: Das doppelt überlieferte Wort über die Ehescheidung, Mk 10, 11 f. par Mt 19, 9; Mt 5, 31 f. par Lk 16, 18. Das Gebot ist bei Markus und Lukas absolut. Matthäus hat in beiden Fassungen eingefügt: »außer im Falle der Unzucht« (bzw. »außer bei Unzucht«). Dadurch macht er aus der absoluten Feststellung über die Ehe und über Gottes Willen eine kasuistische Regel dafür, wie man in der Gemeinde im Falle einer Ehekrise verfahren soll. Das ist eine Frage, um die sich Jesus nicht kümmerte, schon weil er keine Gemeinde organisierte. Besonders anschauliche Beispiele für die Tendenz der Überlieferung, die Jesus-Tradition paränetisch auszuwerten, bieten die Gleichnisse und ihre redaktionelle Überarbeitung (J. Jeremias).

Zu einer größeren Einheit ist die ethische Überlieferung zusammengestellt in der »*Bergpredigt*« (auf der Grundlage der »Feldrede« der Quelle Q; s. Lk 6, 20 ff.)[4]. In ihr lagern mehrere Schichten übereinander: alter Überlieferungsstoff von Jesus, die Aneignung durch die Kirche in mehreren Stufen (mündliche Tradition, Q, Matthäus). Mt 5, 38 f.: Ihr habt gehört, daß gesagt ist: »Auge um Auge« und »Zahn um Zahn«. Ich aber sage euch, ihr sollt dem Bösen keinen Widerstand leisten. Sondern wer immer dich auf den rechten Backen schlägt, dem halte auch den anderen hin. Kann diese Forderung erfüllt werden: nicht nur den Backen hinzuhalten, sondern dabei den »Feind« auch noch zu lieben? Wer seinem Bruder zürnt, ist des Gerichts schuldig. Wer eine Frau ansieht, sie zu begehren, hat schon die Ehe mit ihr gebrochen. Wie kann man vollkommen sein?

Es heißt nicht: »Du sollst nach Vollkommenheit streben«, also den Zorn, das Begehren niederkämpfen. Im Augenblick, wo ich kämpfen muß, befinde ich mich

---

[1] R. Bultmann, Syn. Trad. 73 ff. 138 ff.; M. Dibelius, Formgeschichte 234 ff.
[2] R. Bultmann, Syn. Trad. 9 ff. 39 ff.
[3] Ebd. 179 ff.
[4] M. Dibelius, Die Bergpredigt, in: Botsch. u. Gesch. I 79—174; W. D. Davies, The Setting of the Sermon on the Mount, 1964; Zur Geschichte der Auslegung s. G. Bornkamm, Jesus von Nazareth, 202—206.

bereits im Zorn, im Begehren. Ich soll so sein, daß ich die Überwindung gar nicht mehr nötig habe, sondern dem Baum gleiche, der von selbst gute Früchte trägt. Wie ist das möglich?

Ist es nicht ein Widerspruch in sich selbst: Du sollst — lieben?

Ist dieses Gebot ein einleuchtendes menschliches, sittliches Ideal? Widerlegt sich nicht die Forderung schon durch ihre Undurchführbarkeit, auch im sozialen Bereich? Mit ihr kann man keinen Staat, keine Fabrik verwalten, nicht einmal in einer Familie zusammenleben. Die Kirchengeschichte führt die lange Reihe von Versuchen vor, mit der Bergpredigt fertig zu werden. Der schlechteste ist der durchschnittliche, daß man die Bibel preist und praktisch ignoriert.

In sich konsequent ist die katholische Lösung. Sie unterscheidet zwei ethische Stufen: die Minimalforderung des Dekalogs, die für jedermann verbindlich ist; darüber die höhere Stufe der »besseren Gerechtigkeit« als die Möglichkeit, Verdienst zu erwerben. Damit kann eine praktikable Ordnung geboten werden samt dem Anreiz, nach Höherem zu streben. Der Preis ist freilich, daß der Sinn der Forderung Jesu zerstört wird; die Konsequenz, daß Heilsgewißheit unmöglich ist.

Gegen diese Lösung protestiert die Reformation. Drängen die »Schwärmer« auf wörtliche Erfüllung, auch in der Politik, so geraten sie in den Widerspruch, Gewaltverzicht mit Gewalt durchsetzen zu müssen. *Luther* erkennt, daß sie die Bergpredigt doch wieder zum Gesetz machen. Seine Lösung: Die Bergpredigt darf nicht in eine gesetzliche, bürgerliche Ordnung umgewandelt werden. Sie ist im Glauben zu erfüllen. Jesus lehrt nicht ein neues Recht, sondern den Verzicht auf das geltende Recht im konkreten Falle.

Neuere Lösungsversuche: *Tolstoi* verlangt wieder die konsequente Erfüllung, den Verzicht auf Gewalt, auf Geschlechtsverkehr. Auch er gerät in die Widersprüchlichkeit der Schwärmer. *E. Thurneysen*[5] erneuert die These der Orthodoxie: Die Bergpredigt ist grundsätzlich unerfüllbar, ja, sie soll es sein. Es ist gerade ihr Zweck, den Menschen seiner Sündhaftigkeit zu überführen. Sie soll nicht durch unsere Leistung erfüllt werden, sondern verstanden werden als in Christus, durch die Heilstat erfüllt. Bei dieser »Lösung« bleibt die Frage ohne Antwort: Was soll ich tun? *A. Schweitzer*[6] erklärt die Forderung der Bergpredigt als »Interimsethik«. Sie sei aus der extremen Naherwartung des Weltendes entworfen und nur für diese kurze Frist erfüllbar. Aber die These der Interimsethik scheitert an den Texten. Gewiß rechnet Jesus damit, daß das Reich Gottes bald kommt, und schärft mit dem Hinweis darauf die Buße ein. Aber der Inhalt der Forderungen ist nicht aus der Nähe des Weltendes abzuleiten und wird von Jesus nicht mit dem Hinweis auf dieses begründet, sondern durch das Vorbild und den Willen Gottes. »Liebet einander!« ist kein Sondergebot für die letzte Zeit. Das war von jeher Gottes Wille und gilt darum unabhängig von der Weltsituation.

Wie steht es mit der Erfüllbarkeit und der Erfüllung dieser Forderung? Jesus fragt nicht theoretisch nach der allgemeinen Fähigkeit des Menschen. Seine Voraussetzung ist, daß Gott durch die Bekanntgabe der Forderung ihre Erfüllung ermöglicht. Der Gebietende ist zugleich der Sorgende und der Vergebende. Gerade weil seine Forderung absolut ist, ist sie Befreiung. Die Ausschließlichkeit der Orientierung am Reiche Gottes überhebt der Sorge, weil Gott alles Nötige schenkt.

---

[5] E. Thurneysen, Die Bergpredigt, ThEx NF 105, 1963.
[6] A. Schweitzer, Das Messianitäts- und Leidensgeheimnis, ²1929, 18—20, und Geschichte der Leben-Jesu-Forschung, ⁶1951, 594 f.

Gerade durch die Absolutheit wird das Gebot verständlich. Ich kann sehr wohl begreifen, daß Gott sich nicht mit halbem Gehorsam begnügen kann, daß er nicht *etwas* beansprucht, sondern *mich*. Alle einzelnen Anweisungen führen diesen Grundgedanken durch. Darauf ist der Begriff der Buße angelegt: Sie meint die Ganzheit der Umkehr, der neuen Orientierung. Die Forderung der Buße enthüllt mir, daß ich nicht bin, was ich sein soll. Daß ich auf Buße angewiesen bin, ist streng ein Urteil über meine Stellung vor Gott. Das ist nicht zu verwechseln mit dem moralischen Pessimismus, alle Menschen seien schlecht und verderbt. Jesus spricht unbefangen von Guten und Bösen. Es kommt aber darauf an, was ich Gott ins Gesicht sagen kann, wenn ich vor ihn gestellt bin.

Der Pharisäer des bekannten Gleichnisses lügt nicht, wenn er seine guten Werke aufzählt. Aber er führt sie Gott vor, d. h. er führt sich als ein Mensch auf, der Gott nicht braucht bzw. mit ihm auf Grund eigenen Rechtes verhandeln kann.

Mit dem Hinweis auf die Nähe des Gottesreiches wird der allgemeine Bußruf begründet, aber nicht das einzelne, konkrete Gebot. Überhaupt stehen in der synoptischen Tradition Bußruf und Auslegung des Gesetzes relativ unverbunden nebeneinander. Die Bekehrung wird nicht als Rückkehr unter das Gesetz definiert[7]. Diese Querverbindung fehlt. Vielmehr werden die vom Judentum vorgegebene Bekehrungsfrömmigkeit und die Regulierung des Lebens durch die Gebote je für sich radikalisiert.

Jesu Kritik gilt nicht dem Gesetz, sondern der Gesetzlichkeit. Denn durch diese wird die Erfüllung verhindert. Er will das Gesetz auch nicht durch Zusätze ergänzen, sondern es selbst zur Geltung bringen, nachdem es durch die Kommentierung der Tradition verdeckt wurde. Man kann nur in einem dialektischen Sinn von »Auslegung« des Gesetzes durch Jesus sprechen. Für ihn ist das Gesetz durch sich selbst verständlich, seine Auslegung ist nichts anderes als die Freilegung dieses verständlichen Sinnes. Ich kann nicht nur verstehen, was Gott will, sondern auch, warum er gerade dies will: die Liebe, statt der Vergeltung den Verzicht auf das Recht. Zum Gehorsam gehört unlösbar das Verstehen des Gebotes. Formaler Gehorsam wäre kein wirklicher Gehorsam. In der Forderung kann ich Gott und darin mich als sein Kind begreifen. Gleichzeitig mit der Forderung zu vergeben, erfahre ich Gottes Vergebung für mich (Gleichnis vom Schalksknecht). Daß ich aus der Sorge befreit werde

---

[7] So in Qumran; vgl. H. Braun, Radikalismus I 25, II 17.

zur Liebe, darin besteht der einheitliche Sinn der einzelnen Gebote. Vom Liebesgebot her werden sie als Satzungen begrenzt, ja, im konkreten Falle aufgehoben.

Die Sabbatruhe wird nicht abgeschafft. Aber Jesus bestreitet, daß zwischen Sabbatgebot und Liebesgebot ein Konflikt entstehen kann. Keine Bestimmung über den Sabbat kann daran hindern, das im bestimmten Falle gebotene Gute zu tun. Der jüdische Kult wird nicht außer Kraft gesetzt. Aber keine Opfervorschrift enthebt der Pflicht, sich augenblicklich mit dem Bruder zu versöhnen.

Daher kennt Jesu Ethik das Problem des Pflichtenkonfliktes nicht, das erst durch das gesetzliche Mißverständnis der Gebote entsteht.

II. Der Stoff

Ein großer Teil der ethischen Lehre besteht aus Weisheitsregeln, die in den Sprüchen der jüdischen Weisheitsliteratur und der Rabbinen Parallelen haben[8].

Beispiele: a) Mt 7, 2: Mit welchem Maß ihr meßt, wird man euch messen. Vgl.: Mit dem Maße, mit dem der Mensch mißt, mißt man ihn. b) Mt 6, 34: Sorget nicht für morgen; der morgige Tag wird für sich selbst sorgen. Es ist genug, daß jeder Tag seine eigene Plage hat. Vgl.: Sorge nicht um die Sorge von morgen, denn du weißt nicht, was der Tag gebiert. Vielleicht bist du morgen nicht mehr ... Es ist genug an der Not zu ihrer Stunde.

Wo liegt der Unterschied? Es ist abwegig, apologetisch Jesu »Überlegenheit« beweisen zu wollen. Vielmehr gilt: Wenn ein Jude diese Gedanken durchdenkt, ist er nicht fern vom Reiche Gottes. Der Unterschied liegt im Verständnis von Gesetz und Heil.

Beispiel: die »Goldene Regel« (Mt 7, 12)[9]. Hillel kennt sie in der Fassung: »Was dir unlieb ist, das tue nicht deinem Nächsten!«[10] Nun wird gern argumentiert, das Judentum kenne nur die negative Fassung, Jesus dagegen formuliere die Regel positiv. Aber abgesehen davon, daß sich auch im Judentum die positive Formulierung findet (Arist 207), besteht sachlich gar kein Unterschied. Für sich genommen kann die Regel in beiden Fassungen im Sinne eines naiven Egoismus verstanden werden: Ich bin freundlich, damit der andere zu mir freundlich ist. Ich verlange von ihm nicht viel, dann kann er von mir nicht viel verlangen. Es kommt also auf das Gesamtverständnis von Mensch und Mitmensch an. Sieht man die Regel im Kontext der gesamten Verkündigung Jesu, dann ist klar, was sie besagen soll: Mache deine ideale Forderung an den anderen zum Maß deines realen Verhaltens zu ihm.

---

[8] R. Bultmann, Syn. Trad. 73 ff.
[9] A. Diehle, Die Goldene Regel, Aus Griechentum und Judentum, 1962.
[10] Schab 31 a; vgl. Bill. I 460.

Die Antithesen der Bergpredigt[11]

Zur Literarkritik: Von den sechs Antithesen sind drei »echte«. Dabei bedeutet »echt« nicht, daß es sich um authentische Worte Jesu handelt, sondern daß die Antithese streng auf die These bezogen ist: »Ich aber sage euch: Wer ein Weib ansieht ihrer zu begehren . . .« Echte Antithesen sind die erste, zweite und vierte. Sie haben keine Parallele bei Lukas, standen also nicht in der Quelle Q. Die drei übrigen Antithesen sind aus Sprüchen gebildet, die auch Q überliefert, aber nicht in antithetischer Fassung. Diese Form hat ihnen erst Matthäus gegeben. Sie sind daran kenntlich, daß die Antithese auch für sich, ohne die vorausgehende These, verständlich ist: »Ich aber sage euch: Liebet eure Feinde!«

Oft wird erklärt, hier trete Jesus als der Bringer der »messianischen Tora« auf; er stelle sich über Mose. Aber die »messianische Tora« gibt es im Judentum überhaupt nicht. Ob die antithetische Form auf Jesus zurückgeht, ist zum mindesten fraglich.

Braun stellt fest, daß gerade die sekundären Antithesen die schärferen sind und primären Stoff enthalten. »Wo die Intensivierung der Forderung ein echtes Jesuswort signalisiert, gerade da ist ἐγὼ δὲ λέγω ὑμῖν Arbeit des Mt; wo ἐγὼ δὲ λέγω ὑμῖν literarisch primär ist, leitet es keine Toraverschärfung ein.«

Der Sinn der Antithesen hängt nicht an einer formalen Autorität des Sprechers, sondern an der Absolutheit des Gebotes, durch welche dieses verständlich wird: Ich kann gar nicht mehr fragen, ob man den Backen hinhalten »müsse«. Denn dabei hätte ich im Hintergrund schon die weitere Frage, wann ich es nicht zu tun brauche. Mit dieser Kasuistik komme ich aber nicht zur Sache, zum Gebotenen. Den Backen hinzuhalten, ist keine »Haltung«; das kann nur in actu sinnvoll sein. Wann dieser Fall gegeben ist, kann ich nicht in der Bibel nachschlagen; aber ich werde es wissen, wenn er eintritt. Dann brauche ich kein Nachschlagewerk mehr.

Dieselbe Aktualität wie hier ist konstitutiv für den Fall des Verzichts auf Recht und Besitz (Mk 10, 17 ff.). Natürlich wird immer wieder die Frage auftauchen: Muß, kann ich vergeben? Ich komme nicht über sie hinaus, wenn ich nicht bei dem Punkt einsetze, an dem Jesu Forderung selbst einsetzt: Gott hat mir zuerst vergeben, damit die Möglichkeit geschenkt, in Freiheit, ohne welthafte Rückversicherung zu leben. Diese Freiheit im Zusammenleben zu bewähren, macht das Wesen der christlichen Sittlichkeit aus.

Das Liebesgebot hebt also in seiner Absolutheit die Kasuistik auf. Die einzelnen ethischen Anweisungen wollen nicht einzelne Fälle regeln, sondern die Unmittelbarkeit des Handelns im Augenblick erschließen. Damit ist zugleich der ethische Rigorismus überwunden. Rigorismus und Kasuistik hängen ja zusammen (Qumran-

---

[11] H. Braun, Radikalismus II 9.

texte). Geht Gottes Vergebung voraus, dann muß ich mein Heil nicht mehr durch rigorose Erfüllung einzelner Vorschriften zu erreichen suchen. Weil mich Gott des Heils versichert, bin ich frei, mich im gegebenen Fall über die kasuistische Vorschrift hinwegzusetzen. Weil bei Jesus die Voraussetzung des Rigorismus aufgehoben ist, übt und fordert er nicht Askese (Lk 7, 33 f.; Mk 2, 18 f.). Diejenigen Worte Jesu, die asketisch klingen, fordern in Wirklichkeit nicht Askese, sondern den Einsatz im gebotenen Fall. Jesus entfaltet kein Armutsideal. Er fordert nicht allgemein Verzicht auf Besitz, sondern seine Hingabe, von dem, der in die Nachfolge gerufen wird (Mk 10, 17 ff.). Nicht die sittliche Leistung bringt den Menschen in ein Verhältnis zu Gott, vielmehr ist das Gottesverhältnis von Gott selber geschenkt und eröffnet erst die Möglichkeit zu sittlichem Verhalten. Das ist zu beachten, wenn man über einen Punkt urteilen will, der der modernen philosophischen Ethik das schwerste Ärgernis bereitet: daß Jesus unbefangen auf Lohn und Strafe für das Handeln hinweist[12].

Es werden vor allem zwei Einwände erhoben: 1. ein theologischer: Besteht damit nicht ein Widerspruch zwischen Jesus und der paulinischen Lehre von der Rechtfertigung allein aus Gnade? 2. ein allgemeiner: Verdirbt nicht die Aussicht auf Lohn das sittliche Motiv? Ist ein Tun des Guten um des Lohnes willen wirklich gut? Muß man nicht das Gute um des Guten willen tun *(Lessing, Kant)?*

In der Tat ist Handeln um des eigenen Vorteils willen zwar menschlich, aber nicht moralisch. Wie ist also über Jesu Ethik angesichts der Tatsache zu urteilen, daß sich der Lohngedanke aus ihr nicht ausscheiden läßt?

Mt 5, 44 f. 46; Mk 10, 21. Diese Stellen werden im Grundbestand echt sein (vgl. *Braun* II 54 A 1). Zwar stimmt es, daß die Akzente im Laufe der Tradition verschoben wurden[13]. Dennoch bleibt der Lohngedanke auch für die Ethik Jesu konstitutiv.

Es ist zu fragen, welche Funktion der Lohngedanke hat. Ist er ein jüdischer Restbestand?[14] Keineswegs![15] Er ist mit der Verkündigung Jesu selbst gesetzt, nicht ein Erdenrest, zu tragen peinlich, sondern ein ursprünglicher Bestandteil der Botschaft, sofern diese frohe

---

[12] W. Pesch a. a. O.
[13] H. Braun, Radikalismus II 34 ff., spez. 55 f. Anm. E. Haenchen, Gott und Mensch, Ges. Aufs. 1965, 6 ff. verweist besonders auf Lukas: 14, 12—14; 12, 33; 6, 24—26. 32—35; 18, 18—30.
[14] Dahin neigt Braun; s. u.
[15] Mit G. Bornkamm, Der Lohngedanke im NT, Studien zu Antike und Urchristentum, Ges. Aufs. II 69—92.

Botschaft ist. Er ergibt sich aus dem Angebot Gottes des Vaters, der Verheißung seines Reiches. Davon ist — als die Kehrseite — der Gerichtsgedanke nicht zu trennen: Wer das Heil nicht annimmt, ist im Unheil (Mt 10, 28; Mk 9, 42. 47).

Von diesem Ausgangspunkt (Gott und Reich Gottes) her ist von vornherein klar, daß Gott gegenüber kein Anspruch besteht, daß der Mensch nicht auf Verdienst pochen kann. Denn was ich bin, bin ich aus Gnade. Der Lohn wird verheißen und geschenkt, nicht »verdient« (Mt 20, 1—15)[16]. Im Verhältnis zwischen Vater und Kind wird der Blick auf den Lohn »harmlos«: Weil sich Gott mir als der Vater erweist, kann ich von ihm Gutes erwarten. Ich werde ihm nicht gerecht, wenn ich das nicht tue. In diesem Bezug ist deutlich, daß das Gute um des Vaters willen zu tun ist, der gut zu mir ist, aus Dank, in Freiheit. Der Lohngedanke besagt, daß der Mensch einer abstrakten Bestimmung des Guten vorgeordnet ist, daß der Mensch Gottes eigenes Ziel ist, allein aus Gnade.

Bultmann, NT 14: Das Lohnmotiv ist der primitive Ausdruck dafür, »daß es dem Menschen in seinem Tun um sein eigentliches Sein ... geht. Dieses zu gewinnen, ist auch das legitime Motiv seines sittlichen Handelns und seines echten Gehorsams.«

Ausblick auf die Entwicklung der Tradition:
Nach dem Tod Jesu muß die Ethik auf das Dasein der Kirche eingestellt werden. Das bedeutet Akzentverschiebungen. Aber man sollte sich vor ungeschichtlichen Werturteilen hüten. Kritisiert wird vor allem Matthäus: Er verenge die Forderung auf eine esoterische Jüngerethik und führe eine neue Gesetzlichkeit ein. Nach Mt 5, 1 scheint die Bergpredigt nur an die Jünger gerichtet zu sein. Allerdings ist am Schluß der Bergpredigt, Mt 7, 28, das Volk als Hörerschaft vorausgesetzt. Diese Doppelheit entspricht Matthäus' Kirchenverständnis. Jesu Lehre war öffentlich. Er organisierte keine Gruppe der Erwählten. Das Gericht ist ausschließlich Gottes Angelegenheit. Nach Jesu Tod dagegen wird durch Predigt und Bekenntnis auch der äußere Anschluß an die sichtbare Gruppe der Glaubenden gefordert. Nun wird es darauf ankommen, wie die Kirche sich versteht: Wird sie zum Selbstzweck, also zur Sekte, oder konstituiert sie sich von der Freiheit der Erwählung Gottes her? Wird also die Jüngerethik als Heilswerk verstanden oder als dessen Konkretion? Gewiß zeigen sich bei Matthäus bestimmte »gesetzliche« Züge. Es gibt kein rein destilliertes christliches Denken!

---

[16] S. dazu G. Bornkamm, a. a. O. 81 ff.; H. Braun, Radikalismus II 41 Anm. 1.

Aber an die Stelle von Schlagworten muß die Aufnahme des Tatbestandes treten. Auf keinen Fall kann man sagen, Matthäus lehre eine Zweistufenethik, die normale Gerechtigkeit und die bessere Gerechtigkeit der Jünger. Mt 5, 17—20, in der Tat als das Programm des Evangelisten anzusehen, besagt vielmehr: Wer nicht die bessere Gerechtigkeit erfüllt, kommt überhaupt nicht in das Himmelreich. Außerdem sind gerade bei Matthäus alle Vorschriften konzentriert auf das Gebot der Liebe. Von ihm aus hebt er die kasuistische Observanz auf (Mt 23). Matthäus hält fest, was die Zweistufenethik preisgibt, nämlich die Unteilbarkeit des Willens Gottes, die der Glaube erkennt.

Vorläufige Zusammenfassung

Wir haben versucht, über drei Sachgebiete der synoptischen Tradition einen Überblick zu gewinnen und dabei jeweils zur Lehre Jesu zurückzugelangen: Gott, sein Reich, sein Wille. Jedesmal stießen wir auf die jüdischen Voraussetzungen und erkannten, wie diese aufgenommen und zugleich radikalisiert, nämlich auf ihren Existenzsinn konzentriert wurden. Nun steht noch ein Gebiet aus, das am heftigsten umstritten ist: die synoptische Christologie. Von hier aus wird nach der Christologie Jesu selbst zu fragen sein: Als was verstand er sich, wie lehrte er über sich?
Wie verhalten sich die bisher behandelten Gebiete: Gotteslehre, Eschatologie und Ethik zueinander?

Es wird sich zeigen, daß die Christologie nicht einfach als vierter Lehrinhalt neben ihnen steht, sondern, wenigstens bei Jesus selbst, hinter ihnen. Sie ist nicht Lehre neben Lehre, sondern der Schlüssel für das Verständnis der drei übrigen Sachkomplexe.

Der Befund ist sehr merkwürdig: Die drei Gebiete stehen auffallend unverbunden nebeneinander.
1. Lehrt Jesus über Gott, den Schöpfer, den Vater, den Herrscher, richtet sich selbstverständlich der Blick sofort auch auf die Welt, auf ihre Begrenztheit, die sich in der Sorge ausdrückt, auf die Bosheit der Menschen (»ihr, die ihr böse seid«). Im Zusammenhang des Gottesgedankens fehlt aber der Ausblick auf ein nahes Ende der Welt. Vielmehr wird sie einfach als vorhanden hingenommen: Zählt die Lilien auf dem Felde, die Vögel unter dem Himmel! Gott läßt seine Sonne aufgehen über Böse und Gute. Heilt Jesus Kranke,

verhält er sich dementsprechend nicht zu einer Welt, die nur noch kurz dauert, sondern die Gottes Schöpfung ist, aber verderbt und der Heilung bedürftig.

Jesus heilt die Kranken ja nicht, um sie für das Gottesreich zu präparieren; Heilungsgeschichten sind keine Bekehrungsgeschichten.

Eine eschatologische Verknüpfung erscheint lediglich in den Exorzismen: »Wenn ich mit dem Finger Gottes die Dämonen austreibe, ἄρα ἔφθασεν ἐφ' ὑμᾶς ἡ βασιλεία τοῦ θεοῦ« (Lk 11, 20).

2. Analog liegen die Dinge zwischen Eschatologie und Ethik. *A. Schweitzer* wollte sie als Interimsethik direkt aus der Naherwartung ableiten. Dagegen war oben festzustellen, daß diese Theorie den Texten nicht standhält. Der Inhalt der Forderung (den Feind zu lieben usw.) wird weder aus der Nähe des Gottesreiches abgeleitet noch ihre Gültigkeit auf eine letzte, kurze Zeit beschränkt. Vielmehr ist in der Ethik (wie in der Gotteslehre) die Dauer der Welt nicht begrenzt. Jesus meint, die Forderung Gottes sei an sich selbst, nicht erst auf dem Umweg über die apokalyptische Erwartung, verständlich und erfüllbar.

Ihm ist die Abstraktion fremd, die weithin in der Theologie herrscht, wenn nach der »Erfüllbarkeit« des Gebotes gefragt wird: Kann »der Mensch« das erfüllen? Dieser Mensch ist eine Abstraktion. Nach dem Können »des Menschen« hinsichtlich des Gebotes Gottes zu fragen, ist an sich selbst sinnlos, da der Mensch durch dieses Gebot immer schon als Gottesmensch konkretisiert ist. Es ist zu fragen: Was ist das Gebot angesichts der Erklärung Gottes, durch die er mich als sein Kind annimmt?

Der Befund ist also folgendermaßen zu präzisieren: Während Ethik und Gotteslehre miteinander verknüpft sind, besteht zwischen diesen beiden Sachkomplexen und der Eschatologie keine Querverbindung. Darf man also bei Jesus nicht mit einer gedanklichen Einheit rechnen?

Bultmann findet die Einheit darin, daß alle drei Aussagekomplexe dasselbe Existenzverständnis bestimme; der Mensch werde jeweils in derselben Weise in Bezug zu Gott gestellt; die Eschatologie sei existential zu verstehen und die Ethik als eschatologische Ethik: »Jetzt ist es letzte Stunde; jetzt gilt es: entweder — oder! Jetzt fragt es sich, ob einer wirklich Gott und seine Herrschaft (sic!) will oder die Welt und ihre Güter; und die Entscheidung muß radikal getroffen werden« (NT 8). Die Ethik ist eschatologisch, »insofern sie nicht auf eine innerweltliche Zukunft, die nach Plänen und Entwürfen für eine Ordnung des menschlichen Lebens gestaltet werden sollte, blickt, sondern den Menschen nur in das Jetzt der

Begegnung mit dem Nächsten weist. Sie ist, indem sie die Forderung des die menschliche Gemeinschaft ordnenden Rechtes überbietet und vom Einzelnen den Verzicht auf sein Recht fordert, eine Ethik, die den Einzelnen unmittelbar vor Gott verantwortlich macht« (NT 19). Jetzt kann *Bultmann* nach der Verbindung zwischen Eschatologie, Ethik und Gottesgedanken fragen: »Versteht man die Einheit der eschatologischen und der sittlichen Verkündigung Jesu, so hat man damit auch die Antwort auf die Frage nach dem eigentlichen Sinn der eschatologischen Botschaft gefunden, nämlich auf die Frage des in ihr wirksamen Gottesgedankens« (NT 22). Das Fazit ist: »Für Jesus ... wird der Mensch entweltlicht durch den ihn direkt treffenden Ausspruch Gottes, der ihn aus jeder Sicherheit herausreißt und ihn vor das Ende stellt. Und Gott ist entweltlicht, indem sein Handeln als eschatologisches Handeln verstanden wird: er holt den Menschen aus den weltlichen Bindungen heraus und stellt ihn direkt vor sein Auge. Die Entgeschichtlichung oder Entweltlichung Gottes wie des Menschen ist also dialektisch zu verstehen: gerade der jenseits der Weltgeschichte stehende Gott begegnet dem Menschen in seiner je eigenen Geschichte, im Alltag, in dessen Gabe und Forderung; der entgeschichtlichte, d. h. entsicherte Mensch ist auf die konkrete Begegnung mit dem Nächsten gewiesen, in der er echt geschichtlich wird« (NT 26).

Kritik: Man wird *Bultmann* darin zustimmen, daß eine Sinneinheit vorhanden ist. Aber er hat sie auf einem zu kurzen Wege erreicht, indem er direkte Querverbindungen zwischen den drei Gebieten herstellt. So ist die eigentliche Schwierigkeit gerade nicht behoben, die auffällige Unverbundenheit in den Texten. Die Einheit wird nur sichtbar, wenn man den gemeinsamen Ausgangspunkt aller drei Entwürfe erkennt. Dafür ist nach dem Selbstbewußtsein Jesu zurückzufragen, wie es in den Texten faßbar wird. Daß Jesus so isolierend einmal von Gottes Walten, einmal von seinem Kommen redet, ist daher zu erklären, daß er seine Lehre nicht frei erdenkt, sondern die vorhandene jüdische Religion, ihren Gottesbegriff usw., aufnimmt und voraussetzt, daß im Alten Testament richtig von Gott und seinem Gebot gelehrt wird. Er entwirft keine neue Religion, sondern will den Sinn der jüdischen zur Geltung bringen. In dieser sind nun die drei Sachgebiete relativ unabhängig voneinander entfaltet worden: der Gottesgedanke in der Frömmigkeit, im Gebet; die Ethik in der Schriftauslegung; die Eschatologie in den freien Entwürfen der Apokalyptik. Jesus greift das Vorhandene jeweils auf und konzentriert es auf den Existenzsinn. Er tut das, indem er jeweils seine eigene Person als Faktor in die Sache einbezieht[17]. Man kann Jesu Eschatologie ohne ihn als den Ankündigenden nicht verstehen; sein Reden von Gott nicht ohne ihn als den, der das Verhältnis zu Gott erschließt; seine Ethik nicht ohne ihn als den »Ausleger«. Alle Lehrstücke Jesu sind von einer indirekten Christologie geprägt. Jesus lehrt nicht ausdrücklich, wer er sei. Aber er verhält sich in seiner Verkündigung als der, der die Unmittelbarkeit zu Gott in jeder Beziehung freilegt. Nach seinem Tode wird diese indirekte Christologie in die direkte des Gemeindeglaubens umgesetzt.

---

[17] Bultmann gibt selbst den wichtigsten Hinweis: »Im Grunde ist also er selbst in seiner Person das ›Zeichen der Zeit‹« (NT, 8).

§ 16 DIE FRAGE NACH DEM SELBSTBEWUSSTSEIN JESU

O. Cullmann, Die Christologie des NT, ²1958 — F. Hahn, Christologische Hoheitstitel, FRLANT 83, 1963

Die synoptische Tradition stellt ihre Auffassung von der Person Jesu dar, indem sie ihm Titel beilegt und Jesus selbst diese Titel gebrauchen läßt. Was ist daran historisch? Was ergibt sich für Jesus selbst? Oben war zu fragen, ob Jesus Gott im exklusiven Sinn als seinen Vater bezeichnete und entsprechend sich selbst als den Sohn. Jetzt ist die Probe von der Gegenseite her zu machen.

I. Der Sohn

Das absolute »der Sohn« und »der Sohn Gottes« ist zu unterscheiden. Es handelt sich um verschiedene Traditionen. »Der Sohn« steht in ausdrücklicher Relation zu »dem Vater«. Konstitutiv ist die Unterordnung, die Offenbarung des Vaters an den Sohn, der Gehorsam[1]. Die beiden einzigen Stellen, wo von »dem Vater« absolut die Rede ist (Mk 13, 32; Mt 11, 27 par Lk 10, 22), erwiesen sich als Gemeindebildungen. Dasselbe gilt von dem Gleichnis von den bösen Weingärtnern (Mk 12, 1 ff.). Es handelt sich um eine allegorische Darstellung der Heilsgeschichte, die den Tod Christi voraussetzt[2]. Alle Stellen mit dem Titel »der Sohn« erweisen sich also als Gemeindechristologie.

II. Der Sohn Gottes

O. Cullmann, Christologie 276—313 — F. Hahn, Hoheitstitel 280—346 — B. M. F. van Jersel, »Der Sohn« in den synoptischen Jesusworten, Suppl. Nov Test 3, ²1964

---

[1] F. Hahn, Hoheitstitel 319—333.
[2] W. G. Kümmel, Das Gleichnis von den bösen Weingärtnern (Mark 12, 1—9), in: Aux sources de la tradition chrétienne (Mélanges M. Goguel), 1950, 120—131 (= Heilsgeschehen und Geschichte, 1965, 207—217; F. Hahn, Hoheitstitel 315 f.

Ist dieser Titel auf Jesus selbst zurückzuführen[3]? Eine Anzahl Stellen erweist sich durch den synoptischen Vergleich als sekundär: Mt 14, 35; 16, 16; 27, 40. 43.

Der Titel fehlt in der Erzählung[4]. Denn er hat seinen Sitz im Bekenntnis. Das zeigt der Gebrauch:

1. im Bekenntnis des heidnischen Hauptmanns unter dem Kreuz (Mk 15, 39). Dieser Ausspruch ist nicht historisch, sondern stellt symbolisch das Bekenntnis des Heidentums zum Gekreuzigten dar[5].

2. in Epiphanien. a) Taufe: Jesus wird durch eine himmlische Stimme (nach Ps 2, 7 und Jes 42, 1) zum Gottessohn erklärt, d. h. eingesetzt. Der berichtete Vorgang kann nicht als historisches Ereignis verstanden werden. *Cullmann* (290) spricht von einem »Tauferlebnis Jesu«, aber der Text enthält keine Spur, die auf eine Vision hinweist. Außerdem müßte Jesus ja von ihr erzählt haben, um überhaupt tradiert werden zu können; in diesem Fall hätte sie die Form eines Jesuswortes erhalten[6]. — b) Verklärung (Mk 9, 1 ff. par): Von dieser Geschichte gilt Analoges. Die Erzählung bietet eine Häufung von Epiphaniemotiven. Als Handlung ist sie gar nicht vorstellbar. Auch hier wird von einer erstmaligen Einsetzung Jesu in die Gottessohnwürde berichtet; die Geschichte konkurriert ursprünglich mit der Taufgeschichte. Im jetzigen Kontext ist sie die himmlische Bestätigung, die auf das Petrusbekenntnis und die Leidensweissagung hin erfolgt[7]. An beiden Stellen ist die Gottessohnwürde rechtlich aufgefaßt. Der Gedanke der Präexistenz Jesu liegt fern.

3. im Anruf der Dämonen (Mk 3, 11; 5, 7): Den Schlüssel zum Verständnis gibt Mk 3, 27: Keiner kann den Starken berauben, wenn er ihn nicht vorher bindet. Die Dämonen anerkennen Jesu Vollmacht, d. h. der Leser erfährt sie.

4. in der Geschichte von der Versuchung Jesu (nach Q): Sie ist eine Legende, welche die Übertragung der populären $\vartheta\varepsilon\tilde{\iota}o\varsigma$-$\dot{\alpha}\nu\acute{\eta}\rho$-Vorstellung auf Jesus ablehnt[8].

---

[3] Zur religionsgeschichtlichen Frage, ob das Judentum diesen Titel gebrauchte, s. S. 95.
[4] Es wird z. B. nicht formuliert: Der Sohn Gottes ging am Meer entlang.
[5] M. Dibelius, Formgeschichte 195.
[6] M. Dibelius, Formgeschichte 273.
[7] R. Bultmann, Syn. Trad. 278, hält sie für eine ursprüngliche Ostergeschichte. Nein!
[8] F. Hahn, Hoheitstitel 303.

5. in den Vorgeschichten des Matthäus und Lukas: Sie kombinieren das Motiv vom Davidsohn und Jungfrauensohn als dem Gottessohn. Diese Verknüpfung ist sekundär. Ist in der Tauf- und Verklärungsgeschichte die Gottessohnschaft rechtlich aufgefaßt, so hier mehr oder weniger physisch: Jesus ist Gottessohn durch seine wunderbare Geburt (Lk 1, 35). Auch hier fehlt der Präexistenzgedanke. Wird diese Erzählung in den Evangelien der Taufe und der Verklärung vorgeordnet, verändern diese ihren Sinn: Sie werden zur nachträglichen Bestätigung der schon vorhandenen Gottessohnschaft.

Hahn (308) nimmt an, erst das hellenistische Judenchristentum habe den Gottessohntitel auf den irdischen Jesus übertragen. Das stimmt für die Geburtsgeschichten, aber nicht für die Tauf- und Verklärungsgeschichte.

6. ein einziges Mal im Munde Jesu (Mk 14, 61 f.): Als historischer Stoff kommt nur diese letzte Stelle in Frage. Es handelt sich um das Verhör Jesu vor dem Hohen Rat: »Bist du der Sohn des Hochgelobten?« Aber der Bericht ist nicht historisch, die Stelle bietet ein Kompendium der Christologie im Sinne des Markus (vgl. den Kontext!).

Fazit: Jesus hat den Gottessohntitel nach den vorhandenen Texten nicht gebraucht.

III. Der Messias

O. CULLMANN, Christologie 111–137 – F. HAHN, Hoheitstitel 133–241

Im Credo zeigte sich als Aspekt des Messias-Titels: das Heilswerk, also die Vergangenheit[9]. Gebrauchte Jesus diesen Titel? Auszuscheiden sind alle Stellen, in denen Christus Name ist (Mk 1, 1); ferner, in denen der Gebrauch des Titels durch synoptischen Vergleich als sekundär erwiesen wird: Mt 11, 2 (vgl. Lk 7, 18); Mt 24, 5; 26, 68; Lk 3, 15; 23, 2. 39. Der Messias-Titel fehlt in der Quelle Q.

Markus: Das Vorkommen im Verhör vor dem Hohen Rat (Mk 14, 61 f.) ist redaktionell. Dasselbe gilt von der apokalyptischen Rede (Mk 13, 21 f.), wo für die letzte Zeit das Auftreten von fal-

---

[9] Anders deutet Cullmann: Der Titel, von Jesus mit äußerster Zurückhaltung behandelt, sei auf die Zukunft bezogen.

schen Messiassen erwartet wird. Das ist das Bild, das sich die Gemeinde von der Zukunft macht.

Mk 9,41[10]: Dieses Wort ist in einer Zeit formuliert, in der man Jesus nur noch indirekt dienen kann, indem man den Seinen dient[11].

Sondergut des Matthäus und Lukas: Mt 23,10 ist ein redaktioneller Schlußpunkt hinter der Polemik 23,8 f. Lk 24,26.46 sind lukanisches Schema des Schriftbeweises (vgl. Apg 17,3).

Es bleiben zwei Stellen, deren Echtheit zu prüfen ist. 1. Mk 8,29, das Bekenntnis des Petrus: Zur Zeit besteht wieder eine gewisse Neigung, für diese Szene einen historischen Kern anzunehmen: Jesus habe es abgelehnt, sich als Messias bezeichnen zu lassen[12]. Aber jede Behauptung eines historischen Kerns macht den Text unverständlich. Die Szene ist keine Geschichte, sondern eine in Erzählung umgesetzte christologische Reflexion. Petrus spricht das Credo der Gemeinde: »Du bist der Messias.«

2. Mk 15,32, die Verspottung des Gekreuzigten: Der Messias, der König Israels, soll vom Kreuz herabsteigen. Die Formulierung setzt den berühmten Titulus Mk 15,26 voraus: ὁ βασιλεὺς τῶν Ἰουδαίων. Der Titulus gilt als echt; man habe ihn nicht erfinden können. Aber man muß die durchgehende christologische Deutung der Passion berücksichtigen. Der Gebrauch des Königstitels in diesem Zusammenhang scheint durchweg redaktionell zu sein[13].

Davidsohn

Die Stammbäume scheiden für die historische Frage aus. Es bleiben: Mk 10,48, der Anruf des blinden Bartimäus. Mk 11,10: Beim Einzug Jesu in Jerusalem wird das Kommen der Basileia Davids begrüßt. Es handelt sich um eine Epiphanielegende. Mk 12,35—37: Kann der Messias Davids Sohn sein? Diese Stelle spricht die Zweistufenchristologie der Gemeinde aus (s. o. S. 93); vgl. Röm 1,3 f.

Fazit: Auch hinsichtlich des Messiastitels ist der Befund negativ.

---

[10] In der Variante Mt 10,42 steht der Titel nicht.
[11] Der Artikel fehlt; vgl. Hahn, Hoheitstitel 223 f.
[12] F. Hahn, Hoheitstitel 226—230; E. Dinkler, Petrusbekenntnis und Satanswort, Zeit u. Geschichte (Festschr. Bultmann), 1964, 127—153.
[13] R. Bultmann, Syn. Trad. 293: Mk 15,2 ist sekundäre Erweiterung, die mit V. 3—5 konkurriert; damit ist auch der mit V. 2 zusammenhängende V. 26 sekundär.

IV. Der Menschensohn

O. CULLMANN, Christologie 138 ff. — W. G. KÜMMEL, Heilsgeschehen und Geschichte, 1965 (passim) — PH. VIELHAUER, Gottesreich und Menschensohn in der Verkündigung Jesu, Festschr. G. Dehn, 1957, 51—79 (= Aufs. z. NT, ThB 31, 1965, 55—91) — E. SCHWEIZER, Der Menschensohn, ZNW 50, 1959, 185—209 (= Neotestamentica, 1963, 56—84) — H. E. TÖDT, Der Menschensohn in der synoptischen Überlieferung, ²1963 — F. HAHN, Hoheitstitel 13—53 — PH. VIELHAUER, Jesus und der Menschensohn. Zur Diskussion mit H. E. Tödt und E. Schweizer, ZThK 60, 1963, 133—177 (= Aufs. 92—140) — Ders., Ein Weg zur nt. Christologie? Prüfung der Thesen F. Hahns, EvTh 25, 1965, 27 f. (= Aufs. 145 f.) — Ders., Zur Frage der christologischen Hoheitstitel, ThLZ 90, 1965, 569—588

Bedeutung: Der Ausdruck ist ungriechisch. Er ist abzuleiten von בַּר־אֱנָשׁ, determiniert אֱנָשָׁא bzw. נְשָׁא [14], und bezeichnet zunächst den einzelnen Menschen; es handelt sich dann also nicht um einen Titel.

Wellhausen[15] erklärt, ὁ υἱὸς τοῦ ἀνθρώπου könne überhaupt nicht Titel sein. Das Aramäische habe zwischen ὁ ἄνθρωπος und ὁ υἱὸς τοῦ ἀνθρώπου gar nicht unterscheiden können. Mt 8, 20 sei also zu übersetzen: . . . Aber der Mensch hat nicht, wo er sein Haupt hinlege. Ein Titel sei der Ausdruck erst bei der Übersetzung ins Griechische geworden, und zwar durch ein Mißverständnis, veranlaßt durch Dan 7, 13: καὶ ἰδοὺ ἐπὶ τῶν νεφελῶν τοῦ οὐρανοῦ ὡς υἱὸς ἀνθρώπου (כְּבַר־אֱנָשׁ) ἤρχετο (ein Mensch — im Unterschied zu den Tieren der danielischen Vision). Diese Stelle habe man gegen den ursprünglichen Sinn auf den Messias gedeutet. Aber es ist zu bezweifeln, ob eine solche Idee aus einem bloßen Mißverständnis entsteht (*Bousset*, Rel. 265 ff.).

Der sprachliche Befund:

Dalman[16] erklärt (gegen *Wellhausen*), das Aramäische könne doch zwischen ὁ ἄνθρωπος und ὁ υἱὸς τοῦ ἀνθρώπου unterscheiden. Zur Zeit Jesu und in dem von ihm gesprochenen Dialekt sei בַּר־אֱנָשׁ in der Umgangssprache nicht gebräuchlich gewesen. Der Ausdruck sei nur in Nachahmung des Bibeltextes (also Daniels und Ezechiels) als Biblizismus verwandt worden. Dagegen stellen *J. Jeremias* und *M. Black*[17] fest, auch die Umgangssprache habe ihn gebraucht. In welchem Sinn aber, ist kontrovers. *Black* erklärt: als Ersatz für »ich«, als verhüllende Selbstbezeichnung. So habe ihn auch Jesus gebraucht. Diese These ist aber nicht zu belegen. Es gibt keine jüdische Analogie zu der bestimmten Aussage: »Der Menschensohn ist ge-

---

[14] בֶּן־אָדָם ist im AT nie determiniert.
[15] J. Wellhausen, Einleitung in die drei ersten Evangelien, ²1911, 123—130.
[16] G. Dalman, Worte Jesu I, ²1930, 191—219. 383—397.
[17] J. Jeremias, ThLZ 74, 1949, 528 f.; M. Black, An Aramaic Approach to the Gospels and Acts, ²1954, 246 f.

kommen« oder »Wer den Menschensohn lästert . . .«[18]. So gewährt der Befund im Aramäischen nur bedingt Aufschluß. Entscheidend ist der Sprachgebrauch in den Evangelien selbst. Wenn בַּר־אֱנָשׁ bedeuten kann »der Mensch«, so ist damit die Möglichkeit eines titularen Sinnes nicht ausgeschlossen[19].

Für die geschichtliche Ableitung des Titels scheidet Ezechiel aus[20]. In Frage kommen nur drei Stellen (bzw. Gruppen)[21]: 1.) Dan 7, 13: Hier liegt kein titularer Gebrauch vor. 2.) äth Hen 37—71 (»Bilderreden«): Hier ist der Menschensohn eine individuelle Gestalt. Der Ausdruck »Menschensohn« wird, wenn nicht titular, so doch quasi titular gebraucht. 3.) 4 Esr 13: Auch hier ist der Menschensohn eine individuelle Gestalt.

Es gab also in begrenzten apokalyptischen Kreisen eine eschatologische Gestalt »Menschensohn«. Daran knüpft der urchristliche Titel an, dessen apokalyptische Herkunft ja deutlich ist: Der Menschensohn wird kommen auf den Wolken des Himmels (ausdrückliche Anlehnung an Daniel). Im Unterschied zur jüdischen Apokalyptik wissen die Synoptiker allerdings nichts von einer himmlischen Präexistenz des Menschensohnes (anders Johannes; s. u.).

Sind die Menschensohnworte echt? Für Echtheit wird angeführt: 1. Der Ausdruck müsse alt sein, da er nur im aramäischen Sprachgebiet entstanden sein kann. Im hellenistischen Bereich verschwindet er. Aber mit dem hohen Alter ist noch nicht die Echtheit bewiesen. 2. Der Titel finde sich nur im Munde Jesu[22]. Aber eine Anzahl von Stellen ist durch synoptischen Vergleich als sekundär zu erweisen: Lk 6, 22 im Vergleich zu Mt 5, 11; Lk 12, 8 zu Mt 10, 32. Umgekehrt ist Matthäus sekundär: Mt 16, 13 im Vergleich zu Mk 8, 27; Mt 16, 28 zu Mk 9, 1; Mt 26, 2 zu Mk 14, 1; Mt 19, 28 zu Lk 22, 28—30. Redaktionell ist Mt 13, 37; 24, 39 (Wiederholung von V. 37); Lk 18, 8; 21, 36; 22, 48.

Es bleiben drei Gruppen von Worten: 1. Der Menschensohn muß viel leiden. 2. a) Der Menschensohn ist gekommen, das Verlorene

---

[18] Die jüdischen Belege gebrauchen den Ausdruck vielmehr unbestimmt im Sinne des englischen someone oder one.
[19] F. Hahn, Hoheitstitel 15 f.
[20] Ez 2, 1 wird der Prophet als »Menschenkind« angeredet. Daraus kann der »messianische« Titel nicht entstanden sein. Der Prophet ist gerade als *Mensch* angeredet.
[21] Übersicht bei Vielhauer, Aufs. 80 ff.
[22] Es gibt immerhin Ausnahmen: Apg 7, 56 und Hegesipp bei Euseb HE II 23, 13; Barn 12, 10 lehnt den Titel ab.

zu suchen. b) Der Menschensohn hat nicht, wo er sein Haupt hinlege. 3. Der Menschensohn wird kommen auf den Wolken (Mk 13, 26).

1. *Die Worte vom »notwendigen« Leiden des Menschensohnes.* Sie fehlen, wie auch der Christustitel, in Q. Zu nennen sind vor allem die drei Leidensweissagungen Mk 8, 31; 9, 31; 10, 33 f.; ferner Mk 14, 21; vgl. V. 41. Es handelt sich durchweg um vaticinia ex eventu, nicht um Prognosen für die weitere Entwicklung der Lage, sondern um dogmatische Feststellungen. Auch Mk 9, 9.12 ist redaktionell, wie das Motiv vom Messiasgeheimnis zeigt[23].
Fazit: Diese Gruppe der Menschensohn-Worte ist nicht historisch[24].

2. *Das Wirken des Menschensohnes auf Erden.* Der Stoff findet sich in Markus, Q und Lukas.
Mk 2, 10 par: Der Menschensohn hat jetzt auf Erden Vollmacht, Sünden zu vergeben. Ob es sich um ein ursprüngliches Einzellogion handelt[25] oder nicht: in jedem Fall liegt eine dogmatische Aussage vor, die in der Gemeinde formuliert ist.
Mk 2, 28 par: Der Menschensohn ist Herr über den Sabbat. Das Wort ist genauso zu beurteilen wie das vorige[26].
Mt 8, 20 par Lk 9, 58: Der Menschensohn hat nicht, wo er sein Haupt hinlege. *E. Schweizer* (Neot. 72) meint, das Wort könne nicht Bildung der Gemeinde sein; dagegen wendet *Ph. Vielhauer* (Aufs. 123 f.) ein, im Munde Jesu wäre das Wort eine maßlose Übertreibung. Nach *Tödt* (112 ff.) spricht es nicht von der Niedrigkeit, sondern von der Hoheit Jesu; es sei ein autoritativer Ruf in die Nachfolge. Aber zum Ruf wird das Wort erst durch den Kontext (V. 19), den *Schweizer* für ursprünglich hält; die Szene sei historisch. — Das Wort ist nur als zusammenfassender Rückblick auf das gesamte Wirken Jesu, also als dogmatische Aussage verständlich.
Mt 11, 18 f. par Lk 7, 33 f.: Es kam Johannes, aß nicht und trank nicht ... Es kam der Menschensohn, aß und trank. Auch dieses

---

[23] E. Schweizer, Neot. 69: Mk 9, 12 ist ein isoliertes Logion; der Menschensohn war ursprünglich der neue Elia; dagegen Ph. Vielhauer, Aufs. 118, der Mk 9, 12 für eine Schöpfung urgemeindlicher Schriftgelehrsamkeit hält.
[24] Im Vorblick: Sie handelt von der Auferstehung, nicht von der Parusie. Das stimmt zu dem Befund im Credo.
[25] E. Schweizer, Neot. 70: Mk 2, 10 könnte echtes Einzellogion sein; Ph. Vielhauer, Aufs. 121: Damit ist ernsthaft zu rechnen.
[26] Vgl. Ph. Vielhauer, Aufs. 122 f.; E. Lohse, Jesu Worte über den Sabbat, BZNW 26 (Festschr. J. Jeremias), 1960, 82 f.; Vielhauer erwägt, ob gar kein titularer Gebrauch vorliegt. Das wird aber zu bejahen sein.

Wort ist nicht »unerfindbar«. Es ist wieder eine zusammenfassende Charakteristik des gesamten Wirkens Jesu.

Lk 11, 30 (Q): Das Zeichen des Jona. Das Wort ist bei Mt 12, 40 stark variiert. Ist es ein isoliertes Logion, dann kann es nicht gedeutet werden. Ist der Zusammenhang mit V. 29 ursprünglich, dann ist unsicher, ob der gegenwärtige oder der künftige Menschensohn gemeint ist. So und so ist das Wort historisch nicht auszuwerten.

Mk 10, 45 par Mt 20, 28: Auch dies ist eine dogmatische Gesamtdeutung des Auftretens Jesu.

Mt 12, 32 par Lk 12, 10: Das Wort setzt eine heilsgeschichtliche Periodisierung auf Grund von Ostern voraus. Es findet sich ohne den Menschensohntitel Mk 3, 28 f.

Lk 19, 10: Es ist eine Variante von Mk 2, 17. Auch hier liegt eine Gesamtdeutung der Gemeinde vor.

Fazit: *Bultmann* nimmt nach wie vor an, diese Gruppe von Worten spreche ursprünglich allgemein vom „Menschen". Aber der titulare Sinn ist nicht zu bestreiten. Es handelt sich also durchweg um Formulierungen der Gemeindedogmatik.

E. *Schweizer* (Neot. 74 f.) will gerade in dieser Gruppe den authentischen Kernbestand finden, nämlich im Gedanken der Erniedrigung und Erhöhung des Gerechten, den Jesus auf sich beziehe. Den auf Erden weilenden, verworfenen Menschensohn kenne weder das Judentum noch die Gemeinde. Jesus knüpfe an das jüdische Motiv vom leidenden Gerechten (Sapientia Salomonis) an. Aber der leidende Gerechte heißt nicht »Menschensohn«, sondern Gottessohn. Außerdem ist der jüdische Menschensohn eine apokalyptische Gestalt. »Menschensohn« ist keine Selbstbezeichnung. Vor allem enthalten die Worte vom gegenwärtigen Menschensohn gar nicht die Idee der Erhöhung. Diese muß *Schweizer* aus Johannes eintragen.

3. *Der kommende Menschensohn.* Stoff: Markus, Q, Sondergut. In dieser Gruppe fehlt ein Bezug zu Leiden und Auferstehung. Jesus spricht in ihr vom Menschensohn wie von einer anderen Person.

Mk 13, 26 par: Das Wort stammt aus Dan 7, 13.

Mk 14, 62: Im Rahmen eines Kompendiums der christologischen Titulatur ist Dan 7, 13 mit Ps 110, 1 kombiniert[27].

Mt 10, 23 (Aussendungsrede, Sondergut) ist ein apokalyptisches Trostwort angesichts der Verfolgung der Kirche, also nach Ostern entstanden. Jesus ist mit dem Menschensohn identisch. Dieselbe Lage (Verfolgung der Kirche) spiegelt sich Lk 6, 22; vgl. Mt 5, 11.

---

[27] J. A. T. Robinson, Jesus and his Coming, 1957, 43 ff.: Das Wort handelt nicht von der Parusie, sondern von der Erhöhung. Dieser Deutung widerspricht aber die Reihenfolge: Sitzen zur Rechten, Kommen auf den Wolken.

Lk 17, 22 ff.: Das Grundmotiv der »Logienapokalypse« ist der plötzliche Einbruch des Endes.

Lk 17, 22 ist redaktionelle Einleitung, die nicht zu V. 26 paßt. In beiden Versen steht derselbe Ausdruck, aber mit verschiedenem Sinn. Die Deutung der »Tage des Menschensohns« auf die Tage des irdischen Jesus ist unmöglich. Die Echtheit von V. 23 f. ist umstritten. *Vielhauer* (Aufs. 75) findet in V. 23 die Erwartung des Messias, in V. 24 die Erwartung des Menschensohnes. Dann wäre die Kombination auf jeden Fall sekundär.

Es bleibt als Kernstelle Mk 8, 38 par[28]. Das Wort steht auch in Q: Mt 10, 32 f. par Lk 12, 8 f. In Markus und Q wird ursprünglich formal zwischen Jesus und dem Menschensohn unterschieden: Von der jetzigen Stellung des Menschen zu Jesus hängt die künftige Stellung des Menschensohnes zum Menschen ab. Der Menschensohn ist der Richter (nicht der Zeuge vor dem Gericht Gottes). Es besteht ein weitgehender Konsensus, daß dieses Wort echt sei. Die Unterscheidung zwischen Jesus und dem Menschensohn könne nicht als Gemeindebildung erklärt werden. Die Gemeinde habe beide identifiziert, wie ja die Fassung des Matthäus zeige. Aber gerade im Munde Jesu wird das Wort unverständlich: Eine Andeutung, in welchem Verhältnis Jesus sich selber zu diesem Menschensohn sieht, fehlt. Es steht z. B. nicht da, daß Jesus erwartet, in den Menschensohn verwandelt zu werden. *E. Schweizer* (Neot. 58 f.) erklärt, Jesus erwarte nicht das Kommen des Menschensohnes, sondern seine Erhöhung zum Menschensohn. Diese Annahme ist unmöglich (s. o. zu Mk 14, 62). Der Gedanke der Erhöhung ist aus Johannes eingetragen. In der jüdischen Literatur findet er sich nur äth Hen 70 f., einem Nachtrag. Außerdem beruht der Eindruck, daß in diesem Wort Jesus und der Menschensohn unterschieden werden, auf einer Täuschung. Unterschieden werden nicht zwei Personen, sondern zwei Epochen des Wirkens derselben Person[29]. Daß vom Menschensohn in der dritten Person gesprochen wird, entspricht dem durchgehenden Befund in allen Gruppen von Menschensohnworten. Dieses Wort ist also nicht auf Grund einer allgemeinen apokalyptischen Vorstellung vom Menschensohn formuliert, sondern von vornherein auf Jesus als den Menschensohn bezogen, also nach Ostern

---

[28] E. Haenchen, Die Komposition von Mk VIII 27—IX 1 und Par., Nov Test 6, 1963, 81 ff.

[29] So mit Vielhauer, Aufs. 106 und G. Iber, auf dessen ungedruckte Heidelberger Dissertation »Überlieferungsgeschichtliche Untersuchungen zum Begriff des Menschensohnes im NT«, 1953, 55, Vielhauer hinweist.

entstanden. Das wird bestätigt durch die Stichworte ὁμολογεῖν (Lk 12, 8), ἀρνεῖσθαι bzw. ἐπαισχύνεσθαι: Vorausgesetzt ist die Situation der bekennenden Kirche in der Welt, die Zeit, in der das gesamte Verhältnis zu Jesus durch das Bekenntnis zu seiner Person bestimmt ist und in der man wegen dieses Bekenntnisses vor Gericht gezogen werden kann. Gegen Echtheit spricht schließlich der von *Vielhauer* festgestellte Befund, daß in der ältesten Schicht der Überlieferung »Reich Gottes« und »Menschensohn« konsequent getrennt sind.

Ganz anders ist der Befund bei *Johannes*[30]: Der Menschensohn ist der präexistente Offenbarer, der vom Himmel herabstieg (3, 13), der in ständiger Verbindung mit seinem Vater lebt (1, 51). Auch das Leiden des Menschensohns wird im johanneischen Stil abgewandelt: Er wird an das Kreuz »erhöht« werden (3, 14). Kreuz und Ostern sind identisch, ebenso Ostern und Parusie. Entsprechend ist auch seine Rolle als Richter durch die johanneische Eschatologie bestimmt (5, 27). Johannes hat offenbar den Menschensohntitel aus der Gemeindetradition aufgegriffen und im Sinne seiner Theologie neu geprägt.

Anders deutet *Bultmann:* Der johanneische Menschensohn sei anderer religionsgeschichtlicher Herkunft als der synoptische. Er stamme nicht aus der Apokalyptik, sondern aus der Gnosis und sei identisch mit dem mythischen Anthropos. Dagegen: Selbst wenn der apokalyptische Menschensohn und der gnostische Urmensch religionsgeschichtlich verwandt sein sollten, so war in neutestamentlicher Zeit diese Verwandtschaft nicht mehr bewußt. Die Abweichungen des Johannes von den Synoptikern lassen sich als beabsichtigte Überarbeitung durch den Verfasser des vierten Evangeliums verstehen.

Zusammenfassung:
Das unverbundene Nebeneinander der drei Gruppen von Menschensohnworten erklärt sich aus der Struktur der frühen Gemeindechristologie: Man glaubt an Tod und Auferstehung; man erwartet die Parusie. Beide Sachverhalte werden je für sich formuliert, wie der Befund im Bekenntnis zeigt. Man identifiziert den Erwarteten, den man sich mit Hilfe der jüdischen Vorstellung vom Menschensohn anschaulich macht, mit Jesus. So kommt es zur Auslegung auch seines Auftretens auf Erden mit dem Menschensohntitel.

---

[30] R. Schnackenburg, Der Menschensohn im Johannesevangelium, NTS 11, 1965, 123—137; G. Iber (s. vorige Anm.); S. Schulz, Untersuchungen zur Menschensohnchristologie im Johannesevangelium, 1957; F. Hahn, Hoheitstitel 39 Anm. 6.

V. Die Wunder Jesu

A. Fridrichsen, Le problème du miracle dans le Christianisme primitif, 1925 — Religionsgeschichtlich: O. Weinreich, Gebet und Wunder, 1929 — R. Bultmann, Zur Frage des Wunders, GuV I 214—228 — H. Schlingensiepen, Die Wunder des NT, 1933 — R. Hansliek, Christus und die hellenistischen Wundermänner, Theol. der Zeit 1936, 203 ff. — R. M. Grant, Miracle and Natural Law in Graeco-Roman and Early Christian Thought, 1952 — K. Prümm, Religionsgeschichtliches Handbuch für den Raum der altchristlichen Umwelt, 1954, 442—464 — G. Delling, Zum Verständnis des Wunders im NT, ZSTh 24, 1955, 265—280 — T. A. Burkill, The Notion of Miracle, ZNW 50, 1959, 33—48 — R. S. Wallace, The Gospel Miracles, 1960 — R. H. Fuller, Interpreting the Miracles, 1963 — H. van der Loos, The Miracles of Jesus, Suppl. Nov Test 9, 1965

Faktor der Christologie sind auch die von Jesus berichteten Wunder. Die naturwissenschaftliche Seite des Wunders ist hier nicht zu besprechen. Es ist lediglich nach dem neutestamentlichen Wunderverständnis zu fragen. Eine Reflexion auf Naturgesetze liegt ihm fern. Freilich ist es übertrieben zu erklären, damals habe man allgemein mit dem Vorkommen von Wundern gerechnet. Dann wären sie nicht als Wunder empfunden worden! Es gehört zum Begriff, daß das Wunder »unmöglich« ist und überraschend in Erscheinung tritt.

Jesus sieht in seinen Taten Zeichen des kommenden Reiches Gottes. Von hier (nicht von den christologischen Titeln) aus kann sein Selbstbewußtsein erfaßt werden, speziell von den Dämonenaustreibungen aus. Durch sie erscheint Jesus den zeitgenössischen Exorzisten verwandt. Er kann sich in der Tat einmal mit ihnen vergleichen (Mt 12, 27). Wo liegt dann der Unterschied zur Magie? Die Texte zeigen noch die Versuche der Gemeinde, das Wunder zu behaupten, es aber gegen die Magie abzugrenzen[31].

Diese Tendenz wird sichtbar in der Versuchungsgeschichte; ferner in den Reflexionen des Markus, der die Wundergeschichten zur Illustration der Macht der Lehre Jesu macht (1, 21 ff.). Primitiver ist die Abgrenzung in der Apostelgeschichte, wo die Überlegenheit des christlichen über den nichtchristlichen θεῖος ἀνήρ gezeigt wird (19, 14 ff.). Hier taucht auch das Selbsthilfewunder wieder auf (13, 6 ff.).

Läßt sich die Abgrenzung des Wunderglaubens von der Magie wirklich nachweisen, nicht nur durch die Darstellung der Ohnmacht des Magiers behaupten? Nach E. Käsemann[32] kommt es darauf an, ob Jesus als Magier auftritt, der die Welt verteufelt sein läßt, oder als der, der die Bosheit des Herzens kennt und dieses Herz für Gott beschlagnahmt. Das ist ein wesentlicher Gesichtspunkt; aber er genügt noch nicht. Entscheidend ist, ob die Gemeinde die Wunder zum Inhalt des Glaubens macht, ob das Programm der Versuchungsgeschichte am Kulminationspunkt durchgehalten wird, am Kreuz.

---

[31] M. Dibelius, Formgeschichte 102 f.; H. Windisch, Paulus und Christus, UNT 24, 1934, 154 f.   [32] Ex. Vers. u. Bes. I 208.

Durch das Verständnis der Wunder als Zeichen des nahen Reiches ergibt sich ein einheitlicher Gesichtspunkt, um Jesu Handeln und Reden zu verstehen.

VI. Das Messiasgeheimnis

W. Wrede, Das Messiasgeheimnis in den Evangelien, 1901 — H. J. Ebeling, Das Messiasgeheimnis und die Botschaft des Marcus-Evangelisten, BZNW 19, 1939 — W. Marxsen, Der Evangelist Markus, FRLANT 67, ²1959 — E. Sjöberg, Der verborgene Menschensohn in den Evangelien, 1955 — G. H. Boobyer, The Secrecy Motif in St Mark's Gospel, NTS 6, 1960, 225—235 — T. A. Burkill, Mysterious Revelation, 1963 — G. Strecker, Zur Messiasgeheimnistheorie im Markusevangelium, TU 88 (Stud. Ev. III), 1964, 87—104 — U. Luz, Das Geheimnismotiv und die markinische Christologie, ZNW 56, 1965, 9—30

Die Anschauung, daß Jesus seine Hoheit verbirgt, bestimmt die gesamte Gestaltung des Markusevangeliums; sie zeigt sich in folgenden Indizien:
1. Die Dämonen kennen Jesus und rufen ihn an. Aber Jesus läßt sie verstummen, gerade weil sie ihn kennen (1, 24 f. 34; 3, 11 f.). Biographisch kann man sich dieses Schweigegebot nicht vorstellen. Es erfolgt zu spät; das Geheimnis ist ja bereits verraten.
2. Krankenheilungen: Jesus erweckt die gestorbene Tochter des Jairus wieder zum Leben und befiehlt, niemand dürfe davon erfahren. Ein unmögliches Gebot: Das Haus ist voller Trauergäste.
3. Jesu Wirken wird nicht verstanden, auch nicht von seinen Jüngern (Mk 6, 52).
4. Er erzählt das Gleichnis vom Sämann. Die Jünger verstehen es nicht und fragen ihn nach dem Sinn der Gleichnisrede und müssen den Vorwurf hören: »Ihr versteht dieses Gleichnis nicht; wie wollt ihr alle Gleichnisse verstehen?« Dann erklärt Jesus, daß die Gleichnisse nur dem Glauben erschlossen seien. Denen draußen werden sie erzählt, um nicht verstanden zu werden (die »Parabel-Theorie« des Markus, 4, 10—12). Daß diese Theorie sekundär ist, ist klar. Um so dringlicher ist die Frage, was der Evangelist mit ihr aussagen will.
5. Jesus geht mit den Jüngern in die Einsamkeit und fragt sie, für wen die Leute, dann, für wen die Jünger ihn halten. Petrus antwortet mit dem Bekenntnis: »Du bist der Messias.« Jesus verbietet, es weiterzusagen. Darauf folgt die erste Leidensweissagung. Gegen

diese wehrt sich Petrus. Er hat also selber nicht begriffen, was er aussprach. Vgl. Mk 9, 32. Das Mißverstehen der Jünger setzt sich fort, wenn sie auch nach der Verklärung nicht begriffen haben.

Wrede versuchte diese Beobachtungen zusammenfassend zu deuten: Daß Jesus seine Messianität geheimhielt, entspricht nicht der historischen Wirklichkeit. Es ist vielmehr eine Anschauung der Gemeinde nach Ostern. Jesus selber hielt sich gar nicht für den Messias. Dazu wird er erst im Glauben der Gemeinde. Damit ergibt sich eine Schwierigkeit: Die Überlieferung von Jesu Taten und Worten sagt von seiner Messianität nichts. Die Unausgeglichenheit zwischen nachösterlichem Glauben und vorösterlicher Überlieferung zwang die Gemeinde zu der Erklärung: Jesus kannte seine Messianität, hielt sie aber geheim. *Wredes* Beobachtungen sind glänzend. Seine Erklärung ist freilich eine historisierende Konstruktion. Zwar hielt sich Jesus in der Tat nicht für den Messias, und das Messiasgeheimnis ist ein Theologumenon der Gemeinde[33]. Aber es ist nicht durch die Bearbeitung eines noch unmessianischen Stoffes entstanden. Vielmehr war die gesamte Jesusüberlieferung bereits messianisch geprägt, als diese Theorie (vermutlich von Markus selbst) entworfen wurde. Sie ist nicht eine mühsame, apologetische Hilfskonstruktion, sondern die positive Darstellung eines Offenbarungsverständnisses. Die Erklärung Wredes ist, gemessen am frühen christlichen Denken, viel zu modern. Das sieht man an den Stellen, wo Geheimnistheorie und Überlieferung am schärfsten zusammenstoßen. Dort handelt es sich nicht um unmessianische Tradition, sondern ausdrücklich und thematisch um messianische: Petrusbekenntnis, Gespräch nach der Verklärung. Das Theologumenon ist zu verstehen im Rahmen der gesamten christologischen Aufarbeitung der Tradition über Jesus. Es dient nicht nur der Bewältigung eines Einzelproblems. Der Tenor ist nicht apologetisch. Betont ist gerade, wie unwiderstehlich sich der Ruf Jesu — trotz der wiederholten Schweigegebote — ausbreitet. Die Theorie wird durchsichtig, wenn man sieht, daß hier der Evangelist den paradoxen Charakter der Offenbarung darstellt: Den Gläubigen — also den Lesern des Buches — ist das Geheimnis enthüllt, und zwar so, daß es der Welt auch nach Ostern verhüllt bleibt. Man erfaßt es nicht anders als durch den Glauben, d. h. in der Kirche. »Denen draußen« bleibt es verschlossen. Das Mißverstehen der Jünger besagt, daß man Jesu Werk erst durch Ostern verstehen kann.

Mit dieser Theorie war es Markus möglich, die verschiedenen Stoffgruppen der Überlieferung unter einem einheitlichen Gesichtspunkt zusammenzufassen und damit die Gattung »Evangelium« zu schaffen.

Wofür hielt sich Jesus also? Die Antwort kann nicht durch einen christologischen Begriff gegeben werden, sondern durch den Hinweis, wie Jesus die Ankündigung des Gottesreiches mit sich selber als dessen Zeichen verknüpfte. Darin ist freilich eine Christologie impliziert[34]. Sie wird nach Ostern zu explizieren sein.

---

[33] Vgl. Bultmann, NT 33, gegen J. Schniewind, Messiasgeheimnis und Eschatologie, in: Nachgel. Reden u. Aufs., 1952, 1—13: Es sitzt nicht in der Substanz der überlieferten Geschichten, sondern in der redaktionellen Bearbeitung.
[34] Bultmann I 204; NT 46; H. Conzelmann, RGG³ II 667 f.; III 633 f.

§ 17 DIE THEOLOGIE DER DREI SYNOPTIKER

S. Schulz, Die Stunde der Botschaft, 1967

In der Zeit vor dem Aufkommen der Formgeschichte behandelte man die Evangelien vorwiegend als Quellen für die geschichtliche Rekonstruktion des Lebens und der Lehre Jesu. Die Formgeschichte zeigte, daß jedes einzelne Traditionsstück für sich christologischen Sinn hat. Relativ unbeachtet ließ sie den literarischen Rahmen, den sie als sekundär erwies. Da die Evangelisten nur über literarisch primitive Mittel verfügten, traute man ihnen auch als Theologen nicht viel zu. Andererseits hatte die Formgeschichte die Voraussetzung geschaffen, um den literarischen Rahmen zu erkennen und zu interpretieren. Untersucht man ihn, so erkennt man, daß er den Evangelisten als Mittel dient, ihre Theologie darzustellen.

I. Markus

Außer der zu § 16 VI. genannten Literatur: E. Lohmeyer, Galiläa und Jerusalem, FRLANT NF 34, 1936 — C. H. Dodd, The Apostolic Preaching and its Developments, [8]1956 — R. H. Lightfoot, Locality and Doctrines in the Gospels, 1938 — Ders., The Gospel Message of St. Mark, 1950 — J. M. Robinson, Das Geschichtsverständnis des Markus-Evangeliums, 1956 — T. A. Burkill, St. Mark's Philosophy of History, NTS 3, 1956/7, 142—148 — Ders., The Cryptology of Parables in St. Mark's Gospel, Nov Test 1, 1957, 246—262 — Ders., St. Mark's Philosophy of the Passion, ebd. 2, 1958, 245—271 — Ders. Anti-Semitism in St. Mark's Gospel, ebd. 3, 1959, 34—53 — E. Schweizer, Anmerkungen zur Theologie des Markus, Suppl. Nov Test 6 (Festschr. O. Cullmann), 1962, 35—46 (= Neotestamentica, 1963, 93—104) — Ders., Die theologische Leistung des Markus, EvTh 24, 1964, 337—355 — E. Haenchen, Der Weg Jesu, 1966 — Ph. Vielhauer, Erwägungen zur Christologie des Markusevangeliums, Zeit und Geschichte (Festschr. Bultmann), 1964, 155—169 (= Aufs. z. NT, ThB 31, 1965, 199—214) — A. Suhl, Die Funktion der at. Zitate und Anspielungen im Markusevangelium, 1965 — S. Schulz, a.a.O. 9 ff.

Dibelius bezeichnet das Markus-Evangelium als »das Buch der geheimen Epiphanien«. Diese Charakteristik ist treffend und durch die neueren Versuche, das Messiasgeheimnis zu lüften, nicht überholt.

E. Sjöberg will das Geheimnis durch religionsgeschichtliche Motivforschung auf Jesus selber zurückführen. Dieser Versuch scheitert daran, daß das Geheimnis seinen Sitz nicht in den alten Traditionsstücken hat, sondern im Rahmen. Es gibt nur eine scheinbare Ausnahme: das Schweigegebot an die Dämonen. Aber dieses ist ja nicht historisch, sondern stellt die vormarkinische Vorform der Geheimnistheorie dar[1].

---

[1] U. Luz a. a. O.

Das Offenbarungsverständnis des Markus zeigt sich im Aufbau seines Buches an. Literarisch beurteilt ist die Gestaltung primitiv. Aber sie erweist sich als erstaunlich gut theologisch durchdacht. Das wird schon in der Einleitung, der Überschrift, deutlich: ἀρχὴ τοῦ εὐαγγελίου Ἰησοῦ Χριστοῦ[2]. Wenn Markus (wie übrigens auch Q) seinen Bericht mit Johannes dem Täufer eröffnet, so ist damit ein heilsgeschichtlicher Rahmen um das Werk Jesu gespannt. Markus reklamiert nicht, wie Matthäus und Lukas, die Geschichte Israels als die Vorgeschichte der Kirche. Israel kommt nur im Widerspiel zu Jesus in den Blick, das Alte Testament nicht hinsichtlich seines immanenten Sinnes, als Geschichte Israels, sondern nur als Prophezeiung auf den Täufer, den Wegbereiter Jesu[3]. Der scharfen Begrenzung des Vorblicks am Anfang entspricht die Begrenzung des eschatologischen Ausblicks am Ende: auf die Parusie, nicht über diese hinaus. Die Zeit zwischen Auferstehung und Parusie (Mk 13, 10) pflegt man als die »Zeit der Kirche« zu bezeichnen. Doch ist bei der Anwendung dieses Ausdrucks Vorsicht geboten. Für Lukas trifft er zu, für Markus nur mit Vorbehalt: Er rechnet zwar schon mit einem längeren Zeitraum zwischen Gegenwart und Parusie[4]. Aber er arbeitet den Kirchengedanken noch nicht positiv zum theologischen Begriff aus. Er bestimmt die Kirche nur durch diese eine Aufgabe, das Evangelium in der ganzen Welt zu predigen. Vor allem erfaßt er den gedanklichen Zusammenhang von Christologie und Zwischenzeit noch nicht. Was tut der Erhöhte in der Zwischenzeit? Er stärkt den verfolgten Bekenner. Aber die Gedanken über die jetzige Wirksamkeit des Erhöhten sind noch nicht systematisiert. In dieser Hinsicht stellt Markus ein Zwischenstadium der Reflexion zwischen der mündlichen Tradition und Lukas bzw. Matthäus dar.

Nach der Einleitung über Johannes den Täufer heben sich zwei Blöcke voneinander ab, die zwei verschiedene Epochen des Auftretens Jesu beschreiben:

1. Galiläa. Jesus predigt und heilt; er ist vom Geheimnis umgeben. Er tut Wunder; aber nicht einmal die Jünger verstehen sie bzw. verstehen Jesus auf Grund seiner Wunder (6, 52; 8, 17 ff.). Der Raum seiner Wirksamkeit ist zunächst die Landschaft um den

---

[2] Haenchen z. St.
[3] Suhl, a. a. O. 133—137.
[4] Gegen Marxsen a. a. O. mit E. Gräßer, Das Problem der Parusieverzögerung, BZNW 22, ²1960.

galiläischen See. Dann dehnt er sich aus, nach Phönizien, ins Ostjordanland. Schließlich zieht Jesus mit seinen Jüngern nach Norden, in die Gegend von Caesarea Philippi. Der Knoten schürzt sich, die Ereignisse erreichen einen dramatischen Höhepunkt. Im Jüngerkreis wird das Geheimnis durchbrochen — durch das Bekenntnis des Petrus. Aber seine Erkenntnis, daß Jesus der Messias ist, darf nicht in die Öffentlichkeit dringen. Kundgabe von Jesu Wesen und Geheimnis sind noch intensiver aufeinander bezogen in der Szene von der Verklärung. Aber hier wie dort stößt die Enthüllung auf das Nichtverstehen. Der christliche Leser weiß: Jesus kann noch gar nicht verstanden werden; das wird erst möglich durch die Auferstehung. Mit dem Bekenntnis des Petrus und der Verklärung beginnt nicht die Zeit der offenen messianischen Proklamation, sondern die Passion.

Es wird immer noch versucht, den »Rückzug« Jesu nach Caesarea Philippi als historisch festzuhalten und pragmatisch zu erklären: Jesus habe mit seiner Predigt Mißerfolg gehabt; so wollte er sich wenigstens der letzten Getreuen versichern. Dieser Mißerfolg in Galiläa ist ausschließlich das Ergebnis einer unhistorischen Kombination der markinischen und johanneischen Darstellung (Joh 6, 66—71). Das Motiv des »Rückzugs« ist vielmehr das Messiasgeheimnis. Das zeigt die Verknüpfung von Petrusbekenntnis und Leidensweissagung samt der Reaktion des Petrus auf diese. Die Intention des Markus zeigt sich in der dreifachen Wiederholung der Leidensweissagung am Kulminationspunkt, in den Kapiteln 8, 9 und 10.

2. Mit der Darstellung des Wesens Jesu durch Bekenntnis und Verklärung und der Ankündigung seiner Bestimmung durch die Leidensweissagung ist die erste Epoche, die Zeit der Predigt in Galiläa, zu Ende. Es gilt, zu dem von Gott gesetzten Ziel aufzubrechen, nach Jerusalem (Kap. 10). Hier enthüllt Jesus sein Wesen vor der Öffentlichkeit, indem er als Davidssohn, d. h. als Messias, in die Stadt einzieht. Die Jerusalemer Ereignisse sind auf wenige Tage komprimiert. Auch jetzt predigt er, aber die Lehre ist auf wenige Themen begrenzt, vor allem auf die Lehre von den letzten Dingen (Kap. 13). Dann folgt die Passion in Jerusalem.

Lohmeyer und *Lightfoot* und ihnen folgend *Marxsen* haben gezeigt, daß bei Markus die Landschaften Galiläa und Judäa nicht nur geographische Räume bezeichnen. Sie haben theologische Qualität. Das verachtete Galiläa, der »Heidengau«, ist das Land, in dem das Heil erscheint. Damit wird der paradoxe Charakter der Offenbarung als verhüllter, die Erwählung der Niedrigen, der vom offiziellen Israel Verachteten, dargestellt. Das Zentrum der Religion dagegen, Jerusalem, enthüllt sich als Sitz der äußersten Feindschaft. Das Heil über Galiläa und die Verwerfung Jerusalems vollziehen sich beide im Wirken Jesu, jenes in der verhüllten Epiphanie, diese in der offenen Passion. Nach der Kreuzigung verläßt der auferstandene Messias die Stadt. Er zieht nach Galiläa und fordert die Seinen auf, ihm zu folgen (Mk 16, 7). Damit ist das endgültige Urteil über Jerusalem und seinen Gottesdienst gefällt[5].

Die Gliederung des Markusevangeliums in zwei Epochen, zwei Räume ist theologischer Stil. Markus gibt keine psychologische Entwicklung der Persönlichkeit Jesu und keine biographische Verknüpfung der Ereignisse, sondern stellt die doppelte Weise dar, in der sich die Offenbarung der Welt darbietet: zuerst in der Weise der Verkündigung. Diese wird öffentlich ausgerichtet. Aber ihr Sinn, d. h. ihre Wahrheit bleibt auch nach Ostern in gewisser Weise verhüllt. Denn auch nach Ostern wird der Erhöhte nur so sichtbar, daß man ihn zugleich als den Irdischen kennenlernt; das schließt ein: als den Gekreuzigten. Der Bericht von diesem Geschehen wird selber zum Bestandteil des Heilsgeschehens, da er das Geheimnis des Reiches Gottes erschließt. Das ganze Buch ist also aus dem Osterglauben gestaltet. Es ist nichts anderes als ein Kommentar zum Kerygma. Das zeigt schon der äußere Umfang seiner beiden Hauptteile.

Biographisch beurteilt ist es ein Mißverhältnis, wenn die Darstellung der letzten Wochen des Lebens Jesu fast soviel Raum beansprucht wie die des ganzen öffentlichen Auftretens. Verständlich wird diese Proportion aus der kerygmatischen Gliederung, wie sie z. B. Apg 2, 22—24 zu erkennen ist: 1. Gott hat Jesus durch Wunder ausgewiesen. 2. Diesen habt ihr nach Gottes Plan ans Kreuz geschlagen, Gott aber hat ihn auferweckt.

Lohmeyer führt die markinische Auffassung von Galiläa auf eine galiläische Urgemeinde zurück, die neben der Jerusalemer bestanden habe. Er will auf diese beiden Gemeinden zwei Typen der Christologie verteilen: Galiläa verehre den Menschensohn, Jerusalem den Messias (Lukas); ferner zwei Abendmahlstypen: Galiläa feiere das Brotbrechen, Jerusalem das Todesgedächtnismahl. Aber Menschensohn und Messias lassen sich nicht zwei verschiedenen Gruppen zuweisen[6]. Über das Abendmahl s. o. § 7 IV. 3. *Marxsen* nimmt an, das Markusevangelium sei zu Beginn des jüdischen Krieges ca. 66 n. Chr. verfaßt, und zwar nicht in Galiläa, sondern in Jerusalem, im Blick auf Galiläa. Es stelle eine aktuelle Programmschrift dar, herausgegeben in der Erwartung, daß der heraufziehende Krieg das Weltende und die Parusie bringe. Daher fordere es die Gemeinde auf, aus Jerusalem nach Galiläa zu fliehen, wo der Herr erscheinen werde (Mk 13, 14; 16, 7). Diese Annahme wird schon durch eine Analyse von Mk 13 widerlegt — abgesehen von der Unwahrscheinlichkeit, daß jemand, der die Katastrophe heranrasen sieht, in aller Ruhe ein Buch schreibt, um zur unverzüglichen Flucht

---

[5] Zur Kritik an Lohmeyer s. R. Preuß, Galiläa im Markusevangelium, Diss. Göttingen 1967.
[6] Bultmann, NT 55 f. 62.

aufzurufen. Über den markinischen Typ der Christologie handelt *Ph. Vielhauer*[7]. Er stellt mit Recht fest, daß Markus keine Präexistenz kennt. Der wesentliche christologische Titel ist »Sohn Gottes«. Er bezeichnet das Wesen Jesu als θεῖος ἀνήρ (Wundergeschichten!). Stärker tritt aber die Bedeutung des Titels als Würdebezeichnung hervor: Jesus ist der König der eschatologischen Heilszeit. Diese Würdestellung werde in drei aufeinander bezogenen Etappen entfaltet nach dem Schema der fortschreitenden Inthronisation: Taufe, Verklärung, Kreuzigung. Treffend ist die Charakteristik der markinischen Theologie als theologia crucis. Diese bestimmt auch das Messiasgeheimnis.

II. Matthäus

K. STENDAHL, The School of St. Matthew, 1954 — G. BORNKAMM — G. BARTH — H. J. HELD, Überlieferung und Auslegung im Matthäus-Evangelium, WMANT 1, [4]1965 — W. TRILLING, Das wahre Israel, [3]1964 — G. STRECKER, Der Weg der Gerechtigkeit, FRLANT 82, 1962 — R. HUMMEL, Die Auseinandersetzung zwischen Kirche und Judentum im Matthäusevangelium, Bh EvTh 33, 1963 — S. SCHULZ, a.a.O. 157 ff.

Matthäus nimmt den Gedanken des Markus von Galiläa als dem erwählten Lande auf und steigert ihn noch, indem er den Schriftbeweis liefert, also Galiläa als das verheißene Land der Erfüllung zeigt (Mt 4, 15 f.). Diese Stelle illustriert die Tendenz des Matthäus, die Paradoxie der Offenbarung zu verdeutlichen: Sie erscheint in der Gestalt der Niedrigkeit, sie ist für die Armen und Geringen bestimmt (10, 42; 18, 6. 10). So wird der Einzug in Jerusalem durch ein Zitat aus Jes 62, 11; Sach 9, 9 beleuchtet. Das Wesen des Offenbarers und der Empfänger der Offenbarung entsprechen sich[8]. Es ist tafelartig dargestellt in den Seligpreisungen (5, 3 ff.). Sie gehen zwar auf Tradition zurück (Q, vgl. Lukas), sind aber von Matthäus vermehrt und modifiziert: »Selig sind die Armen« interpretiert Matthäus durch den Zusatz: »im Geiste«[9]; »die hungern und dürsten« durch: »nach der Gerechtigkeit«. Vgl. V. 10, eine redaktionelle Schöpfung des Evangelisten: »die um der Gerechtigkeit willen verfolgt werden«.

[7] Ph. Vielhauer, Aufs. 199 ff. gegen J. Schreiber, Die Christologie des Markus-Evangeliums, ZThK 58, 1961, 154—183.
[8] G. Barth, Das Gesetzesverständnis des Evangelisten Matthäus, in: Bornkamm-Barth-Held, 133 ff.
[9] Der Ausdruck »arm im Geist« ist jetzt in den Qumran-Schriften belegt; vgl. H. Braun, Qumran und das NT I, 1966, z. St. Das beweist nicht, daß Matthäus gegenüber Lukas ursprünglich ist.

Das Wort δικαιοσύνη spielt bei Jesus keine Rolle. Bei Matthäus wird es zum Prinzip der Ethik (5, 20; vgl. 6, 33). Ein weiteres Stichwort des Matthäus ist »Vollkommenheit«. Es findet sich in den Synoptikern nur bei ihm (5, 48; 19, 21).

Solche Worte führen dazu, daß man von der »Gesetzlichkeit« des Matthäus spricht, die aus seinem Judentum erklärt wird. Doch ein solches Urteil bleibt an der Oberfläche. Schon die Tatsache, daß Matthäus einen universalistischen Kirchengedanken vertritt, sollte aufmerken lassen (28, 16—20)[10]. Die Situation, in der Matthäus denkt und schreibt, ist zu berücksichtigen. Seine Gemeinde steht in aktueller Auseinandersetzung mit dem Judentum — offenbar in Zusammenhang mit dem jüdischen Krieg und der nach ihm einsetzenden jüdischen Restaurationsbewegung, in der sich das pharisäische Rabbinat behauptet. Die Schärfe der Auseinandersetzung zeigt sich an dem heilsgeschichtlichen Grundgedanken des Matthäus: Die Kirche ist das wahre Israel. Das empirische Israel hat seinen Auftrag, Licht für die Völker zu sein, verkannt und daher seine Erwählung verloren (im Bilde: Der Weinberg ist einem anderen Volke übergeben worden). Die Kirche ist an die Stelle Israels getreten; aber sie muß die Kontinuität festhalten. Die judenchristliche Gemeinde, der Matthäus angehört, kann nicht aus dem jüdischen Rechtsverband austreten, sondern ringt mit ihm um den Anspruch, das wahre Gottesvolk zu sein (Mt 23, 1 ff.). Diese Bindung an Israel führt Matthäus nicht zur Beschränkung der Kirche auf Judenchristen, im Gegenteil: Die Aufgabe Israels war immer eine universale. Gerade daraus leitet Matthäus den Gedanken der Kirche aus allen Völkern ab (*Trilling*).

Das theologische Prinzip, das hier wirksam ist, ist das von Verheißung und Erfüllung. Es durchzieht das ganze Buch, kenntlich in den »Reflexionszitaten«. Das heilsgeschichtlich bestimmte Dasein Jesu in Niedrigkeit und Verfolgung ist das Vorbild für das heutige Verhältnis der Kirche zum Judentum. So ergibt sich aus der Erfüllung der Verheißung die schärfste Antithese zu dem Israel, das sich der Glaubensbotschaft versagt, zu dem Israel, das mit seiner Gerechtigkeit selig werden will: 5, 17—20[11]. Matthäus benützt ein Logion aus Q (Lk 16, 17) vom Bleiben des Gesetzes. Daraus gestaltet er eine grundsätzliche Aussage über Gesetz, Gerechtigkeit und Heils-

---

10 G. Bornkamm, Der Auferstandene und der Irdische. Mt 28, 16—20, Zeit u. Geschichte (Festschr. Bultmann), 1964, 171—191.
11 E. Schweizer, Matth. 5, 17—20, ThLZ 77, 1952, 479—484 (= Neotestamentica, 1963, 399—406); G. Barth, a. a. O. 60—68; W. Trilling, a. a. O. 167—186; G. Strecker, a. a. O. 143—147.

weg: Jesus ist nicht gekommen, aufzulösen, sondern zu erfüllen, d. h. als gültig festzustellen (im Sinne der folgenden »Auslegung«). Damit scheint Jesus in Konkurrenz zu den Rabbinen zu treten, christliche steht gegen rabbinische Gesetzesauslegung. In Wirklichkeit denkt Matthäus aber nicht an ein quantitativ bestimmbares Maß von Ausführungsbestimmungen zum Gesetz. Ihm geht es vielmehr um die Auslegung des Sinnes des Gesetzes im Ganzen durch das Liebesgebot. Dagegen erscheint die jüdische Tradition nicht als Einübung, sondern als Umgehung des Gebots. Ihre Vertreter trennen das Äußere und das Innere. Sie seihen Mücken und schlucken Kamele. Sie sind Heuchler und führen in die Irre; sie verschließen das Himmelreich. Bergpredigt und Pharisäerrede (Mt 23) illustrieren, wie sie das Gebot durch ihre Satzungen zunichte machen. Ihr Verhalten dient ihrer Selbstbehauptung. Darum verfolgen sie die Gläubigen und dokumentieren damit, daß Israel sein Wesen als Gottesvolk verloren hat. So ist die Kirche, weil sie das wahre Israel ist, dem Leiden ausgeliefert. In der Verfolgung gewinnt das Gebot der Feindesliebe seinen konkreten Sinn (5, 44).
In der Nachfolge Israels gestaltet die Kirche ihre innere Ordnung als die eschatologische Bruderschaft, die sich von der jüdischen Form der Synagoge bewußt abhebt (Mt 23, 8—12).
Damit haben wir die Faktoren des Kirchengedankens genannt: Israel, das Gesetz, eine bestimmte Christologie, die Eschatologie, welche bei Matthäus eine neue Intensivierung erfährt. Das Verhältnis zu den Juden einerseits, die Notwendigkeit, sich auf längere Sicht in der Welt einzurichten, andererseits führen zur Aufstellung von Ordnungen der Lehre wie der Disziplin (Mt 18).
Markus eröffnet (nach Taufe und Versuchung) Jesu Auftreten mit einer Reihe von Wundern (Mk 1 und 2). Matthäus dagegen stellt die große Lehrrede (Mt 5—7) an den Anfang und läßt die Wunder erst darauf folgen (Mt 8—9). Durch diesen Umbau rücken die Wunder in eine andere Beleuchtung: Sie stützen die Lehre; diese aber bildet den hauptsächlichen Inhalt.
Matthäus hebt die öffentliche Lehre Jesu von der besonderen Unterweisung für die Jünger ab. Diese Esoterik hat er nicht erfunden. Sie findet sich schon bei Markus (Entschlüsselung der Gleichnisse Mk 4, 10—12; eschatologische Rede Mk 13). Aber Matthäus führt weit über die früheren Ansätze hinaus. Esoterik ist an sich Kennzeichen einer Sekte. Aber, obwohl es bei Matthäus esoterische Lehre gibt, kennt er — im Gegensatz zur Sekte — keine Vorschriften über ihre

Geheimhaltung. Die besondere Belehrung der Jünger soll der Gemeinde nur zeigen, woher diese ihre öffentliche Verkündigung haben; vgl. 10, 26 f. Die Esoterik ist also an die Zeit vor Ostern gebunden. Von da an gilt die Öffentlichkeit.

Auch die Lehre vom Weltende ist nicht geheim. Die Frage ist nur, ob sie gehört und verstanden wird. Die apokalyptischen Züge sind bei Matthäus stärker als bei Jesus. Aber es besteht ein Gegengewicht gegen Spekulationen: Wo Matthäus sein Gerichtsgemälde entwirft (Mt 25), da ist dieses nicht Selbstzweck. Man erfährt vom Gericht nur das eine, das man wissen muß, um in ihm zu bestehen: daß ausschließlich nach den Werken gerichtet wird.

Das Gericht nach den Werken ist der Maßstab im ganzen Neuen Testament, auch bei Paulus. Das ist nur dann erstaunlich, wenn man von einem verengten Begriff der Rechtfertigung ausgeht. Bei Paulus und Matthäus zeigt sich der kritische Sinn dieses Grundsatzes: das Ende aller menschlichen Sicherung. Dem Juden nützt sein Jude-Sein nichts, dem Christen sein Christ-Sein nichts. Der Gedanke des Gerichts allein nach den Werken entspricht der Universalität des Heilsangebots. Er verhindert das Rechnen mit Verdiensten. Die Antithesen der Bergpredigt mit ihrer Radikalität und die Forderung der Vollkommenheit lassen dafür keinen Raum. Beim Gericht (Mt 25, 31 ff.) wissen die Erwählten vorher gar nicht, was sie geleistet haben. Vgl. weiter die Betonung der Nachfolge, Niedrigkeit. Die Nachfolge ist nicht der Weg zur Vollkommenheit, sondern die geforderte Vollkommenheit selber[12].

Von einer apokalyptischen Sekte unterscheidet sich die Kirche auch dadurch, daß sie sich nicht von der Welt isoliert. Die Welt wird nicht verteufelt, sondern als Reich Christi reklamiert (13, 37 ff.). Daher vollzieht die Kirche die eschatologische Scheidung von Gerechten und Ungerechten nicht schon in der Welt. Die Scheidung ist Gott vorbehalten; sie liegt in der Zukunft (13, 24 ff.)[13].

Es ist aufschlußreich, wie Matthäus jede seiner Lehrreden in einen eschatologischen Ausblick münden läßt[14]. Er führt jeweils vom Kirchengedanken an diesen heran: Die Kirche ist in der Welt bedroht durch Verfolgung von außen und durch Irrlehre im Innern. Die Warnung davor gehört in diesen Reden ebenfalls zu den festen Topoi, die dem eschatologischen Ausblick vorausgehen. Es entspricht diesem Kirchengedanken, daß zwar die Jünger über die

---

[12] G. Barth, a. a. O. 88 ff., spez. 94.
[13] Das Gleichnis vom Unkraut unter dem Weizen kann zu einer Abgrenzung sowohl gegen die Auffassung von der Kirche als einem corpus mixtum als auch gegen die Idee einer ecclesia invisibilis verhelfen.
[14] G. Bornkamm, Enderwartung und Kirche im Matthäusevangelium, in: Bornkamm-Barth-Held, 13—47.

Gebote unterrichtet werden und eine Kirchenordnung entsteht, daß aber beides, Gesetz und Kirchenordnung, nicht zur Formierung der Kirche nach Art einer Sekte führt. Das Gesetz wird nicht als Ordensregel verstanden, durch die sich die Erwählten in sich selbst einschließen, indem sie sich eine Sonderlebensordnung geben. Was geboten ist, gilt für jedermann.

Man kann die Gesetzeslehre des Matthäus nicht einfach an Paulus messen und erklären, Matthäus vertrete das Gesetz.

Dieser Tendenz erliegt *Strecker:* Nicht die Darbietung des Heils (der Indikativ) sei die Voraussetzung des ethischen Imperativs, sondern umgekehrt bilde die ethische Forderung den Anfang, und die Sündenvergebung sei der Zielpunkt. Damit ist die Situation verkannt, in der Matthäus schreibt: a) Er schreibt nach Ostern, d. h. das Dasein der Kirche, der Taufe, der Vergebung der Sünden ist die Voraussetzung seines theologischen Denkens. Wenn *Strecker* zur Begründung seiner Matthäus-Deutung auf das Vaterunser hinweist: »Und vergib uns unsre Schuld, wie wir vergeben unsern Schuldigern«, so liegt eine Fehlinterpretation vor. Das ist doch Anrede an Gott im Gebet! Man denke sich einmal die Umkehrung des Satzes: Lieber Gott, vergib du mir zuerst, dann will auch ich vergeben. Nein, sondern ich wende mich an Gott um Vergebung, und die Erklärung über die eigene Vergebungsbereitschaft stellt klar, daß ich mich nicht verhalten kann wie der Schalksknecht. b) Matthäus setzt das Dasein Israels voraus, wo das Gesetz eine selbstverständliche Gegebenheit ist. In dieser Situation hat Matthäus den Glauben kritisch zur Geltung zu bringen: gegen die Verwendung des Gesetzes zur Selbstbehauptung, gegen die Heuchelei, gegen die Kasuistik, die in Wahrheit Umgehung des Willens Gottes bedeutet. Dieser umfassende Protest gegen die Gesetzlichkeit bestimmt die äußere Polemik gegen die Juden und das innere Leben der Gemeinde. Wie nach außen das Liebesgebot ohne Einschränkung gilt, so ist in der Gemeinde das Ärgernis an den »Kleinen« zu vermeiden. So ist das einzige legitime Amt das Lehramt.

Die Gemeindeversammlung hat die Macht, zu binden und zu lösen, d. h. die Lehr- und Disziplinargewalt. Ihre Entscheidungen werden im Himmel gelten[15]. Es ist klar, daß dies keine Lehr- und Disziplinargewalt im Sinne des katholischen Kirchenbegriffs ist. Sie ist an keine bestimmte Instanz unwiderruflich delegiert; die Kirche ist nicht Zwischeninstanz mit eigener heilsvermittelnder Kraft. Ihre scheidende Gewalt wird im Ausrichten des Wortes vollzogen, das Scheidung von Lehre und Irrlehre, von Ordnung und Unordnung in der Kirche bewirkt.

Es ist nicht zu bestreiten, daß von Matthäus aus der Weg in einen neuen Nomismus führen kann. Das geschieht, sobald seine Gedanken aus ihrem geschichtlichen Zusammenhang gelöst und als

---

[15] Diese Gewalt ist nach Mt 16 dem Petrus übergeben, nach Mt 18 der Gemeinde.

abstrakte Lehre über den Heilsweg aufgefaßt werden[16]. Auch bei Matthäus herrscht die Dialektik von Zukunft und Gegenwart, die sich konkretisiert im Imperativ, der aus dem Indikativ der Heilszusage folgt. Hinsichtlich des systematischen Ortes entsprechen sich nicht Gerechtigkeit bei Paulus und Gerechtigkeit bei Matthäus, sondern Gerechtigkeit bei Paulus und Reich Gottes bei Matthäus.

III. Lukas

PH. VIELHAUER, Zum »Paulinismus« der Apostelgeschichte, EvTh 10, 1950/1, 1—15 (= Aufs. z. NT, ThB 31, 1965, 9—27) — H. CONZELMANN, Die Mitte der Zeit, BHTh 17, ⁵1964 — E. LOHSE, Lukas als Theologe der Heilsgeschichte, EvTh 14, 1954, 256—175 — U. LUCK, Kerygma, Tradition und Geschichte Jesu bei Lukas, ZThK 57, 1960, 51—66 — J. C. O'NEILL, The Theology of Acts in its Historical Setting, 1961 — U. WILCKENS, Die Missionsreden der Apostelgeschichte, WMANT 5, 1961 — H.-W. BARTSCH, Wachet aber zu jeder Zeit!, 1963 — W. C. ROBINSON, Der Weg des Herrn, ThF 36, 1964 — H. FLENDER, Heil und Geschichte in der Theologie des Lukas, Bh EvTh 41, 1965 — W. OTT, Gebet und Heil, StANT 12, 1965 — G. Voss, Die Christologie der lukanischen Schriften in Grundzügen, Studia Neotest., hg. v. A. DESCAMPS u. B. RIGAUX, Studia II, 1965 — S. SCHULZ, a.a.O. 235 ff.

Die Theologie des Lukas stellt einen durchschnittlichen Typ dar.

Man charakterisiert sein Denken gern als »frühkatholisch«. In der Tat ist der Traditionsgedanke verfestigt. Er wird gesichert durch den Apostelbegriff, der auf die Zwölf eingeschränkt ist. Die Kirche blickt nicht mehr auf das nahe Ende, sondern stellt sich auf die Welt ein. Aber jene Charakteristik trifft sachlich nicht zu. Nicht schon das Vorhandensein des Traditionsgedankens bedeutet Frühkatholizismus. Ein Traditionsgedanke ist von Anfang an da. Er ist mit dem Bezug des Glaubens auf die geschichtliche Offenbarung, mit dem Credo selbst gesetzt. »Katholisch« wird er erst, wenn die Tradition institutionell, durch Lehramt und kirchenrechtliche Ordnungen, vor allem durch Amtssukzession gesichert wird; wenn der Geist und das Sakrament an die Institution gebunden werden; wenn sich die Kirche also zur rechtlich verfaßten Heilsanstalt macht. Lukas kennt das Apostelamt, aber keinen Sukzessionsgedanken; kennt die Tradition, aber keine rechtliche Organisation der Weitergabe.

---

[16] Der genaue kirchengeschichtliche Standort und die Frontstellung des Matthäus-Evangeliums sind umstritten. Strecker: Es ist heidenchristlich. Bornkamm, in: Zeit u. Geschichte, 171 ff.: Es verbindet Gesetz und Christologie zur Korrektur eines hellenistischen Christentums. Vgl. G. Barth, a. a. O. 60 ff. 143 ff. Dagegen wendet W. G. Kümmel, Einleitung in das NT, ¹³1964, 69, ein, es finde sich keine Polemik gegen Antinomismus. Hummel: Es ist judenchristlich. Trilling: Eine judenchristliche Schicht wurde durch die Endredaktion heidenchristlich überarbeitet.

Auch die zweifellos zu beobachtende Entspannung der Eschatologie erweist sich als positives Ergebnis theologischer Reflexion. Lukas hat begriffen, daß Naherwartung nicht tradiert werden kann. Daß er bewußt arbeitet, zeigt sich daran, daß die Naherwartung nicht einfach verschwindet, sondern durch ein Bild der Heilsgeschichte ersetzt wird. Vgl. das Programm Lk 1, 1—4[17].

Die »innere« Darstellung des Lebens Jesu und seine »äußere« Einfügung in einen heilsgeschichtlichen Rahmen, in der Mitte der Heilsgeschichte, entsprechen sich[18]. In diesem Zusammenspiel dokumentiert sich das einheitliche Verständnis von Eschatologie und Geschichte.

Heilsgeschichte und heilsgeschichtliche Abläufe kennt die Theologie von Anfang an. Das ist jüdisches Erbe: Die Kirche ist das wahre Israel (Paulus: Röm 9—11). Ihr Ort ist heilsgeschichtlich bestimmt durch ihre Stellung zwischen Auferstehung und Parusie. Aber es kommt darauf an, wie sie diese Zwischenzeit bzw. sich selbst in dieser Zwischenzeit versteht.

Paulus: Wir sind gerechtfertigt, neue Kreatur. Der Geist ist uns geschenkt als Angeld. Wir leben im Fleisch, aber nicht mehr κατὰ σάρκα, sondern κατὰ πνεῦμα; wir leben in Christus und Christus in uns. Das Ende der Welt dokumentiert sich als Freiheit von Sünde und Tod, als Freiheit durch die Gerechtsprechung, die wir durch den Glauben gewinnen.

Auch für Lukas' heilsgeschichtliche Konzeption sind die Bausteine: Israel, die Kirche als Kirche zwischen Auferstehung und Parusie. Aber der Horizont ist ein anderer. Die Kirche versteht sich nicht mehr als unmittelbar vor dem Weltende befindlich; die neue Welt liegt in weiterer Distanz. Daher muß man sich auf die lange Zeit bis zum Eintreffen des Endes einstellen. Mit seinem Geschichtsbild verhütet Lukas, daß diese Einstellung in erster Linie eine negative, Resignation, wird. Der Zeitraum bis zur Parusie ist als Zeit der Kirche in Gottes Heilsplan eingebaut. Lukas betont nicht, daß das Reich nahe sei, sondern daß es überzeitlich, jenseits schon existiert und daß es gewiß kommen wird. Wann, wissen wir nicht. Auch das wird ins Positive gewendet: Wir sollen es nicht wissen und — überbietend: wir brauchen es nicht zu wissen. Denn es steht fest, daß das Reich kommt; und es ist bekannt, was es ist.

Lukas verklammert den geschichtlichen Ausblick auf die Parusie mit dem Rückblick auf Jesus. Durch diesen Rückblick gewinnen wir

---

[17] G. Klein, Lukas 1, 1—4 als theologisches Programm, Zeit u. Geschichte (Festschr. Bultmann), 1964, 193—216.
[18] Diese Mitte darf nicht chronologisch berechnet werden.

die Gewißheit: Jesus hat dieses Reich angekündigt; die Wahrheit ist durch ihn selber verbürgt, durch seine Wunder, seine Auferstehung und Himmelfahrt, die Sendung des Geistes. Auch, was das Reich ist, läßt sich an der Person Jesu ablesen. Darum wird das geschichtliche Auftreten Jesu von Lukas zum Bilde des Heilszustands gestaltet. Wir haben also eine doppelte Vergewisserung: die mittelbare durch das Bild Jesu und die unmittelbare durch das Walten des Geistes.

Ist der Geist bei Paulus Zeichen des Endes, so ist er bei Lukas der Ersatz für die Heilszeit, geschenkt für die Zeit zwischen Auferstehung und Parusie. Er ist das Zeichen der dritten Epoche der Heilsgeschichte. Gemeinsam ist beiden die Anschauung, daß der Geist die Kraft gibt, in Verfolgung zu bestehen.

Das Wirken des Geistes in den drei Epochen der Heilsgeschichte wird verschieden charakterisiert[19]: a) In Israel bewirkte er einzelne Inspirationen. b) Zur Zeit Jesu ist Jesus der einzige Geistträger. c) In der Zeit der Kirche schenkt Gott den Geist allen Gläubigen, aber in qualitativ anderer Weise, als er Jesus gegeben war. Jesus verfügte über den Geist; die Gläubigen werden vom Geist geführt.

Die Kontinuität der Heilsgeschichte zeigt sich am Gesetz: Die erste Epoche ist die Zeit des Gesetzes und der Propheten. Dann entfaltet Jesus das Gesetz durch seine Bußpredigt und seine Gebote. Für die Kirche bleiben diese in Kraft; aber jetzt ist ihr zusätzlich die Predigt vom Reiche Gottes geschenkt (Lk 16, 16), dazu der Geist.

Diese Geschichtsauffassung bestimmt die gesamte Begriffs- und Gedankenbildung des Lukas. Die Erwählung ist auf das Kollektiv, die Kirche, bezogen. Das Bild Jesu ist diesem Rahmen angepaßt. Die Zeit Jesu wird jetzt zur Epoche gedehnt. Die Vorstellung ist nicht mehr, wie bei Markus, punktuell, sondern gewinnt zeitliche Dimension. Die Konfrontation von Galiläa und Jerusalem wird durch das Nachzeichnen des Weges Jesu[20] in drei Etappen ersetzt. Diesen entsprechen drei Stufen des Selbstbewußtseins Jesu: Messiasbewußtsein, Leidensbewußtsein, Königsbewußtsein. Innerhalb dieses Zeitraums ist die Zeit zwischen Versuchung und Passion herausgehoben: Der Satan ist vertrieben (vgl. 4, 13 mit 22, 3); das Heil kann sich rein darstellen.

Das Bild Jesu ist nicht als zeitloses, ideales Vorbild gestaltet. Jesus kann gar nicht imitiert werden. Sein Werk ist geschichtlich einmalig. Nach seinem Entschwinden herrschen für die Kirche neue Bedingungen in der Welt (22, 35 f.). Das heilsgeschichtliche Bild des Lukas

---

[19] H. v. Baer, Der Heilige Geist in den Lukasschriften, BWANT III 3, 1926.
[20] Zu diesem Begriff s. W. C. Robinson a. a. O.; er bestreitet aber die Möglichkeit, drei Stadien im Selbstbewußtsein Jesu zu unterscheiden (S. 24 ff.).

bestimmt auch sein Verständnis der Kirche. Sie ist das wahre Israel. Das dokumentiert sich darin, daß der Auferstandene in Jerusalem erscheint und die Apostel vorläufig an diese Stadt bindet. Hier wird der Geist ausgegossen. Auf Jerusalem ist auch die heidenchristliche Kirche bezogen (Apostelkonzil; Entsendung des Paulus Apg 22, 17 ff.; Reisen des Paulus nach Jerusalem). Die Mission richtet sich immer wieder zuerst an die Juden; erst, nachdem diese das Heil von sich gestoßen haben, wendet sie sich an die Heiden (Schluß der Apostelgeschichte).

DRITTER HAUPTTEIL

Die Theologie des Paulus

A. Theologische Methode und Grundbegriffe

§ 18 PROBLEME DER FORSCHUNG

Literatur bei Bultmann, NT 187 — G. BORNKAMM, Paulus, RGG³ V 166—190 — Erste Einführung: M. DIBELIUS — W. G. KÜMMEL, Paulus, SG 1160, ³1964 — Littérature et théologie pauliniennes, (Sammelband) hg. v. A. DESCAMPS u. a., Rech Bibl 5, 1960 — B. RIGAUX, Paulus und seine Briefe, 1964

I. Die Quellen

Als Quellen können nur die eigenen Briefe des Paulus gelten (nicht die Apostelgeschichte; ihr Bild der Theologie des Paulus ist nicht authentisch). Aus methodischen Gründen sind nur die unumstritten echten Briefe zu verwenden: Römer-, 1. und 2. Korinther-, Galater-, Philipper-, 1. Thessalonicher-, Philemonbrief.

Meistens werden auch Kolosser- und 2. Thessalonicherbrief als echt anerkannt; stärker umstritten ist der Epheserbrief. Für unecht hält man in der Regel die Pastoralbriefe. Alle diese Briefe zeigen Gedanken der echten Paulinen in spezifischer Umformung und nehmen daher eine Sonderstellung ein. Aus Gründen der Exaktheit sind sie daher zunächst auszuklammern.

II. Die Fragestellung

Es wäre ein Trugschluß, wollte man die Theologie des Paulus psychologisch aus seiner Persönlichkeit erklären. Denn seine Persönlichkeit liegt uns nirgends anders vor als in seinem Werk. Eine ältere Phase der Forschung fragte nach der »Religion« hinter seiner »Theologie«. Aber im Sinne des Paulus ist die Theologie nicht der Vordergrund, sondern die Darstellung der Sache selbst.

III. Zur Geschichte der Paulusforschung

A. SCHWEITZER, Geschichte der Paulinischen Forschung, 1911 — R. BULTMANN, Zur Geschichte der Paulus-Forschung, ThR NF 1, 1929, 26—59 — W. G. KÜMMEL, Das NT, Geschichte der Erforschung seiner Probleme, 1958 — Das Paulusbild in der neueren deutschen Forschung, hg. v. K. H. RENGSTORF, 1964

Diese spiegelt die Phasen der neueren Theologiegeschichte wieder. In ihrem Verlauf treten die Sachprobleme in einer der Sache selbst entsprechenden Folgerichtigkeit auf.

Seit der Reformation ist man überzeugt, daß die Lehre von der Rechtfertigung allein durch den Glauben das Zentrum der neutestamentlichen Lehre und also auch der Theologie des Paulus bilde. Freilich tritt in der auf Luther folgenden Orthodoxie eine Verschiebung im Verständnis der Rechtfertigung ein. *Luther:* Gott erklärt den Sünder für gerecht. Damit ist der Mensch gerecht, und er wird Gott gerecht, indem er dessen gerechtmachendes Wort glaubt — gegen den Augenschein. Die Aufmerksamkeit des Hörers der Botschaft ist nicht auf den eigenen Zustand gerichtet — empirisch ist er nach wie vor Sünder, sondern darauf, was Gott ihm als gültig über ihn mitteilt: daß er ein Gerechter ist. Seine Gerechtigkeit ist zugesprochene, fremde Gerechtigkeit. Der Gerechtfertigte kann sie daher nicht zu seinen eigenen Gunsten ausspielen, sich nicht als den Gerechten etablieren, sondern nur glauben. Luther hat den forensischen Sinn des paulinischen Begriffs δικαιοσύνη erkannt und gesehen, daß in der Rechtfertigung ein Urteil über das gesamte Sein des Menschen ergeht. In der *Orthodoxie* tritt eine Verengung ein. Der forensische Sinn wird zwar festgehalten, aber anders verstanden: Ich bin Sünder; aber Gott sieht mich auf Grund des Heilswerkes Christi so an, als ob ich gerecht wäre. Hier wird aus der Übermittlung der Gerechtigkeit im rechtfertigenden Wort die Theorie der „Imputation". Die Rechtfertigung ist also jetzt vorwiegend negativ verstanden. Der äußere Akt der Rechtfertigung und die innere Wirkung Gottes werden unterschieden. Die Rechtfertigung ist nicht mehr das Ganze der Heilswirkung. Sie muß ergänzt werden durch die Heiligung.

Die *moderne Forschung* entdeckte erstens, daß die Rechtfertigungslehre durchaus nicht das ganze Neue Testament beherrscht; zweitens den Dissensus zwischen Paulus und Jesus; drittens wird ihr fraglich, ob selbst bei Paulus die Rechtfertigungslehre das sachliche Zentrum bildet.

Der Bahnbrecher der modernen Forschung ist *Ferdinand Christian Baur.* Er interpretiert Paulus mit den Grundbegriffen *Hegels:* Zum Geist steht in Antithese das Fleisch; die Antithsese wird aufgehoben in der »Versöhnung«. Die Gerechtigkeit wird bestimmt als das adäquate Verhältnis zu Gott[1]. Damit ist der Forschung das Problem der antithetischen Begrifflichkeit gestellt: Gerechtigkeit — Sünde, Leben — Tod, Freiheit — Knechtschaft, Geist — Fleisch usw. In der Zeit nach *Baur* versucht man, die Begrifflichkeit näher

---

[1] P. Stuhlmacher, Gerechtigkeit Gottes bei Paulus, FRLANT 87, 1965, 29 ff.

zu bestimmen, und entdeckt, daß sie nicht homogen ist. Neben einer »juridischen« Begriffsgruppe: Gesetz, Gerechtigkeit, Sünde usw. stehen ganz andersartige Termini: Geist und Fleisch, Leben und Tod. Man kommt zu dem Ergebnis: Bei Paulus finden sich zwei verschiedene Erlösungslehren nebeneinander: 1. die juristische: Die Menschen erfüllen das Gesetz nicht; sie sind Sünder. Aber Gott rechnet ihnen die Heilstat Christi an, durch die sie losgekauft werden. Die Frage ist, ob von dieser Erlösungstheorie aus eine Darstellung des religiösen und sittlichen Lebens möglich ist. 2. Das Wesen der zweiten Erlösungslehre ist stärker umstritten. Manche charakterisieren sie geradezu als physisch: Der Mensch lebt im Fleisch, er wird erlöst durch die Ausgießung des Geistes; andere als physisch-ethisch: Paulus spreche vom Wandel im Geiste. Manche kennzeichnen sie als mystisch (Sein in Christus) oder als mystisch-ethisch. In diesem Gedankenkreis wird das neue Leben der Erlösten dargestellt. Aber worin besteht hier die Verbindung mit dem vergangenen Christus und dem Heilswerk? Die Forschung geriet in eine Sackgasse. Die Begrifflichkeit, mit der man Paulus erklären will, wird selber nicht geklärt. Was heißt den z. B. »physisch-ethisch«?! Immerhin ergab sich als positiver Ertrag eine Förderung der Beobachtungen auf den verschiedenen Gebieten, vor allem der Anthropologie und Eschatologie.

Der nächste Schritt der Forschung war die Frage, woher Paulus seine Begriffe hat. Das erforschte planmäßig die *Religionsgeschichtliche Schule*. Bisher hatte man z. B. den paulinischen Dualismus mit Plato in Beziehung gesetzt. Jetzt erkennt man den Stilwandel der Philosophie und Religion im Zeitalter des Hellenismus. Als notwendige Zwischenglieder erforscht man jetzt einerseits den Hellenismus, vor allem seinen Pneumatismus *(Gunkel, Weinel)*, andererseits das Judentum, vor allem seine Apokalyptik. Seither lassen sich zwei Typen der Paulusdeutung unterscheiden, der »hellenistische« *(Reitzenstein, Bousset)* und der »judaistische« (in verschiedenen Ausprägungen; z. B. *A. Schweitzer*). Den »Hellenisten« gilt Paulus als Pneumatiker (2 Kor 3, 17), Mystiker, Gnostiker. Er wird modernem Empfinden fremd. Seine Bedeutung wird darin gesehen, daß er ein Typ des homo religiosus ist, der die Mystik des hellenistischen (vorpaulinischen) Christentums »in der Glut des Erlebens zu individueller Mystik umgestaltete, ethisierte und aus dem Kult in das gesamte persönliche Leben überführte« *(Bousset,* Kyrios 107). Dagegen wendet *Wrede* ein, Paulus sei wesentlich Theologe. Seine Religion könne nicht von seiner Theologie gelöst werden (was *Wrede* selber bedauert).

In scharfer Antithese zur »hellenistischen« Deutung leitet *A. Schweitzer* das Denken des Paulus ausschließlich aus der jüdischen Apokalyptik ab[2]. Paulus sei nicht übersprudelnder Enthusiast, sondern konsequenter Denker, zwar Mystiker, aber Mystiker des Denkens. Die Probleme seien ihm durch die Apokalyptik vorgeschrieben, durch die Notwendigkeit, das Auftreten Jesu in den Rahmen des apokalyptischen Geschichtsabrisses einzuzeichnen: Was bedeutet es, daß der Messias bereits da war, ohne daß die Welt sichtbar verwandelt wurde? Paulus löse das Problem durch den Entwurf seiner Mystik: Die Kräfte des neuen Äons sind in den Gläubigen bereits wirksam. Von den drei Erlösungslehren, die bei Paulus nebeneinander zu finden seien, der eschatologischen, der juridischen und der mystischen, sei die mystische die eigentlich paulinische. Die Rechtfertigungslehre, nur fragmentarisch ausgearbeitet, stelle lediglich einen »Nebenkrater« dar. Die Mystik dagegen umfasse nicht nur das subjektive Heil, sondern ein geschichtlich-kosmisches Geschehen: Sie sei eine »objektive Mystik der Tatsachen« (Mystik 100).

Zur Kritik: Es ist verdienstlich, daß *Schweitzer* mit Energie nach der Einheit des Denkens des Paulus fragt und, ohne auf die Brauchbarkeit seiner Gedanken für die Gegenwart zu achten, deren geschichtliche Gestalt zu erklären sucht. Aber die Bestreitung hellenistischer Elemente ist gewalttätig. Nicht aus dem Judentum abgeleitet werden können: Sakramentslehre, Kyrioschristologie, Pneumatismus. Die Rechtfertigungslehre wird nicht durch exegetische Argumentation an den Rand gedrängt, sondern auf Grund der Theologie des Exegeten. *Schweitzer* mißversteht außerdem diese Lehre, da er den Unterschied zur urchristlichen Lehre von der Vergebung der Sünden übersieht. Gewaltsam in den Text eingelesen ist die Lehre von der doppelten Auferstehung und vom feststehenden numerus praedestinatorum.

Der Ertrag der Religionsgeschichtlichen Schule liegt in der Aufhellung der religionsgeschichtlichen Zusammenhänge und des Sinns von Begriffen und Gedanken, ferner in der Erkenntnis der Bedeutung der Eschatologie. Aber historische Ableitung ist ja noch kein wirkliches Verstehen. Die Frage blieb offen: Was sagt nun Paulus? Wie verhalten sich seine verschiedenen Gedanken zueinander? Wohin zielt er? Was bedeutet es z. B., daß er den Herrn und den Geist gleichsetzt? Diese Fragen warf *Karl Barth* auf. Er bestritt nicht die Ergebnisse der religionsgeschichtlichen Forschung, fragte aber durch die historischen Erkenntnisse hindurch nach der Bot-

---

[2] »Konsequente Eschatologie« auch hier!

schaft des Paulus. Er fragt nicht nur nach dessen Meinung über Gott und Welt, sondern danach, wie Gott und Welt, Christus und Glaube miteinander ins Spiel kommen. Exegese ist nun untrennbar verbunden mit der Frage nach der Autorität der Aussagen des Paulus, einer Autorität, die sich an der vorgetragenen Sache selbst auszuweisen hat.

Paul Wernle stellte gegen *Barth* zusammen, was bei Paulus zeitbedingt, also unerklärbar, also unerledigt sei: die Geringschätzung des historischen Jesus, die Lehre von Christus als Gottes Sohn, die Lehre von der Versöhnung durch das Blut Christi, die Gegenüberstellung von Christus und Adam, der Schriftbeweis, der Taufsakramentalismus, die doppelte Prädestination, die Stellung zur Obrigkeit. Dazu vermerkt *Barth* (Der Römerbrief, Vorw. z. 2. Aufl.): »Man stelle sich nun einen Römerbriefkommentar vor, in dem diese kleinen acht Punkte unerklärt, d. h. als ›ungemütliche Punkte‹ erklärt unter einem Rankenwerk von zeitgeschichtlichen Parallelen ›übrig bleiben‹!«

Etwa gleichzeitig behauptet *Karl Holl*, von der Lutherforschung herkommend, daß die Rechtfertigungslehre das Zentrum der Theologie des Paulus sei. Nahe bei *Karl Barth* steht *Bultmann*, der seine Paulusdarstellung vom *Glaubensbegriff* her aufbaut. Die Rechtfertigungslehre wird nicht als ein Dogma unter Dogmen aufgefaßt, auch nicht als das paulinische Zentraldogma, sondern als Auslegung des Menschen. *Bultmann* fragt nicht nur nach der Lehre oder den Lehren des Paulus, sondern danach, wie die Lehre den Menschen auslegt. Er stellt programmatisch die Theologie des Paulus als Anthropologie dar und kann so ein bestechend geschlossenes Bild entwerfen, in dem historische Analyse und Ausarbeitung der systematischen Bedeutung eine Einheit bilden.

Er baut seine Darstellung zweiteilig auf:
A. Der Mensch vor der Offenbarung der πίστις;
B. Der Mensch unter der πίστις.
Das sieht wie ein pietistisches Schema aus. Aber für *Bultmann* ist der Glaube und damit der Gläubige kein anschaubares Phänomen. Er beschreibt den Ungläubigen und den Gläubigen nicht psychologisch, sondern — in Übereinstimmung mit Paulus — die vorgläubige und die gläubige Existenz, so wie sie objektiv, durch die Offenbarung, enthüllt ist. Die gedankliche Explikation des Sichverstehens im Glauben meint nicht eine Selbstdurchleuchtung des frommen Subjekts, Betrachtung des eigenen religiösen Standes, sondern im Gegenteil das Begreifen des Kerygmas als meiner Bestimmung. Der Glaube ist nicht subjektive Befindlichkeit. Er ist nichts anderes als die Annahme der von außen kommenden Botschaft. Die Theologie ist Anthropologie, da diese Botschaft nicht über dieses und jenes, über Gott, Welt und Menschen redet, sondern mich betrifft. Entsprechend wird das ungläubige Dasein verstanden: Der Glaube durchschaut die Vergangenheit. Er erschließt mir, was ich war, nämlich Sünder.
Wie ist die Wahrheit dieser Botschaft zu zeigen? Sie wird ausschließlich durch sie selbst einsichtig, dadurch, daß ich mich selber durch sie kennenlerne. Das Programm heißt: »Glauben und Verstehen«. Der Glaube bewirkt keine ontolo-

gische Verwandlung. Die ontologischen Strukturen sind neutral und für das vorgläubige und gläubige Dasein identisch. Diese Neutralität ergibt sich aus dem Wesen des Glaubens. Sie ermöglicht *Bultmann* die Verwendung der Existenzanalyse *Heideggers*.

Fragen an *Bultmann:* 1. Sind die Akzente richtig gesetzt? Gewinnt nicht der Mensch vor der Offenbarung eine Bedeutung, die er bei Paulus nicht hat? Zum ausdrücklichen Thema wird er nur zweimal, allerdings an Kernstellen: Röm 7 und Phil 3. Besteht nicht die Gefahr, daß *Bultmanns* Beschreibung so objektivierende Darstellung verstanden wird, so daß doch wieder der Mensch statt des Glaubens Gegenstand der Theologie ist? 2. Die zeitgeschichtliche Form der paulinischen Gedanken kommt zu kurz. *Bultmann* gibt ein sozusagen chemisch gereinigtes Destillat. <u>Zu kurz kommen</u>: die Sakramente, die Vorstellung von Parusie und Weltende, die Thematik von Altem Testament, Israel und Heilsgeschichte, die Prädestination.

Seither erschien die Gesamtdarstellung von *H. J. Schoeps*[3]. Sie bedeutet kaum einen Fortschritt der Forschung, muß aber zur Kenntnis genommen werden. Im Gegensatz zu den »Theologen« will *Schoeps* das Rätsel Paulus als unabhängiger Religionshistoriker entschlüsseln: »Von Marcion bis Karl Barth, von Augustin bis Luther, Schweitzer oder Bultmann hat man ihn immer nur mißverstanden oder teilverstanden.« Denn: Er »war eine widersprüchliche Natur«. Und er fiel »in die Hände der Berufstheologen aller Zeiten«. Aber des Rätsels Lösung ist gefunden. Jetzt wird Paulus »lebensgeschichtlich« verstanden. Der tiefste Grund, warum er mißverstanden wurde, ist: Niemand erkannte, daß seine gesamte Theologie selber auf einem ungeheuren Mißverständnis beruht; der Jude Paulus hat nämlich das Judentum in seinem Kern, in seiner Auffassung vom Gesetz, mißverstanden (Man erinnert sich an die Argumentation der katholischen Kontroverstheologie gegen Luther). Paulus wuchs im hellenistischen Judentum auf. Dieses hatte nach *Schoeps* das echte Verständnis des Gesetzes verloren. Ursprünglich war das Gesetz für Israel Zeichen der Erwählung. Aber im hellenistischen Judentum war es legalistisch verbogen worden. Hier bildet sich Paulus seine Auffassung vom Gesetz. Und gegen diesen Legalismus kämpft er nach seiner Bekehrung. Darum wird von seiner Polemik gegen das Gesetz das wahre Judentum überhaupt nicht getroffen. Durch Paulus kommt ein Zerrbild des Judentums zu weltgeschichtlicher Auswirkung.

Dem Kampf des Juden *Schoeps* um die Grundlagen der jüdischen Existenz gebührt Respekt. Aber forschungsgeschichtlich bedeutet sein Buch einen Rückschritt, einen Rückfall in Psychologismus und

---

[3] H.-J. Schoeps, Paulus. Die Theologie des Apostels im Lichte der jüdischen Religionsgeschichte, 1959. Die folgenden Zitate auf S. 1.

kausale Erklärung. *Schoeps* mißt Paulus einseitig an einer bestimmten jüdischen Gesetzesauffassung, der rabbinischen. Sie ist aber nicht die einzige, die es gab. Darüber hinaus ist festzustellen: Welchen speziellen Typ des Judentums Paulus vor Augen hatte, ist angesichts der Radikalität seiner Gesetzeskritik nicht entscheidend. Es geht bei ihm nicht um ein bestimmtes Gesetzesverständnis; Paulus kämpft nicht gegen Gesetzlichkeit, sondern gegen das Gesetz im ganzen. Das Gesetz ist ihm die Verfassung der Welt überhaupt. Der Kampf gilt dem Gesetz in jeder Form, sofern es als Heilsweg dient. Es geht um die absolute Alternative: Heil durch Erfüllung oder allein durch Glauben.

IV. Die theologiegeschichtliche Stellung des Paulus

J. Schniewind, Die Botschaft Jesu und die Theologie des Paulus (1937), in: Nachgel. Reden u. Aufs., 1952, 16—37 — W. G. Kümmel, Jesus und Paulus, ThBl 19, 1940, 211—231 (= Heilsgeschehen und Geschichte, 1965, 81—106) — Ders., Judaica 4, 1948, 1—35 (= Heilsgeschehen 169—191) — Ders., NTS 10, 1963/4, 163—181 (= Heilsgeschehen 439—456) — M. Goguel, De Jésus à l'apôtre Paul, RHPhR 28/9, 1948/9, 1 ff. — E. Jüngel, Paulus und Jesus, 1962

Paulus steht bereits in einer christlichen Tradition und empfängt aus ihr das Material für seine Theologie. Was findet er vor, wie baut er das Vorgefundene aus? Welche Bedeutung diese Frage hat, kann man sich an einem Thema veranschaulichen, das um die Jahrhundertwende geradezu den Brennpunkt der Diskussion um den Wahrheitsanspruch des Christentums bildete: Jesus und Paulus. Lange herrschte die Anschauung: Der Rabbiner Paulus hat die schlichte Lehre Jesu in eine komplizierte Theologie jüdischen Stils verwandelt. Die geschichtliche Person Jesu ignorierte er und ersetzte sie durch eine mythische Figur. Diese Umwandlung ist in der Tat erfolgt. Aber sie ist nicht das Werk des Paulus; sie war bereits vor Paulus' Bekehrung geschehen. Er lernte das Christentum schon als den Glauben an den erhöhten Herrn Jesus kennen. Seine Leistung besteht darin, daß er diesen Glauben theologisch durchdachte. Er erfand nicht die Christologie noch die Sakramentslehre, sondern legte das Vorgegebene aus. Sein Verhältnis zu Jesus kann nur zutreffend dargestellt werden, wenn man die Zwischenglieder zwischen beiden berücksichtigt: die Urgemeinde und die hellenistische Gemeinde, vor allem die letztere. Wo sich bei Paulus jüdische Gedanken finden, sind es überwiegend solche aus dem hellenistischen

Diaspora-Judentum: Gottesgedanke (Röm 1), Grundlegung der Ethik (Röm 2), Methode der Bibelauslegung (1 Kor 10), Benützung der Septuaginta usw. Aus der Herkunft des Paulus aus der hellenistischen Gemeinde wird verständlich, warum er das historische Wirken Jesu ignoriert (Er erwähnt z. B. nichts von den Wundern Jesu; vom synoptischen Stoff hat er nur wenige Worte Jesu). Wesentlich ist ihm an Jesus lediglich das Heilswerk, also Kreuz und Auferstehung. Er hat nicht Jesu Predigt vor Augen, sondern seine heutige Stellung und die Stiftung der Kirche. Damit ist der Glaube an den Erhöhten als der einzige Heilsweg festgestellt, damit ist das Gesetz als Heilsweg erledigt.

Bultmann I 201: »Jesus predigt das Gesetz und die Verheißung, Paulus predigt das Evangelium in seiner Bezogenheit auf das Gesetz, wie denn Gesetz und Evangelium eine Einheit bilden und das Gesetz nur mit der Verheißung, das Evangelium nur mit dem Gesetz richtig verstanden wird.«

Würde man lediglich die Lehre Jesu weitergeben, so würde diese von selbst in ein neues Gesetz verwandelt. Die Frage nach dem historischen Jesus sollte nicht darauf gehen, ob Paulus das irdische Auftreten Jesu berücksichtigt, sondern die theologische Sachfrage stellen, ob im Glauben an Jesus er selber zur Geltung kommt, ob er als das Ende des Gesetzes verstanden ist, ob »Jesus« bedeutet, daß das Heil in der Unmittelbarkeit des Glaubens zu Gott gewonnen wird.

Nachdem die alte, orthodoxe Autorität der Schrift verloren war, bemühte man sich um ihre historische Autorisierung. Aber diese kann doch keine Gewißheit stiften. Paulus behauptet demgegenüber die Unmittelbarkeit des Glaubens zu seinem Gegenstand, zum erhöhten Herrn, der sich heute selber beglaubigt, indem er gepredigt wird. So, nur so, bleibt seine Auferstehung nicht als »historisches Faktum« isoliert. Sie konkretisiert sich in seinem gegenwärtigen Sichbezeugen. Die Predigt von der Versöhnung in Christus ist der heutige Beweis für die Wahrheit des Glaubens an Jesus als den Auferstandenen. Es gibt keinen anderen. Denn anschaulich ist nur das Kreuz. Den Auferstandenen haben wir nur so, daß er als der Gekreuzigte gepredigt wird. Wo man sich der Erscheinung Gottes in Christus direkt bemächtigen will, wo man den Weg einer theologia gloriae, einer Offenbarungsontologie geht, da tritt notwendig an die Stelle des versöhnenden Wortes die Ontologie des versöhnten Menschen, an die Stelle des λόγος τῆς καταλλαγῆς das Bild des historischen oder des mythischen Jesus.

V. Die Bedeutung der Bekehrung des Paulus

R. BULTMANN, Neueste Paulusforschung, ThR NF 6, 1934, 229–246 – W. G. KÜMMEL, Römer 7 und die Bekehrung des Paulus, UNT 17, 1929 – H. G. WOOD, The Conversion of St Paul: its Nature, Antecedents and Consequences, NTS 1,

1954/5, 276–282 — U. WILCKENS, Die Bekehrung des Paulus als religionsgeschichtliches Problem, ZThK 56, 1959, 273–293 — H. GRASS, Ostergeschehen und Osterberichte, ²1962, 207–226

Immer wieder wird versucht, die Theologie des Paulus aus dem Erlebnis seiner Bekehrung, also aus persönlicher Erfahrung abzuleiten. Er erklärt ja selbst, ihm sei sein Evangelium offenbart worden. Aber in welchem Sinn ist das zu verstehen? Darüber bekommen wir nur Auskunft, wenn wir die Frage religionsgeschichtlich stellen, nicht psychologisch. Denn mit »innerer Erfahrung« ist gar nichts erklärt; sie ist ein X, das selbst der Erklärung bedarf. Die versuchten Rekonstruktionen des Bekehrungserlebnisses sind vergeblich, weil die Quellen fehlen. Wie Paulus Visionen hat, ohne persönlichen Gebrauch davon zu machen (2 Kor 12), so spricht er auch nie vom inneren Vorgang seiner Bekehrung, sondern nur von ihrem theologischen Inhalt: dem Auftrag, den Heiden das Evangelium zu predigen. Das schließt die Konsequenz ein, daß das Gesetz als Heilsweg erledigt ist. Welches sind die religionsgeschichtlichen Voraussetzungen, daß Paulus zu dieser theologischen Erkenntnis kam?
Unser Material ist beschränkt. Der dreifache Bericht der Apostelgeschichte scheidet als Quelle aus, da er eine Legende ist. Nicht auszuwerten ist ein weiterer Text, den man lange als authentisches Dokument über die Bekehrung ansah, Röm 7, 7 ff. Hier beschreibt Paulus den Menschen im Widerspruch und läßt seine Darstellung in den Dankruf des Erlösten ausklingen. Aber er schildert hier nicht seine Gefühle vor seiner Bekehrung, sondern wie er sich selber nachträglich durch den Glauben kennenlernt. Erst der Glaube zeigt mir, daß ich ohne den Glauben objektiv in der Verzweiflung war. Wie Paulus Phil 3 sagt, empfand er diese subjektiv-psychologisch überhaupt nicht. Ebenfalls nichts über innere Kämpfe besagt Apg 26, 14, das Wort vom Stachel, gegen den man nicht ausschlagen kann. Einmal handelt es sich nicht um eine eigene Aussage des Paulus. Aber auch von Lukas ist das Wort nicht psychologisch gemeint. Er benutzt eine sprichwörtliche Wendung, die die Unmöglichkeit des Kampfes gegen Gott feststellt. Diesen Sinn hat sie schon bei Euripides.
Die eigenen Äußerungen des Paulus sind knapp: 1. Phil 3, 4—9. Durch seine Bekehrung gibt Paulus nicht eine innere Misere auf, sondern seinen Stolz: »Was mir Gewinn war, achtete ich als Schaden.« Wie kommt er dazu? 2. Darauf antwortet Gal 1, 11 ff.: Paulus

kämpft hier um seine Autorität als Apostel (vgl. dazu 1 Kor 15, 8—11) durch den Nachweis, daß sein Evangelium nicht κατὰ ἄνθρωπον sei. »Als es dem gefiel, der mich von Mutterleibe an ausgesondert hatte, seinen Sohn in mir zu offenbaren, daß ich ihn bei den Heiden predige, da besprach ich mich nicht mit Fleisch und Blut.« Bedeutet das, daß Paulus seine Lehre rein spekulativ ausgedacht hat? Nein! Natürlich hatte Paulus schon vor seiner Bekehrung Kenntnis von der christlichen Lehre. Gerade darum wurde er zum Verfolger. Der äußere Umfang des Glaubenswissens war ja noch gering. Er bestand nur aus wenigen Sätzen. Paulus erklärt ja, daß er die Christen verfolgt aus Eifer für die väterlichen Überlieferungen, also für das Gesetz. Vielfach wird erklärt, Paulus habe am Kreuz Anstoß genommen. Gewiß; aber das begründet noch nicht, daß er die Christen verfolgt, sondern nur, daß er sie verachtet. Paulus muß ein Christentum vor sich gehabt haben, das bereits aus dem Glauben die Freiheit vom Gesetz folgerte. Nun tritt ihm der Herr selber entgegen, während er dieses gesetzesfreie Christentum verfolgt, d. h. der Herr selbst erklärt durch sein bloßes Erscheinen das Ende des Gesetzes als Heilsweg. Damit gilt das »allein aus Glauben«. Die Bekehrung des Paulus bedeutet also sachlich die Entscheidung der Alternative: Heil aus Werken oder allein aus Glauben. Damit aber ist der Weg zu den Heiden nicht nur möglich, sondern geboten. Die universale Herrschaft des Herrn muß universal bekanntgemacht werden. Die psychologische Deutung kann nicht erklären, weshalb Paulus trotz seiner Erkenntnis, daß das Gesetz nicht der von Gott gewollte Weg ins Heil sei, daran festhält, daß es Gottes Wille ist. Die Linie von der Bekehrung zur Theologie des Paulus führt nicht zur Mystik des Seins in Christus, sondern zum Durchdenken der Erwählung, zum »allein aus Gnade« und »allein aus Glauben«, zur Glaubensgerechtigkeit und damit dem Ende der eigenen Gerechtigkeit.

VI. Probleme der Darstellung

Die Schwierigkeit, die Theologie des Paulus darzustellen, ergibt sich zunächst aus dem Quellenbefund. Sie muß aus Gelegenheitsschriften erhoben werden, in denen sie meistens nur indirekt, in der Anwendung auf konkrete Probleme erscheint. Paulus bietet keine systematische Darstellung, weil er bestimmte Gebiete der Lehre einfach voraussetzen kann, z. B. die Lehre von Gott als dem Schöpfer. Immerhin haben wir eine einigermaßen ausführliche, thematisch angelegte Übersicht im Römerbrief, die freilich auch in der Auseinandersetzung entfaltet wird, nämlich mit dem Judentum: die Darstellung der Rechtfertigung aus Glauben. Wir können jedoch bei der Erarbeitung der gesamten paulinischen Theologie nicht einfach den Römerbrief zugrunde legen und gegebenenfalls aus anderen Briefen ergänzen; denn auch der Römerbrief stellt perspektivisch dar. Eine solche Methode ist aber vor allem deshalb unmöglich, weil sie auf eine Schwierigkeit von grundsätzlicher Bedeutung stößt. Daß Paulus nicht systematisch darstellt, ist kein zufälliger, etwa psychologisch erklärbarer Befund, sondern sachbedingt: Seine Theologie ist kein theoretischer Entwurf, sondern kommt immer nur in der Anwendung, im Bezug zur Sprache. Dabei liegt jeweils bei der Erörterung eines einzelnen Themas stets das Gesamtverständnis des Heilsgeschehens im Blickfeld. Wie kann man diesen Bezugscharakter darstellerisch erfassen? Etwa: a) das Heilsgeschehen und sein Bezug auf uns; b) der Bezug des Heilsgeschehens auf uns (oder: das Verhältnis von extra nos und pro nobis), die Einheit von fides quae und fides qua creditur? Wie entgehen wir der Skylla der Objektivierung des Glaubens zu einer Lehre, die geglaubt werden muß, und der Charybdis der Subjektivierung des Glaubens zu einer subjektiven Schau und Selbstbetrachtung? Das Problem wird immerhin übersichtlich, wenn man vom Inhalt ausgeht, der Mitteilung der geschenkten, fremden Gerechtigkeit durch Gott. Diese Mitteilung ist nicht erlebbar, sondern kann nur gehört und geglaubt werden. Theologie ist das Verstehen dieses Vorgangs.

§ 19 DIE ARBEITSWEISE

I. Die Verarbeitung der christlichen Tradition

K. WEGENAST, Das Verständnis der Tradition bei Paulus und in den Deuteropaulinen, WMANT 8, 1962

Bei der Rekonstruktion vorpaulinischer Formeln wurden paulinische Interpretamente sichtbar. Da sie zeigen, in welcher Weise Paulus sich Tradition aneignet, sind sie jetzt genauer zu untersuchen.
Beispiele: 1. *1 Thess 4, 13 ff.:* Paulus ist gefragt, ob auch Verstorbene in das Leben eingehen werden. Er antwortet, indem er zunächst das Credo zitiert: Jesus ist gestorben und auferstanden. Er will nicht beweisen, daß Jesus auferstanden ist, sondern setzt das als »den Glauben« voraus. Dann zitiert er ein Wort des Herrn und schließt ein katechetisches Lehrstück über die letzten Dinge an (5, 1 ff.). Hier führt er die Frage nach dem Termin der Parusie zurück auf die Bestimmung dessen, was wir heute in der Welt sind: Söhne des Tages. Schließlich kehrt er mit 5, 9 f. zum Credo zurück. Durch diese Darstellung macht Paulus klar, daß das Credo erst verstanden ist, wenn der Glaubende begriffen hat, was er unter der Bestimmung des Heilsgeschehens ist. Dann ist die apokalyptische Sorge erledigt, die Frage nach Terminen überholt. Unser physischer Zustand ist für das Heilsgeschehen bedeutungslos, weil unsere Existenz durch Christus bestimmt ist: ἵνα εἴτε γρηγορῶμεν εἴτε καθεύδωμεν ἅμα σὺν αὐτῷ ζήσωμεν. Durch εἴτε — εἴτε ist das weltanschauliche Problem als irrelevant erklärt; vgl. 2 Kor 5, 9 und Phil 1, 21.
2. In *1 Kor 15* herrscht dieselbe Weise der Argumentation. Zuerst wird das Credo zitiert, dann werden die Konsequenzen gezogen: Ist Christus auferstanden, so ist damit unsere Zukunft bestimmt. D. h. die Hoffnung ist christologisch begründet, nicht spekulativ-kosmologisch oder psychologisch.
3. *1 Kor 8, 1—6:* Hier knüpft Paulus an ein korinthisches Schlagwort an: Wir alle haben Erkenntnis. Daraus leiten die Korinther eine bestimmte weltanschauliche Position ab. Paulus kritisiert diese, indem er das Credo gegen sie geltend macht. Er konfrontiert Erkenntnis und Liebe und macht klar, daß gegenständliches Wissen über Gott keine wirkliche Erkenntnis ist. Das Thema Gott ist kein

weltanschauliches. Dasselbe gilt hinsichtlich der heidnischen Götter. Die Frage ist nicht, ob es Götter gibt (so fragen die Korinther); der Streitpunkt betrifft vielmehr den Umgang mit den Göttern als Mächten. Es geht nicht um rationale Bestreitung ihrer Existenz, sondern um ihre Entmachtung durch den Glauben.

4. Die paulinische Aneignung der Tradition demonstriert am besten der *Römerbrief*. Röm 1, 3 f. bezieht Paulus das Credo auf sein Amt. Röm 3, 24—26 interpretiert er eine Bekenntnisformel über Gottes Gerechtigkeit im Sinne der Glaubensgerechtigkeit. Röm 4, 25 bildet ein Bekenntnis den Ausgangspunkt für die umfassende Existenzanalyse der Kap. 5—8. Röm 10, 9 ff. wird es auf Glauben, Predigt und Gerechtigkeit hin ausgelegt, Röm 14, 9 dient es wieder als Grundlage einer Existenzdeutung.

II. Die Verwendung des Alten Testaments

A. v. HARNACK, Das AT in den paulinischen Briefen, SAB 1928, 124—141 — O. MICHEL, Paulus und seine Bibel, BFChTh II 18, 1929 — H. LIETZMANN, Exkurs zu Gal 4, 31 im HNT. — J. BONSIRVEN, Exégèse rabbinique et exégèse paulinienne au temps de Jésus Christ I. II, 1934. 1935 — P. BLÄSER, Schriftverwertung und Schrifterklärung im Rabbinentum und bei Paulus, ThQ 132, 1952, 152—169 — C. H. DODD, According to the Scriptures, 1952 — C. SMITS, Oudtestamentische Citaten in het Nieuwe Testament I—IV, 1952—1963 — E. E. ELLIS, Paul's Use of the Old Testament, 1957 — H. MÜLLER, Die Auslegung at. Geschichtsstoffs bei Paulus, Diss. Halle 1960 (vgl. ThLZ 86, 1961, 788 f.) — B. LINDARS, New Testament Apologetic, 1961, 222—250 — C. K. BARRETT, From First Adam to Last, 1962 — H. ULONSKA, Paulus und das AT, Diss. Münster 1963

Schoeps, Paulus 28, erklärt: »Zeitlebens ist für Saulus die Schrift oberste Norm alles Denkens und Handelns gewesen, so daß auch der Christ Paulus kein Argument vorbringt, das er sich nicht bemüht, biblisch zu belegen, was zumal für die Messianität und die soteriologische Rolle Jesu gilt.« Dazu ist festzustellen, daß Paulus nie einen Schriftbeweis dafür führt, daß Jesus Messias ist (vgl. dagegen Lukas). Das Alte Testament spielt keine Rolle im 1. Thessalonicher-, Philipperbrief, in weiten Partien des 1. und 2. Korintherbriefs. *Schoeps* vermerkt, sogar seine Lehre vom Ende des Gesetzes suche Paulus aus der Schrift zu erweisen. Aber hier gilt: gerade sie! Gerade da tritt das Alte Testament in den Vordergrund, wo sich Paulus thematisch mit Juden und Judaisten auseinandersetzt: im Galater- und Römerbrief (übrigens auch hier nur auf bestimmte Partien begrenzt, dort aber gehäuft). Es spielt weiter eine Rolle in der Auseinandersetzung mit den judenchristlichen Enthusiasten im 2. Korintherbrief[1]. Aus diesem Befund folgt *Harnack,* das Alte Testament diene Paulus nur zur äußeren Argumentation, nicht als Erbauungsbuch. Auffallend ist z. B. der Befund in 1 Kor 10: Paulus belehrt die Korinther über das Alte Testament, als ob sie noch nichts davon gehört hätten; und dabei lehrte Paulus mindestens anderthalb Jahre in Korinth. Worüber belehrte er sie denn?

Harnacks Linie ist weiter ausgezogen von *H. Ulonska:* Das Alte Testament werde von Paulus nur benützt, wenn er in der aktuellen Auseinandersetzung von den Gegnern dazu veranlaßt werde. Diese Darstellung ist zu einfach.

Gewiß benützt Paulus das Alte Testament zur Argumentation. Aber daß er das tut und tun kann, setzt voraus, daß es auch für ihn selber offenbarte Urkunde ist, nicht nur das Dokument des Gebots, sondern auch der Verheißung.

Ulonska: Bei Paulus finde sich nicht das Schema von Verheißung und Erfüllung, keine heilsgeschichtlich gedehnte Zeitperspektive, kein Rückblick auf eine Vergangenheit, welche die Gegenwart durch die in ihr geschehenen Ereignisse bestimme. Auch das Alte Testament sei nicht heilige Urkunde im Sinne einer formalen Autorität. Was Paulus aus dem Alten Testament anführe, gewinne seine Autorität nicht schon dadurch, daß es in der Schrift stehe, sondern durch seinen Inhalt, als unmittelbar überzeugende Anrede, etwa in der Paränese als »goldene Worte«. Das letztere stimmt, aber es sind eben Worte der Schrift. Und in der Tat kennt Paulus keine heilsgeschichtliche Zerdehnung der Zeit, keine isolierte Vergangenheit, aber dennoch Erfüllung: Gal 4, 4. Die Feststellung der Erfüllung trifft Paulus nicht von den alttestamentlichen Ereignissen her, sondern auf Grund der Erfüllung in Christus; vgl. *Luther:* Non enim tempus fecit filium mitti, sed econtra missio filii fecit tempus plenitudinis (WA 57, 30, 15 f. zu Gal 4, 4).

Bei der Verwendung des Alten Testaments hält sich Paulus an kein Schema. Es gibt wörtliche Zitate, freie Variationen, Anspielungen, Aufgreifen von Inhalten: Geboten, Ereignissen, Personen. Meist benützt Paulus die Septuaginta (Ausnahmen: s. *Lietzmann* und *Ellis* 10 ff.). Er übernimmt jüdische Zitationsformeln wie כַּאֲשֶׁר כָּתוּב = καθὼς γέγραπται usw. (Röm 1, 17; Dam VII 19). Mehrere Stellen können so aneinandergereiht werden, daß sie wie ein einziges Zitat aussehen: Röm 3, 10—18. Manche Exegeten nehmen an, daß Paulus dabei mit Bedacht nach jüdischem Vorbild Stellen aus Gesetz, Propheten und Schriften zusammenstelle (so Röm 11, 8—10). Aber er tut das nicht systematisch; z. B. stellt er Röm 3, 10—18 nur

---

[1] D. Georgi, Die Gegner des Paulus im 2. Korintherbrief, WMANT 11, 1964, 265 ff.: Für die Gegner ist das AT das »Archiv des Geistes«.

Stellen aus den Schriften zusammen. Umstritten ist, ob er Florilegien benützte oder mit einem einigermaßen festen Bestand an biblischen Belegstellen arbeitete, die in der christlichen Apologetik bereits traditionell waren (so *Dodd, Ellis, Lindars*). Einzelne Stellen werden ohne Rücksicht auf ihren ursprünglichen Sinn im Alten Testament verwendet. Ein prophetisches Drohwort, Jes 28, 11 f., wird zur Weissagung des geistgewirkten Zungenredens (1 Kor 14, 21). Die einzelnen Zitate werden isoliert verwendet; der alttestamentliche Kontext spielt keine Rolle.

Dodd nimmt an, daß auch der ursprüngliche Zusammenhang einwirkt. In der Umgebung eines Zitates fänden sich jeweils Anspielungen auf den alttestamentlichen Kontext. Aber solche Anspielungen sind nur durch sehr künstliche Hypothesen herauszuhören. Ein Beispiel bietet Röm 10, 16, wo Jes 53, 1 angeführt ist: Im Kontext findet sich keine Spur von einer Gottesknechtchristologie.

Der Wortlaut des Alten Testaments kann variiert werden, um einen bestimmten Sinn hervorzuheben oder zu gewinnen. Vgl. die Textform von Röm 12, 19 (Dtn 32, 35) mit Hebr 10, 30 und Targum Onkelos. Beispiele:
Jes 28, 16 (B) καὶ ὁ πιστεύων οὐ μὴ καταισχυνθῇ.
Röm 9, 33 καὶ ὁ πιστεύων ἐπ' αὐτῷ οὐ μὴ καταισχυνθήσεται.
Röm 10, 11 πᾶς ὁ πιστεύων ἐπ' αὐτῷ οὐ καταισχυνθήσεται.
Es finden sich Berührungen mit den rabbinischen Regeln der Schriftauslegung: dem Schluß vom Geringeren auf das Größere (qal wachomer Röm 5); dem Analogieschluß (gezera sawa Röm 4). Aber im allgemeinen arbeitet Paulus frei, in Anknüpfung an hellenistisch-jüdische und vorpaulinische christliche Auslegung. Für die christliche exegetische Tradition vgl. Röm 9, 33 mit 1 Petr 2, 6 ff. Wie selbständig das hellenistische Judentum mit dem Alten Testament umgeht, zeigen Sapientia Salomonis, Philo usw. Paulus kann gegen den Sinn des Alten Testaments die wörtliche Auslegung ablehnen. 1 Kor 9, 9 zitiert er Dtn 25, 4: »Du sollst dem dreschenden Ochsen das Maul nicht verbinden« und erklärt: »Kümmert sich Gott etwa um den Ochsen, oder spricht er allenthalben um unsretwillen?« Im Alten Testament kümmert er sich in der Tat um den Ochsen. Einmal bezeichnet Paulus seine Exegese ausdrücklich als »allegorisch« (Gal 4, 22 ff.). Aber er allegorisiert nicht systematisch, auch an dieser Stelle nicht. Er deutet Hagar auf den Berg Sinai, d. h. auf die Knechtschaft, das jetzige Jerusalem, im Unterschied zu Sara, d. h. zur Freiheit, dem oberen Jerusalem. Die Allegorese ist auf diesen einen Zug beschränkt. Paulus erzählt nicht etwa die alttestament-

liche Geschichte selbst als Allegorie. 1 Kor 10, 1 ff. bezeichnet Paulus alttestamentliche Ereignisse als τύποι für uns. Die Stelle gilt als wichtigster Beleg für die typologische Methode des Paulus. Aber τύπος bedeutet hier einfach Vorbild, und zwar paränetisches Vorbild. Das Wort bezeichnet also keine Auslegungsmethode.

S. *Ulonska* 111. Natürlich ist ein bestimmtes Verhältnis zwischen »Vorbild« und »uns« vorausgesetzt. Es ist von rückwärts, von der Gegenwart her, gewonnen. Paulus denkt nicht an ein Vor-Bild, das aus dem Alten Testament selber methodisch zu erheben wäre.

Folgende Themen spielen eine Rolle: a) Das Alte Testament enthält Weissagung; es weist auf das Evangelium voraus: Röm 1, 2; Gal 3, 8. b) Schon das Alte Testament zielt auf die Offenbarung der Glaubensgerechtigkeit: Röm 1, 17 (vgl. Gal 3, 11; zugrunde liegt Hab 2, 4: ὁ δὲ δίκαιος ἐκ πίστεως μου (!) ζήσεται; Paulus tilgt μου!). Hier ist eine heilsgeschichtliche Perspektive angedeutet: Ἰουδαίῳ τε πρῶτον καὶ Ἕλληνι, aber kein Programm der »Heilsgeschichte« entworfen. Der Vorzug des Juden kommt nur im Blick auf seine eschatologische Aufhebung zur Sprache. c) Die Herrschaft der Sünde seit Adam: Röm 5, 12 ff. d) Die Berufung der Heiden und das Verhalten Israels: Röm 9—11. e) Die Vorabbildung der Sakramente: 1 Kor 10, 1 ff. f) Belehrung über die Eschatologie: 1 Kor 15 (aber 1 Thess 4 f. ohne Benutzung des Alten Testaments). g) Gebote: Röm 12, 19 f. (aber nur mit sporadischem Bezug auf das Alte Testament).

Auch wenn Paulus in Christus und in der Glaubensgerechtigkeit die Erfüllung der Verheißung sieht, die Israel anvertraut wurde und in der Bibel niedergelegt ist, sollte man sein Verhältnis zum Alten Testament nicht als »heilsgeschichtlich« bezeichnen. Natürlich steht er in der Tradition der heilsgeschichtlichen Auslegung des Judentums (Röm 9—11); aber Gottes Handeln in der Geschichte Israels ist für ihn kein Thema seiner Lehre.

Ulonska 188 f.: »Paulus denkt nicht vom Begriff ›Israel‹ aus, sondern von der Annahme des Evangeliums.« Er zieht keine Zeitlinie durch, sondern gibt nur einen punktuellen Hinweis, wie Gott je und je frei erwählte und verwarf.

Paulus kann einmal auf die geschichtliche Abfolge von Ereignissen zurückgreifen — aber wie! Gal 3: Abraham kommt vor Mose, also die Verheißung vor dem Gesetz. Wie beliebig er das und jenes herausgreift, zeigt Röm 4: Hier argumentiert er mit Abraham ohne Rücksicht auf seine Stellung im Geschichtsablauf, sondern nach dem Vorbild der jüdischen Deutung Abrahams als eines Beispiels für den Glauben. Diesmal betont Paulus die Reihenfolge innerhalb des Lebens Abrahams, nämlich den Vorrang der Verheißung vor der Beschneidung. Röm 5, 12 ff. stellt er Adam, Mose und Christus zusammen. Auch hier kann man nicht von Typologie sprechen, sondern nur von einer Konfrontation unter bestimmten Gesichtspunkten. Adam und Christus werden 1 Kor 15, 21 f. 45—49 ohne Rücksicht auf Mose konfrontiert. An sich paßt Mose nämlich gar nicht in das Schema Adam-Christus hinein, da es von Haus aus nicht heilsgeschichtlich, sondern mythisch angelegt ist. Für Paulus charakteristisch ist nicht die Beachtung geschichtlich-zeitlicher Erstreckungen und Abläufe, sondern das Überspringen der Zeiten. Röm 1, 18 ff.: Die Zeit der ursprünglichen Gotteserkenntnis und die Zeit der Sünde bzw. des Zornes Gottes laufen nebeneinander her. Sie sind historisch nicht unterscheidbar. Auch nach dem Zeitpunkt der geschichtlichen Offenbarung der Gerechtigkeit geht die Zeit der Gotteserkenntnis und des Zornes weiter. Röm 7, 7 ff.: Die Geschichte Adams wird in die Gegenwart projiziert als die Geschichte des Ich.

Apk Bar (syr) 54, 19: »Adam ist also einzig und allein für sich selbst die Veranlassung. Wir alle aber sind ein jeder für sich selbst zum Adam geworden.«

1 Kor 10, 1 ff.: Die Zeit wird überbrückt durch die Präexistenz Christi.

Allerdings herrscht bei Paulus nicht eine Zeitlosigkeit gnostischen Stils. Wir beobachten vielmehr den Vorgang der Konzentration der Zeit; vgl. 2 Kor 6, 2 (= Jes 49, 8): καιρῷ δεκτῷ ἐπήκουσά σου καὶ ἐν ἡμέρᾳ σωτηρίας ἐβοήθησά σοι· ἰδοὺ νῦν καιρὸς εὐπρόσδεκτος, ἰδοὺ νῦν ἡμέρα σωτηρίας.

Das charakteristische paulinische νῦν bezeichnet die geschichtliche Neuheit des Heilsgeschehens. Dieses ist 2 Kor 3 ausgelegt als der Neue Bund, der den Alten ersetzt. Auch hier genügt das Schlagwort »Heilsgeschichte« zur Deutung des Befundes nicht. Denn Paulus bestimmt das Wesen des Alten und des Neuen Bundes durch die zeitlose Begrifflichkeit von Buchstaben und Geist. Buchstabe ist das Gesetz, sofern dieses verfaßt ist und Mittel in der Hand des Menschen werden kann.

Wie kann nun Paulus am Alten Testament festhalten und das Gesetz als Heilsweg verwerfen? Er kann es, weil das Gesetz an sich gut ist (Röm 7, 7 ff.), aber kein Heilsweg. In der Statuierung der Glaubensgerechtigkeit kommt gerade das Gesetz zur Geltung (Röm 3, 27 ff.).

§ 20 ΠΙΣΤΙΣ

BULTMANN, NT 305 f. (Lit.) 315 ff. — Ders., πιστεύω usw., ThW VI 218 ff. — A. SCHLATTER, Der Glaube im NT, ⁴1927 — E. WISSMANN, Das Verhältnis von Πίστις und Christusfrömmigkeit bei Paulus, FRLANT NF 23, 1926 — R. GYLLENBERG, Glaube bei Paulus, ZSTh 13, 1936, 612—630 — O. KUSS, Der Glaube nach den paulinischen Hauptbriefen, Theol. u. Glaube 46, 1956, 1—26 — H. LJUNGMAN, Pistis, 1964

πίστις / πιστεύειν sind in der Septuaginta Äquivalent von הֶאֱמִין/אמן: das Feste, Gültige, daher Verläßliche[1]. Aus dieser Herkunft ergeben sich im neutestamentlichen Glaubensbegriff die Momente des Vertrauens (Röm 4), Gehorchens, Hoffens (das in die Zukunft blickende Vertrauen). Aber das Wesentliche des Begriffs wird nicht vom Psychologischen, dem Glauben als Haltung, her sichtbar, sondern von der Bindung des Glaubens an seinen Gegenstand, das Kerygma. Das zeigt sich im Sprachgebrauch: πιστεύειν εἰς ... bzw. ὅτι ...[2] Das Gottesverhältnis wird begründet durch die Annahme dieses Glaubens, also durch eine Entscheidung (aber nicht durch einen Entschluß, denn in der Annahme des Kerygmas kann ich gar nicht auf mich selber reflektieren). Weder der Glaube als Akt noch der Glaube als Zustand wird psychologisch analysiert (vgl. dagegen Philo: *Bultmann*, ThW VI 202 f.), weil der Glaube nur im Bezug auf seinen Gegenstand überhaupt existent ist. Er kann nicht zunächst formal als eine Art Überzeugung bestimmt werden, die dann erst nachträglich inhaltlich aufgefüllt würde. Gegenstand des Glaubens ist nicht der gerettete Mensch, sondern Gottes rettendes Wort. Der Gegenstand ist auch da mit gedacht, wo er nicht ausdrücklich genannt ist, wo absolut von πιστεύειν und πίστις die Rede ist, als dem Akt des Christwerdens (Röm 13, 11: Jetzt ist unser Heil näher ἢ ὅτε ἐπιστεύσαμεν) oder dem Stand des Christseins (2 Kor 13, 5). Dieser Stand wird nicht zum Objekt der Selbstbeobachtung. Symptomatisch dafür ist die Austauschbarkeit der Begriffe: »Im Glauben stehen« kann wechseln mit »im Herrn stehen« (1 Thess 3, 8); »im Evangelium stehen« (1 Kor 15, 1); »in der Gnade stehen« (Röm 5, 2).

---

[1] Über die Anknüpfung des Urchristentums an das Judentum s. R. Bultmann, ThW VI 205—208; über Paulus und den gemeinchristlichen Glaubensbegriff, 218—220.

[2] εἰς : Gal 2, 16; ὅτι : : Röm 10, 9.

Das Gesagte gilt nicht nur speziell für Paulus, sondern für den gemeinchristlichen Sprachgebrauch. Von Anfang an besteht die Einheit von fides quae creditur und fides qua creditur. Kann diese Einheit theologisch verständlich gemacht werden? Ja, indem der Glaube bewußt wird als die einzige Bestimmung der Existenz.

Damit ist eine radikale *Individualisierung* gesetzt: Die Botschaft trifft den Einzelnen und isoliert ihn. Man kann nicht stellvertretend hören und glauben. E. *Käsemann* vertritt die These, die Verkündigung richte sich nicht primär als Anrede an den Einzelnen, sondern als Deklaration des Gottesrechtes an die Welt. Dann wird der Glaube zur formalen Unterwerfung, also zum psychologischen Entscheidungsakt. Für das Urchristentum gilt, daß die Botschaft dem Einzelnen mitteilt, daß über ihn entschieden ist. Durch diese Individualisierung wird die Universalität des Heils möglich, weil nun keine menschliche Bedingung mehr gestellt ist. Glaube ist verstehende Annahme, sofern er sich selbst aus der Botschaft durchsichtig wird. Dann wird auch die Einheit verständlich dessen, was für mich geschieht (der objektiven Heilstat), und dessen, was an oder mit mir geschieht (der Übereignung). Die Einheit wird konstituiert durch das Wort, das mir sagt, wozu ich von Gott gemacht bin. Damit ist auch klar, daß das Sichverstehen nicht psychologisch zu fassen ist. Denn was ich bin, bin ich nicht in mir, sondern in Christus. Man kann das Wesen des Glaubens nicht entfalten durch Selbstanalyse, sondern nur durch die Darstellung der inneren Struktur und der äußeren Bezüge. Als Strukturelemente können freigelegt werden: der Glaube als Erkenntnis, als Gehorsam, als Vertrauen, als Hoffnung. Auszugehen ist jeweils von der Bindung an den Gegenstand. Nur so kann die Einheit von objektivem und subjektivem Glauben dargelegt werden.

Der Glaube ist *Erkenntnis:* Er hat einen verstehbaren dogmatischen Inhalt. Die Einheit von objektivem und subjektivem Glauben wird festgehalten, da dieser dogmatische Inhalt mir etwas über mich selbst sagt und insofern verstehbar ist.

Der Glaube ist *Gehorsam;* denn die Glaubensbotschaft proklamiert Jesus als den Herrn. Glaube und Gehorsam sind also nicht zweierlei in der Weise, daß zuerst der Glaube als die richtige Religion entstünde und dann der Gehorsam als die richtige Moral nachfolgte. Der Glaube ist der Gehorsam, den Gott will. Und umgekehrt: Gehorsam ist nichts anderes als Gott glauben. Er ist also nicht einmal eine Leistung, sondern der Verzicht darauf, meine Leistung mit Gott zu verrechnen. Indem ich die Botschaft höre, kann ich nicht mehr auf mich als Leistenden reflektieren. Ihr Inhalt ist ja das Kreuz, die Zerstörung meines Ruhmes zu meiner Befreiung. Ich brauche nicht mehr zu überlegen, wie ich Gott gefällig sein kann. Ich bin es, und damit bin ich im Gehorsam, weil ich Gott gelten lasse.

Natürlich hat der Glaube auch eine persönliche Seite. Jeder hat sein Maß des Glaubens (Röm 12, 3). Manche sind im Glauben schwach (Röm 14, 1). Es gibt ein Wachsen im Glauben (2 Kor 10, 15). Aber die Erfahrung, die man mit dem

Glauben macht, wird nicht zum Inhalt der Botschaft, sondern wird nur gesehen unter dem Gesichtspunkt, daß sie Erfahrung mit eben dieser Sache, mit dem Kreuz ist. Man wird nicht selig durch starken Glauben, sondern durch Glauben. Nur so ist Heilsgewißheit möglich.

Entsprechendes gilt, wenn man den Glauben als *Vertrauen* bezeichnet. Auch das ist nicht etwas neben Glauben und Gehorsam. Der Sinn ist nicht: Man muß Gott gehorchen, aber man darf ihm auch vertrauen; sondern: Man traut Gott, indem man seinem Wort traut und die Gnade als verläßlich begreift. Vom Glaubensgegenstand her wird verständlich, daß dem Vertrauen »Furcht und Zittern« entspricht. Das hat nichts mit einer psychischen Spannung (himmelhoch jauchzend, zu Tode betrübt) zu tun. »Furcht und Zittern« ist eine theologische Bestimmung; sie bezeichnet das durch Gottes Gnadenwahl hergestellte und bestimmte Verhältnis zwischen Gott und Mensch (Phil 2, 12 f.). Zum Glaubensverständnis gehört der Gedanke der *Prädestination:* Im Glauben weiß ich, daß mein Heil ausschließlich von Gott hergestellt ist. Das ist die Bedingung der Heilsgewißheit.

§ 21 DIE ANTHROPOLOGISCHEN (NEUTRALEN) BEGRIFFE

I. Welt und Mensch

Sinngemäß müßte sich jetzt die Darstellung des Begriffs der Hoffnung anschließen, also der Eschatologie. Nun wird diese mit Hilfe weltanschaulicher, d. h. kosmologischer und anthropologischer, Vorstellungen und Begriffe dargestellt. Darum behandeln wir zunächst diese: a) Kosmologie: Weltende, Parusie, Auferstehung, Gericht; b) Anthropologie: Verwandlung, neuer Leib.

BULTMANN, NT 192 ff. (Lit.) — W. GUTBROD, Die paulinische Anthropologie, BWANT 4. Folge 15, 1934 — W. G. KÜMMEL, Das Bild des Menschen im NT, AThANT 13, 1948 — D. E. H. WHITELEY, The Theology of St. Paul, 1964, 17 ff. — W. D. STACEY, The Pauline View of Man, 1956 — Vgl. die einschlägigen Artikel im ThW

Die kosmologischen (κόσμος) und anthropologischen (σῶμα) Begriffe sind an sich wertneutral. Das σῶμα kann ψυχικόν oder πνευματικόν sein. Auch im Sinn von σάρξ besteht eine Ambivalenz: a) Es gibt den qualifizierten, negativen Sinn in der Antithese zu πνεῦμα: Die σάρξ ist die negative Macht (Gal 5, 17). b) Daneben besteht ein neutraler Gebrauch: ζῆν ἐν σαρκί (Gal 2, 20; Phil 1, 22). Hier bezeichnet σάρξ die menschliche Befindlichkeit unter dem Aspekt der Vorläufigkeit, Vergänglichkeit. Phlm 16: Onesimos ist nicht mehr Sklave, sondern geliebter Bruder καὶ ἐν σαρκὶ καὶ ἐν κυρίῳ, d. h. als Mensch und Christ. Der Jude κατὰ σάρκα ist ein φύσει Ἰουδαῖος (vgl. Röm 4, 1 mit Gal 2, 15). Paulus kann mit dem doppelten Sinn spielen: ἐν σαρκὶ γὰρ περιπατοῦντες οὐ κατὰ σάρκα στρατευόμεθα (2 Kor 10, 3).

Die Neutralität der Kosmologie und Anthropologie hat einen systematischen Hintergrund: Der Glaube ist kein Phänomen, das am Menschen gezeigt werden kann. Das gläubige Dasein ist nicht ein Sein in neuen ontologischen Strukturen. Der Gläubige ist nicht »Übermensch«, sondern hört sich in seiner Menschlichkeit angeredet. Das bedeutet, daß nicht der Mensch Gegenstand der Verkündigung wird. Die ontologischen Strukturen sind weder gut noch böse, sondern bloße Strukturen. Anders ausgedrückt: Der Ort des Glaubens ist die Welt; sie kann es sein, weil sie Schöpfung Gottes ist[1].

Wenn Paulus neutral vom Menschen spricht, können die Aspekte wechseln: einmal mehr monistisch, einmal mehr dualistisch. Nicht

---

[1] Zum Thema: R. Bultmann, Der Begriff der Offenbarung im NT (1929), GuV III 1—34.

das Bild des Menschen als solches ist Gegenstand der Lehre. Daher sind Äußerungen sporadisch. Mit dem Judentum berührt sich Paulus, wenn er den Menschen nicht objektivierend, auf sein An-Sich-Sein hin betrachtet. Der Mensch wird von vornherein in Bezügen gesehen, in denen er existiert, zunächst in dem Bezug des Geschöpfes zum Schöpfer und zur geschaffenen Welt. Der Mensch hat sein Leben, indem er Gott gehorcht und ihm vertrauen kann.

Diese Bezüge des Existierens können im Stil des apokalyptischen Weltbildes als personale Wesen vorgestellt sein: als Engel, gute und böse. Es kommt Paulus aber nicht auf die Vorstellungsweise an, sondern auf den Sinn. Er kann die Nennung der »Mächte« ersetzen durch Existenzbegriffe (Röm 8, 38 f.). Paulus hat überhaupt kein festes Schema vom Wesen des Menschen. Er kann einmal dichotomisch formulieren (1 Kor 5, 3), einmal trichotomisch (1 Thess 5, 23): ὑμῶν τὸ πνεῦμα καὶ ἡ ψυχὴ καὶ τὸ σῶμα. Es ist verfehlt, aus dieser Stelle zu folgern, das Menschenbild des Paulus (oder des Neuen Testaments) sei trichotomisch. Es handelt sich um eine vielleicht schon vorpaulinische Wendung im liturgischen Stil mit seiner Neigung zur Dreigliedrigkeit. Paulus könnte genauso gut einfach sagen: ὑμῶν τὸ πνεῦμα oder ὑμεῖς. Die drei Begriffe werden nicht definiert, sondern naiv kumuliert. Sie bezeichnen die Ganzheit des Menschseins, an dieser Stelle unter dem Gesichtspunkt, daß Paulus für seine Gemeinde um Bewahrung bittet. Vgl. den beliebigen Wechsel in den Schlußgrüßen: Der Herr sei mit euch — oder: mit eurem Geiste.

II. Die Manifestationsbegriffe

Alte griechische Formbegriffe verwandeln schon im hellenistischen Judentum ihren Sinn. Sie werden zu Manifestationsbegriffen. Beispiel: 1 Kor 11, 2 ff. Wir finden hier die kosmologisch-anthropologische Reihenbildung Gott — (Christus) — Welt — Mensch[2]. Das Verhältnis der einzelnen Faktoren zueinander wird bestimmt durch die Begriffe: εἰκών, κεφαλή, δόξα (Abglanz). Sie bezeichnen durchweg nicht mehr die Gestalt, sondern das Wesen (Homousie).

Zugrunde liegt ein mythisch-emanatistisches Welt- und Menschenbild, das an sich gar nicht zum jüdischen Schöpfungsgedanken paßt. Vielmehr findet es sich im Corpus Hermeticum (VIII: Gott — Welt — Mensch; XI 15: Gott — Äon — Welt — Sonne — Mensch). Philo hat diese Terminologie übernommen und an den biblischen Schöpfungsbericht angepaßt (Op Mund 25: Gott — intelligible Welt (λόγος) — Sinnenwelt). Mit dieser Reihenbildung bewältigt Philo die exegetischen Schwierigkeiten von Gen 1 und 2: a) des doppelten Schöpfungsberichtes; b) des Satzes, daß Gott den Menschen geschaffen habe κατ' εἰκόνα θεοῦ. Er findet zwei Lösungen[3]:

---

[2] F.-W. Eltester, Eikon im NT, BZNW 23, 1958; J. Jervell, Imago Dei, FRLANT 76, 1960.
[3] S. Jervell (s. vorige Anm.) 53.

1. Gen 1, 27 beschreibt, wie der Mensch »nach« dem »Bilde« des Logos geschaffen wird.
2. Gen 1, 27 beschreibt die Erschaffung des Idee-Menschen, Gen 2, 7 die des irdischen Menschen.
εἰκών hat christologischen Sinn 2 Kor 4, 4; vgl. Kol 1, 15 (Homousie von Gott und Offenbarer). Für κεφαλή gilt Entsprechendes. δόξα wird substantiell, als der jenseitige Lichtglanz, verstanden. In 1 Kor 11 ist δόξα praktisch synonym mit εἰκών; doch ist dieser Sinn singulär. Der »Lichtglanz« ist das Wesen (die Substanz) des Erlösten 2 Kor 3, 18. Vgl. Phil 3, 21.

Die an den genannten Stellen gebrauchten Verben μεταμορφοῦσθαι, μετασχηματίζεσθαι führen zu weiteren, verwandten Begriffen: μορφή, σχῆμα (Phil 2, 6 ff.).[4]
Sowohl der irdische als auch der himmlische Leib kann als »Gewand« bezeichnet werden (2 Kor 5).

Das schönste Vorbild für diese Vorstellung bietet das Lied von der Perle[5]: »Plötzlich, wie wenn ich begegnete meinem Spiegelbild (dem himmlischen Ich), glich die Gewandung mir selbst.« Später steht dafür: der Lichtglanz.

Der religionsgeschichtliche Zusammenhang reicht noch weiter. 1 Kor 15, 44 ff. wird Christus gedeutet als der »zweite Adam« (vgl. 1 Kor 15, 21 f.; Röm 5, 12 ff.)[6]. Paulus belegt zwar diesen Gedanken aus der Bibel, hat ihn aber nicht aus dieser gewonnen.

Man kann ihn erst in der Bibel finden, wenn er schon vorher konzipiert ist. Das gilt auch von Philos Unterscheidung zwischen einem ersten und zweiten Menschen (aber bei Philo ist der erste der höhere)[7].

Adam ist hier nicht nur als der Stammvater gesehen, sondern als der Urmensch, der die ganze Menschheit repräsentiert, d. h. in sich faßt: Wir waren »in Adam« und damit im Todesverhängnis. Jetzt sind wir »in Christus«, und wir werden ihm gleich werden (2 Kor 3, 18).

Diese ontologischen Begriffe enthalten dieselbe Tendenz wie die Ideen der Emanation und Identität. Daher erlangten sie in der Gnosis Bedeutung. Bei Paulus wird aber gerade kein Lehrsystem aus ihnen aufgebaut. Die Tendenz im jeweiligen Kontext bestimmt den Sinn.

---

[4] E. Käsemann, Kritische Analyse von Phil 2, 5—11, Ex. Vers. u. Bes. I 65 ff.; D. Georgi, Der vorpaulinische Hymnus Phil 2, 6—11, Zeit u. Gesch. (Festschr. Bultmann), 1964, 263 ff. Vgl. zu μορφή CH I 12; synonym mit πνεῦμα steht das Wort in einem jüdischen Gebet bei Preisendanz, Zauberpapyri IV 1167 ff. » ἐν μορφῇ «: Man »trägt« die Gestalt = das »Gewand«.
[5] A. Adam, Die Psalmen des Thomas und das Perlenlied, BZNW 24, 1959, 53 f., Zeilen 74 u. 97.
[6] E. Brandenburger, Adam und Christus, WMANT 7, 1962.
[7] Gegen H. Hegermann, Die Vorstellung vom Schöpfungsmittler, TU 82, 1961, und H.-M. Schenke, Der Gott »Mensch« in der Gnosis, 1962.

III. σῶμα

BULTMANN, NT 193 ff. — E. KÄSEMANN, Leib und Leib Christi, BHTh 9, 1933 — J. A. T. ROBINSON, The Body, 1952 — E. SCHWEIZER, σῶμα, ThW VII 1057 ff.

Es gibt kein genaues hebräisches Äquivalent. Trotzdem ist der Sinn im Neuen Testament nicht von der griechischen Wortgeschichte bestimmt (Rumpf, Leib, Person; sichtbare Gestalt; Antithese: Seele — Leib). Die Septuaginta gebraucht das Wort gelegentlich für בָּשָׂר. Von da aus kommt es zu einer gewissen Affinität von σῶμα und σάρξ. Aber beide werden nicht synonym. Bei Paulus bezeichnet σῶμα nicht nur einen Teil des Menschen, sondern den Menschen, sofern er unter einem bestimmten Aspekt gesehen wird.

Es gibt keinen festen Korrelatbegriff. Wenn Paulus gelegentlich den Leib und die Glieder gegenüberstellt, dann so, daß sie gerade als identisch, als austauschbar erscheinen: Röm 6, 12 f.; vgl. 1 Kor 6, 13 ff. σῶμα und πνεῦμα: 1 Kor 5, 3. Beide zusammen bezeichnen einfach das Ganze des Menschseins; vgl. 1 Kor 7, 34 und dazu die Trias 1 Thess 5, 23.

Faustregel: Es gilt nicht: »Ich habe ein σῶμα«, sondern: »Ich bin σῶμα bzw. bin im Leibe[8].«

Man muß sich von der Idee des abstrakten Subjekts und seiner Werke freimachen. Beides ist nämlich von vornherein gar nicht zu trennen: Ich vollziehe mein Existieren in meinen Werken. Ich bin die Summe meiner Taten. Ich habe jeden Augenblick nicht »etwas« vor mir — eine mögliche Tat, eine Entscheidung, ein Objekt —, sondern mich — mit der Alternative, mich zu gewinnen oder zu verlieren.

Die paulinische Anthropologie ist nicht dualistisch. Der Ort, an dem Gott mich trifft, ist nicht die Seele, sondern der Leib. Dieser ist der Ort des Gottesdienstes (Röm 12, 1; 1 Kor 6, 20). σῶμα bezeichnet das Ich (1 Kor 13, 3; 7, 4), und zwar das Ich, sofern es sich selber und anderen faßbar ist, als das mögliche Objekt der Behandlung durch andere und durch sich selbst. σῶμα bin ich, sofern ich mir selbst gegenübertreten kann, mich beherrschen und riskieren kann. σῶμα bin ich, sofern ich begehre (Röm 6, 12; vgl. Gal 5, 16 f.). σῶμα ist also das Ich als handelndes Subjekt und als behandeltes Objekt, besonders das Ich als der sich selbst Behandelnde. So bezeichnet σῶμα den Menschen als Subjekt und Objekt des Geschlechtslebens (1 Kor 6, 15 f.; 7, 4; Röm 1, 24).

---

[8] Bultmann, NT 195.

Neben den angeführten »monistischen« Stellen steht eine Reihe von »dualistischen«, also solchen, in denen der Leib negativ bewertet wird. Der Übergang zwischen beiden Gruppen ist sichtbar 1 Kor 9, 27: Die Forderung der Selbstbeherrschung wird durch die Feststellung begründet, daß ich in der Welt mir selber entfremdet bin, nämlich der fremden Macht der σάρξ verfallen. Daher ist Erlösung Erlösung aus dem Leibe (Röm 7, 24). Der Leib ist tot; ich muß gerettet werden durch eine Neuschöpfung und als neuer Mensch meinem Leib gegenübertreten (Röm 8, 10—13). Daß ich frei bin, mir selber gegenüberzutreten und mich zu beherrschen, ist die Möglichkeit des Geistes.

Das scheint ein Widerspruch zu der Feststellung zu sein, daß im Begriff des σῶμα selbst die Möglichkeit der Freiheit und Selbstbeherrschung ausgesagt sei. In der Tat bezeichnet σῶμα diesen Aspekt des Menschseins, aber als verlorene Möglichkeit. Auch das ist im Wort σῶμα schon mitgesagt: Der Leib ist geschaffen — und insofern vergänglich, schwach, der Versuchung ausgesetzt und ihr tatsächlich erlegen. Ich erfahre mich nie als den noch Freien, der seine Zukunft in der Hand hat, sondern als den Verfallenen, als σῶμα τῆς ἁμαρτίας Röm 6, 6; als σῶμα τοῦ θανάτου Röm 7, 24. Indem ich mich so erfahre, weiß ich auch, daß das Verfallensein meine eigene Tat ist, in der meine Freiheit pervertiert und damit verloren ist.

Die beiden Stellen Röm 6, 6 und 7, 24 bieten ein Paradigma für das Nebeneinander von »ethischer« (bzw. »juridischer«) und physischer« Erlösungslehre, bzw. für die Terminologie von »Rechtfertigung« und »Erlösung«. Auf den ersten Blick scheint die erste Stelle ein Urteil über den moralischen, die zweite über den physischen Zustand des Menschen zu fällen. Das Heil wäre im ersten Fall die Wiederherstellung der moralischen Integrität oder die Gewinnung der Anerkennung durch Gott, im zweiten Fall die Übereignung der Lebenskraft, des Geistes. Diese beiden Schemata sind in der Tat im Hintergrund erkennbar. Aber Paulus folgt keinem von beiden. Für ihn ist gerade die Verknüpfung von Tod (im physischen Schema) und Sünde (im ethischen Schema) kennzeichnend. Denn das Wesen der Sünde ist nicht getroffen, wenn sie als ethische Verfehlung bestimmt wird, wenn sie nicht als tödlich durchschaut wird, als Verhängnis, dem ich nicht entgehen kann. Und der Tod ist nicht verstanden, wenn er als »physischer« Vorgang gedeutet wird. Paulus bezieht beide aufeinander: Der Tod ist der Sünde Sold. Was das heißt, ist das Thema von Röm 5—8, besonders Kap. 5: Erbsünde und Erbtod (s. § 23).

Die gedankliche Schwierigkeit liegt darin, daß Paulus natürlich auch den körperlichen Tod erklären muß. Er stellt sich den Vorgang, wie dieser über die Menschen kam, mythisch vor: In Adam sind wir alle dem Tode verfallen. Durch die Verknüpfung von Tod, Erbtod mit Sünde, Erbsünde wird der Gedanke intendiert, den Tod als geschichtliche Macht zu erkennen. Aber auch die Sünde wird durch diese Verknüpfung als transsubjektive Macht begriffen. Dieser Gedanke wird durch den Bezug der Sünde zur σάρξ weiter dargestellt. Daß die Gedanken des Paulus so weit reichen, zeigt schon die Thematik von Röm 5: nicht »der Tod«, sondern der Aufweis der vorgreifenden, von mir im Glauben paradox erfahrenen Freiheit vom Tode, die gerade angesichts des physischen Todes gezeigt wird. Im Glauben ist dessen Macht überstiegen. Der Glaube eröffnet die Möglichkeit, dem Tod zu widersprechen (1 Kor 15, 55 ff.).

Mit diesem Aspekt des σῶμα — als der Sünde und dem Tod verfallen — rückt dieser Begriff einem anderen nahe: der σάρξ (vgl. die parallelen Formulierungen in 2 Kor 4, 10 und 4, 11). Am stärksten dualistisch geprägt ist der Abschnitt 2 Kor 5, 1 ff.: Der Leib ist hier als σκῆνος und ἡ ἐπίγειος ἡμῶν οἰκία τοῦ σκήνους bezeichnet. Er ist also nur die äußere Hülle des Ich, die diesem nicht angemessen ist. Er wird »aufgelöst«, »ausgezogen«; das ist dualistische Gewandsymbolik. Sein im Leibe ist ἐκδημεῖν ἀπὸ τοῦ κυρίου; ἐκδημῆσαι ἐκ τοῦ σώματος dagegen ἐνδημῆσαι πρὸς τὸν κύριον. Erlösung ist Befreiung aus dem Leibe (vgl. Röm 7, 24).

σῶμα und σάρξ können sich also berühren. Sie werden aber nicht synonym. σῶμα ist der Mensch als der, der verfallen kann und tatsächlich der Sünde, dem Tod verfallen ist. σάρξ ist der Mensch als der Verfallene. Die Dialektik erscheint klar Röm 8, 10.

IV. σάρξ

W. D. DAVIES, Paul and the Dead Sea Scrolls: Flesh and Spirit, in: The Scrolls and the NT, 1957, 157—182 — E. SCHWEIZER, Die hellenistische Komponente im nt. σάρξ-Begriff, ZNW 48, 1957, 237—253 (= Neotestamentica, 1963, 29—48) — Ders., σάρξ, ThW VII 124 ff. — H. BRAUN, Qumran und das NT II, 1966, 175 ff.

Auszugehen ist von dem anthropologischen, teilweise neutralen Gebrauch, der die alttestamentliche Linie fortführt: »Alles Fleisch ist wie Gras.« σάρξ ist die belebte Leiblichkeit (»Fleisch und Blut«; vgl. 1 Kor 15, 50). πᾶσα σάρξ bedeutet »jedermann« (Röm 3, 20); vgl. πᾶσα ψυχή (Röm 2, 9; 13, 1). τέκνα τῆς σαρκός sind die natürlichen Nachkommen (Röm 9, 8). Israel κατὰ σάρκα ist das empirische Volk Israel (1 Kor 10, 18). ἀσθένεια τῆς σαρκός bezeichnet Gal 4, 13 die körperliche Krankheit, derselbe Ausdruck Röm 6, 19 aber die menschliche Schwäche. Die Linie, die von diesem neutralen zum pointierten Gebrauch führt, wird sichtbar Röm 2, 28 f.: σάρξ ist die Sphäre des Sichtbaren, des Vergänglichen. Hier greift Paulus weit über das Alte Testament hinaus: σάρξ ist die Sphäre, in der ich lebe und durch die ich bestimmt bin. Sphäre bedeutet sachlich Macht. Sie hat ihre ἐπιθυμία und ihre ἔργα. Das σῶμα ist von der σάρξ beherrscht. Ist die σάρξ erledigt, dann ist das σῶμα aus seiner Gefangenschaft befreit (Röm 8, 9). Es zeigt sich also die Linie: σάρξ ist a) das Vorhandene überhaupt; b) das Vorhandene coram Deo. Als solches ist es markiert durch a) Vergänglichkeit; b) Sünde.

V. ψυχή

Das Wort spielt keine bedeutende Rolle. Wichtig ist die Feststellung, daß an keiner Stelle die griechische Seelenlehre anklingt. Maßgebend ist vielmehr die jüdische Herkunft: נֶפֶשׁ ist die Lebendigkeit des Fleisches. Die Seele gehört zum irdischen Dasein. Es gibt sie nicht ohne körperliches Leben. Sie wird nicht etwa durch den Tod befreit, um dann schwerelos in Reinheit zu leben. Der Tod ist ihr Ende. Auch das Wort ψυχή kann die Person meinen und ist darin verwandt mit σῶμα, σάρξ und πνεῦμα (Röm 16, 4: ὑπὲρ τῆς ψυχῆς μου »für mein Leben«). Auch im Alten Testament können sich נֶפֶשׁ und רוּחַ berühren.

2 Kor 12, 15: ὑπὲρ τῶν ψυχῶν ὑμῶν »für euch«. Phil 1, 17; 2, 2: μιᾷ ψυχῇ und σύμψυχοι »einmütig« ist gleichbedeutend mit ἑνὶ πνεύματι und τὸ ἓν φρονοῦτες; vgl. 1 Kor 1, 10: ἐν τῷ αὐτῷ νοῒ καὶ ἐν τῇ αὐτῇ γνώμῃ.

Wenn ein Gegenbegriff angeführt wird, dann nicht σῶμα, sondern (trotz der gelegentlichen Verwandtschaft) πνεῦμα: 1 Kor 15, 45 wird gegenübergestellt ψυχὴ ζῶσα: »nur irdisch lebendig« und πνεῦμα ζωοποιοῦν.

Der Ausdruck ψυχὴ ζῶσα stammt aus dem Alten Testament (Gen 2, 7); aber dort hat er positiven Sinn: Der Mensch wird lebendiggemacht. Paulus dagegen gibt ihm durch die Gegenüberstellung mit πνεῦμα einen negativen Sinn. Vgl. auch die Gegenüberstellung der Adjektive ψυχικός und πνευματικός 1 Kor 2, 10—16[9].

---

[9] Über die Frage, wieweit hier die gnostische Abwertung der Seele hereinspielt, s. R. Reitzenstein, Die Hellenistischen Mysterienreligionen, ³1927, 308 ff. und E. Schweizer, ThW VI 393 f.; für die Gnosis ist nicht nur der Leib, sondern auch die Seele eine kosmische Größe; sie ist der Faktor der Verstrickung des Menschen in der Welt. Beiden (Leib und Seele) ist das unweltliche πνεῦμα gegenübergestellt. Vgl. H. Jonas, Gnosis I 212—214.

VI. πνεῦμα (anthropologisch)

πνεῦμα hat formalen Sinn, wenn Paulus den menschlichen Geist und den Geist Gottes (1 Kor 2, 11) bzw. den (heiligen) Geist (Röm 8, 16) unterscheidet. σῶμα und πνεῦμα bezeichnen zusammen die ganze Person 1 Kor 7, 34; 5, 3. Aber auch πνεῦμα allein kann die Person vertreten, so in den Schlußgrüßen; dort heißt es ohne Bedeutungsunterschied sowohl: Der Herr sei »mit euch« als auch »mit eurem Geiste«. Auch πνεῦμα bezeichnet nicht ein metaphysisches Prinzip im Menschen, sondern das lebendige Ich, das eine Gesinnung hat: κοινωνία πνεύματος ist die Übereinstimmung in der Gesinnung (Phil 2, 1). 1 Kor 6, 16 f. liegt rhetorisch pointierte Ausdrucksweise vor. Gemeint ist: ein Leib mit dem Herrn, nämlich ein geistlicher.

VII. Weitere anthropologische Begriffe

1. ὁ ἔσω ἄνθρωπος steht zweimal: Röm 7, 22 und 2 Kor 4, 16.
Röm 7, 22 ist ὁ ἔσω ἄνθρωπος der Mensch, sofern er sich als Subjekt verhält, der νοῦς, der das Gute will. Das ist freilich kein Lob oder eine Entschuldigung des Menschen, daß er immerhin guten Willens sei. Das Wollen des Guten ist kein positiver ethischer Wert. Paulus meint einen ethisch neutralen Befund: daß der Mensch als solcher auf das für ihn Gute aus ist, um sofort zu zeigen, daß er es nicht erreicht. 2 Kor 4, 16 ist der Sinn von ὁ ἔσω ἄνθρωπος ein anderer: nicht der νοῦς als das natürliche sich behauptende Ich, sondern das neue, durch den Geist verwandelte Ich, das Tag für Tag sein Leben empfängt, während der ἔξω ἄνθρωπος dem Tode ausgesetzt ist. Der Sinn ist also ein rein formaler.

2. νοῦς: Wenn der Mensch als Subjekt beschrieben wird, kann Paulus vom νοῦς sprechen. Er meint damit vor allem das erkennende Verhalten, das vernünftige Erkennen (vgl. 1 Kor 14, 14 f.: Rede ἐν νοΐ, verständliche Rede im Gegensatz zur Glossolalie). Gottes Friede überragt den νοῦς, die menschliche Fähigkeit, zu begreifen (Phil 4, 7). Dabei ist das theoretische Denken nicht vom praktischen Urteilen zu trennen, sondern soll zu diesem, zum δοκιμάζειν, hinführen (Röm 12, 2; vgl. 1 Kor 14, 13 ff.; Röm 1, 28). Das Urteil kann richtig oder falsch sein. Nicht schon im νοῦς als solchem liegt die Gewähr für die Richtigkeit, sondern in dessen Erleuchtung. Das will an der Stelle beachtet sein, an der die höchste Aussage vom νοῦς gemacht wird, Röm 1, 20: Er kann Gottes

unsichtbares Wesen verstehen, damit auch Gottes Forderung (Röm 1, 32; 12, 2). Aber die Gotteserkenntnis ist nicht eigene Möglichkeit des Menschen. Sie ist möglich, weil Gott sich zeigt. Dem Menschen wird hier gesagt, daß er begreifen kann, was Gott ihn wissen läßt. Die Folgerung ist, daß sich der Mensch nicht mit seiner Unkenntnis entschuldigen kann, wenn er sich gegen Gott vergeht. Wenn der νοῦς ἀδόκιμος ist, so ist das Schuld des Menschen.
Scheinbar besteht nun ein Widerspruch zwischen Röm 1, 28: Der νοῦς ist ἀδόκιμος geworden, und Röm 7, 23: Der νοῦς will das Gute (s. o.). Er kommt nur nicht zum Zuge, weil ihn eine fremde Macht hindert, die Sünde, die im Leibe wohnt. Kann man dann den νοῦς für seine Ohnmacht verantwortlich machen? Kann man ihn verderbt heißen, wenn er auf das Gute aus ist?

Und muß nicht die Behauptung revidiert werden, daß nach Paulus das Innere des Menschen unfrei sei? In Röm 7 scheint doch Paulus gut stoisch darzulegen: Innerlich bin ich frei und am Guten orientiert. Aber ich werde von außen gehemmt[10].

Der Sinn von Röm 7 wird verfehlt, wenn man die durchschnittliche Anschauung vom freien Subjekt und seinem Willen einliest. Paulus lehrt nicht, daß der νοῦς frei und gut sei. Er stellt lediglich fest, daß er nicht kann, was er will. Das zeigt er am Zwiespalt zwischen Wollen und Tun. Es ist verfehlt, herauszulesen, daß das Wollen immerhin ein positiver Ansatz sei. Paulus will nur das eine zeigen, daß dieser Zwiespalt etwas Unmögliches ist. Er teilt nicht den Menschen in einen freien und einen unfreien Teil, sondern sagt, daß der Mensch gespalten existiert, d. h. daß er die Freiheit ganz verloren hat. Röm 1 und Röm 7 gehen durchaus überein: Ich bin als Geschöpf auf Gott hin orientiert, aber ich lebe meiner Bestimmung, und damit mir selbst, zuwider. Im Grunde ist der νοῦς als anthropologischer Faktor gar nicht direkt zu beschreiben und zu definieren. Denn der Mensch wird ja nicht als zeitloses Wesen beschrieben. Der νοῦς ist das jeweilige Vernehmen des mich Betreffenden. Ich erfahre mich als den, der Gott und damit seinem eigenen Wesen als Geschöpf widerspricht, obwohl ich um meine Bestimmung wissen könnte. Der νοῦς ist also nicht ein intakt ge-

---

[10] Lit. zu Röm 7: W. G. Kümmel, Römer 7 und die Bekehrung des Paulus, UNT 17, 1929; R. Bultmann, Römer 7 und die Anthropologie des Paulus, Imago Dei (Festschr. G. Krüger), 1932, 53—62; G. Bornkamm, Sünde, Gesetz und Tod (1950), in: Das Ende des Gesetzes, Ges. Aufs. I, ³1961, 51—69; J. Kürzinger, Der Schlüssel zum Verständnis von Römer 7, BZ NF 7, 1963, 270—274.

bliebener innerer Bezirk, in den ich mich aus dem Bereich der σάρξ zurückziehen könnte. Der νοῦς ist vielmehr das Indiz, daß ich mir fremd geworden bin.

3. συνείδησις[11]: Dieser Begriff stammt nicht aus dem Alten Testament. Im Griechentum ist er relativ spät ausgebildet[12]. Der neutestamentliche Sinn ist vom modern-idealistischen zu unterscheiden: συνείδησις ist nicht das Stichwort einer »Gewissensreligion« und bezeichnet nicht die Freiheit des Subjekts, das seine Entscheidung autonom fällt. Es bezeichnet auch nicht die göttliche Stimme im Inneren und nicht das bürgerliche »gute« Gewissen als das Schlummerkissen des Gerechten. Der Ausdruck »gutes Gewissen« findet sich in den echten Paulusbriefen nicht. Wie νοῦς das Urteilen samt dem »Trachten« bezeichnet, so συνείδησις das reine Urteilen. Für den Sinn ist vom Verbum auszugehen: σύνοιδα und σύνοιδα ἐμαυτῷ ist das Mitwissen mit einem anderen und mit mir selbst, die Möglichkeit, mein eigenes Verhalten kritisch zu durchschauen, und zwar das vergangene wie das geplante, künftige. Das Gewissen ist mit dem Menschsein als solchem gegeben, nicht etwa erst mit dem Erleuchtetsein des Gläubigen. Der Mensch kann zwischen Gut und Böse unterscheiden. Er setzt aber nicht eigene Normen. Der Inhalt ist durch Gottes Gebot bestimmt, also durch Offenbarung, nicht durch ein autonomes Sittengesetz. Das Gewissen ist nicht Offenbarungsquelle, sondern das Verstehen der konkreten Forderung Gottes. Das gilt ausdrücklich auch für die Heiden: Röm 2, 15. Den Bezug auf eine objektive Norm außerhalb meiner zeigt Röm 13, 5.

Die Obrigkeit ist von Gott eingesetzt. Daher habe ich mich unterzuordnen οὐ μόνον διὰ τὴν ὀργὴν ἀλλὰ καὶ διὰ τὴν συνείδησιν, also in Anerkennung des Willens Gottes[13].

In der Bindung an eine offenbarte Norm besteht der Unterschied vom modernen Verständnis des Gewissens. *Dibelius*[14] empfindet

---

[11] Chr. Maurer, συνείδησις, ThW VII 897—918; M. Dibelius im HNT zu 1 Tim 1, 5; M. Pohlenz, Paulus und die Stoa, ZNW 42, 1949, 77 f. (= Neudr. 1964, 15 f.); G. Bornkamm, Gesetz und Natur (1959), in: Studien zu Antike und Urchristentum, Ges. Aufs. II, ²1963, 111 ff.; J. Stelzenberger, Syneidesis im NT, 1961; K. Stendahl, The Apostle Paul and the Introspective Conscience of the West, HThR 56, 1963, 199—216.
[12] Die Substantive τὸ συνειδός und ἡ συνείδησις kommen bis ins 1. Jh. v. Chr. nur sporadisch vor; s. Maurer.
[13] E. Käsemann, Grundsätzliches zur Interpretation von Römer 13, Ex. Vers. u. Bes. II 219 f., gegen H. Lietzmann im HNT z. St.: »aus Überzeugung«.
[14] M. Dibelius, Rom und die Christen im ersten Jahrhundert (SAH 1942), Botsch. u. Gesch. II 183 Anm. 16.

ihn so stark, daß er meint, συνείδησις bedeute bei Paulus überhaupt noch nicht »Gewissen«, sondern lediglich die Überzeugung von Gut und Böse, die einer hat[15]. Doch ist damit der paulinische Sinn zu eng gefaßt.

Das Gewissen ist je mein Gewissen; es ist durch keine andere Instanz vertretbar. Zugleich ist es richtende Instanz über mir (2 Kor 1, 12). Es ist weiter urteilendes Mitwissen mit einem anderen Menschen. Im 2. Korintherbrief beruft sich Paulus für seine Amtsführung nicht nur auf das eigene Gewissen. Er appelliert auch an dasjenige der Leser: Wenn sie ihn »gewissenhaft« beurteilen, müssen sie seine Lauterkeit anerkennen (2 Kor 4, 2; 5, 11). Er hat also ein gutes Gewissen. Aber er zieht die Grenze: Das Gewissen kann ihn nicht gerecht sprechen. Dafür ist es nicht die zuständige Instanz (1 Kor 4, 4).

Das Gewissen kann irren. Das Gewissen mancher Leute in Korinth ist schwach (1 Kor 8, 7).

Zu 1 Kor 8—10: Darf man Götzenopferfleisch essen? Eine Gruppe bejaht die Frage, weil »wir« die Erkenntnis haben, daß es Götzen nicht gibt, und durch diese Erkenntnis frei sind. Die anderen verneinen es, weil ihnen das Fleisch »unrein« ist. Dazu bemerkt *Hans von Soden*[16]: Moderne Christlichkeit würde etwa fragen, ob ich die innere Freiheit von den Götzen, also zum Essen habe, ob mein Gewissen zustimmt. Norm wäre dann meine Überzeugung. Damit wäre aber die wirklich ethische Frage umgangen. Für Paulus ist es überhaupt keine Frage, ob wir frei sind. Insofern versteht er die Freiheit radikal, nicht gebrochen (wie der moderne Subjektivismus). Darum reduziert er sie nicht auf eine »innere« Freiheit, wodurch man die tatsächlich geübte aufheben kann. Gewiß hat die Freiheit eine Grenze, aber die in ihr selbst gesetzte: πάντα μοι ἔξεστιν, ἀλλ' οὐκ ἐγὼ ἐξουσιασθήσομαι ὑπό τινος (1 Kor 6, 12).

Gerade aus dem πάντα ἔξεστιν ergibt sich die Möglichkeit für die »Starken«, zu verzichten. 1 Kor 10, 27 f.: Wenn ihr von einem Heiden eingeladen werdet, dann eßt! Ihr habt nicht nötig, Nachforschungen anzustellen, ob es sich um Opferfleisch handelt; euer Gewissen ist gar nicht engagiert; ihr seid frei. Allerdings, wenn man euch ausdrücklich sagt: Das ist Opferfleisch, dann eßt nicht! Und zwar um dessen willen, der euch darauf aufmerksam machte, und διὰ τὴν συνείδησιν. Aber warum das, wenn wir doch frei sind und wissen, daß es keine dingliche, kultische Unreinheit gibt und das Fleisch nichts anderes ist als — Fleisch? Paulus: Ich meine nicht euer Gewissen, sondern das des anderen. Es geht nicht darum, ob ihr die innere Freiheit habt, sondern wie euer Verhalten verstanden werden muß, in diesem Falle: ob es als ein Bekenntnis zu den Göttern erscheint und dann ein Akt der Unfreiheit wäre, der Angst vor den Göttern, der religiösen Konvention. Aus Freiheit kann der Freie verzichten. Er kann dem »Schwachen« die Freiheit nicht aufzwingen.

---

[15] Nach Pohlenz a. a. O. trifft diese Interpretation für Röm 13, 5 zu, aber nicht für Röm 2, 15. Aber sie ist auch für Röm 13, 5 zweifelhaft; s. auch Maurer, a. a. O. 914, 22 ff.

[16] H. v. Soden, Sakrament und Ethik bei Paulus (1931), in: Das Paulusbild in der neueren deutschen Forschung, 1964, 338—379.

In Röm 14 f. wird dieselbe Thematik besprochen. Dort sagt Paulus statt συνείδησις aber πίστις. Gewissensfreiheit ist also Glaubensfreiheit. Im Glauben ist die Norm der Freiheit gegeben.

4. Der Gebrauch von καρδία zeigt kaum etwas Eigentümliches. Das Wort gehört der jüdischen Anthropologie an: Das Herz ist das Organ für Verstand und Willen, die bewußte Tätigkeit des Ich (vgl. Mk 7, 21; Lk 2, 35 usw.). Mit καρδία bezeichnet Paulus den Menschen, sofern er begehrt. Das Herz ist der Mittelpunkt des Denkens, Wollens, Fühlens (1 Kor 4, 5; 2 Kor 9, 7). Das Herz ist verborgen; der Gegensatz zu ἐν καρδίᾳ kann daher heißen: ἐν προσώπῳ (2 Kor 5, 12). Gott schaut in das Innere; er ist ὁ δοκιμάζων τὰς καρδίας (1 Thess 2, 4; vgl. Röm 8, 27). In bezug auf Gott und seinen Willen ist das Herz unverständig, verstockt, verfinstert (Röm 1, 21. 24; 2, 5). Und das, obwohl es Gottes Willen verstehen kann; denn sein Gesetz ist ins Herz geschrieben (Röm 2, 15). Andererseits wird es erleuchtet (2 Kor 4, 6); der Geist ist in die Herzen gegossen (2 Kor 1, 22; Gal 4, 6).

§ 22 DIE HOFFNUNG

R. Bultmann, ἐλπίς ThW II 525 ff. — W. Grundmann, Überlieferung und Eigenaussage im eschatologischen Denken des Apostels Paulus, NTS 8, 1961/2, 12—26 — H. Schwantes, Schöpfung der Endzeit, 1963 — D. E. H. Whiteley, The Theology of St. Paul, 1964, 233 ff.

Eine doppelte Abgrenzung ist erforderlich: a) gegenüber der These, Paulus sei Apokalyptiker, also der Erfassung seiner Eschatologie von den Zukunftsbildern her. Eschatologie wäre dann die Beschreibung des Erwarteten. Die Frage ist aber, was die Erwartung selbst ist. Darüber gibt die apokalyptische Deutung keine Auskunft aus den Texten, sondern aus der psychologischen Konstruktion der »Einstellung« des Paulus. b) gegenüber der Mystik. Das futurische Element ist zweifellos da und kann nicht eliminiert werden. Es bildet geradezu die Pointe in den Auseinandersetzungen mit dem ungeschichtlichen Pneumatismus und Sakramentalismus (1 Kor 15; Röm 6). Wie verhalten sich nun Erwartetes und Erwartung zueinander? Um diese Frage zu beantworten, ist zunächst die ihr zugrunde liegende zu stellen: Wie verhalten sich Zukunft, Gegenwart und Vergangenheit zueinander? An eine Antwort führt nicht die Bestimmung der formalen Struktur der Zeit heran. Bestimmend ist das konkrete Verstehen des Glaubens. Glaube ist das Sichverstehen im Hören des Evangeliums: angesichts der durch das Wort erschlossenen Zukunft; damit angesichts meiner Vergangenheit, der Sünde; und der Gegenwart, der »Neuheit des Lebens«, der geschenkten Möglichkeit des περιπατεῖν κατὰ πνεῦμα. Der Glaube erschließt mir, woher ich komme (Röm 7), wo ich mich befinde, nämlich im Geist, in der Freiheit, und wohin ich gerufen bin. Die Zeit verstehen heißt: sich in der Zeit verstehen; die Zeit ist die Perspektive, in der ich mich selbst durch die Glaubensbotschaft verstehen kann.

Diese dreifache Bestimmung kann nicht durch die Trias Glaube - Liebe - Hoffnung beschrieben werden. Zwar ist die Hoffnung Einstellung auf die Zukunft, die Liebe die Bestimmung der Gegenwart, der Inhalt des Glaubens das in Christus geschehene Heil. Aber Paulus selbst verhindert die Schematisierung, indem er die Liebe als die größte der drei erklärt; sie umspannt die beiden anderen Bestimmungen. In welchem Sinn? Nicht so, daß er damit den Glauben degradierte — im Gegenteil: gerade ihn will er zum Zuge bringen. Der Glaube ist es, der die Liebe möglich macht. Paulus muß aber zeigen, daß der Glaube nicht nur theoretisches Fürwahrhalten ist, sondern in das neue Leben, die Freiheit, die Liebe führt. Er ist πίστις δι' ἀγάπης ἐνεργουμένη (Gal 5, 5 f.). An derselben

Stelle erscheint auch die Verknüpfung von Glauben und Hoffnung. Zu beachten sind auch die Umschreibungen und Auslegungen der Trias Glaube - Hoffnung - Liebe (bzw. Glaube - Liebe - Hoffnung) an folgenden Stellen: 1 Thess 1, 3; 5, 8; im Kontext von 1 Kor 13, 13; Röm 5, 1 ff.; vgl. dann die nachpaulinischen Stellen Kol 1, 4 f.; 1 Petr 1, 21 f.; Hebr 10, 22 ff. *Reitzenstein*[1] will die Trias aus einer gnostischen Viererformel herleiten. Paulus habe in der Polemik gegen die korinthischen Gnostiker den vierten Begriff: γνῶσις, herausgebrochen. Dagegen spricht die Tatsache, daß die Formel älter ist als die Polemik des 1. Korintherbriefes. Sie ist nicht in polemischer Absicht entworfen. Vielleicht ist sie kombiniert aus den beiden Verbindungen πίστις / ἐλπίς und πίστις / ἀγάπη (vgl. Gal 5, 5 f.). Die gnostische Erweiterung zur Viererformel (z. B. EvPhil 115) ist sekundär.

Eschatologie im Sinne des Paulus ist weder ein apokalyptischer locus de novissimis als der letzte Ausblick über den Abgrund des Todes oder des Weltendes hinweg auf das Jenseits noch das Postulat eines »Prinzips Hoffnung« als der Entwurf eines Welt- und Menschenbildes. Auch die Hoffnung ist einfach Auslegung des Glaubens. Das ist ihr positives wie ihr kritisches Prinzip, ihre Begründung wie ihre Grenze: Sie verhindert das Ausbrechen in subjektiv-psychologische oder in objektiv-apokalyptische Phantasie. Paulus legt die Hoffnung nicht von den Bildern des Erhofften her aus. Der wesentliche Punkt ist die Verklammerung der Zukunft mit der Gegenwart, der Aufweis, daß die Zukunft jetzt erfahrbar ist[2]. Natürlich sind apokalyptische Bilder vorhanden: Paulus erwartet die Parusie, und zwar in Bälde (1 Thess 4, 13 ff.; Phil 4, 5; 1 Kor 7, 29; Röm 13, 11), und gibt auf Grund dieser Naherwartung Anweisungen für das Verhalten in der Gegenwart.

Im Vorblick: Anweisungen, die durch den Ausblick auf die Nähe des Weltendes begründet sind (1 Kor 7), sind von denen zu unterscheiden, die allgemein gelten. Dabei bemerkt man in 1 Kor 7 die Überführung des eschatologischen Verhaltens zur Welt in eine generelle Bestimmung der Freiheit zur Welt, die nicht von einem bestimmten Termin der Parusie abhängig ist.

Bezeichnend ist sowohl, daß das Zukunftsbild nicht zum eigenen Thema wird, als auch, daß die Vorstellungen über die Zukunft bei Paulus gar nicht einheitlich sind.

1 Thess 4, 13 ff. und 1 Kor 15 setzt Paulus die allgemeine Auferstehung der Toten beim Weltende voraus. Dagegen klingt Phil 1, 21—23 so, als erwarte Paulus, sofort nach dem Tode beim Herrn zu sein. Ein ähnliches Nebeneinander gibt es bei den Synoptikern (Lukas) und schon in der jüdischen Apokalyptik. Die Stelle

---

[1] R. Reitzenstein, Historia Monachorum, FRLANT NF 7, 1916, 100 ff. 242 ff.; NGG 1916, 367—416; 1917, 131—151; 1922, 256; Die Hellenistischen Mysterienreligionen, ³1927, 383 ff.
[2] Erfahrbar nicht in subjektivem Erlebnis, sondern im Sinne von Glaubenserfahrung, durch das Hören der Botschaft, im Geist.

des Philipperbriefes erklären *A. Schweitzer* und *E. Lohmeyer*[3] so, Paulus erwarte eine Sonderbehandlung für sich als Märtyrer. Dieser Deutung widerspricht aber der Kontext. Auf Grund von 2 Kor 5, 1 ff. erschließt man gelegentlich, Paulus habe einen »Zwischenzustand« erwartet. Aber an dieser Stelle kommt es Paulus nur auf die Gegenüberstellung von irdischem und himmlischem Dasein an. Auf den Zeitpunkt des »Überkleidetwerdens« reflektiert er gar nicht. Der Gedanke zielt darauf, daß wir alle vor Gott zitiert werden, unabhängig von unserem physischen Zustand; wir finden hier wieder das bezeichnende εἴτε — εἴτε.

Die wichtigste der Objektivierungen ist die Vorstellung von der *Auferstehung der Toten*. Eine kurze Skizze gibt Paulus 1 Thess 4, 13 ff.: a) Wiederbelebung der verstorbenen Gläubigen; b) Verwandlung der bei der Parusie lebenden Gläubigen; c) gemeinsame Entrückung in die Luft. Über das Schicksal der Ungläubigen sagt er nichts. Man kann nur aus Andeutungen erschließen, daß über sie das Zorngericht ergeht (1 Thess 1, 10) und daß sie nach ihren Werken gerichtet werden (Röm 2, 5). Die Heiligen werden die Welt samt den Engeln richten (1 Kor 6, 2 f.). Breit wird das Thema 1 Kor 15 besprochen, außerdem 2 Kor 5, 1—10[4]. Diese beiden Stellen scheinen der früheren Feststellung zu widersprechen, daß der Begriff σῶμα das Ich bezeichnet, nicht griechisch die Form. Denn ausgerechnet an der heikelsten Stelle, wo unsere Zukunft nach dem Tode das Thema ist, 2 Kor 5, erscheint eine dualistische Anthropologie: Der Leib ist nur die äußere Hülle. Erst wenn er abgestreift ist, sind wir schwerelos und frei. Auch 1 Kor 15 scheint der Leib die Form eines Stoffes zu sein (V. 35 ff.). Es ist also zu fragen, ob das über den Begriff σῶμα Gesagte revidiert werden muß.

Bultmann (NT 202 f.) erklärt, man könne aus methodischen Gründen für die Bestimmung des Begriffs nicht von 2 Kor 5 ausgehen, weil von hier aus die anderen, »monistischen« Aussagen über das σῶμα nicht zu erklären seien. Wohl aber könne man von jenen her verstehen, daß Paulus auch einmal »dualistisch« reden könne. Er sei dazu veranlaßt durch die Polemik gegen die korinthischen Dualisten. Diese Erklärung ist richtig. Aber damit ist der Befund von 1 Kor 15 noch nicht erklärt. Liegt auch dort ein Sonderfall vor? Ja.

An beiden Stellen wird ein Konflikt sichtbar, nicht nur der zwischen Paulus und seinen korinthischen Gegnern, sondern ein tieferer: des Paulus mit sich selbst, nämlich zwischen dem Gemeinten und dem Darstellungsmittel, zwischen Zukunft, Hoffnung hier und anthropologischer Vorstellung dort. Paulus muß das künftige Sein

---

[3] A. Schweitzer, Die Mystik des Apostels Paulus, ²1954, 135 f.; E. Lohmeyer z. St. (MeyerK).
[4] I. Hermann, Kyrios und Pneuma, StANT 2, 1961, 114 ff.; M. E. Dahl, The Resurrection of the Body, 1962; H. Schwantes a. a. O.

einerseits als unweltlich und überweltlich beschreiben, andererseits aber doch als Sein. Das kann nur unangemessen geschehen, und diese Diskrepanz erscheint in der Darstellung.

1 Kor 15

Ausgangspunkt der Darlegung ist das Credo (V. 3—5). Es dient nicht nur zur äußeren Begründung; Paulus versteht es ja so, daß der Glaube selbst die Zukunft bestimmt. So kann er in zwei Gängen aus dem Credo erheben: 1) d a ß die Toten auferstehen; 2) w i e Auferstehung möglich ist (V. 35 ff.). Der Ansatz beim Credo hält sich darin durch, daß Paulus nur nach der Zukunft der Gläubigen fragt. In einem ersten Gedankengang diskutiert er thematisch den Zusammenhang von Glauben und Hoffnung (V. 12—19). Wenn die Auferstehung der Toten bestritten wird, ist auch die Auferstehung Christi bestritten, der Glaube also vergeblich. Das ist keine sentimentale Erklärung, sondern eine Anleitung zum Verstehen des Glaubens und seiner Selbstevidenz. Es folgt die weitere Argumentation, zunächst für das Thema »daß«: die Entsprechung von Adam und Christus, dann der Ablauf der eschatologischen Ereignisse, dann die »Vikariatstaufe«. Dieser mehrfache Zugriff ist ein Zeichen, daß Paulus selbst spürt, daß die einzelne Vorstellung nur Begrenztes leistet. Die Entsprechung von Adam und Christus ist in 1 Kor 15 nur skizzenhaft angedeutet, den Kommentar bietet Röm 5[5]. Adam befaßt die Menschheit repräsentativ in sich, sein Tod den Tod jedes Menschen: Wir sterben alle »in Adam«. Analog befaßt Christi Schicksal das unsrige in sich; er ist der zweite Adam[6]. Aber im entscheidenden Punkt stimmt die Analogie nicht: Sie läßt nämlich für sich genommen den Glauben außer acht. Das Heil geht ja von Christus nicht naturhaft (wie der Tod von Adam) aus, sondern wird vom Glauben empfangen.

In Röm 5 muß Paulus daher die Analogie durchbrechen: ἀλλ' οὐχ ὡς τὸ παράπτωμα, οὕτως τὸ χάρισμα (V. 15). Und in 1 Kor 15 stellt er an späterer Stelle Adam und Christus in Gegensatz: Der erste Adam wurde εἰς ψυχὴν ζῶσαν, der zweite und letzte (!) Adam εἰς πνεῦμα ζωοποιοῦν. Damit ist die Analogie aufgehoben — zum Glück! Der Mythos genügt nicht, das Gemeinte darzustellen. Er kann ausdrücken, daß das Leben objektiv, außer uns gestiftet ist und von außen zu uns kommt. Aber er verleitet dazu, Tod und Leben als Naturvorgang zu deuten. Darum bricht Paulus da ab, wo er den Blick vom Tod auf das Leben

---

[5] E. Brandenburger, Adam und Christus, WMANT 7, 1962.
[6] Die Analogie kommt zum Ausdruck durch ὥσπερ — οὕτως.

richtet. Wie Röm 5 zeigt, ist für Paulus freilich auch der Tod nicht als Naturvorgang wesentlich, sondern als Indiz, daß das Verhältnis zu Gott gebrochen ist, d. h. als Faktor des geschichtlichen Existierens. Diese geschichtliche Intention ist schon 1 Kor 15, 22 zu sehen, im Tempuswechsel: ἀποθνήσκουσιν — ζωοποιηθήσονται.

Durchweg hält Paulus an der Künftigkeit der Auferstehung fest. Die antienthusiastische Spitze ist deutlich. Das Wort πάντες wechselt den Sinn: Zunächst bezeichnet es alle Menschen, nachher alle, die in Christus sind. Das Sein in Christus ist von anderer Qualität als das Sein in Adam. Paulus spitzt den Gedanken noch zu, wenn er nicht erklärt, wir werden dem Tode entgehen, sondern der Tod selber werde vernichtet werden. Daher ist er schon heute keine Macht mehr gegen das neue Leben im Geist.

Man darf seine Aussage nicht dahin verflachen, der Tod sei harmlos. Er ist nach wie vor der letzte Feind. Harmlos wird er »in Christus«. Wir leben noch nicht, wie die Korinther phantasieren, im seligen Jenseits. Die Überwindung des Todes erfahren wir in der Paradoxie, daß wir ihm ausgesetzt sind (Röm 8, 35 ff.; 2 Kor 4, 7 ff.).

V. 24 folgt der Hinweis auf die Reihenfolge der eschatologischen Ereignisse, die mit der Auferstehung Christi begonnen haben: ἀπαρχὴ Χριστός. Es schließt sich an das Argument mit der stellvertretenden Taufe für die Toten (V. 29). Die Deutung der Stelle auf die Vikariatstaufe ist nicht zu bestreiten.

Mit V. 35 setzt der neue Gedankengang ein: ἀλλὰ ἐρεῖ τις· πῶς ἐγείρονται οἱ νεκροί; ποίῳ δὲ σώματι ἔρχονται; Zunächst arbeitet Paulus mit dem Vergleich mit dem Samenkorn (V. 36—38). Ist er überzeugend? Er paßt gar nicht. Allerdings denkt Paulus nicht biologisch-organisch. Er betrachtet den Samen nicht hinsichtlich seiner Möglichkeit als Keim, sich zu entfalten. Er hebt hervor: Dem Samen sieht man nicht an, was er sein wird; er ist »nackt«. Sein künftiges Sein ist ein Wunder. Paulus hebt nicht die Kontinuität hervor, sondern den Akt der Schöpfung. Er deutet die Auferstehung als Neuschöpfung.

Weiter ins Detail kann man den Vergleich nicht treiben. Der Same hat nach Paulus zunächst überhaupt kein σῶμα; aber Gott kann ihm eines geben. Der Mensch hat eines und wird es verlieren. Daß das Samenkorn stirbt, paßt nicht zum »nackten« Korn. Worauf Paulus hinaus will, ist deutlich: Wenn wir gestorben sind, sind wir nichts, nackt, wie das Samenkorn, und wir werden neu geschaffen. *Karl Barth*[7] erklärt den Befund so: Paulus stelle hier eine reine Synthese her. Zu den beiden verschiedenen Erscheinungen von Same und Pflanze substituiere er das gleiche Subjekt; in der unanschaulichen Mitte erfolge eine Neuschöpfung.

---

[7] K. Barth, Die Auferstehung der Toten, ²1926.

σῶμα ist hier offenbar die Gestalt, die in verschiedenen Seinsweisen existieren kann, der σάρξ oder der δόξα. Es liegt daher nahe, σῶμα als die Form und σάρξ bzw. δόξα als die Substanz zu deuten. Gewiß sind σάρξ und δόξα stofflich gedacht. Aber Paulus kann sich auch das σῶμα nicht abstrakt als Form vorstellen. Es gibt kein σῶμα-Sein an sich, sondern nur ein σῶμα, das sich je schon in einer bestimmten Substantialität befindet. Das wird deutlich aus der weiteren Begründung: Es gibt nicht nur einerlei σάρξ, woraus Paulus auf die Verschiedenheit der σώματα. d. h. Weisen von Leiblichkeit, schließt; und es gibt verschiedenerlei δόξα. Daraus ergibt sich (V. 42): οὕτως καὶ ἡ ἀνάστασις τῶν νεκρῶν. σπείρεται ἐν φθορᾷ, ἐγείρεται ἐν ἀφθαρσίᾳ... σπείρεται σῶμα ψυχικόν, ἐγείρεται σῶμα πνευματικόν.

In diesen Antithesen bricht die eigentliche Meinung des Paulus durch die mühsamen Hilfskonstruktionen hindurch: Man kann die Hoffnung auf Auferstehung nicht aus einer Analyse des Wesens des Menschen gewinnen, weil die Auferstehung Neuschöpfung ist, nirgends anders begründet und nirgends anschaulich als »in Christus«. Die Zwiespältigkeit zwischen Gemeintem und Darstellungsmitteln ist der Ausdruck für die theologische Wahrheit, daß das künftige Leben gewiß ist, nicht obwohl es unanschaulich ist, sondern weil es unanschaulich ist, Wunder, anschaulich im Wunder des Geistes.

Schwantes: Paulus kennt nicht eine allgemeine Auferstehung, sondern nur die Schöpfung der Endzeit, die er mit dem Glauben an Gott, den Schöpfer, verbindet (und nicht etwa apokalyptisch begründet). Dieser Reduktion widerspricht die Tatsache, daß Paulus ein allgemeines Gericht kennt. Vgl. freilich *E. Schweizer*, ThW VII 1060: Trotz Röm 2, 5 f. spreche Paulus nicht von einer Auferstehung zum Tod oder zur Verdammung, sondern nur von einem Gericht, das die Werke der zum Leben Auferstandenen lobe oder tadle[8].
Für die Ausdrucksweise: Auferstehung des »Leibes« oder »Fleisches«, kommt es einfach auf den Sprachgebrauch an. Paulus kann bei seinem Sprachgebrauch von σάρξ nicht von der Auferstehung »des Fleisches« reden. Denn σάρξ ist das Vorhandene, Fleisch und Blut werden das Reich Gottes nicht erben. Anders ist der Sprachgebrauch bei Johannes: ὁ λόγος σάρξ ἐγένετο, und Lk 24, 39. *Bultmann* (NT 199 f.): Das Bleibende, das die Kontinuität zwischen mir als dem Irdischen und mir als dem Künftigen konstituiere, sei das σῶμα. Aber das ist es gerade nicht: Ich bekomme ein neues, pneumatisches σῶμα. Der Ton liegt durchaus auf der Neuheit, dem Wunder. Ich werde im Jenseits ein σῶμα haben, denn Sein ohne σῶμα kann sich Paulus gar nicht vorstellen. Aber es ist ein neuer Leib. Was ist dann das Bleibende? Dieses kann gar nicht direkt, anthropologisch bezeichnet werden, weder mit σῶμα noch mit ψυχή noch mit πνεῦμα. Gewiß ist das πνεῦμα ἀρραβών, und das künftige Leben ist »geistliches« Leben. Aber der Geist ist kein anschaulicher, anthropologischer Faktor. Die Kon-

---

[8] Vgl. E. Jüngel, Paulus und Jesus, 1962, 66—70.

tinuität entspricht streng dem Wortcharakter des Heilsgeschehens: Die Verheißung ist mir gesagt, der Geist ist mir geschenkt; also kann ich als der, der vom Geist bereits erreicht ist, für mich hoffen. Die Kontinuität anschaulich zu machen, verweigert Paulus 2 Kor 5, indem er betont, daß wir im Glauben wandeln, nicht im Schauen (V. 7). Es ändert am Tatbestand wenig, wenn man hier εἶδος als εἰκών faßt[9]. Auch die Geisterfahrungen führen uns nicht über die Stufe des Glaubens hinaus. Paulus betont 1 Kor 12—14, daß uns die Geistesgaben gerade die Vorläufigkeit unserer jetzigen Existenz vor Augen halten. Der Geist ist »Angeld«; er setzt uns in Bewegung, hier in der Welt, aber nicht in den Himmel hinauf. Denn noch leben wir ἐν σαρκί und ἐν σώματι, wenn auch als Freie, nicht mehr κατὰ σάρκα. Unsere Existenz ist durch das Kreuz bestimmt (Röm 5, 1 ff.; 2 Kor 4). Eben dadurch erfahren wir uns als Hoffende.

2 Kor 5, 1—10[10]

Hier formuliert Paulus in der Auseinandersetzung mit den korinthischen Protognostikern dualistisch. Die Gegner wollen offenbar nichts von einer leiblichen Auferstehung (im Stil von 1 Kor 15) wissen. Ihr Ideal ist körperloses Dasein in der schwerelosen Lichtwelt. Wenn diese »Hütte« abgerissen wird, steigt die Seele nackt und frei empor.
Paulus übernimmt ihre Ausdrucksweise, sagt aber das Gegenteil: Wir werden nicht nackt sein; auf uns wartet der himmlische Leib (vgl. Phil 3, 21). Paulus kann sich, anders als die Korinther, ein Sein ohne Leib nicht vorstellen. Nicht schon mit dem Abwerfen des Leibes hat man das Leben; nicht der Leib ist das Fremde, Böse, sondern die Sünde. Der Gegensatz heißt für Paulus nicht Materie — Geist (bzw. Seele), sondern: Welt und Tod hier — neue Schöpfung dort. An der anthropologischen und metaphysischen Vorstellung ist Paulus wieder nicht interessiert. Die so dualistisch klingende Abhandlung führt über den schon erwähnten Vers 7 zu einem der charakteristischen εἴτε-εἴτε- Sätze hin (V. 9). Damit sagt Paulus, daß meine anthropologische Befindlichkeit hinsichtlich des Heils irrelevant ist. Für dieses von Bedeutung ist nur, ob wir Gott gefallen; entscheidend ist also sein Urteil über uns im Gericht, in dem wir enthüllt werden. Wenn Paulus mit damaligen apokalyptischen, dualistischen Vorstellungen (Leib und jenseitiger Leib) arbeitet, so

---

[9] J. Jervell, Imago Dei, FRLANT 76, 1960, 270.
[10] W. Mundle, Das Problem des Zwischenzustandes in dem Abschnitt 2 Kor 5, 1—10, Festg. A. Jülicher 1927, 93—109; R. Bultmann, Exegetische Probleme des Zweiten Korintherbriefes, SyBU 9, 1947 (= Neudr. 1963, 3—12); E. E. Ellis, II Corinthians V. 1—10 in Pauline Eschatology, NTS 6, 1959/60, 211—224; P. Hoffmann, Die Toten in Christus, NTA 2. Folge 2, 1966, 253 ff.

führt er doch jeweils an einen Punkt, an dem er über den Vorstellungsgehalt hinausweist auf den theologischen Sachverhalt der unanschaulichen, im Wort erfahrenen Hoffnung. Wie das Wesen des Glaubens, so ist das Ziel der Hoffnung unanschaulich.

Es wird nicht etwa ein Zukunftsbild gemalt, um den Glauben zu reizen. Das Umgekehrte gilt: Man gewinnt die Hoffnung nicht anders als durch den Glauben, der die Verheißung annimmt, wo er keine weltliche Aussicht auf deren Verwirklichung wahrnimmt (Röm 4, 18). Es macht das Wesen der Hoffnung aus, daß weder der Weg zum Ziel zu sehen ist noch auch das Ziel selber (Röm 8, 24 f.). Gerade daß wir »die Hoffnung nicht sehen«, ist das Tröstliche. Denn so kann die Hoffnung die Macht sein, welche die Gegenwart bestimmt. Das wird Röm 5, 1 ff. in der Form einer Exegese des Bekenntnissatzes Röm 4, 25 gezeigt: δικαιωθέντες οὖν ἐκ πίστεως εἰρήνην ἔχομεν. Wo ist aber der Friede greifbar? Er ist ja nicht zu sehen. Die Welt ist nach wie vor von der Sünde und dem Tod beherrscht. Es wäre eine theologisch verzweifelte Verteidigung der Hoffnung, wenn Paulus nun argumentierte: Das Heil ist da, obwohl es nicht zu sehen ist (etwa: im Inneren des Erlösten). Paulus greift weiter aus: Das Heil ist da — nicht, obwohl nichts zu sehen ist, sondern — gerade in dieser Unanschaulichkeit, als die Möglichkeit, sich in der θλῖψις der Hoffnung zu rühmen. Hoffnung bedeutet also nicht das Ignorieren der Mächte des Daseins, den sehnsüchtigen Ausblick auf ferne bessere Zeiten, einen Rest von Optimismus in trüben Lebenslagen, sondern das Existieren angesichts der Mächte, das Sich-Rühmen ihnen gegenüber.

Durchschnittliche, christliche Erbaulichkeit folgert: Solange man nicht jede Hoffnung aufgegeben hat, hat man eine Kraft zum Durchhalten. Und diese Hoffnung erscheint am Horizonte unseres Daseins. So führt die Hoffnung in die Bewährung. Bei Paulus aber ist die Reihenfolge umgekehrt: Die Bewährung schafft die Hoffnung. Die θλῖψις zerschlägt uns die menschliche Sicherung und wirft uns ausschließlich auf Hoffnung. Dabei kommt es an den Tag, daß dies die echte Existenzmöglichkeit, das Hoffnungsvolle der menschlichen Lage ist: »Die Hoffnung läßt nicht zuschanden werden.« Für die Exegese dieses Satzes ist zu beachten, daß Paulus auf die Bibel anspielt (ψ 21, 6; vgl. 24, 20). Er ist nicht aus menschlicher Erfahrung begründet, keine Regel, die aus der Beobachtung menschlicher Lebensläufe gewonnen ist. Der Satz wird begründet durch das Faktum, daß Gottes Liebe ausgegossen ist; und das erfahre ich, indem es mir gesagt wird. Paulus predigt hier nicht das philosophische Ideal der Ataraxia. Der Stoiker übt sich in ὑπομονή und δοκιμή ein. Er gewinnt seine Haltung, indem er das Schicksal aushält, also durch Verzicht auf Zukunft und Hoffnung. Er zieht sich in das Innere zurück, wo er vom Schicksal nicht getroffen werden kann. Der Gläubige wird getroffen. Er steht offen im Erleben und Erleiden und erfährt im Glauben die Freiheit, das Schicksal zu übersteigen.

§ 23 DER MENSCH IN DER WELT

Paulus gibt keine (moralische, psychologische) Analyse des empirischen Menschen. Unterbleibt sie aus Mangel an Abstraktionsvermögen? Es ist möglich, daß ein solcher Mangel besteht und Paulus in philosophischer Denkmethode nicht geschult ist. An die Stelle einer philosophischen Analyse, die ein generelles Bild des Menschen gewinnen will, tritt bei ihm eine andersartige Darstellung. Daß er keine empirische Analyse gibt, hat einen theologischen Grund: Der Glaube hat zwar empirische Wirkungen; aber sein Wesen ist nicht empirisch faßbar. Faßbar sind Formen der Gläubigkeit, nicht aber der Glaube, der nur als Glaube an ... existent ist. Analog gibt es sichtbare Wirkungen der Sünde (Unmoral und Tod); aber die Sünde selbst ist kein empirischer Tatbestand (Röm 1, 18 ff.). Das Urteil, daß der Mensch Sünder sei, betrifft seine Beziehung zu Gott. Dieses Urteil ist erst im Glauben zu verstehen.

Es besagt ja etwas anderes, als daß der Mensch moralisch schlecht sei. Paulus behauptet von seiner Vergangenheit vor seiner Bekehrung, daß sie moralisch untadelig war, und von seiner Lebensführung als Christ, daß er »sich nichts bewußt sei«. Aber damit ist er nicht gerechtfertigt. Als Sünder durchschaue ich mich nicht durch Selbstanalyse, sondern durch das Verstehen der Glaubensbotschaft. Durch den Zuspruch von Gottes Gerechtigkeit erfahre ich mich als den, der auf die Gnade angewiesen ist, der in der Sünde verfallen war und sich jetzt als den Geretteten vernimmt.

Jetzt bin ich gerecht, und zwar vorbehaltlos; aber diese Gerechtigkeit habe ich nicht in mir, sondern im Wort, also im Hören. Ich komme niemals dahin, wo ich Gottes Urteil in mein eigenes umsetzen kann. Ich kann nicht meinen Gnadenstand beobachten, sondern nur Gottes Gnadenwort annehmen. Der Gnadenmensch ist kein Thema der Theologie.

Natürlich führt der Glaube in Erfahrungen. Aber der Weg zwischen meiner Bekehrung, dem Annehmen des Evangeliums, und dem jetzigen Augenblick ist nicht Gegenstand meiner Beobachtung. Meine Bekehrung habe ich immer unmittelbar hinter mir (Phil 3, 13). *Luther* will den Tatbestand des christlichen Lebens mit seiner Formel simul iustus et peccator erfassen. Er formuliert also die Gleichzeitigkeit, während Paulus das Einst und das Jetzt konfrontiert. Sachlich liegt dennoch hier und dort dasselbe Existenzverständnis vor, da nach Paulus meine Vergangenheit unmittelbar da ist, so, daß ich mich keinen Augenblick meiner selbst rühmen kann[1].

Die Kategorien, mit denen Paulus den »natürlichen« Menschen beschreibt, bilden eine doppelte Reihe: 1. Die Welt ist Schöpfung und

---

[1] Bultmann II 43 ff. in Auseinandersetzung mit P. Althaus, Paulus und Luther über den Menschen, ³1958.

als solche begrenzt und vergänglich. 2. Die Welt ist von Gott abgefallen. Entsprechend ist der Mensch 1. als Geschöpf schwach, 2. schuldig. Stehen beide Betrachtungsweisen unausgeglichen nebeneinander? Das Nebeneinander ist verständlich: Paulus greift zwei Aspekte auf, unter denen Welt und Mensch im Alten Testament und im Judentum beurteilt werden. Die Intention ist schon im Judentum bei beiden Aspekten dieselbe: der Ruhm Gottes. Die Übereinstimmung ist noch enger. »Schöpfung« bedeutet ja, daß die Welt gut geschaffen ist. Dem wird der Mensch gerecht, indem er den Schöpfer anerkennt. Zugleich bedeutet »Schöpfung«, daß sie begrenzt ist. Das heißt für den Menschen, daß er sich Gott gegenüber als Geschöpf zu bekennen hat. Auch die Lehre, daß die Welt gefallen ist, setzt voraus, daß sie von Haus aus gut ist. Und sie war nicht nur einst gut, sondern ist auch jetzt noch gut. Gott hat sie nicht aufgegeben. Die Sünde ist die Mißhandlung der guten Welt, ihre Vergötzung. Geschöpflichkeit und Sündigkeit werden als Einheit sichtbar, sobald man sieht, daß es sich um die Relation zu Gott handelt, die im Bekenntnis an den Tag kommt. Der doppelte Tatbestand erschließt sich in der Konfrontation mit dem anredenden Wort: Sündiges Geschöpf bin ich, wenn ich auf Grund des Wortes Gottes mit Gott rede und zu ihm sage: Mein Gott. Daß ich Geschöpf bin, ist ja wieder keine empirische Erfahrung. Als Geschöpf kann ich mich nicht sehen.

»Geschöpflichkeit« bedeutet, daß der Mensch nicht isoliert, als Wesen an sich, in den Blick kommt, sondern in vorgegebenen Bezügen erscheint. Zugespitzt formuliert: Ich bin mein Bezogensein auf Gott. D. h. aber: Faktisch bin ich nicht, was ich bin: Ich befinde mich im Widerspruch zu meinem Wesen, in der Sünde, die Selbstentfremdung ist. Indem ich Gott und Welt vertausche, wird die Welt, was sie an sich nicht ist, zur mich beherrschenden Macht.

Der Widerspruch ist nicht nur ein teilweiser. Ich bin selbst derjenige, der ihn aktiv betreibt; und ich kann ihn betreiben, weil Gott mich nicht als sein Geschöpf entläßt.

Der Tatbestand, daß ich mich verloren habe, kann mythologisch dargestellt werden als die Preisgabe des Menschen an dämonische Mächte, den Teufel und seine Trabanten. Der Sinn ist: Ich bin preisgegeben an die Welt als Macht.

Der Teufel ist der Gott dieses Äons (2 Kor 4, 4). Der Sinn der Vorstellung, daß die dämonischen Mächte die Welt beherrschen, ist: Sie sind die Welt — und sie sind sie zugleich nicht, sofern sie die Verfälschung der Welt sind. Sie sind — Schwindel. *Luther* bezeichnet den Teufel treffend als den Affen Gottes. Die Dämonen haben keine eigene Macht, sondern nur, sofern ihnen der Mensch verfallen ist. Durch Christus sind sie vernichtet, nicht objektiv-empirisch, sondern existentiell. Wer »in Christus« ist, lebt in der Welt, aber nicht mehr unter den Mächten, sondern ihnen gegenüber. Die Dämonologie ist Darstellungsmittel: Sie meint den Tatbestand des servum arbitrium. Dieser hat nichts mit einer deterministischen weltanschaulichen Theorie zu tun. Es handelt sich vielmehr um ein Strukturelement des Glaubens. In der Konfrontation mit Gott weiß ich, daß ich mich nicht ins Heil aufschwingen kann, mir mein Leben nicht selbst zusprechen kann. Zugleich weiß ich in dieser Konfrontation, daß mein Ausgeliefertsein an die Mächte Schuld ist.

Die Dämonologie ist für Paulus kein positiver Gegenstand der Lehre. Das zeigt sich an der Tatsache, daß er die Sünde nicht aus der Dämonologie erklärt. Wenn er den Menschen als den Ausgelieferten, sich selbst Entfremdeten beschreibt, dann benötigt er keine dämonologischen Vorstellungen, sondern Existenzbegriffe, oder er stellt beides so zusammen, daß der Sinn klar ist: Röm 8, 38 f.

Die beiden wichtigsten Existenzbegriffe sind σάρξ und ἁμαρτία. Beide erklären sich gegenseitig. Der Begriff der Sünde stammt aus dem Judentum. Aber bei Paulus bezeichnet er nicht mehr die einzelne Verfehlung gegen das einzelne Gebot, sondern eine transsubjektive Macht. Daher gebraucht er das Wort überwiegend im Singular. Der Plural steht nur, wo er sich an die Tradition anlehnt. Es handelt sich um eine bewußte Neukonzeption. Die Fortsetzung dieser Linie ist bei Johannes sichtbar. Entsprechendes gilt von der σάρξ: Sie ist Sphäre, also umfassende Macht. Wenn Paulus den Menschen als Sünder erklärt, so bedeutet das nicht, daß er ihm die iustitia civilis bestreitet. Im zivilen Bereich kann er harmlos Gute und Böse unterscheiden (Röm 13, 1 ff.). »Sünde« bedeutet vielmehr, daß ich in einem Zusammenhang stehe, aus dem ich so wenig ausbrechen kann wie aus dem Preisgegebensein an den Tod (Röm 5). Tod und Sünde hängen ja zusammen: Der Tod ist der Sünde Sold. Die biologische und weltanschauliche Seite dieses Zusammenhangs ist völlig unerheblich.

Nun entsteht das Problem: Wenn die Sünde mir fremd ist, dann kann sie mich zwar beherrschen, aber eigentlich nicht erreichen. Sie kann nicht erzwingen, daß ich ihr zustimme. Und erst damit wäre ich ihr verfallen. Paulus muß also zeigen, wie die Sünde zum Zuge kommt, wie sie bei mir ansetzen und in mich eingehen kann und wie sie dabei doch mich transzendiert und mir selbst entfremdet. Um das zu zeigen, gebraucht er den Begriff σάρξ.

Wir stellten bereits fest, σάρξ ist einerseits neutral, andererseits qualifiziert. σάρξ bin ich, sofern ich da bin — und sofern ich der Welt verfallen bin. Die σάρξ ist nicht an sich, als »Substanz« böse. Der Schöpfungsgedanke wird festgehalten. Es bleibt stets die Entscheidungsfrage, ob das Leben ἐν σαρκί mein Lebensraum ist oder meine Lebensnorm. Die Herrschaft der σάρξ konkretisiert sich in der Unmoral, in den sichtbaren Erweisen ihrer παθήματα, ἐπιθυμία, in ihren Werken (Gal 5, 19 ff.). Aber die Unmoral ist nur eine Form der Konkretisierung der σάρξ. Sie kann sich auch anders äußern, nämlich als moralische Anspannung, wenn man dadurch das Heil gewinnen will (Phil 3, 3 ff.).

Das typisch »sarkische« Verhalten ist das ἐπιθυμεῖν, das καυχᾶσθαι (= πεποιθέναι)[2] und das μεριμνᾶν[3]. Hier spricht Paulus von der σάρξ in personifizierenden Wendungen; ähnlich von der ἁμαρτία: Sie kommt in die Welt (Röm 5, 12), gelangt zur Herrschaft (5, 21). Der Mensch ist unter sie versklavt (6, 6. 17 ff.), verkauft (7, 14); sie zahlt Sold (6, 23). Einst war sie tot. Dann lebte sie auf. Sie benutzte das Gesetz und wohnt jetzt im Menschen (7, 7 ff.)[4]. Den Nachweis, daß die Sünde universale Macht ist und ihr alle Menschen ausnahmslos verfallen sind, führt Paulus mehrfach: 1. Röm 1—3: aus dem Verhalten der Heiden und Juden. Jene ersetzen die Verehrung Gottes durch die des Geschöpfs als eines Bildes Gottes. Diese übertreten das Gesetz und machen es zum Mittel des Selbstruhmes. Übrigens begnügt sich Paulus mit der Feststellung des Tatbestandes. Er leitet nicht die Sünde aus einer hinter ihr liegenden Ursache ab (wie die Rabbinen aus dem bösen Trieb). Die Sünde kommt aus dem Sündigen. Eine Kausalerklärung wäre nur eine Scheinerklärung auf Grund einer Objektivierung des Menschen und der Sünde. 2. Ähnliches gilt angesichts des zweiten Nachweises der Allgemeinheit der Sünde in Röm 5[5]. Hier wird die Sünde auf die Ursünde, die Verfehlung Adams zurückgeführt, auf den mythischen Fall des Urmenschen, der alle Menschen repräsentativ in sich befaßt. Es ist die paulinische Fassung der Lehre von der Erbsünde. Frage: Wenn die Sünde vererbt wird, wieso ist sie dann noch Schuld und nicht vielmehr schicksalhaftes Verhängnis wie das Todesschicksal?

Röm 5 bietet ein Beispiel dafür, daß der Mythos als solcher keine Erklärung ist, sondern nur Hilfsmittel. Das gilt schon für Paulus. Sonst müßte er nicht nachher noch einen dritten Nachweis für das Verfallensein an die Sünde führen, nämlich am Individuum (Röm 7, 7 ff.). Dort wird der existentiale Sinn des

---

[2] σάρξ als Subjekt des ἐπιθυμεῖν Gal 5, 16 f. 24; Röm 13, 14. Dabei handelt es sich um personifizierende Ausdrucksweise, nicht um wirkliche Personifizierung (als Dämon); πεποιθέναι Phil 3, 4.
[3] 1 Kor 7, 32 ff. Diese Befindlichkeiten signalisieren den Verlust der Freiheit, damit den Zustand der Angst. Röm 8, 15: οὐ γὰρ ἐλάβετε πνεῦμα δουλείας πάλιν εἰς φόβον, ἀλλὰ ἐλάβετε πνεῦμα υἱοθεσίας.
[4] Alle sind Sünder: Röm 3, 22 f.; Gal 3, 22.
[5] R. Bultmann, NT 249 ff.; ders., Adam und Christus nach Röm 5, ZNW 50, 1959, 145—165 (= Der alte und der neue Mensch in der Theologie des Paulus, 1964, 41 ff.); E. Brandenburger, Adam und Christus, WMANT 7, 1962; E. Jüngel, Das Gesetz zwischen Adam und Christus, ZThK 60, 1963, 42—74.

Mythos deutlicher. Röm 5 und 7 greifen ja auf den Mythos vom Urstand bzw. Paradies zurück — Röm 5, um die Situation der Menschheit; Röm 7, um die Situation des Menschen zu erklären, d. h.: wie die Sünde a) in die Welt; b) in mich hineinkam. Ziel ist dabei nicht die historische oder psychologische Darstellung des Sündenfalles, sondern die Analyse der jetzigen Situation, der Pervertierung der Geschöpflichkeit, der Selbstentfremdung. Wieweit trägt nun der Mythos? Mit ihm kann Paulus verständlich machen, daß das Wesen der Sünde noch nicht erfaßt ist, wenn man sie als Tat des als frei angesehenen Menschen erklärt. Durch die Tat selbst entsteht ein Zustand, der mich umfaßt, also eine Sphäre, die Macht über mich gewinnt, aus der ich nicht mehr ausbrechen kann. Das sagt ja die Verknüpfung von ἁμαρτία und σάρξ. Das macht Paulus verständlich am Phänomen des Todes, dem ich mich nicht entziehen kann.

Mit dem Mythos vom Urmenschen kann Paulus zeigen: Wenn ich mir selbst begegne, ist die Sünde immer schon da. Ich kann sie immer nur erkennen als die Macht, die mir voraus ist. Ich entdecke mich in meiner Welt als einer immer schon durch die Sünde bestimmten. Paulus ist sich über die Grenzen der Leistungsfähigkeit des Mythos im klaren. Er entwirft kein Bild vom Paradies und Urmenschen. Nicht das ist der Inhalt der Lehre.

Er malt auch nicht einen idealen Urzustand der Menschheit als Leitbild der Erziehung. Dieser Urzustand ist mir ja nicht erreichbar, denn er ist überhaupt unanschaulich, nicht empirisch. Er ist also auch nicht historisch zu verifizieren. Zum Vergleich sei *Karl Heim* zitiert: »Am Anfang der Entwicklung der Menschheit war der Zugang zu Gott tatsächlich erschlossen. Die unsichtbare Macht wurde gesehen.«[6] Eine solche spekulative Behauptung wird den historischen Tatsachen ausgeliefert, z. B. daß es in der Welt Sterben gab, bevor der Mensch auftrat. *Ernst Haenchen* schlägt sich mit diesem »Problem«[7].

Der mythische Urzustand ist nur angedeutet als Folie des Verfallenseins an die Sünde. Die Gestalt Adams bleibt ungreifbar. Nur ein einziger Punkt seiner Existenz erscheint: daß durch ihn die Sünde in die Welt kam.

Natürlich ist Adam für Paulus eine geschichtliche Person und das Paradies ein geschichtlicher Zustand. Aber an der Art, wie Paulus damit arbeitet, sieht man den Dissensus zwischen Vorstellung und Gemeintem. Gemeint ist, daß die Sünde nicht historisch, in objektivierender Vorstellung verifizierbar ist. Schon die Schöpfung ist es nicht; sie ist Glaubenswahrheit. Die Nicht-Verifizierbarkeit wird deutlich in Röm 5 selbst, dann im Nebeneinander von Röm 5 und Röm 7, 7 ff. Empirisch lebte die Welt nie ohne Sünde, wie sie nie ohne Gesetz lebte. Das weiß Paulus. Nun muß er das mühsam genug mit seinen vorgegebenen Denkformen fassen und ausgleichen.

Paulus führt die Sünde des Urmenschen nicht mehr auf eine mythische Ursache, den Teufel zurück. Zur mythischen Kausalerklärung vgl. Sap Sal 2, 24: Der Tod ist durch den Teufel verursacht; Qumran: die beiden Geister; Rabbinen: der

---

[6] K. Heim, Glaube und Denken, ³1934, 217.
[7] E. Haenchen, Gott und Mensch, 1965, 27.

böse Trieb (also mythische Psychologie); Gnosis: Verlockung durch die Materie, die dem Menschen sein Bild entgegenspiegelt.

Nach Paulus kommt die Sünde durch das Sündigen *(Bultmann,* NT 251 ff.). Einwand: Dieser Tatbestand kann doch nur am Einzelnen aufgewiesen werden — wozu also der Menschheitsmythos? Weil Paulus zeigen will, daß durch die Tat die Machtsphäre entsteht, aber eben: durch die Tat, per hominem unum. Das ist im Grunde keine kausal-mythische Erklärung mehr, sondern Existenzanalyse. Die unmythische Tendenz zeigt sich deutlich beim Vergleich mit dem Judentum. Dort wird der Zusammenhang des Einzelnen mit Adam durch die Idee der Repräsentation vorgestellt: Der Stammvater befaßt die Nachkommen in sich. Paulus geht von dieser Repräsentationsvorstellung aus, führt sie aber zu einem ganz anderen Zielpunkt hin: ἐφ' ᾧ πάντες ἥμαρτον. Wir sind nicht substantiell »in Adam«, sondern sofern wir seine Tat in unsere Taten übernehmen. Die mythische Repräsentationsidee ist also eingegrenzt auf die Wahrheit, daß ich aus der Sünde nicht mehr durch Entschluß und Tat ausbrechen kann. Ich habe den Fall immer schon hinter mir.

Nun kommt Paulus mit seinem eigenen Geschichtsbild in Konflikt. Einerseits gilt der Grundsatz: Keine Sünde ohne Gesetz (Röm 4, 15); andererseits kam nach dem alttestamentlichen Geschichtsbild das Gesetz erst später, unter Mose. Also gab es zwischen Adam (der sich immerhin gegen ein direktes Gebot Gottes verging) und Mose keine Sünde. Das wäre die Konsequenz aus der mythischen Geschichtsdarstellung. Diese Konsequenz ist natürlich für Paulus unmöglich. Er hilft sich in Röm 5 durch eine ad hoc aufgestellte These (V. 13), die keine Auskunft ist: Von Adam bis Mose war Sünde in der Welt; aber sie wurde nicht angerechnet. Sie war also einerseits wirksam, da die Menschen starben, aber auch wieder nicht wirksam.

Brandenburger und *Jüngel* erklären, die Pointe an dieser Stelle liege in der Universalität der Sünde, daß sie schon vor dem Gesetz dagewesen sei. Aber das entspricht nicht dem Duktus des Textes. Es handelt sich nur um eine eingesprengte Bemerkung. In Röm 1—3 hat Paulus die Universalität der Sünde ganz anders, ohne Rücksicht auf den Ablauf der alttestamentlichen Geschichte, begründet. In Röm 5 kommt er offenbar in Schwierigkeit, weil die Heilsgeschichte nicht zu seiner Intention stimmt. Eine wirkliche Auskunft über Mensch, Sünde und Gesetz kann er erst in Röm 7 geben, wo er auf die alttestamentliche Historie keine Rücksicht mehr nimmt. Dort wird auch der theologische Sinn von Röm 5, 13 nachträglich deutlich: Nicht das Gesetz erzeugt die Sünde, sondern die schon vorhandene Sünde wird durch das Gesetz aktiv. Die ganze Unstimmigkeit in Röm 5 resultiert aus der Zeitvorstellung.

Eine weitere Begrenzung des Mythischen in Röm 5 ergibt sich aus der Tatsache, daß das Hauptthema nicht die Erbsünde ist, sondern der Erbtod *(Bultmann,* NT 252). Dieser ist ja ein erfahrenes Faktum, ein sichtbares Indiz der Sünde. Die Erklärung des Todes aus Adams Fall ist natürlich mythologisch. Aber Paulus geht nicht vom Tod als Phänomen aus, um dann einen physischen Vorgang theologisch durch den Mythos zu erklären. Sein Einstieg ist die erfahrene Rechtfertigung, damit der übereignete Friede (5, 1 ff.), die Freiheit angesichts von Sünde und Tod, das Leben, das schon als diese Freiheit da ist. Das Leben ist nicht künftig-mythisch-apokalyptisch. Die Freiheit vom Tode ist nicht naturhaft verstanden (so versteht sie der Mythos). Damit wird der Adam-Mythos zur Chiffre für die Struktur des Seins zum Tode. Der Tod erschöpft sich nicht im physischen Vorgang des Sterbens. Er ist die Manifestation des Selbstverlustes, der Sünde.

Paulus ergänzt die mythische Vorstellung in juristischer Terminologie: Der Tod ist der Sünde Sold — nicht nur im Sinne von Ursache und Wirkung, sondern so, daß in der Sünde ich verloren bin. Die Erbsündenlehre ist nichts anderes als die konsequente Darstellung der Wahrheit, daß meine Sünde mir voraus ist und daß das Verlorensein unentrinnbar ist.

B. Das Heilsgeschehen

§ 24 GOTTES HEILSTAT »IN CHRISTUS«[1]

I. Die Grundlagen (die »objektive« Christologie)

Es ist vom Credo, seiner christologischen Titulatur und den dort erhobenen Aspekten der einzelnen Titel auszugehen. Negativ ist festzustellen, daß die Titel »Menschensohn«[2] und »Gottesknecht« bei Paulus fehlen.

Es ist verbreitete Ansicht, daß die übrigen Titel von Paulus promiscue gebraucht werden, zumal Christus bei ihm zum Bestandteil des Namens »Jesus Christus« geworden ist. Der Befund ist aber komplizierter. Die ursprünglichen Aspekte schimmern noch durch[3].

a) κύριος: Aspekt der Gegenwärtigkeit. Diese meint nicht persönliche Präsenz des Herrn im Kult. Vielmehr ist er durch den Geist repräsentiert.

b) Χριστός: Paulus arbeitet nicht mit dem titularen Sinn: »der Messias«[4]. Das Wort Χριστός ist nur und von vornherein auf Jesus bezogen, auch da, wo der bestimmte Artikel steht[5]. Gleichwohl ist die Anlehnung an den Sprachgebrauch des Credo noch deutlich: Χριστός charakterisiert Jesus als den Täter des Heilswerks. Das Wort steht grammatikalisch als Subjekt: Röm 8, 34; 14, 9; 1 Kor 15, 3 ff. Von besonderem Interesse ist Röm 14, weil hier noch der Kyriostitel hereinspielt: Der Aspekt von Χριστός, also »der Glaube«, begründet die Beziehung zum Kyrios.

---

[1] Oder: »Die Offenbarung«. Zur Terminologie des Paulus: Er sagt nicht »Offenbarung in Christus«; so erst Past, 1 Petr, 1 Joh, Ign Eph 19, 2 f. und Magn 8, 2; s. D. Lührmann, Das Offenbarungsverständnis bei Paulus und in paulinischen Gemeinden, WMANT 16, 1965, 17—20.
[2] »Menschensohn« wird gelegentlich in ἄνθρωπος gesucht; dagegen A. Vögtle, Die Adam-Christus-Typologie und »der Menschensohn«, TThZ 60, 1951, 309 ff.
[3] W. Kramer, Christos Kyrios Gottessohn, AThANT 44, 1963.
[4] N. A. Dahl, Die Messianität Jesu bei Paulus, in: Studia Paulina (Festschr. J. de Zwaan), 1953, 83—95. Also nicht, daß Paulus etwa allgemein den Begriff »Messias« gebraucht und dann auf Jesus anwendet; so die Szene vom Bekenntnis des Petrus (Mk 8, 29) und Lukas (Apg 17, 3).
[5] Mit Dahl und Kramer 207 f.: Gebrauch des Artikels hat nur formalen Grund (2 Kor 13, 3: δοκιμὴ ... τοῦ ἐν ἐμοὶ λαλοῦντος Χριστοῦ) oder ist beliebig (2 Kor 11, 2 mit Artikel, V. 3 ohne).

c) υἱός: Sendung, Präexistenz (Röm 8, 3; Gal 4, 4).
Den Titeln sind bestimmte christologische Schemata zugeordnet:
a) κύριος: Auferstehung und Parusie; b) Χριστός: Tod und Auferweckung; c) υἱός: Präexistenz und Inkarnation.

Bultmann, NT 303 f.: »Sofern die Sätze über die Präexistenz Christi und seine Menschwerdung Mythologeme sind, haben sie weder anredenden Charakter, noch sind sie Ausdruck des Glaubens als der Preisgabe der καύχησις. Und doch dienen sie dazu, im Zusammenhang des Kerygmas eine entscheidende Tatsache zum Ausdruck zu bringen, diese nämlich, daß die Person und das Schicksal Jesu nicht im Zusammenhang innerweltlichen Geschehens ihren Ursprung und ihre Bedeutung haben, sondern daß Gott in ihnen gehandelt hat, und daß dies sein Handeln geschah, »als die Zeit erfüllt war« (Gal 4, 4), also die eschatologische Tat Gottes ist, und zwar zum Heil der Menschen, für die er Christus dahingegeben hat (Röm 8, 32).« Ebd. 304: »Sofern die Menschwerdung Christi zugleich dessen eigene Tat des Gehorsams und der Liebe ist (Phil 2, 8; Gal 2, 20; Röm 8, 35. 39), muß zunächst gesagt werden, daß die ὑπακοή und ἀγάπη des Präexistenten nicht anschaulich gegeben sind und nicht erfahren werden können als auf den zum Glauben Aufgerufenen direkt gerichtet. Sie werden aber indirekt erfahren, insofern Christus in der διακονία der Verkündiger gegenwärtig ist.« Ebd. 305: »Die Menschwerdung des Präexistenten hat also auch »kosmische«, d. h. in Wahrheit geschichtliche Dimension; sie begegnet in der christlichen Verkündigung. Anders formuliert: die Tatsache, daß es von Gott autorisierte Verkündigung der zuvorkommenden Gnade und Liebe Gottes gibt, findet ihren mythologischen Ausdruck in der Rede von der Präexistenz Christi. Indem die Präexistenz geglaubt wird, wird eben damit bejaht, daß es Gottes Wort ist, das den Hörer getroffen hat.«

Der Präexistenzgedanke umschreibt also den Horizont des Glaubens: Er kommt von außen und überragt die Welt. Die Erlösung ist nicht ein Tatbestand in der Welt, sondern ist Bestimmung des Weltseins selbst. Sie wird konkret in der Verkündigung, die mächtig ist, den Widerstand der Welt zu brechen, indem der Glaubende unter die Bestimmung des Kreuzes und Leidens gestellt wird.

II. Christus als die Heilstat Gottes

Röm 1, 16 f.: Das Evangelium ist δύναμις θεοῦ εἰς σωτηρίαν παντὶ τῷ πιστεύοντι, Ἰουδαίῳ τε πρῶτον καὶ Ἕλληνι. δικαιοσύνη γὰρ θεοῦ ἐν αὐτῷ ἀποκαλύπτεται ἐκ πίστεως εἰς πίστιν, καθὼς γέγραπται· ὁ δὲ δίκαιος ἐκ πίστεως ζήσεται.
Hier ist in nuce die gesamte Theologie des Paulus komprimiert:
1. Die sachliche Grundlage: Die Tat Gottes (ἀποκαλύπτεται).
2. Offenbarung ist nicht formale Kundgabe (»Gott ist gerecht«), sondern ist positiv Evangelium — εἰς σωτηρίαν.

3. Die objektive Möglichkeit der σωτηρία: die δικαιοσύνη θεοῦ.
4. Die Bedingung: der Glaube[6]. Auch dieser ist nicht formales Wissen, sondern positive Möglichkeit für jedermann. Das kann er nur sein, wenn die einzige Bedingung ist: ἐκ πίστεως εἰς πίστιν.
Gal 4, 3—5: Paulus beschreibt das »einstige« Dasein ohne Glauben als den Status des Unmündigen, also Unfreien, der unter Aufsicht steht: ὅτε ἦμεν νήπιοι, ὑπὸ τὰ στοιχεῖα τοῦ κόσμου ἤμεθα δεδουλωμένοι· ὅτε δὲ ἦλθεν τὸ πλήρωμα τοῦ χρόνου, ἐξαπέστειλεν ὁ θεὸς τὸν υἱὸν αὐτοῦ, γενόμενον ἐκ γυναικός, γενόμενον ὑπὸ νόμον, ἵνα τοὺς ὑπὸ νόμον ἐξαγοράσῃ, ἵνα τὴν υἱοθεσίαν ἀπολάβωμεν.

Die Motive sind:
1. Heilsgeschehen als Sendung, also Tat Gottes.
2. Präexistenz (angedeutet im Sohnestitel; vgl. Röm 8, 3. 23).
3. Das Wesen der Offenbarung ist in zwei parallelen Partizipialsätzen bestimmt: a) Menschwerdung; b) Unterstellung unter das Gesetz.
4. Der Heilssinn wird in zwei parallelen Finalsätzen (in chiastischer Stellung zum 2. und 3. Motiv) bezeichnet: a) Befreiung vom Gesetz; b) unsere Einsetzung in die Sohnschaft. Hier deutet Paulus das Motiv »der Sohn und die Söhne«, »der Sohn und seine Brüder« an; vgl. Röm 8, 14—17[7].

Der geschichtliche Charakter der Offenbarung ist gegeben durch die Betonung der Realität der Menschwerdung und durch die Feststellung, daß sie zu einem bestimmten Zeitpunkt geschah: ὅτε ἦλθεν τὸ πλήρωμα τοῦ χρόνου (Gal 4, 4)[8].

Der Sinn der mythischen *Präexistenzidee* ist schwierig zu fassen, da Paulus diese Vorstellung zwar teilt, sie aber (anders als Johannes) nicht theologisch entfaltet. Entfaltet wird vielmehr die Bedeutung des Kreuzes. Immerhin gibt es Indizien für die Interpretation. Ist Jesus nicht weltlichen Ursprungs, aber dennoch zugleich »vom Weibe geboren«, so ist damit gesagt, daß das Heil nicht aus der Welt erwächst — etwa als Sinn und Ziel der Weltgeschichte. Es ist keine weltimmanente Möglichkeit, sondern bricht von außen ein und bleibt so Gottes Heil. Präexistenz bedeutet also:

---

[6] Paulus beachtet die heilsgeschichtliche Abfolge: Juden-Heiden, relativiert sie aber durch παντὶ τῷ πιστεύοντι.
[7] S. E. Käsemann, Das Wandernde Gottesvolk, FRLANT 55, [4]1961, 58 ff.
[8] Vgl. Mk 1, 15: πεπλήρωται ὁ καιρός. Der Sinn ist nicht, Jesus sei aufgetreten, als die Zeit günstig war, etwa weil die Welt von Sehnsucht nach Erlösung erfüllt war. Luther hat den Sinn richtig erkannt: Die »Erfüllung« wird von der Sendung bestimmt, nicht umgekehrt.

Das Heil ist durch Gottes Wundertat gestiftet, das Wort bedeutet die Aktualisierung des zuvorkommenden Heilsgeschehens, bezeichnet also das objektive Prae der Tat Gottes vor meinem Glauben.

Vater und Sohn: Mißt man die Christologie des Paulus am späteren Dogma, so erscheint sie als subordinatianisch. Der Sohn ist der Gesandte, er ist auferweckt, von Gott in seine jetzige Würde als Herr erhöht. Aber die Unterordnung entspringt nicht metaphysischer Spekulation, sondern dient der Bestimmung des Wesens der Offenbarung. Paulus arbeitet die beiden Momente aus, daß in der Offenbarung wirklich Gott erscheint, und daß Gott nur in ihr faßbar ist. Dieser Sachverhalt wird in der Objektivierung der Christologie so dargestellt: Der Sohn ist schlechterdings gehorsam und dem Vater untertan. Gerade so aber bildet das Handeln des Vaters und des Sohnes eine völlige Einheit. Man kann formulieren, daß der Sohn das Handeln des Vaters ist. Insofern herrscht Koordination.

Vgl. die Parallelisierung 1 Kor 8, 6: Christus ist der Mittler der Schöpfung. Dieser Gedanke stammt aus der jüdischen Weisheitsspekulation. Dieselbe Bedeutung hat der christologische Titel εἰκὼν τοῦ θεοῦ (2 Kor 4, 4; vgl. Kol 1, 15 ff.). Der Sinn ist, die Einheit von Schöpfung und Erlösung festzustellen. Ort der Offenbarung und damit des Glaubens ist die Welt. Dasselbe besagt ja die Menschwerdung. Dieser Gedanke wird aktualisiert in der Auseinandersetzung mit der gnostischen Zerreißung von Welt und Herrschaftsraum Gottes. Die Einheit beider bedeutet praktisch die Möglichkeit des Existierens in der Welt im Sinn von Röm 5, 1 ff.

Es herrscht also die Dialektik: a) die Offenbarung ist die *Tat Gottes.* Der Sohn ist passiv der Gesandte. b) Die Offenbarung ist die *Tat Christi.*

Diese Doppelheit ist schon vor Paulus vorhanden, vgl. Phil 2, 6 ff.: Der erste Teil des vorpaulinischen Christusliedes beschreibt die Tat Christi: Der Präexistente entäußert sich, indem er Mensch wird und den Gehorsam erfüllt, indem er stirbt. Der zweite Teil beschreibt die Tat Gottes: Darum hat ihn auch Gott erhöht. Paulus markiert den Ansatzpunkt seiner Auslegung, indem er zu »gehorsam bis zum Tode« hinzufügt: »zum Tode am Kreuz«. Er setzt also nicht beim metaphysischen Rahmen ein, sondern beim geschichtlichen Fixpunkt.

Beispiele: a) Tat Gottes: 2 Kor 5, 21: τὸν μὴ γνόντα ἁμαρτίαν ὑπὲρ ἡμῶν ἁμαρτίαν ἐποίησεν, ἵνα ἡμεῖς γενώμεθα δικαιοσύνη θεοῦ ἐν αὐτῷ.

b) Tat Christi: 2 Kor 8, 9: Christus δι' ὑμᾶς ἐπτώχευσεν πλούσιος ὤν, ἵνα ὑμεῖς τῇ ἐκείνου πτωχείᾳ πλουτήσητε.

Besonders eng sind die beiden Aspekte verschlungen, wenn die *Heilstat als Tat der Liebe* beschrieben wird. Hier ist die sachliche Einheit deutlich. Vgl. Röm 8, 31—39: Gott hat seinen Sohn dahingegeben. Christus ist gestorben und auferweckt. Was soll uns scheiden von der Liebe Christi? Nichts kann uns scheiden von der Liebe Gottes — ἀπὸ τῆς ἀγάπης τοῦ θεοῦ τῆς ἐν Χριστῷ Ἰησοῦ τῷ κυρίῳ ἡμῶν. Röm 5, 5 ff.: Die Liebe Gottes ist ausgeschüttet. Christus ist für uns gestorben. Gott erweist seine Liebe, da Christus für uns starb, als wir noch Sünder waren (vgl. Joh 3, 16).

Diese Stellen zeigen, daß das Nebeneinander der beiden Aussagereihen, der »theologischen« und der »christologischen«, von Paulus sehr wohl durchdacht ist. Es dient der Auslegung des geschichtlichen Vorgangs der Offenbarung, legt also die Perspektive des Glaubens frei. Dies ist auch die einheitliche Intention der verschiedenen christologischen Schemata:

a) Tod und Auferstehung: Die paulinische Pointe bildet das Kreuz.

b) Auferstehung und Parusie: Im Zentrum steht die Verkündigung des Todes des Herrn, bis daß er kommt.

c) Präexistenz und Inkarnation: Geht man von der Präexistenzidee aus, dann ist das Heilsereignis nicht der Tod Christi, sondern seine Inkarnation (vgl. Joh 1, 14). Aber schon in dem vorpaulinischen Lied Phil 2, 6 ff. ist die Inkarnation ergänzt durch die Einfügung des Sterbens als des Zieles der Inkarnation. Daran kann Paulus anknüpfen.

Eine entsprechende Dialektik von *Subordination* und *Koordination* ist am Gebrauch des *Kyriostitels* zu beobachten. Er dient bei Paulus zur Unterscheidung von Gott; vgl. 1 Kor 8, 6: εἷς θεός... καὶ εἷς κύριος Ἰησοῦς Χριστός.

Andererseits parallelisiert Paulus: Gott ist der Schöpfer, und der Herr ist der präexistente Schöpfungsmittler, also der Herr über die Welt. Der gedankliche Ausgleich wird so hergestellt: Gott hat seine Würde als Weltherrscher für eine bestimmte Zeit und zu einem bestimmten Zweck an Jesus übertragen, zur Vollendung des Heilswerks (1 Kor 15, 23—28). Jetzt, nach seiner Erhöhung, ist die Zeit, da er herrscht, indem er bekannt und verkündigt wird. Wieder sind Offenbarung und Welt als der Ort der Offenbarung fest miteinander verklammert.

Paulus stößt an die Grenze der Spekulation, wenn er sagt: Nach der Beendigung des Heilswerks wird der Sohn die Herrschaft an seinen Vater zurückgeben, »damit Gott alles in allem sei«. Diese Aussage hat nichts mit Pantheismus zu tun. Es handelt sich um eine Grenzaussage. Über das Sein in der Ewigkeit selbst sagt Paulus nichts weiter. Vielmehr umreißt er hier wieder den Horizont der Offenbarung durch die Verhältnisbestimmung zwischen Gott und Kyrios: Dieser ist die Tat Gottes. Von dieser Tat kann man nur reden in bezug auf die Welt. Die Offenbarung ist ja Gottes Verhältnis zur Welt, verstanden als Tat, die sich im Wort aktualisiert und so ihr Ziel erreicht. Mit den spekulativ klingenden Sätzen in 1 Kor 15, 24 ff. wird in Wirklichkeit der Aufschwung in die Metaphysik gerade abgeschnitten. Offenbarung ist kein ewiger Prozeß. Gott ruft nicht ins Leere, in einen unendlichen Raum, sondern spricht in die Welt und erreicht diese.

Das wichtigste und für Paulus charakteristische Schema ist das von *Kreuz und Auferstehung*[9]. Paulus kann den gesamten Inhalt seiner Predigt als »Wort vom Kreuz« zusammenfassen (1 Kor 1, 18; vgl. 2, 2). In dieser Formulierung ist natürlich die Auferweckung nicht ignoriert, sondern interpretiert. Es ist zu beachten, daß Paulus vom Credo an Christi Tod und Auferweckung ausgeht. Von diesem Ausgangspunkt her zeigt sich die Richtung seines Denkens.

Sie wird anschaulich in der Auseinandersetzung mit Strömungen in Korinth[10]: Dort werden Christologie und Frömmigkeit aus der Auferstehung entwickelt, als Orientierung am Erhöhten. Glaube ist Teilhabe am himmlischen Zustand. Dagegen stellt Paulus die These: Den Erhöhten haben wir nur als den Gekreuzigten.

Die Auferstehung ist also vorausgesetzt. Aber sie muß ausgelegt werden. Sie ist — radikal verstanden — nichts anderes als die Auslegung des Kreuzes durch Gott selbst. Tod und Auferstehung verhalten sich nicht so zueinander, daß durch die Auferstehung der Tod annulliert wäre[11]; er wird gerade festgehalten. So kann er als das Heilsereignis verkündigt werden. Damit ist in der Verkündigung das Element des Ärgernisses enthalten, nicht um durch tieferen Einblick aufgehoben zu werden, sondern als Konstituens des Heils.

Die Frage, ob die Auferstehung Christi ein »historisches Ereignis« sei, ist theologisch abwegig. Natürlich ist sie für Paulus ein historischer Vorgang insofern, als er die moderne reflektierte Unterscheidung von historisch und »überhistorisch« (in Wahrheit: unhistorisch) nicht kennen kann. Wir unsererseits können hinter diese Reflexion nicht zurück. Für den Glauben ist aber die jeweilige Bewußtseinsstufe des Denkens restlos unerheblich. Glaube ist auf jeder Stufe — Glaube. Sein Gegenstand ist nicht anschaulich. Anschaulich ist nur das Kreuz. In diesem Sinn kann Paulus 1 Kor 15 die Wirklichkeit der Auferstehung betonen, indem er Zeugen aufzählt, die — nicht die Auferstehung, sondern — den Auferstandenen sahen. Aber darüber hinaus interessiert er sich für den historischen Aspekt nicht. Er kennt weder die Vorstellung vom leeren Grab noch die Aufgliederung des Vorgangs der Erhöhung in Etappen (Auferweckung, Erscheinungen, Auffahrt). Der eigentliche, theologische Beweis für die Auferstehung ist der »Beweis des Geistes und der Kraft«: daß sich nämlich Jesus heute als der Erhöhte erweist, indem heute in der ärgerlichen, törichten Predigt die Versöhnung geschieht. Kreuz und Auferstehung sind in dem Maße als »Realität« verstanden, in dem die Wort-

---

[9] Vgl. die Ausführungen zu 1 Kor 15, 3 ff. und Röm 4, 25 oben S. 84 ff. und 90.
[10] U. Wilckens, Weisheit und Torheit, BHTh 26, 1959.
[11] Das ist die Anschauung der Korinther. Sie merken nicht, daß dadurch auch die Auferstehung in die Vergangenheit zurückfällt.

haftigkeit des Heilsgeschehens verstanden ist; in dem der Glaube sich durch das Kreuz gestiftet weiß und daher unter der Bestimmung des Kreuzes bleibt; in dem die Predigt sich als Auslegung des Kreuzes versteht, d. h. sich in die Machtlosigkeit weisen läßt und darin der Macht des gekreuzigten Herrn gewiß wird. Das Kreuz vollzieht sich als Zerstörung der καύχησις, wodurch Heilsgewißheit gestiftet wird — im Glauben, nicht im Schauen, auch nicht im historischen Zurückschauen. Die Frage nach der Historizität der Auferstehung muß als irreführend aus der Theologie ausgeschieden werden. Wir haben andere Sorgen: »daß das Kreuz nicht entleert werde«. Von der Auferstehung kann man nicht reden, ohne vom Treffpunkt Gottes mit dem Menschen zu reden: dem Heute.

III. Die Heilstat als Tat »für mich«

Daß das Heilsgeschehen keine sich selbst genügende metaphysische Veranstaltung ist, sondern auf den Menschen zielt bzw. Gottes Bezug zum Menschen darstellt, ist schon dadurch gesagt, daß es als Akt der Liebe Gottes und Christi bestimmt wird. Aber wie erreicht es mich? Inwiefern ist die Übereignung des Heils im Heilsgeschehen selbst gesetzt? Das Heilsgeschehen wird ja zunächst als Vorgang außer mir beschrieben, der sich im Kosmos, in einem teils mythischen, teils historischen Raum abspielt (z. B. als Weg eines mythischen Wesens durch kosmische Räume). Wie soll und kann das mein Heil sein? Wenn Gott mich liebt, warum erweist er dann seine Liebe in dieser Weise?

Natürlich kann der Text eine Auskunft nur in seinen damaligen Denkformen geben, etwa mit Hilfe der Vorstellungen vom Opfer oder von sakramentaler Teilhabe. Sie waren damals ohne weiteres verständlich und konnten daher wirklich erklären, in welcher Weise sich das Heilsgeschehen auf den Menschen bezieht. Das zeigt schon die Vielfalt der Nuancen. Christi Tod ist Bundesopfer (Abendmahlstradition; Röm 3, 25); Sühnopfer (Röm 3, 25; 1 Kor 15, 3 ff.); Passaopfer (1 Kor 5, 7); Stellvertretung (2 Kor 5, 14). Jede dieser Nuancen liefert ihren Beitrag zur Interpretation, hat aber auch ihre Grenze. So kann der Sühnegedanke das Sterben erklären, aber nicht speziell das Kreuz, den Fluchtod. Hier hilft der Gedanke der Stellvertretung weiter (2 Kor 5, 21; Gal 3, 13; Röm 8, 3). Aber auch er reicht nicht aus. So nimmt Paulus weitere Motive aus der Tradition auf (Loskauf (Gal 3, 13; 1 Kor 6, 20; 7, 23). Die Pointe ist natürlich die durch Christi Tod erhaltene Freiheit. 2 Kor 5, 21 (vgl. Röm 6) klingt der sakramentale Gedanke an, daß wir in Christi Tod mitgestorben sind. Weiter führt die soteriologische Auslegung des Sohnestitels (Gal 4, 4 ff.): Ziel der Sendung des Sohnes ist unsere Befreiung vom Fluch des Gesetzes, positiv unsere Einsetzung in die Sohnschaft. Wie geschieht das? So, daß Gott den Geist des Sohnes in unsere Herzen gab, damit die Möglichkeit, ihn als Vater anzurufen. Der Gedanke ist breiter entfaltet in Röm 8. Die Begrifflichkeit vom Sohn und den Söhnen bzw. Brüdern hat ihrerseits einen mythischen Hintergrund. Aber Paulus legt nun unser Verhältnis zu Christus nicht nach der mythisch-naturhaften Seite hin aus, sondern bringt die mythische Vorstellung in die Schwebe, indem er a) rechtliche Kategorien zu ihrer Interpretation heranzieht: Einsetzung in die Sohnschaft zum Erben, also gültige Anerkennung durch den Spruch des Vaters; indem er b) den Geist zum Faktor der Sohnschaft macht — im Sinne seines geschichtlichen Verständnisses des Geistes als der Möglichkeit des Zugangs zu Gott, des Gebetes, der Freiheit vom Gesetz und, analog dazu, von den Elementen des Kosmos.

Die Verflechtung und gegenseitige Interpretation der Kategorien zeigt Röm 8: a) V. 3 f.: Gott sandte seinen Sohn, um das δικαίωμα des Gesetzes zu erfüllen. b) V. 5 ff. erklärt Paulus das Sein im Geiste (V. 14: Welche vom Geist getrieben werden, die sind Gottes Söhne): Denn ihr habt nicht den Geist der Knechtschaft erhalten, der wieder in die Furcht führt, sondern ihr habt den *Geist der Sohnschaft* empfangen, in dem wir rufen: ἀββὰ ὁ πατήρ. Der Geist selbst bezeugt unserm Geist, daß wir Gottes Kinder sind: εἰ δὲ τέκνα, καὶ κληρονόμοι· κληρονόμοι μὲν θεοῦ, συγκληρονόμοι δὲ Χριστοῦ, εἴπερ συμπάσχομεν, ἵνα καὶ συνδοξασθῶμεν (V. 17).

Unser Verhältnis zu Gott ist dem Verhältnis Christi zu Gott insofern analog, als wir in die Freiheit versetzt sind und Gott unmittelbar anreden können. Aber damit hat die Analogie auch ihre Grenze. Denn diese Freiheit haben wir durch die Vermittlung Christi. Über sie gelangen wir nie hinaus, in ein Gottesverhältnis an Christus vorbei. Wir können die Weltmächte übersteigen — διὰ τοῦ ἀγαπήσαντος ἡμᾶς. Die Idee einer Unmittelbarkeit zu Gott kann gar nicht auftauchen, weil Christus der Zugang zu ihm ist. Wir sind in der Freiheit, sofern wir in Christus sind. Und wir haben sie in der Weise, daß wir unterwegs sind. Der eschatologische Vorbehalt, der im Begriff des »Erben« angedeutet ist, bleibt bestehen. In Röm 8 ist er nachdrücklich unter dem Stichwort der Hoffnung entfaltet (V. 24—26): Das Hoffnungsgut ist noch nicht zu sehen. Der Bildkreis vom Sohn und den Söhnen erläutert die Freiheit von den Mächten, von Gesetz, Sünde und Tod als gegenwärtige Realität. Aber Paulus folgt nicht dem Duktus des Mythos, für den die Freiheit habituell ist, sondern bestimmt sie eschatologisch als die Vorauswirkung der Zukunft, die sich im Walten des Geistes bereits manifestiert.

Paulus kann die mythischen Vorstellungen aber noch zur Veranschaulichung eines weiteren Gedankens benutzen: Die Dimension, in der sich das Heilsgeschehen abspielt, ist der *Kosmos*, der mich umgreifende und bestimmende Raum. Das Heilsgeschehen läßt die Welt nicht wie in der Gnosis sozusagen unberührt, so daß nur der Einzelne in ihr durch Einflößung übernatürlicher Kraft verändert würde. Vielmehr ist die Welt selbst der Ort des Heilsgeschehens.

Der Einzelne und seine Seinssphäre sind nicht zu trennen. Darum muß die Welt selber vom Heilswerk betroffen sein. Christologisch gesprochen bedeutet dies die Aktualisierung des Glaubens an Gott den Schöpfer für das Verständnis des Heilsgeschehens in Christus. Aber das Wesen der Welt ist zwiespältig, da sie Schöpfung und zugleich gefallene Schöpfung ist. Entsprechend ist der Mensch Geschöpf und an die σάρξ verfallenes Geschöpf. Paulus verknüpft beide Aspekte (Röm 8, 3): Christus wird Mensch ἐν ὁμοιώματι σαρκὸς ἁμαρτίας. Er sucht die σάρξ in ihrem Bereich (oder die σάρξ als Bereich) heim. An die Stelle der σάρξ als der bestimmenden Sphäre tritt der Geist. Empirisch bleiben σάρξ, Sünde und Tod bestehen. Aber dem Glauben ist die Freiheit eröffnet, weil für ihn die Mächte entmächtigt sind. Diese Freiheit setzt ja voraus, daß sich nicht nur etwas in mir verändert, sondern die Welt selber neu bestimmt ist. Dieses Verständnis von Heil und Welt konkretisiert sich in der praktischen Stellung zur Welt: in der eschatologischen Freiheit des »Haben als hätte man nicht«.

Die Verwandlung der Weltsituation kann Paulus in »heilsgeschichtlichen« Vorstellungen beschreiben: Christus ist des Gesetzes Ende (Röm 10, 4); oder in kosmisch-eschatologischen Vorstellungen: Der alte Äon ist abgelöst. Allerdings ist vor dem Gebrauch des Schlagwortes »Äonenwende« zu warnen. Auch hinsichtlich der Welt herrscht dieselbe Dialektik von Gegenwart und Zukunft wie beim Individuum: Ich bin mit Christus gestorben und werde mit ihm auferstehen. Ebenso ist die alte Weltzeit abgelaufen. Aber der neue Äon steht noch aus.

Es ist bezeichnend, daß Paulus den Ausdruck »neuer« oder »kommender« Äon gar nicht gebraucht, wohl aber den Ausdruck »dieser« Äon (bzw. Kosmos). Er spricht vielmehr von der neuen Schöpfung und beschreibt sie: τὰ ἀρχαῖα παρῆλθεν, ἰδοὺ γέγονεν καινά (2 Kor 5, 17). Der unspekulative, anthropologische Sinn der Aussage ist: εἴ τις ἐν Χριστῷ, καινὴ κτίσις.

Ein weiteres Darstellungsmittel, um sowohl die objektive Universalität des Werkes Christi als auch den Bezug auf jeden einzelnen Menschen zu zeigen, ist die Deutung Christi als des *zweiten Adam*. Sie ist skizziert in 1 Kor 15, um dort die Wahrheit der Auferstehungshoffnung zu begründen; dann breit ausgeführt in Röm 5, um das Wesen und die Tragweite der Erlösung darzustellen. Adam ist in dieser Konfrontation mit Christus nicht einfach der Adam der biblischen Schöpfungserzählung, sondern der Urmensch und Repräsentant der Menschheit. Wie oben bereits festzustellen war, kommt es zu Unstimmigkeiten zwischen Mythos und paulinischer Aussage, weil der Mythos den Fall und damit auch die Erlösung naturhaft vorstellt, Paulus aber die Logik des mythischen Denkens zerbricht: a) Der Tod kommt nicht einfach als Naturgewalt; denn die Sünde breitet sich nicht naturhaft aus. Vielmehr wird sie von jedem einzelnen Menschen aktiv vollzogen — ἐφ' ᾧ πάντες ἥμαρτον (5, 12). b) Das neue Leben kommt nicht naturhaft über den Menschen, sondern es bleibt künftig und wird als künftiges in der Gegenwart wirksam. Man erlangt es nur durch den Glauben, »da wir durch den Glauben gerechtfertigt sind«. Der Urmenschmythos tendiert von sich aus zur Applikation auf den Einzelnen, freilich nur in der Intention. Seine Grenze ist, daß er als Mythos notwendig Vorstellung bleibt. Als Mythos kann er nicht verkündigt, sondern nur existential ausgelegt werden. Er bedarf daher nicht nur der Korrektur (wie sie Paulus in der Tat vornimmt), sondern auch der Ergänzung: Paulus muß die Linie vom Heilsgeschehen zur Predigt durchziehen können. Dabei kann Predigt nicht nur Erzählung von einem Geschehen sein. Sonst bliebe dieses fremd, Objekt der Betrachtung. Die Bewegungsrichtung ginge vom Menschen aus zum seligmachenden Wissen hin. Vielmehr muß die Predigt die heutige Übermittlung des objektiv geschehenen Heils sein. Paulus wird danach zu fragen sein, wie die Übermittlung des Heils durch das Wort möglich ist. Er muß also nicht nur über das Wesen des Wortes Auskunft geben, sondern auch zeigen, daß das Heilsgeschehen selbst worthaft ist. Das ist ja die Voraussetzung dafür, daß es ins Wort gefaßt werden kann. Und er muß den Ort angeben, wo die Übermittlung wirklich wird: die Kirche. Das Paradigma für diesen Sachzusammenhang ist 2 Kor 5, 18—21: a) Gott versöhnte die Welt mit sich. Gott ist nicht der Versöhnte, sondern der Versöhnende. Versöhnung ist Stiftung Gottes; vgl. Röm 5, 10. Sie geschieht ausschließlich aus Gnade, ohne jede Voraussetzung seitens des Menschen. Die Versöhnung ist ein eschatologisches Urteil Gottes. Paulus benützt wieder die juristische Terminologie: Gott rechnet die Sünde nicht an. Das kann man nicht innerlich empfinden, sondern nur als Botschaft hören. b) Gott versöhnte »die Welt« mit sich. Welt bedeutet hier die Menschheit; vgl. Röm 5, wo Paulus nur von den Menschen spricht, und den unmittelbaren Kontext: τοῦ θεοῦ τοῦ καταλλάξαντος ἡμᾶς; und: θεὸς ἦν ἐν Χριστῷ κόσμον καταλλάσσων ἑαυτῷ, μὴ λογιζόμενος αὐτοῖς τὰ παραπτώματα αὐτῶν. Paulus spricht hier nicht von einer Allversöhnung. Er treibt keine kosmologische Spekulation, sondern stellt die Worthaftigkeit des Heilsgeschehens heraus: Mit der Versöhnung durch Christus stiftet Gott die διακονία τῆς καταλλαγῆς, das Predigtamt. Er stiftet »unter uns« τὸν λόγον τῆς καταλλαγῆς.

IV. Die Formel ἐν Χριστῷ

A. DEISSMANN, Die nt. Formel »in Christo Jesu«, 1892 — Zur Unterscheidung von σύν: E. LOHMEYER, Σὺν Χριστῷ, Festschr. Deißmann, 1927, 218—257 — E. KÄSEMANN, Leib und Leib Christi, BHTh 9, 1933 — W. SCHMAUCH, In Christus, NTForsch. 9, 1935 — E. PERCY, Der Leib Christi, LUÅ NF 38, 1942 — F. BÜCHSEL, »In Christus« bei Paulus, ZNW 42, 1949, 141—158 — F. NEUGEBAUER, Das Paulinische »In Christo«, NTS 4, 1957/8, 124—138 — Ders., In Christus, 1961 — M. BOUTTIER, En Christ, 1962 — W. KRAMER, Christos Kyrios Gottessohn, AThANT 44, 1963, 139—144

Oben war nach dem Zusammenhang von objektivem Heilsgeschehen und seiner Übereignung an den Menschen zu fragen. Einen Hinweis gab 2 Kor 5, 17 ff. mit dem Kernsatz, daß Gott die Welt in Christus mit sich versöhnte. Diese Wendung führt zur Frage, was der Ausdruck »in Christus« bedeutet. Nach lange geltender Anschauung gab Paulus auf die Frage nach dem Heilsgeschehen und der Heilsaneignung eine doppelte Auskunft, a) eine juridische: Wir erlangen die Gerechtigkeit durch den Glauben; dieser wird uns angerechnet; und b) eine mystische: Wir sind im Heil, indem wir in Christus sind. Gegen diese mystische Deutung stimmt freilich schon die Tatsache skeptisch, daß die Wendung ἐν Χριστῷ gerade da auftaucht, wo juridisch-objektiv von der »Versöhnung« gesprochen wird, wie an der eben genannten Stelle; außerdem, daß auch πίστις und ἐν Χριστῷ verbunden erscheinen.

Vgl. die ganze Gedankenentfaltung in Gal 2 und 3. Gal 2, 16: ἐπιστεύσαμεν, ἵνα δικαιωθῶμεν ἐκ πίστεως Χριστοῦ; dafür heißt es in V. 17: δικαιωθῆναι ἐν Χριστῷ. Gal 5, 5 f.: ἡμεῖς γὰρ πνεύματι ἐκ πίστεως ἐλπίδα δικαιοσύνης ἀπεκδεχόμεθα. ἐν γὰρ Χριστῷ Ἰησοῦ οὔτε περιτομή τι ἰσχύει οὔτε ἀκροβυστία, ἀλλὰ πίστις δι' ἀγάπης ἐνεργουμένη.

A. *Schweitzer*, für den »Glauben« und »Sein in Christus« nicht zusammenpassen, zitiert jeweils nur die eine Hälfte und muß dann noch eine mühsame Erklärung suchen. Schon der deutsche Ausdruck »Sein in Christus« suggeriert einen Sinn, der in der Wendung selbst nicht enthalten ist. Das betonte »Sein« ist wuchtiger als die schlichte Kopula.

Gewiß klingt die Wendung »in Christus« zunächst mystisch — »In ihm leben und weben und sind wir« —, zumal auch das Umgekehrte gesagt werden kann: Christus ist in mir (Gal 2, 20). Das erinnert an die Aussagen über den Geist: Wir sind im Geist, und der Geist ist in uns (Röm 8, 9). Wir befinden uns hier in der Tat im Sprachmilieu des »Enthusiasmus«: Der Mensch weiß sich des Gottes voll und zugleich von ihm umfangen. Das wird durch die Reziprozitätsformeln ausgedrückt: Ich in dir und du in mir. Ein Überblick über die gesamten Stellen zeigt aber, daß die Wendung »in Christus« bzw. »im Herrn« keineswegs überall die gleiche Gewichtigkeit hat. Sie ersetzt oft einfach das noch nicht gebildete Adjektiv »christlich« (*Bultmann*, NT 329).

Röm 16: Die Mitarbeiter des Paulus haben sich »im Herrn« gemüht, d. h. in der Kirche mitgearbeitet. Tertius hat diesen Brief »im Herrn« geschrieben. Die Empfänger sollen die Phoibe im Herrn aufnehmen, d. h. als eine Schwester, als Glied der Kirche. Paulus erläutert sofort: ἀξίως τῶν ἁγίων. Röm 14, 14: πέπεισμαι ἐν κυρίῳ Ἰησοῦ, womit Paulus natürlich keine mystisch gewonnene Überzeugung meint, sondern eine, die er als Christ hat. 1 Kor 9, 1 f.: Die Korinther sind sein Werk im Herrn. 2 Kor 2, 14: Die Missionsarbeit macht Fortschritte in Christus.

Die Stellen, die einen profilierten theologischen Sachverhalt aussprechen, erschließen sich, wenn man erkennt: Der Christus bzw. Kyrios der Formel ist der Christus des Kerygma und der erhöhte Kyrios der Homologie. Die Sachfrage ist dann, in welchem Sinn wir »in ihm« sein können.

Deißmann will von der räumlichen Bedeutung der Präposition ἐν ausgehen: Wir befinden uns räumlich in Christus, nämlich im pneumatischen Christus. Den Beweis liefert 2 Kor 3, 17: ὁ δὲ κύριος τὸ πνεῦμά ἐστιν, eine Stelle, die auch sonst dictum probans für die mystische Paulusdeutung ist. Sind hier aber wirklich Kyrios und Pneuma identifiziert? Eine Erklärung argumentiert so: Der Satz ist eine harmlose exegetische Randbemerkung. Vorher hat Paulus einen Satz aus dem Alten Testament zitiert, in dem das Wort Kyrios vorkommt. Nun fügt er erklärend hinzu: Mit diesem Kyrios des Zitates ist der Geist gemeint. Diese Erläuterung ist zu einfach. Wenn Paulus diesen alttestamentlichen Satz so interpretieren kann, dann muß für ihn zwischen Kyrios und Pneuma ein enger Zusammenhang bestehen. Die Frage ist nur, ob es ein mystischer ist. Daß es sich nicht um eine einfache Identifikation handelt, zeigt die Fortsetzung: Die Anwesenheit des Geistes in der Gemeinde ist nicht identisch mit der Anwesenheit des Herrn im Sinne eines lokalen Daseins. Der Geist ist — seiner religionsgeschichtlichen Herkunft nach — als eine Art Fluidum vorgestellt, der Herr aber als Person an einem bestimmten Ort, im Himmel. Man kann den Kyrios anrufen, nicht aber das Pneuma. Vielmehr ist es das Pneuma selbst, das ruft, da wir nicht zu beten vermögen. Der Geist ist das Wirken des Herrn an uns. So erklärt sich auch die Beobachtung, auf die sich *Deißmann* stützt: In den Aussagen über das Heilsgeschehen an uns sind beide Wendungen in gewisser Weise austauschbar: Wir besitzen unsere Gerechtigkeit in Christus (2 Kor 5, 21; Phil 3, 9) und im Geist (Röm 14, 17). Daß wir in Christus gerechtfertigt werden (Gal 2, 17; s. o.), kann auch so ausgedrückt werden (1 Kor 6, 11): ἐδικαιώθητε ἐν τῷ ὀνόματι τοῦ κυρίου Ἰησοῦ Χριστοῦ καὶ ἐν τῷ πνεύματι τοῦ θεοῦ ἡμῶν. Diese Parallelität ist nicht von der Pneumavorstellung her zu erklären (sonst bliebe unverständlich, wieso wir im Geist gerechtfertigt sind), sondern von der Christologie und Rechtfertigungslehre her: Der Geist bedeutet die reale Übertragung des Heilswerks. Die Schwäche der mystischen Interpretation sucht *Käsemann* durch den Rückgriff auf den Begriff des Leibes Christi zu vermeiden. »In Christus« meine: im Leibe Christi, d. h. in der als Leib Christi verstandenen Kirche[12].

Der Textbefund verweist uns auf das objektive Heilswerk. An einigen Stellen spielt ἐν ins Instrumentale hinüber und nähert sich der Bedeutung von διά. Wir sind durch die ἀπολύτρωσις in Christus gerechtfertigt (Röm 3, 24). In Christus ist die χάρις gegeben (1 Kor 1, 4). In ihm sind wir gerechtfertigt (Gal 2, 17). In ihm hat Gott die Welt versöhnt (2 Kor 5, 19; vgl. V. 21). Hier ist die Einheit von objektiver Tat und Übertragung besonders deutlich: Christus wurde von Gott zur Sünde gemacht, ἵνα ἡμεῖς γενώμεθα δικαιοσύνη θεοῦ ἐν αὐτῷ. »In Christus« heißt also: Dort, in ihm, nicht in mir, ist das Heil geschehen; darum ist es für mich wahr. Christus ist das Instrument Gottes: In ihm hat er uns seine Liebe erwiesen (Röm 8, 39); in ihm uns berufen (Phil 3, 14); in ihm ist das Ja (2 Kor 1, 19 f.); in ihm haben wir die Freiheit (Gal 2, 4); in ihm sind wir geheiligt (1 Kor 1, 2).

Der instrumentale Sinn wird vor allem von *Büchsel* und *Bouttier* betont. Beide erklären, der Ausdruck ἐν Χριστῷ bzw. ἐν κυρίῳ sei überhaupt keine Formel, da der Sinn variiere. Er ergebe sich nämlich nicht aus der Wendung selbst, sondern aus der jeweiligen Anwendung, aus dem Zusammenhang. Wenn auch nicht zu bestreiten ist, daß die Bedeutung der Formel je nach dem Zusammenhang variiert wird, so liegt dennoch ein fester Sinnkern zugrunde.

Die Wendung drückt die objektive Stiftung und die innerweltliche Unanschaulichkeit der christlichen Existenz aus. Von daher erklären sich die scheinbar mystischen Stellen. Weil das Heilswerk vollbracht ist, können wir uns in ihm rühmen (Röm 15, 17; 1 Kor 15, 31). In ihm ist das Mühen nicht vergeblich (1 Kor 15, 58). 1 Kor 4, 15: ἐν ... Χριστῷ Ἰησοῦ διὰ τοῦ εὐαγγελίου ἐγὼ ὑμᾶς ἐγέννησα. Das meint nichts anderes, als daß Paulus ihnen das Wort vom Kreuz gepredigt hat.

Im Sinne seines Amtsverständnisses kann er auch umgekehrt sagen, daß Christus in ihm spricht (2 Kor 13, 3). Das heißt, daß er nicht sich selber predigt, sondern den gekreuzigten Herrn; »in ihm« sind wir schwach; aber wir werden aus der Kraft Gottes (nicht »in ihm«, sondern) »mit ihm« leben.

Der Unterschied zwischen ἐν und σύν: Das Leben in ihm ist — dialektisch — gegenwärtig, das Leben mit ihm künftig. Die Wendung »in Christus« spricht dieselbe Vorläufigkeit unserer Existenz aus wie der Begriff des Glaubens. Es ist

---

[12] E. Percy nimmt umgekehrt an, die Vorstellung vom Leibe Christi sei aus der ἐν Χριστῷ-Formel entwickelt. W. Schmauch erklärt diese als Gegensatz-Bildung zu ἐν νόμῳ.

kein Zufall, daß da, wo Paulus die Wendung umkehrt zu »Christus in mir«, der Glaubensbegriff erscheint: Gal 2, 19 f.: a) Χριστῷ συνεσταύρωμαι.
b) ζῶ δὲ οὐκέτι ἐγώ, ζῇ δὲ ἐν ἐμοὶ Χριστός.
c) Sinn: ὃ δὲ νῦν ζῶ ἐν σαρκί, ἐν πίστει ζῶ τῇ τοῦ υἱοῦ τοῦ θεοῦ τοῦ ἀγαπήσαντός με καὶ παραδόντος ἑαυτὸν ὑπὲρ ἐμοῦ.
Das Nebeneinander von »ich in ihm« und »er in mir« macht die beiden Beteiligten nie mystisch gleichwertig. Ich bin nie im selben Sinne für Christus da wie Christus für mich. Er ist für mich da als der, der für mich eintritt. Ich bin für ihn da als der Glaubende, auf ihn Angewiesene. Röm 8, 10 f. (vorher: Ihr im Geist — der Geist in euch): εἰ δὲ Χριστὸς ἐν ὑμῖν, τὸ μὲν σῶμα νεκρὸν διὰ ἁμαρτίαν, τὸ δὲ πνεῦμα ζωὴ διὰ δικαιοσύνην; dann parallel zu »Christus in euch«: εἰ δὲ τὸ πνεῦμα τοῦ ἐγείραντος τὸν Ἰησοῦν ἐκ νεκρῶν οἰκεῖ ἐν ὑμῖν, ὁ ἐγείρας ἐκ νεκρῶν Χριστὸν Ἰησοῦν ζωοποιήσει καὶ τὰ θνητὰ σώματα ὑμῶν διὰ τοῦ ἐνοικοῦντος αὐτοῦ πνεύματος ἐν ὑμῖν.

Zusammenfassung: Der Geist ist die aktuelle und vorläufige Übertragung des Heils. So gilt 2 Kor 5, 17: εἴ τις ἐν Χριστῷ, καινὴ κτίσις. Eine Sonderfrage ist, ob man auch in den Wendungen mit ἐν noch den unterschiedlichen Gebrauch der Titel beobachten kann[13]. Wie bei den Titeln kann man auch bei den Formeln nicht scharf differenzieren, bemerkt aber deutliche Tendenzen. Christus ist Jesus als der, welcher das Heilswerk vollbracht hat. Entsprechend erscheint ἐν Χριστῷ (mit oder ohne »Jesus«) in soteriologischem Zusammenhang: In ihm sind wir gerechtfertigt; in ihm hat Gott die Welt versöhnt. Kyrios heißt Jesus als der jetzt Regierende: Im Herrn mühen wir uns nicht vergeblich.

Neugebauer behauptet: »In Christus« drückt den Indikativ des Heilsgeschehens aus, »im Herrn« den daraus resultierenden Imperativ. Damit ist der Sinn nicht getroffen. Der »Herr« ist nicht nur der Fordernde, sondern auch der Schützende, den man anrufen kann. Überhaupt überschneiden sich die Bedeutungen der Titel, was auch *Neugebauer* nicht bestreiten kann. Zutreffend ist seine Widerlegung der mystischen Deutung.

---

[13] Darüber handeln Neugebauer, Bouttier und Kramer.

C. Die Glaubensgerechtigkeit

§ 25 ΔΙΚΑΙΟΣΥΝΗ, ΧΑΡΙΣ

Auch hier bietet Röm 1, 16 f. den besten Zugang. Zutreffend bemerkt *Bultmann* (NT 275) zu dieser Stelle: »... es ist nicht gemeint, daß die Predigt eine Lehre von der Gerechtigkeit vorträgt, sondern daß durch die Predigt die Gerechtigkeit zur (im Glauben realisierten) Möglichkeit für den Hörer der Predigt wird.« Ist das ganze Heil in dem Ausdruck »Offenbarung der Gerechtigkeit Gottes« zusammengefaßt, so ist zu besprechen: a) die Voraussetzung: χάρις; b) der Begriff der Gerechtigkeit; c) die Bedingung: πίστις — jetzt nicht mehr formal, sondern material verstanden: also das Verhältnis des Glaubens zum Gesetz.

I. χάρις

G. P. WETTER, Charis, 1913 — J. MOFFAT, Grace in the NT 1931 — W. T. WHITLEY, The Doctrine of Grace, 1932 — J. WOBBE, Der Charisgedanke bei Paulus, 1932 — BULTMANN, NT 287 ff. — W. GRUNDMANN, Die Übermacht der Gnade, Nov Test 2, 1958, 50—72 — Weitere Lit. bei BAUER, WB s. v. χάρις

Das alttestamentliche Äquivalent ist der Stamm חן. Im Griechischen bedeutet χάρις das Erfreuende, Anmutige, die Gefälligkeit — und zwar die erfahrene und die erwiesene, den Dank. Im Hellenismus werden oft die χάριτες des Herrschers gepriesen, bei Philo die χάριτες Gottes.

Paulus spricht von der χάρις im Singular. Er orientiert sich also nicht an den einzelnen Erweisen, sondern an der Heilstat, die durch den Begriff χάρις als reines Geschenk charakterisiert ist.

Bultmann gliedert die Beschreibung des Menschen unter der πίστις folgendermaßen: 1. Die δικαιοσύνη θεοῦ; 2. Die χάρις; 3. Die πίστις; 4. Die ἐλευθερία. Die δικαιοσύνη ist der Charakter der Offenbarung, χάρις die konkrete Durchführung. Unter diesem Stichwort bespricht *Bultmann* die Christologie, den Sinn von Tod und Auferstehung Jesu, die Kirche. πίστις ist die Aneignung des Heils, ἐλευθερία das Charakteristikum des Lebens im Glauben. Durch diesen Aufbau wird klar, daß χάρις nicht eine Gesinnung Gottes bezeichnet, sondern sein Verhalten, und zwar das in Christus erwiesene (daher die Überschrift von § 32: Die χάρις als Geschehen). Es wird zutreffend festgestellt, daß Paulus weder den gnädigen Gott noch den begnadeten Menschen beschreibt, sondern die Gnadentat. Sowenig wie ὀργή ist χάρις ein Affekt oder eine Eigenschaft.

χάρις bezeichnet also die geschichtliche Manifestation des Heils (Röm 5, 20 f.) und deren Konsequenz: die neue Situation, in die wir versetzt sind, den Gnadenstand (Röm 5, 2). Der Stand des Gläubigen wird aber nicht zum habitus, da er stets durch die Gnade bestimmt bleibt. Diese verleiht keinen charakter indelebilis: Wenn ihr durch das Gesetz gerecht werden wollt, seid ihr aus der Gnade herausgefallen (Gal 5, 4).

Vom Gnadenstand spricht Paulus noch in einem speziellen Sinn, nämlich in bezug auf sein Amt (Röm 15, 15 f.).

Gnade ist keine gütige Nachsicht. Paulus sagt nicht, daß Gott gütig ergänzt, was uns an guten Werken noch fehlt. Das ist die Vorstellung im Judentum: Wenn wir uns anstrengen, freut sich Gott über unser Mühen und hilft unserem Mangel vollends auf. Paulus dagegen erklärt, daß Gott an unserem Mühen keine Freude hat, denn es ist die Bemühung um die eigene Gerechtigkeit. Nur wenn wir diese preisgeben, erfahren wir seine Gnade. Und: Gott übersieht nichts; die Zeit der Geduld ist vorbei. Jetzt gilt, daß er die Schuld tilgt. Er wendet sich nicht gnädig dem zu, der schon soweit wie möglich gerecht ist, sondern begnadet den Sünder (Röm 4, 5; 5, 20; 11, 32; Gal 3, 19. 22). Die erwiesene, im Wort zu mir kommende Gnade zerstört die καύχησις; sie läßt mir nichts an eigener Leistung, die ich Gott gegenüber anführen könnte. Sie bringt also die Krisis mit sich, unter dem Vorzeichen des Heils, der Zerstörung des Unheils.

In ähnlichem Sinn kann Paulus auch das Wort ἔλεος gebrauchen, aber nur Röm 9—11, da, wo er von seiner persönlichen Erfahrung des »Erbarmens« spricht. Meidet er dieses Wort sonst, weil es — in der Bedeutung »Nachsicht« — mißverständlich wäre? Wie χάρις gebraucht Paulus auch ἀγάπη. Auch die Liebe ist nicht Affekt, sondern Erweis (Röm 5, 8; 8, 39). An Hand dieser Stellen läßt sich die Regel aufstellen: Gegenstand der Theologie ist nicht der liebe, der gnädige Gott, sondern die Liebe und Gnade Gottes in Christus.

II. δικαιοσύνη θεοῦ

A. Schlatter, Gottes Gerechtigkeit, 1935 — A. Oepke, ΔΙΚΑΙΟΣΥΝΗ ΘΕΟΥ bei Paulus in neuer Beleuchtung, ThLZ 78, 1953, 257—264 — E. Käsemann, Gottesgerechtigkeit bei Paulus, ZThK 58, 1961, 367—378 (= Ex. Vers. u. Bes. II 181—193) — E. Jüngel, Paulus und Jesus, 1962, 17 ff. 263 ff. — Chr. Müller, Gottes Gerechtigkeit und Gottes Volk, FRLANT 86, 1964 — P. Stuhlmacher, Gerechtigkeit Gottes bei Paulus, FRLANT 87, 1965 — gegen Käsemann: R. Bultmann, ΔΙΚΑΙΟΣΥΝΗ ΘΕΟΥ, JBL 83, 1964, 12—16 — Weitere Lit. bei

G. Schrenk, ThW II 194; Bauer, WB s. v. δικαιοσύνη; Bultmann, NT 271 — Forschungsberichte bei Chr. Müller und P. Stuhlmacher

Dieser Begriff steht im Brennpunkt der heutigen Auseinandersetzung. Paulus kann den gesamten Gehalt der Offenbarung in diesem Begriff zusammenfassen. Aber was bedeutet a) δικαιοσύνη; b) der Genitiv θεοῦ?

Möglichkeiten: 1. Genitivus subjektivus: Gerechtigkeit als Eigenschaft, die Gott hat und übt: »Gott ist gerecht«, also: qua iustus est in se. 2. Genitivus auctoris: die Gerechtigkeit, die Gott herstellt. 3. Genitiv der Relation: die Gerechtigkeit, die vor Gott gilt; die gottgemäße Gerechtigkeit des Menschen; so *Luther*, vgl. *Augustin* (MPL 35, 1607): iustitia Dei . . . non qua iustus est Deus, sed quam dat homini Deus, ut iustus sit homo per Deum.

Augustin versteht diese Gerechtigkeit als übereignete Eigenschaft des Menschen, *Luther* im Sinne der fides ex auditu. *Schlatter* ist mit *Luther* darin einig[1], daß Gottes Gerechtigkeit das zentrale Thema des Paulus sei, wirft ihm aber vor, er habe mit seiner Übersetzung »Gerechtigkeit, die vor Gott gilt« den paulinischen Sinn verfehlt. *Luther* frage nicht nach Gottes Gerechtigkeit, sondern nach meiner Möglichkeit, gerecht zu sein: »Wie bekomme ich einen gnädigen Gott?« Der Ansatz des Paulus sei theologisch, der Luthers anthropologisch. *Schlatter* 38: »Der Ausleger (sc. *Luther*) ging von seinem Ich, Paulus von Gott aus; der Vordersatz des Auslegers war seine eigene Not, der des Paulus war die Sendung des Christus.« *Luther* habe die paulinische Aussage zu einer Theorie verengt. Für Paulus sei das Evangelium Handeln Gottes, das den Glauben wirkt, für *Luther* ein Unterricht über die Rechtfertigung. — Hier ist *Luther* grob verzeichnet. Ihm wird die Rechtfertigungstheorie der Orthodoxie untergeschoben[2]. *Schlatter* beachtet nicht den geschichtlichen Ort und die Denkbewegung bei *Luther*. Der Mönch *Luther* geht vom scholastischen Gottesgedanken aus: Die Gerechtigkeit Gottes ist Gottes Eigenschaft, Dokumentation seiner Majestät. Dann stellt sich allerdings die Frage: Wie bekomme ich einen gnädigen Gott? Aber damit ist lediglich der geschichtliche Ausgangspunkt *Luthers* bezeichnet. Er treibt die Frage nämlich bis zu dem Punkt, an dem sie als Frage zerbricht — durch die Entdeckung des paulinischen Sinns von Gerechtigkeit. Et hic iterum iustitia Dei non ea debet accipi, qua ipse iustus est in se ipso, sed qua nos ex ipso iustificamur, quod fit per fidem evangelii. Gott ist gerecht in sermonibus suis. Und wir erklären Gott für gerecht, wenn wir dieses sein Urteil über uns als gerecht annehmen (Schol. Röm 1, 17 und 3, 4, WA 56, 172 und 226 f.).

Luther ist nicht die philologische Fehlleistung *Schlatters* widerfahren: der Genitiv θεοῦ bei δικαιοσύνη müsse derselbe sein wie bei εὐαγγέλιον, δύναμις und ὀργή, also ein subjektiver. Denn es heiße: Gottes Gerechtigkeit werde offenbart ἐν αὐτῷ (nämlich im Evangelium).

Schlatter 36: »Die Gerechtigkeit ist genau so die Gott eignende, wie die Kraft die seine und der Zorn der seine ist. Das wird durch ἐν αὐτῷ, nämlich ἐν τῷ

---

[1] Zu Luther vgl. vor allem Schlatter; Stuhlmacher 19 ff.; W. Grundmann, Der Römerbrief des Apostels Paulus und seine Auslegung durch M. Luther, 1964.
[2] Schlatter unterschlägt einen wesentlichen Teil von Luthers Aussage; vgl. Stuhlmacher (der doch an Schlatters Deutung von δικαιοσύνη θεοῦ anknüpft). Schlatter beachtet nicht einmal die Terminologie: iustificatio Dei, iustitia Dei activa und passiva.

εὐαγγελίῳ, gesichert. Denn die Botschaft ist τὸ εὐαγγέλιον τοῦ θεοῦ.« Übrigens lehnt es *Schlatter* ab, die Gerechtigkeit als Eigenschaft Gottes zu bezeichnen. Freilich wird seine These dadurch gerettet, weil er Eigenschaft definiert als »die Eigenschaft einer ruhenden Substanz«. Er will sich damit gegen einen griechischen Gottesbegriff abgrenzen, dringt aber nicht bis zum exegetischen Befund vor. Zu *Schlatters* Kritik: Paulus sagt nicht, das Evangelium Gottes werde »offenbart«. »Evangelium« steht nicht parallel zu »Gerechtigkeit«. Beide Begriffe sind nicht austauschbar; das zeigt sich gerade an der Wendung ἐν αὐτῷ. Außerdem kann der Ausdruck δύναμις θεοῦ nicht isoliert werden von den Bestimmungen εἰς σωτηρίαν und παντὶ τῷ πιστεύοντι. Die scheinbare Parallelität von Röm 1, 17 und 18 beweist nichts für *Schlatter,* da sie am entscheidenden Punkt durchbrochen ist: Die Gerechtigkeit wird offenbart im Wort, der Zorn wird offenbart »vom Himmel«. Diese Offenbarung ist nicht worthaft; auch ist der Zorn kein Affekt Gottes, sondern das von ihm heraufgeführte Gericht (Man beachte, daß Paulus nicht verbal vom Zürnen bzw. Zornigsein Gottes redet!).

Zur Begriffsgeschichte

Ohne Bedeutung für Paulus ist der griechische Sinn des Wortes δικαιοσύνη als einer der Kardinaltugenden bzw. Zusammenfassung der Tugenden.

Altes Testament[3] (zunächst ohne den Genitiv θεοῦ): *Klaus Koch* betont, צְדָקָה/צֶדֶק sei kein forensischer Begriff (vgl. *v. Rad* I 371). Die Wortgruppe bezeichne nicht das formale Richten Gottes (also: daß er nach der Norm des Gesetzes je nachdem freispreche oder verurteile), sondern positiv sein Heilshandeln. *v. Rad* I 375 erklärt: »Der Begriff einer strafenden צְדָקָה ist nicht zu belegen; es wäre eine contradictio in adjecto.« Gerechtigkeit sei ein gemeinschaftsbezogenes Verhältnis a) unter Menschen, b) zwischen Gott und den Menschen. Gerecht ist, wer dem Gemeinschaftsverhältnis entspricht, also dem Bund. Die Gerechtigkeit sei eine Sphäre, in der die Tat unmittelbar das Ergehen schafft. Gott ist gerecht, indem er seine Verheißung durchführt[4].
Daran ist richtig, daß die Wortgruppe nicht eine formale iustitia distributiva bezeichnet und daß Gerechtigkeit am Bund orientiert ist. Dennoch muß man ihren Sinn als forensisch bezeichnen; denn die Entscheidung fällt durch Gottes Spruch[5]. Auch der Bund ist eine rechtliche Größe; er hat seine Satzungen, über deren Einhaltung Gott wacht. Daher kennt das Alte Testament auch Gottes strafende Gerechtigkeit: Dan 9, 13—18. Diese Stelle fällt freilich unter das Urteil *v. Rads* über die Apokalyptik (II 322): Bei Daniel seien die Gebote aus ihren heilsgeschichtlichen Bezügen gelöst. *Stuhlmacher* bezieht auch die Vorstellung vom Rechtsstreit in diesen Gedankenkreis ein: Es gehe um den Erweis der die Welt heilvoll durchwaltenden Gerechtigkeit Jahwes. Im Blick auf den Genitiv betont

---

[3] K. Koch, Sdq im AT, Diss. Heidelberg 1953; G. v. Rad, Theologie des AT I, 1957, 368—380, F. Horst, Gottes Recht, ThB 12, 1961, 286 ff.; ders., Gerechtigkeit im AT, RGG³ II 1403—1406; Stuhlmacher 113 ff.
[4] Vgl. die Zusammenstellung von Heilsbegriffen in Ps 89, 15: Gerechtigkeit und Recht, Gnade und Treue. Vom Menschen her formuliert: Jahwe ist meine Gerechtigkeit (Jes 33, 16).
[5] v. Rad I 377: »Was Gerechtigkeit ist, und wer gerecht ist, das bestimmt allein Jahwe, und von dieser Anerkenntnis lebt der Mensch.«

er, daß die Genitivverbindung צדקה יהוה nur Dtn 33, 21 vorkomme. Die Septuaginta übersetzt: δικαιοσύνην κύριος ἐποίησεν. *Stuhlmacher* folgert zutreffend, die Septuaginta komme als Vorbild für die Wendung δικαιοσύνη θεοῦ bei Paulus nicht in Frage, da sie diesen Ausdruck nicht kennt. Nur gelegentlich und unterminologisch findet sich δικαιοσύνη κυρίου (1 Sam 12, 7; Ps 7, 18; 30, 2) in der Bedeutung: Gottes eigenes Rechtsverhalten; aber nicht: Gerechtigkeit vor Gott oder von Gott her.

Das *Judentum* hält den forensischen Sinn fest, modifiziert ihn aber dadurch, daß das Gericht in das Jenseits verlegt ist (Apokalyptik). Damit hängt ein zweites zusammen: Die Stellung des Einzelnen kommt ins Blickfeld. Sachlich ist eine doppelte Entwicklung festzustellen: a) Ausarbeitung des formal-juristischen Sinnes (Psalmen Salomos, Jubiläen). b) Andererseits wird auch die »positive« Komponente entwickelt: Gerechtigkeit erhält den Sinn von Bundestreue, Erbarmen. Vgl. 4 Esr 8, 36: »Denn dadurch wird deine Gerechtigkeit und Güte, Herr, offenbar, daß du dich derer erbarmst, die keinen Schatz von guten Werken haben.« Dieser Sinn findet sich in den Qumrantexten[6]: 1 Q H IV 30: »Ich erkannte, daß der Mensch keine Gerechtigkeit hat«; 1 Q S XI 12: »Komme ich zu Fall durch die Sünde meines Fleisches, so wird meine Rechtfertigung (מִשְׁפָּטִי) durch Gottes Gerechtigkeit (בְּצִדְקַת אֵל) ewig bestehen.«

Paulus und das Judentum

Paulus teilt mit dem Judentum folgende Anschauungen: a) Die Gerechtigkeit ist die Bedingung des Heils (Röm 1, 17; 4, 13; 5, 17. 21; 8, 10; Gal 3, 6 ff.). b) Über sie wird entschieden durch den eschatologischen Spruch des Richters. Das jüdische Verständnis wird aber von Paulus dahin modifiziert, daß der Spruch »in Christus« schon gefällt ist und daß die Gerechtigkeit ohne Werke, allein aus Gnade, zugesprochen wird, nämlich dem Glauben. Christus ist des Gesetzes Ende (die oben zitierten jüdischen Stellen heben das Gesetz nicht auf, sondern bestätigen es). Die Gerechtigkeit Gottes ist, wie seine Gnade, nicht gütiges Nachsehen, sondern positiv Stiftung des Heils.

Einen engeren Zusammenhang mit dem Judentum will *Chr. Müller* finden: Paulus gehe aus von der Bedeutung »Bundestreue«, ersetze aber den Bund durch die Schöpfung und komme so zu dem Sinn »Schöpfungstreue«. Das läuft im Effekt wieder auf ein Verständnis im Sinne eines subjektiven Genitivs hinaus. Aber das Gefälle bei Paulus ist gerade umgekehrt. Die Schöpfung ist vom Heilshan-

---

[6] H. Braun, Radikalismus I 45—47. 136 Anm. 7; J. Becker, Das Heil Gottes, Studien zur Umwelt des NT 3, 1964; Stuhlmacher 148 ff.

deln in Christus her verstanden. *Müller* meint weiter, Paulus greife auf den Gedanken vom Rechtsstreit Gottes zurück. Aber dieses Motiv des Alten Testaments ist im zeitgenössischen Judentum verschwunden. Es klingt bei Paulus nur einmal in einem Psalmzitat an. An *Müller* knüpft *Stuhlmacher* an: Gerechtigkeit Gottes ist das Durchsetzen des Gottesrechtes. In der Apokalyptik, besonders in Qumran, sei »Gerechtigkeit Gottes« terminus technicus, »das sich als Bundestreue offenbarende, dienstheischende, gerichtsbezogene und im eschatologischen Kampf sich durchsetzende Gottesrecht« (166). *Müller* und *Stuhlmacher* wollen *Schlatters* Deutung des Genitivs weiterführen und besser begründen: Da δικαιοσύνη θεοῦ ein jüdischer terminus technicus sei, müsse er auch bei Paulus als solcher erkannt werden. Auszugehen sei darum nicht von der Bedeutung von δικαιοσύνη, sondern nur von dem festen, gesamten Ausdruck δικαιοσύνη θεοῦ. Dieser müsse überall den gleichen Sinn haben, und das könne nur der subjektive sein. Dieser merkwürdige »philologische« Grundsatz nimmt vorweg, was zu beweisen wäre. Es ist festzustellen: 1. An keiner einzigen jüdischen Stelle ist der Ausdruck terminus technicus. 2. Über den Befund bei Paulus ist aus seinem eigenen Gebrauch zu entscheiden.
Auf Grund des Befundes kommt *Lietzmann* zu dem Urteil, bei Paulus komme beides vor, der genitivus subjectivus und auctoris. Diese These ist modifiziert von *A. Oepke*. Man müsse unterscheiden, und zwar nach dem Gebrauch bzw. Nicht-Gebrauch des Artikels: Der Ausdruck ἡ δικαιοσύνη τοῦ θεοῦ bezeichne Gottes Verhalten. Dagegen sei δικαιοσύνη θεοῦ ein Allgemeinbegriff, der an sich neutral sei und erst durch den Kontext zu füllen sei; er bezeichne das dem Menschen beigelegte Prädikat. Das Paulinische liege nicht im Begriff δικαιοσύνη θεοῦ, sondern in ihrer Bestimmung, daß sie ἐκ πίστεως zugesprochen werde. Es handelt sich um einen genitivus auctorius, der sich einem genitivus objectivus oder relationis nähert.
Zur Kritik: *Stuhlmacher* (182 f.) zeigt, daß *Oepkes* jüdische Beweisstellen (Targumim zu Dtn 33, 21) als Beleg entfallen, da sie durchweg den Plural haben. Darüber hinaus ist festzustellen, daß der Artikelgebrauch kein Kriterium ist. *Oepke* selber muß sich mit der Erklärung helfen, daß Ausnahmen die Regel bestätigen.

Der Befund bei Paulus

An einigen Stellen ist Gerechtigkeit in der Tat Eigenschaft Gottes im Sinne eines genitivus subjektivus: Röm 3, 3—5. Das Motiv vom Rechtsstreit klingt an, aber nur in einem Zitat. Es wird nicht als eigenständige Aussage aufgegriffen und entwickelt. Der subjektive Sinn des Genitivs ergibt sich aus der anthropologischen Fragestellung: ἡ ἀδικία ἡμῶν. Aber dieses Thema wird nur aufgeworfen, um sofort als unangemessen abgewehrt zu werden: κατὰ ἄνθρωπον λέγω. Derselbe Fall liegt Röm 9, 14 vor: μὴ ἀδικία παρὰ τῷ θεῷ; diese beiden Stellen sind kein geeigneter Ansatz für die Erhebung des paulinischen Gesamtverständnisses.

Natürlich ist Gott auch für Paulus gerecht. Aber es ist nicht seine Intention, objektivierend Gottes Sein zu bestimmen. An beiden genannten Stellen macht Paulus vielmehr klar: So kann man Gott nicht vor sich stellen. Denn daß meine

Ungerechtigkeit Gottes Gerechtigkeit erscheinen läßt, entschuldigt mich nicht, sondern dadurch werde ich gerade als schuldig enthüllt. Paulus legt die Gnade als Geschehen aus: Ich kann sie nur als Gnade annehmen, und d. h., indem ich mich schuldig bekenne. Ich kann sie nicht gegen Gott für mich ausspielen. Außerhalb des Bekenntnisses meiner Ungerechtigkeit weiß ich überhaupt nichts von Gottes Gerechtigkeit. Ich kann nichts Wahres über Gott aussagen, wenn ich nicht in der Wahrheit bin.

Die »positiven« Stellen: Röm 1, 17[7]. Als Thema gibt Paulus nicht an: »Gottes Gerechtigkeit«, sondern: Das Evangelium als δύναμις θεοῦ, weil in ihm Gottes Gerechtigkeit für den Glauben enthüllt wird. »Gottes Gerechtigkeit« ist damit a priori »evangelisch« bestimmt. Sie kann nicht — auch nur hypothetisch — von ἐκ πίστεως getrennt werden. Die Richtung des Gedankens läuft ja auf das Zitat zu: ὁ δὲ δίκαιος ἐκ πίστεως ζήσεται, das vom gerechten Menschen spricht; der Zielpunkt ist also ein anthropologischer.

Die subjektive Deutung verfehlt die Tatsache, daß Paulus a) Gerechtigkeit absolut; b) Gerechtigkeit Gottes; c) Gerechtigkeit aus Gott; d) Gerechtigkeit aus Glauben — samt der Antithese: nicht aus Werken des Gesetzes, in einheitlicher Bedeutung gebraucht. Die subjektive Deutung unterstellt Paulus faktisch, er spreche von der Offenbarung der Gerechtigkeit »vom Himmel her«. »Im Wort« gilt dann nur als sekundäre Bestimmung, das Wort wird zur formalen Proklamation von Macht; vgl. *Käsemann:* Gerechtigkeit sei »personifiziert als Macht«. Die Gabe habe Machtcharakter; Macht und Gabe seien unlöslich verbunden; die Macht gehe in uns ein. Göttliche Macht seien auch: die Kraft, die Liebe, der Frieden, der Zorn Gottes. Das Evangelium sei Gottes Manifestation, »in welcher er selber herrschend und sich durchsetzend auf den Plan tritt« (Aufs. II 186 Anm.). Was aber ist damit erklärt? »Macht« ist hier zur Etikette geworden, die man nach Belieben da und dort anhängen kann.

Röm 3, 21 ff.: Die Anknüpfung erfolgt nicht durch einen terminus technicus, sondern durch ein Zitat. Der Begriff der Gerechtigkeit Gottes wird an das Passiv des Verbums angeschlossen, also nicht an die Frage nach der Gerechtigkeit Gottes, sondern nach der Rechtfertigung des Menschen, seinem Heil. Nachher, 3, 25 f., ist der Genitiv in der Tat subjektiv. Aber einmal handelt es sich um eine von Paulus zitierte vorpaulinische Formel. Zum andern ist der Genitiv schon im voraus durch den Duktus von V. 20 zu 21 anders ausgelegt. Auch hier ist das Thema nicht Gottes Gerechtigkeit, sondern die Glaubensgerechtigkeit: δικαιοσύνη δὲ θεοῦ διὰ πίστεως Ἰησοῦ Χριστοῦ. Dann fährt Paulus verbal fort[8]: δικαιούμενοι δωρεὰν τῇ αὐτοῦ χάριτι. Und die subjektiv aussehende Wendung εἰς τὸ εἶναι

---

[7] Daß hier das Stichwort ἀποκαλύπτειν steht, beweist nicht, daß Paulus gedanklich von der Apokalyptik bestimmt ist; vgl. ψ 97, 2: ἐναντίον τῶν ἐθνῶν ἀπεκάλυψεν τὴν δικαιοσύνην αὐτοῦ. Paulus formuliert in der Sprache der Tradition von Psalmen, später Prophetie und Weisheit.

[8] Stuhlmacher klammert das Verbum δικαιοῦν aus seiner Übersicht aus.

αὐτὸν δίκαιον wird von Paulus ausgelegt: καὶ δικαιοῦντα τὸν ἐκ πίστεως ᾽Ιησοῦ. Es folgt die anthropologische Anwendung: Der Glaube führt in die Vereinzelung; diese ist die Bedingung der Universalität des Heils.

Derselbe anthropologische Ansatz findet sich Gal 2, 16 ff. Wieder hebt Paulus nicht den Gottesbegriff heraus, sondern das Moment des Glaubensurteils (εἰδότες) und die Übereignung der Gerechtigkeit durch den Glauben. Es folgt im Galater- und im Römerbrief die Formulierung, daß der Glaube zur Gerechtigkeit »angerechnet« wird (Gal 3, 6; Röm 4, 3). Thema ist also wieder die übereignete Gerechtigkeit, die Glaubensgerechtigkeit. Dem entspricht die Gedankenverknüpfung in Röm 5, 1: δικαιωθέντες οὖν ἐκ πίστεως. Dieselbe Thematik beherrscht den Abschnitt Röm 9, 30—10, 4: Paulus konfrontiert die Gerechtigkeit Gottes und die eigene Gerechtigkeit und bestimmt die Gerechtigkeit Gottes: εἰς δικαιοσύνην παντὶ τῷ πιστεύοντι (V. 4); ἡ ἐκ πίστεως δικαιοσύνη (V. 6). Den Schlüssel für die Begriffsbestimmung bietet Phil 3, 9.

Zum Genitivgebrauch s. 2 Kor 5, 21 (vgl. 1, 12), außerdem 1 Kor 1, 30 im Vergleich mit 6, 11. Auch hier ist die Rede von unserer Gerechtigkeit.

Ergebnis: Das Thema des Paulus ist nicht »Gottes Gerechtigkeit« (das ist die jüdische Fassung des Problems), sondern: Gottes Gerechtigkeit als Glaubensgerechtigkeit. Sie bleibt Gottes, »fremde« Gerechtigkeit, erfahrbar im Wort, indem sie zugesprochen wird. Im Hören erkennen wir uns als wirklich Gerecht-Gemachte, werden wir befreit zur »Neuheit des Lebens«.

Die Gerechtigkeit ist nicht das Ziel unserer Bewegung, sondern deren Voraussetzung. Damit besteht keine Möglichkeit, daß wir uns selbst eine Leistung anrechnen. Die Gerechtigkeit ist geschenkt; vgl. die Verwandtschaft der Aussagen über Gerechtigkeit und Gnade Röm 5, 17.

Die Dialektik von Zukunft und Gegenwart drückt sich in einem Schweben des Sprachgebrauchs aus: Einerseits erscheint die Gerechtigkeit als Bedingung des Heils, andererseits als Heilsgut selbst (Röm 10, 10, parallel zu σωτηρία). Einerseits erscheint sie als gegenwärtige Gabe: Wir sind gerecht gemacht, andererseits als künftig (Gal 5, 5; Röm 5, 19). Dieses Schweben ist möglich, weil die Gegenwärtigkeit nicht habituell verstanden wird und die Künftigkeit nicht apokalyptisch.

Die χάρις und die πίστις haben gemeinsam den Gegensatz gegen die Werke und das Gesetz (Gal 5, 4; vgl. 2, 21; Röm 6, 14; 9, 32; 11, 6). Daher ist jetzt vom Gesetz zu handeln.

§ 26 DAS GESETZ

BULTMANN, NT 260 ff. — CHR. MAURER, Die Gesetzeslehre des Paulus, 1941 — W. GUTBROD, νόμος, ThW IV 1061 ff. — G. EBELING, Erwägungen zur Lehre vom Gesetz, ZThK 55, 1958, 270—306 (= Wort u. Glaube, 1960, 255—293) — Vgl. oben die Lit. zu πίστις (§ 20) und δικαιοσύνη (§ 25 II)

I. Allgemeine Probleme

Bisher liegt dieses Thema vor allem nach der negativen Seite im Blickfeld: Die Gerechtigkeit wird aus Glauben, ohne die Werke des Gesetzes erlangt. Das Gesetz kann nicht rechtfertigen (Röm 1, 18—3, 20. 21—31). Wozu ist das Gesetz dann da? Was tut es? Wenn es nicht das Heil schafft, dann scheint es irreführende Weisung zu sein. Ist es also gar nicht Satzung Gottes? oder eines irreführenden Gottes, des Weltgottes?[1] Oder denkt Paulus heilsgeschichtlich? daß das Gesetz einst eine positive Funktion hatte, aber jetzt überholt ist? Und wenn das Gesetz erledigt ist, warum befaßt sich dann Paulus so ausführlich damit? Eine psychologische oder zeitgeschichtliche Erklärung genügt nicht. Aus der zeitgeschichtlichen Lage wäre nicht abzuleiten: die paulinische Konzeption von Rechtfertigung und Gesetz; das positive Verständnis der Freiheit; der Zusammenhang von Geist und Freiheit hier, von Fleisch und Gesetz dort. Die Reichweite der Gesetzesthematik erstreckt sich nicht nur auf das jüdische Verständnis von Heil, sondern stellt jeden möglichen Heilsweg durch die Predigt des Evangeliums in die Krise. Die Lehre vom Gesetz muß spezifisch theologisch verstanden werden, als Beitrag zur Klärung des Evangeliums, das nicht nur eine Lehre ist, sondern ein Geschehen am Menschen, eine Verwandlung seiner Situation.

Zur Terminologie: νόμος bezeichnet[2] »das Gesetz des AT bzw. das ganze als Gesetz aufgefaßte AT« (*Bultmann*, NT 260).

Paulus arbeitet nicht mit dem griechischen Gesetzesverständnis, etwa dem Gegensatz von geschriebenem und ungeschriebenem Gesetz, von φύσις und νόμος, dem Gedanken des Naturgesetzes. Das gilt trotz Röm 2, wo diese griechischen Stichworte anklingen[3]. Paulus führt aus: Den Heiden ist das Gesetz ins Herz

---

[1] Marcion! Erlösung wäre dann also Befreiung aus der Welt, deren Verfassung das Gesetz ist.

[2] Außer an einigen Stellen, wo νόμος allgemein »Norm« bedeutet.

[3] Vgl. dazu M. Pohlenz, Paulus und die Stoa, ZNW 43, 1949, 75 ff. (= Neudr. 1964, 12 ff.) und G. Bornkamm, Gesetz und Natur, in: Studien zu Antike und Urchristentum, Ges. Aufs. II, ²1963, 93—118.

geschrieben; sie befolgen es von Natur. *Bornkamm* bemerkt zutreffend: Man sollte nicht bestreiten, daß hier griechische Gedanken anklingen. Aber jene Stichworte werden nur ad hoc aufgenommen. Die Pointe ist nicht eine Lehre vom Naturgesetz, sondern die Bestätigung der Allgemeingültigkeit der göttlichen Gerichtsnorm dadurch, daß auch die Heiden das vom Gesetz Geforderte tun. *Pohlenz* betont, Paulus kennt keine selbständige Natur neben Gott. Die griechischen Gedanken werden völlig umgestaltet. Für den Griechen ist die höchste Instanz die Natur, für Paulus gerade das Gesetz. Die Formulierung »ins Herz geschrieben« wählt Paulus nicht von dem Gedanken der ἄγραφα νόμιμα her, sondern gerade vom geschriebenen Gesetz her; sie ist »durch den Gegensatz veranlaßt, in dem dieses Gesetz zu den in Moses' Tafeln und Büchern niedergelegten steht«, um »die Juden davor zu warnen, sich auf den bloßen Besitz dieser schriftlichen Überlieferung zu verlassen« (S. 76 bzw. 13).

Paulus entfaltet kein Welt- und Menschenbild, in dessen Rahmen das Wesen des Gesetzes bestimmt würde. Er setzt einfach voraus, daß Gottes Wille überall gilt, auch bei den Heiden, und daß er auch überall bekannt ist.

Wie die Heiden Gottes Willen kennenlernen, ist kein selbständiges Thema. Paulus begnügt sich mit einigen Andeutungen: Der Mensch hat als Kontrollinstanz das Gewissen. Im übrigen setzt er einfach voraus, daß man über das Sittliche Bescheid weiß; auf eine solche allgemeine Kenntnis kann er auch die Christen verweisen (Phil 4, 8).

Exkurs: Zur Theologie der Ordnungen und zu Röm 13

Paulus kennt nicht den abstrakten Begriff der Ordnung, auch nicht eine diesem Begriff entsprechende Sache. Das Paradigma bietet die Ausführung über die Obrigkeit Röm 13, 1—7[4]. Dieser Abschnitt entwickelt weder eine Lehre von den Schöpfungs- oder Erhaltungsordnungen noch überhaupt eine Staatslehre. Er gibt einfach eine Paränese, die sich nicht an den Staat richtet, sondern — angesichts der politischen Macht — an die Christen. Die ἐξουσία ist kein Bestandteil der Heilsordnung (*Käsemann*, ZThK 399). Sie ist kein Faktor der neuen Welt, sondern eine Gegebenheit dieser Welt, also des Ortes, an dem sich die Glaubenden befinden. Die Welt bleibt Schöpfung; die Christen leben in keiner anderen Welt, sondern »bekunden mit ihrem Tun, daß die Erde mit allem, was sie enthält, dem Herrn gehört (und) von ihm nicht aufgegeben ist« (*Käsemann*, Grundsätzliches 207). Die Realität der Welt wird »nicht zugunsten

---

[4] A. Strobel, Zum Verständnis von Röm 13, ZNW 47, 1956, 67—93; E. Käsemann, Römer 13, 1—7 in unserer Generation, ZThK 56, 1959, 316—376; ders., Grundsätzliches zur Interpretation von Römer 13, Ex. Vers. u. Bes. II 204—222; G. Delling, Röm 13, 1—7 innerhalb der Briefe des NT, 1962.

einer Ideologie verdeckt« (*Käsemann*, ZThK 376). »Dabei geht es also gerade um die nie vollständig und im voraus beschreibbare Konkretheit der Forderung, während in einer Theologie der Ordnungen sich alles von vornherein systematisch verrechnen läßt und jede konkrete Forderung zwangsläufig auf ein abstraktes Sinngefüge zurückweist« (ebd. 335). Auf die Frage nach einer Grenze des Gehorsams geht Paulus in Röm 13 nicht ein, weil er dazu keinen unmittelbaren Anlaß hat.

Anders als Jesus und die Jerusalemer Hellenisten spielt Paulus nicht das sittliche Gesetz gegen das kultische aus. Das ganze Gesetz ist von Gott, es ist insgesamt mit Christus zu Ende. Praktisch freilich liegen die Dinge etwas anders. Wenn Paulus vom Gesetz positiv, als Gottes Willen, redet, denkt er faktisch an die sittlichen Gebote. Das zeigen die Beispiele, die er in Röm 2 anführt: Du sollst nicht stehlen, nicht ehebrechen. Er faßt Röm 7, 7 die ganze Forderung zusammen: Du sollst nicht begehren, und bezeichnet in Übereinstimmung mit Jesus das Liebesgebot als die Summe des Gesetzes (Gal 5, 14; Röm 13, 8—10).

Wenn das Gesetz aber Gottes Wille ist, wie kann es dann zu Ende sein, bzw. in welchem Sinn? Paulus gibt auf diese Frage eine doppelte Antwort: 1. durch die Bestimmung seiner heilsgeschichtlichen Funktion; 2. durch die positive Darstellung der Freiheit als Glaubensfreiheit.

II. Gesetz und Heilsgeschichte (Gal 3 f.; Röm 5)

In Gal 3 f. unterscheidet Paulus die zwei Epochen der Geschichte vor und nach der Gesetzgebung, nämlich von Abraham bis Mose und von Mose bis Christus. Abraham empfing nicht das Gesetz, sondern die Verheißung. Diese geht dem Gesetz zeitlich und damit auch sachlich voraus. Das Gesetz ist »dazwischengeraten«. Daß es durch Engel vermittelt ist, erweist seine relative Minderwertigkeit. So kann es die Verheißung nicht außer Kraft setzen (Gal 3, 17). Es ist nur für eine Zwischenzeit gegeben und hat, wie es einen Anfang hatte, so auch ein Ende; das Ende ist Christus (Röm 10, 4; vgl. Gal 4, 4). Was ist aber sein Sinn?

1. *W. Elert*: Es bleibt nur der usus elenchticus: Das Gesetz überführt. Zur Kritik: *W. Trillhaas*, Ethik, ²1965, 41 f.

2. *A. Schweitzer* (Mystik 175 ff.): Das Ende des Gesetzes hat begonnen. Das Gesetz gehört mit der natürlichen Welt und der Engelherrschaft zusammen. Im messianischen Reich ist es erledigt. Diese Welt ist jetzt schon zu Tode getroffen, hält sich aber noch. »Wo übernatürliche Welt schon verwirklicht ist, gelten Engelherrschaft und Gesetz nicht mehr«, und das ist der Fall »im Bereiche der von Sterbens- und Auferstehungskräften durchfluteten Leiblichkeit der in Christo seienden Erwählten« (185). Gegen *Schweitzer* ist festzustellen, daß das Ende des Gesetzes bei Paulus kein kosmischer Prozeß ist. Das Ende stellt sich vielmehr dar in der im Wort zugesprochenen Freiheit des Glaubens.
3. *H.-J. Schoeps* (174 ff.): Paulus hält sich durchaus im Rahmen des im Judentum Möglichen, da auch dieses das Aufhören des Gesetzes im messianischen Reich voraussetzt. Für Paulus sei dieses nur schon angebrochen. Aber *Schoeps*' Behauptung, auch das Judentum habe das Ende der Tora erwartet, stimmt nicht.
4. *U. Wilckens*: Paulus ersetzt das Gesetz durch Christus. Diese These bleibt in der objektivierenden Vorstellung.

Für das Verständnis von Röm 10, 4 ist zu beachten: Mit Christus ist tatsächlich eine neue Situation, also eine neue Epoche der Heilsgeschichte eingetreten. Nur wird diese nicht historisch verifiziert. Das Neue ist nicht in der Welt anschaulich. Es ist in ihr nur sichtbar als das Dasein des Wortes, als das verkündigte Ende des Gesetzes. Man kann diese These nicht als Prinzip einer christlichen Geschichtsdeutung benutzen, sondern nur als Freilegung des Wesens des Glaubens verstehen.

E. Fuchs, Aufs. III 20: Das Ende der Geschichte ist »nur für diejenigen erreicht, welche daran glauben, daß Christus des dem Sünder den Tod einbringenden Gesetzes Ende ist bzw. war«. Aber wie verhält sich »ist« zu »war«? *Fuchs* (383 f): Es geht um die Selbigkeit und Einheit des Wortes Gottes. Das Gesetz bestritt dem Menschen die Gerechtigkeit. Aber das erkennt erst der Glaube. »In der Theologie des Paulus wird gezeigt, daß der Glaube im Evangelium Gott versteht, wenn der Mensch im Gesetz sich selbst zu verstehen lernt.«

Weil das Ende des Gesetzes kein Welt-Tatbestand ist, sondern Tatbestand »in Christus«, wird auch verständlich, daß es einerseits als Heilsweg zu Ende ist, da seine Forderung durch Christus erfüllt ist und wir also von ihr losgekauft sind oder — in einer ganz anderen Kategorie: wir dem Gesetz gestorben sind (Röm 7, 6), daß es andererseits aber als sittliche Forderung in Kraft bleibt. Das Gesetz ist ja nicht falsch! Es ist ja zum Leben gegeben (Gal 3, 12; Röm 7, 10). Seine Erfüllung würde Leben schaffen — dann freilich nur die ganze Erfüllung, weil die Forderung unteilbar ist (Gal 3, 20). Das aber leistet kein Mensch[5] (Gal 3, 11; Röm 3, 19 f.). Damit entsteht das

---

[5] Paulus denkt nicht kasuistisch, er will nicht von Fall zu Fall das Verfehlen der einzelnen Forderungen nachweisen (obwohl er auch einmal in diese Richtung deuten kann, Röm 2). Er meint vielmehr das Verfehlen des Ganzen der Forderung. Das geschieht gerade da, wo sich der Mensch um Erfüllung *bemüht*, denn im Bemühen ist er nicht ganz bei der Sache, sondern gespalten.

Problem: Das Gesetz ist zum Heil gegeben, aber die Forderung ist so hoch angesetzt, daß ihr kein Mensch genügt. Ist sie dann als Forderung ernsthaft[6]? Christus ist das Ende des Gesetzes, aber es ist weiter gültig. Wir sind frei, aber gefordert; gerechtfertigt aus Glauben, aber gerichtet nach den Werken. Es ist deutlich, daß man nicht zum Verstehen kommt, wenn man bei der heilsgeschichtlichen Vorstellung stehenbleibt. Das ist schon bei Paulus selbst zu spüren: Sein heilsgeschichtlicher Entwurf bleibt fragmentarisch. In Gal 3 f. fällt die Geschichte von Adam bis Abraham einfach aus, um die These vom Vorrang der Verheißung demonstrieren zu können. In Röm 5 wird der Bogen von Adam bis Mose gespannt, aber hier nimmt Paulus keine Rücksicht auf Abraham. Die Tendenz ist auch hier, das Gesetz als Zwischengröße zu erweisen, aber unter einem anderen Aspekt. Geht es Gal 3 f. um das Verhältnis von Gesetz und Verheißung, so Röm 5 um das Verhältnis von Gesetz und Sünde. Paulus kann sich diese Unausgeglichenheit leisten, weil es ihm nicht auf die Vorstellung als solche ankommt. So unterscheidet er auch nicht expressis verbis, sondern nur in gelegentlichen Andeutungen zwischen den beiden Aspekten des Gesetzes: a) Als Wille Gottes hat es absolute Geltung für die Welt überhaupt; b) als mosaische Satzung nur relative, nur für eine Zwischenepoche und nur in einem Teil der Welt. Freilich ist es immer die Welt, in der *ich* mich befinde. Der Unterschied kommt klarer zum Ausdruck, wenn Paulus mit zeitlosen Kategorien arbeitet, wie in 2 Kor 3 mit »Buchstabe« und »Geist«[7].

Versucht man, die heilsgeschichtlichen Vorstellungen miteinander auszugleichen, gerät man ins Dilemma: Wie lebten die Menschen von Adam bis Mose? Wirklich ohne Gesetz? Dann doch auch ohne Sünde, wenn der Grundsatz Röm 4, 15 gilt: Wo kein Gesetz ist, da ist keine Übertretung. Das kann Paulus natürlich nicht behaupten, schon angesichts der Tatsache nicht, daß der Tod in der Welt war. So gibt er eine Behelfsauskunft: Die Menschen sündigten zwar (wenn auch nicht wie Adam gegen ein ausdrückliches Gebot), aber die Sünde wurde ihnen nicht angerechnet; sterben mußten sie freilich dennoch (Röm 5, 13 f.). Wieder können diese Thesen nicht geschichtlich verifiziert werden. Greifbar ist aber die Intention: Die heilsgeschichtliche Objektivierung soll die Überlegenheit der Gnade a) über die Forderung des Gesetzes, b) über die Sünde begründen. Die Dar-

---

[6] Dieselbe Frage stellt sich angesichts der Ethik Jesu.
[7] Zur Unterscheidung vgl. Bultmann, NT 269 f.

stellung wird verständlich als Versuch, den Horizont des Glaubens zu beschreiben: Ich erfahre meine Freiheit durch das Evangelium, das mir die vorher geschehene Heilstat mitteilt und den Blick dafür öffnet, woraus ich befreit bin, was meine Welt ist, wie sie verfaßt ist und mich bestimmt. Ich habe die Freiheit in Christus. Die neue Zeit ist zugesprochen. »Anschaulich« ist das Ende des Gesetzes nicht in der Welt und nicht in mir, sondern in Christus, d. h. im Dasein der Predigt, welche die Freiheit vollzieht.

Die oben gestellte Frage ist noch offen: Wie verhält sich der angebliche Zweck des Gesetzes, daß es zum Leben gegeben ist, zu seiner angeblichen Wirkung, daß es Sünde und Tod schafft?

III. Der Zweck des Gesetzes

Es ist zu unterscheiden zwischen dem Zweck Gottes, den er durch den Erlaß des Gesetzes verfolgte, und der Verwendung des Gesetzes durch den Menschen. Das Gesetz offenbart den Willen Gottes. Aber es kann nicht selbst die Erfüllung bewirken — es ist »schwach« (Röm 8, 3).

Damit erhebt sich jetzt erst recht die Frage, ob Paulus nicht eine unsinnige Theorie entwirft. Auch die weitere Feststellung, daß das Gesetz durch die σάρξ gehemmt werde (Röm 8, 3), ist noch keine Antwort. Was ist das für ein Gott, der seinen Willen bekanntgibt, aber nicht durchsetzen kann! Wieder gilt es, über die Objektivierung hinauszukommen und nach der Struktur des Glaubens zu fragen.

Paulus erklärt: Die Sünde ist vor dem Gesetz da, d. h., die Sünde ist die Befindlichkeit der Welt, in der ich mich vorfinde, und das Gesetz ist der Faktor, der diese Befindlichkeit aufdeckt. Es bringt mich und meine Welt auseinander, es führt in die Konfrontation als die Bedingung dafür, daß ich diese Situation durchschauen kann. Das Gesetz soll also gar nicht die Erfüllung erzielen. Objektivierend gesprochen: Seine Unwirksamkeit ist nicht durch Gottes Ohnmacht bedingt, sondern entspricht Gottes Plan. Paulus meint nicht, der Weg des Gesetzes führe nicht zum Ziel, weil die Forderung zu hoch geschraubt sei und deshalb nicht erfüllt werden könne. Dann wäre nicht der Weg falsch, sondern der Mensch könnte ihm nur nicht genügen. Aber es gilt: Die ganze Richtung ist falsch. Wenn ich durch die Erfüllung des Gesetzes mein Heil schaffen will, dann will ich nicht, was Gott und seinem Gesetze zukommt, sondern suche meine eigene Gerechtigkeit. Und eben damit befinde ich mich im Widerspruch zum Gesetz. Auf dem Weg der eigenen Gerechtigkeit tritt mir nun das Gesetz selbst in den Weg und erfüllt dadurch seinen Zweck, die Erkenntnis der Sünde herbeizuführen (Röm 3, 20). Diese Stelle wird durch Röm 7, 7 ff. kommentiert. Paulus meint nicht, daß man an den einzelnen Geboten ablesen könne, was Sünde sei, um sich an ihnen wie in einem Beichtspiegel zu prüfen. Die Erkenntnis der Sünde wird so erschlossen, daß der Mensch durch das Gesetz ins Sündigen gestoßen wird, sich auf die Sünde verstehen lernt, indem er sie praktiziert. Der Satz Röm 7, 7 meint ja nicht, daß ich jetzt theoretisch weiß, was Begierde ist, sondern daß ich sie erfahren, erprobt habe[8]. Gal 3, 19: Das Gesetz ist gegeben τῶν παραβάσεων χάριν; das heißt nicht: um die Übertretungen zu verhüten und die Welt — wenigstens einigermaßen — in Ordnung zu halten, sondern: um die Übertretungen herbeizuführen und dadurch an den Tag zu bringen, wo der Mensch steht, nämlich im Widerspruch zu Gott (Röm 7, 7 ff.) und damit im Widerspruch mit sich selbst. Die Aussage muß präzise interpretiert werden. Paulus sagt nicht, daß das Gesetz die Sünde erzeugt; denn dann wäre ja Gott der Urheber der Sünde. Es bleibt dabei: Die Sünde kam durch das Sündigen in die Welt. Das setzt allerdings voraus, daß die Sünde vor dem Gesetz da war; das Gesetz bringt sie aber erst zum Zuge. Dadurch führt die Sünde sich selbst ad absurdum (Röm 5, 20). So wird der Mensch als der dargestellt, der er ist: Er hat vor Gott nichts aufzuweisen, er bleibt auf Gnade angewiesen[9]. Denselben Sinn hat Gal 3, 24: Das Gesetz wurde unser παιδαγωγὸς εἰς Χριστόν, ἵνα ἐκ πίστεως δικαιωθῶμεν. Damit ist keineswegs eine heilsgeschichtliche Pädagogik (»Erziehung des Menschengeschlechts«) postuliert. Der »Pädagoge« ist nicht der Erzieher, sondern der Zuchtmeister, der den Menschen bei der Forderung Gottes festhält bis zum Kommen Christi. εἰς Χριστόν heißt nicht »auf Christus hin«[10], sondern objektiv »bis zu seinem Kommen«. Erzieher ist das Gesetz nur im oben erwähnten Sinn, daß der Mensch in die Sünde geführt wird und damit auf den Glauben gewiesen wird, da er angesichts des Evangeliums das Entweder — Oder begreifen kann: Gesetzeswerke oder Glaube. Auch

---

[8] Vgl. den Sinn von »Erkenntnis« in 2 Kor 5, 21; dort heißt es von Christus: τὸν μὴ γνόντα ἁμαρτίαν.
[9] Bultmann, NT 268 f.: Das Gesetz führt in den Tod, um Gott als den Gott erscheinen zu lassen, »der die Toten erweckt«.
[10] So die »Barthianer«; entsprechend Röm 10, 4: Christus, das Ziel des Gesetzes.

an dieser Stelle ist deutlich, daß die Gesetzeslehre der Auslegung des Glaubens in der Verkündigung des Evangeliums dient.

Das Gesetz führt nicht in subjektive Verzweiflung über die eigene Schlechtigkeit, sondern in eine objektiv verzweifelte Situation, die ich begreife, wenn ich das Evangelium höre.

Paulus beschreibt den Glauben nicht als einen Ausweg aus Gewissensnöten. Wo er von seinem Zustand vor der Bekehrung spricht (Phil 3, 4 ff.), da stellt er fest, daß er nach dem Maß des Gesetzes untadelig war. Und wo er den tatsächlichen Zwiespalt des Menschen beschreibt (Röm 7), da redet er nicht von Gewissen und inneren Nöten.

Die Frage, warum Gott nicht einfach für die Durchführung seines Willens gesorgt habe, warum er die Sünde »zugelassen« habe, ist vom paulinischen Ansatz aus unsinnig. Gott »läßt« nicht die Sünde »zu«, sondern er führt durch das Gesetz ins Sündigen, um an den Punkt der Aufdeckung der Sünde zu führen. Die paulinische Lehre vom Gesetz führt in Absurditäten, wenn man sie objektiviert zu einer metaphysischen Theorie über den Geschichtsablauf als einer Veranstaltung Gottes oder zu einer psychologischen Theorie über den Ablauf der inneren Geschichte des einzelnen Menschen. Der theologische Sinn dieser Lehre ist, das Kreuz Christi als Gottes Weise der Durchführung des Heils zu interpretieren, das Heil als Gottes Tat und als Evangelium zu zeigen, indem aufgewiesen wird, was Nicht-Evangelium ist. Die ganze Gesetzes-Lehre ist also nichts als ein theologisches Interpretament. Sie wird verständlich, wo sie am Menschen exemplifiziert wird als Enthüllung dessen, wo er steht und woher er kommt. Die Gedankengänge sind kompliziert. Es ist aber zu fragen, ob diese Kompliziertheit nicht sachgemäß ist. Nicht das Evangelium, wohl aber meine Position ist kompliziert und — dementsprechend —, sie gedanklich zu erfassen. Paulus will nicht nur zeigen, daß dem Menschen seine Situation verborgen ist, sondern auch, in welcher Weise: daß er nämlich meint, auf Grund der Erfüllung des Gesetzes Gottesdienst zu treiben. Nun wird das Gewebe entflochten. Sobald man als Pointe der Lehre die Freilegung der menschlichen Position sieht, erkennt man einen in sich geschlossenen, verständlichen Tatbestand. Im Augenblick der Entdeckung meiner Situation durch das Evangelium weiß ich, daß ich — und zwar von jeher — vom Gesetz beherrscht bin, und erkenne, daß dies nicht die mir von Gott bestimmte Position ist, sondern daß ich mich in der Entfremdung, in der Sünde befinde, an einem Ort, an den ich »ursprünglich« nicht gehöre. Ich finde mich vor als derjenige, der vom Gesetz in Aktion gesetzt ist und damit selber aktiv die Entfremdung vollzieht, d. h. seine Bestimmung verfehlt. Das begreife ich, wenn mich das Hören des Wortes zu mir selbst bringt. Jetzt verstehe ich, daß mich Gott auch in meiner aktiven Verfehlung geführt hat — an den Punkt nämlich, an dem ich jetzt stehe, in den Augenblick der Mitteilung der Gnade. Damit wird auch klar, was Freiheit ist. Sie bedeutet nicht, daß ich aus der Forderung Gottes entlassen bin, sondern gerade die Möglichkeit des Ungehorsams, das καυχᾶσθαι, die Verwendung des Gesetzes zum eigenen Zweck aufgehoben ist. Das Gesetz wollte von Anfang an nichts anderes als dieses »Ende«: den Glauben. Gott spricht nicht zweierlei Wort; Gebot und Verheißung ist Wort desselben Gottes. Gott will eines: mich. Wenn er mich durch das Gesetz fordert, so heißt das, daß er mich nicht losläßt. Das ist der Sinn des Gesetzes: Das Heil widerfährt mir so, daß ich auf meine echte Bestimmung hin überführt werde. Das heißt, das Gesetz zeigt die Kontinuität des alten und des neuen Menschen. Als Glaubender bin ich kein anderer als der, der ich vorher war. Der Glaube ist nicht habitus, sondern die Erfahrung, daß ich, der Sünder, gerechtfertigt bin.

§ 27 DE SERVO ARBITRIO (RÖM 7)

W. G. Kümmel, Römer 7 und die Bekehrung des Paulus, UNT 17, 1929 — R. Bultmann, Römer 7 und die Anthropologie des Paulus, in: Imago Dei (Festschr. G. Krüger), 1932, 53—62 (= Der alte und der neue Mensch, 1964, 28 ff.) — P. Althaus, Paulus und Luther über den Menschen, ³1958 — E. Fuchs, Die Freiheit des Glaubens, 1949 — Ders., Existentiale Interpretation von Römer 7, 7—12 und 21—23, ZThK 59, 1962, 285—314 (= Ges. Aufs. III 364—401) — G. Bornkamm, Sünde, Gesetz und Tod (1950), in: Das Ende des Gesetzes, Ges. Aufs. I, ³1961, 51—69 — E. Ellwein, Das Rätsel von Röm 7, KuD 1, 1955, 247—268 — W. Joest, Paulus und das Luthersche simul iustus et peccator, ebd. 269—320 — H. Braun, Römer 7, 7—25 und das Selbstverständnis des Qumran—Frommen, ZThK 56, 1959, 1—18 (= Ges. Studien z. NT 100—119) — H. Hommel, Das 7. Kapitel des Römerbriefs im Licht antiker Überlieferung, ThViat 8, 1961/2, 90—116 — H. Jonas, Philosophische Meditation über Paulus, Römerbrief, Kapitel 7, in: Zeit u. Gesch. (Festschr. Bultmann), 1964, 557—570

Es ist noch zu besprechen: die Begegnung zwischen dem Gesetz und dem einzelnen Menschen. Im Zusammenhang damit wird eine Antwort auf folgenden Einwand zu geben sein: Wenn man behauptet, daß das Gesetz der Sünde zum Zuge verhelfe, erklärt man dieses selbst zu einem sündigen Faktor. Es sei dann nicht mehr Gottes Wort. Das hieße: Die Gedanken des Paulus führen — konsequent weitergedacht — in den Antinomismus[1]. Auf diesen Einwand geht Paulus Röm 7, 7 ein: τί οὖν ἐροῦμεν; ὁ νόμος ἁμαρτία; Er weist ihn ab: μὴ γένοιτο. Aber: Wieso ist das Gesetz nicht Sünde? Kann er wirklich zeigen, daß man ihm diese Konsequenz nicht anlasten darf? Er erklärt: Die »Schuld« daran, daß ich sündige, liegt nicht beim Gesetz, sondern bei der Sünde. Diese kann als solche nur durch das Gesetz durchschaut werden. Das setzt voraus, daß es »heilig« ist und das Gebot heilig, gerecht und gut (V. 12).

Der Zusammenhang: Röm 6 behandelte die Freiheit von der Sünde auf Grund der Taufe (mit Christus gestorben, und in ihm der Sünde gestorben). Damit ist die Freiheit konkretisiert. Sie bedeutet nicht formal, daß man tun kann, was man mag, sondern ist Freiheit von der Sünde. Wir stehen nicht mehr unter dem Gesetz, sondern unter der Gnade. Das bedeutet die Unmöglichkeit zu sündigen

---

[1] Diese Konsequenz zog Marcion. Für Paulus ist zu beachten, daß die Sünde schon vor dem Gesetz in der Welt war, also nicht erst vom Gesetz geschaffen ist. In der heilsgeschichtlichen Darstellung von Röm 5 wird dies allerdings nicht deutlich genug; in der heilsgeschichtlichen Objektivierung dieses Kapitels kommt das Gesetz zwar erst durch Mose in die Welt, aber schon für Adam bestand ein Gebot.

(Röm 6, 16—18). Freiheit ist also Dienst neuer Art. Wieso ist sie dann noch Freiheit? Weil die Sünde die entfremdende Macht ist, die mich in den Tod reißt. Die neue Möglichkeit ist, da zu dienen, wo ich bei mir selbst bin.

Röm 7, 1—6 begründet die Wirklichkeit der Freiheit in einem juristischen Gedankengang und stellt noch einmal im Schema des Einst-Jetzt das Ergebnis fest, in V. 5 und 6. Dann wird V. 5 kommentiert in V. 7—25, V. 6 in Kap. 8. Das Thema des Kap. 7 ist also der unerlöste, des Kap. 8 der erlöste Mensch.

Bis heute wird freilich eine andere Auslegung von Kap. 7 vertreten[2]: Der Mensch im Widerspruch sei gerade der gläubige Mensch (so die Reformatoren). Für diese Deutung scheinen bestimmte Aussagen zu sprechen: Ich will das Gute, aber verfehle es. Nur vom Gläubigen könne gesagt werden, daß er das Gute wolle. Am Ende des Kapitels dankt Paulus für die erfahrene Erlösung. Dennoch ist festzuhalten, daß das Ich von Röm 7, 7—24 das ungläubige Ich ist.

Paulus — bzw. das ἐγώ — macht über sich Aussagen, die der Gerechtfertigte nicht machen kann: ἐγὼ δὲ σάρκινός εἰμι, πεπραμένος ὑπὸ τὴν ἁμαρτίαν (V. 14). οὐκ οἰκεῖ ἐν ἐμοί, τοῦτ' ἔστιν ἐν τῇ σαρκί μου, ἀγαθόν (V. 18). Vom Gläubigen sagt Paulus, daß er zwar noch ἐν σαρκί lebt, aber nicht mehr κατὰ σάρκα, sondern im Geist (bzw. daß der Geist in ihm wohnt) und in der Freiheit; er ist also nicht mehr unter die Sünde verkauft. Und daß ich das Gute will, aber verfehle — das ist gerade das Elend des unerlösten Menschen. Vom Erlösten gilt Röm 8, 12—14. Der Erlöste schreit nicht mehr nach Erlösung aus dem Todesleibe (Paulus ist kein Dualist). Der Glaube weiß: εἰ δὲ Χριστὸς ἐν ὑμῖν, τὸ μὲν σῶμα νεκρὸν διὰ ἁμαρτίαν, τὸ δὲ πνεῦμα ζωὴ διὰ δικαιοσύνην (Röm 8, 10).

Entscheidend für das Urteil über das Ich in Röm 7 ist Röm 8, wo der erlöste Mensch, nämlich das Leben im Geist beschrieben ist[3]. Paulus schildert allerdings nicht, wie er sich vor seiner Bekehrung subjektiv erlebte[4]. Er spricht überhaupt nicht von sich persönlich; vielmehr hat das ἐγώ generellen Sinn. Paulus beschreibt allgemein die objektive Befindlichkeit des Unglaubens — wobei »objektiv«

---

[2] Schema über die Möglichkeiten der Auslegung: Das »Ich« kann sein 1. a) individuell; b) generell; 2. a) vorgläubig; b) gläubig. Daraus ergeben sich vier Möglichkeiten.
[3] So die pietistische Auslegung; sie verstand Röm 7 als Beschreibung der inneren Erlösung, des erlösten Selbstbewußtseins: Der unbekehrte Mensch lebt in innerer Zerrissenheit, die Bekehrung führt in den Seelenfrieden.
[4] Nach Phil 3, 2 ff. untadelig. Daß Röm 7 kein Dokument über sein inneres Erleben und seine Bekehrung ist, zeigt W. G. Kümmel a. a. O.

heißt: wie der Unglaube aus der Perspektive des Glaubens ins Blickfeld kommt[5].

Nun bestehen anscheinend Widersprüche: 1. Dieses Ich, also jeder Mensch, soll das Gute wollen, und zwar nicht nur gelegentlich; das soll die allgemeine Bestimmung seines Wesens sein. Aber ebenso allgemein soll gelten, daß in ihm nichts Gutes wohnt. Der Widerspruch löst sich, wenn man das Ich nicht als das abstrakte Subjekt faßt, das Gute nicht als das moralisch Gute und das Wollen nicht als das bewußte Planen. Paulus spricht nicht vom guten Willen, sondern vom Wollen als dem Aussein auf das Gute, was gleichbedeutend ist mit »Leben«.

Über die »Notwendigkeit« der Aussagen und zur phänomenologischen Analyse des Ich und des Wollens s. H. Jonas (561): »So gefaßt ist der Wille nicht irgendein psychologischer Einzelakt unter anderen ... auch nicht so etwas wie ausdrücklicher Entschluß oder dergleichen; überhaupt nichts, was auftreten und wieder verschwinden ... kann: sondern er ist a priori immer da, trägt alle Einzelakte, macht erst so etwas wie das »Wollen« als spezielles psychisches Phänomen möglich ebenso wie sein Gegenteil, die Willenlosigkeit.« Jonas arbeitet phänomenologisch, nicht exegetisch, das »Aktphänomen der Reflexion des Willens« aus: Der Wille will primär nicht etwas, sondern »sich selbst und hat sich jeweils selbst gewählt«. Er ist in sich verstockt. Jonas meint, diese Verstockung als die allgemeine Struktur der Existenz zeigen zu können. Paulus meint das Verfallensein des sündigen Menschen, das nur dem Glauben sichtbar wird.

2. Der zweite scheinbare Widerspruch ist: Wenn der Unglaube seine Lage gar nicht durchschaut, wie kann er dann über sich klagen? Und der Glaube wiederum klagt nicht, weil er doch das Klagen hinter sich hat. Beschreibt Paulus also doch die Zerrissenheit des Glaubenden als des Angefochtenen? Der Widerspruch besteht nur, wenn man die Klage als psychologischen Akt versteht. Sie ist aber für Paulus Mittel, um einen transpsychologischen Sachverhalt darzustellen.

Man kann sich das Gemeinte an der gnostischen Seelenklage verdeutlichen. Das gnostische Ich ist in der Welt betäubt. Es wird durch den Ruf aus dem Himmel geweckt (Eph 5, 14) und nimmt mit Schrecken wahr, daß es in die fremde Welt geworfen ist. So bricht es in die Klage aus[6], und diese Klage ist schon ein Akt der Erkenntnis, der Anfang des Aufstiegs ins Licht.

Der Augenblick der Klage kann gar nicht biographisch-erlebnismäßig verifiziert werden; im Augenblick des Erwachens ist sie schon Rückblick auf die Verlorenheit, die ich unmittelbar hinter mir habe. Wieder wird die Darstellung als Freilegung der Struktur des Glau-

---

[5] Der Unglaube durchschaut sich selbst ja gar nicht; vgl. V. 15: ὃ γὰρ κατεργάζομαι, οὐ γινώσκω.

[6] S. das »Naassenerlied« (Hipp. Ref. V 10, 2) bei W. Völker, Quellen zur christlichen Gnosis, 1932, 26 f.; deutsch bei H. Leisegang, Die Gnosis, o. J., 137 f.

bens verständlich. Der Glaube kommt zum Verstehen, indem er begreift, woraus wir gerufen sind, was Sünde ist, d. h. indem er seine Vergangenheit durchschaut. Wenn der Christ Paulus dem Juden Paulus diese Worte in den Mund legt, so stellt er die Identität des Gläubigen mit dem Ungläubigen fest, die ontologische Kontinuität zwischen beiden: Glaube ist keine ontologische Verwandlung, kein habitus. Der Gläubige ist — anders als das gnostische Ich — nicht Himmelsmensch, sondern Gerufener, der sich aus dem Elend seiner Vergangenheit befreit weiß[7].

Ein weiteres Modell bieten die Texte von Qumran. 1 Q S XI 9 ff.: »Ich aber gehöre zur ruchlosen Menschheit, zur Menge des frevelnden Fleisches. Meine Sünden, meine Übertretungen, meine Verfehlung samt der Verderbtheit meines Herzens gehören zur Menge des Gewürms und derer, die in Finsternis wandeln. Fürwahr, kein Mensch bestimmt seinen Weg, kein Mann lenkt seinen Schritt; sondern bei Gott liegt das Urteil, und aus seiner Hand kommt vollkommener Wandel . . . Ich aber, wenn ich wanke, so sind Gottes Gnadenerweise meine Hilfe auf ewig. Komme ich zu Fall durch die Sünde meines Fleisches, wird meine Rechtfertigung durch Gottes Gerechtigkeit ewig bestehen.« Hier herrscht ein tiefes Sündenbewußtsein. Deshalb wird die Sünde bekannt, nicht nur im Blick auf die Vergangenheit, sondern als ständig gegenwärtige Macht. Sünde ist nicht nur die einzelne Tat, sondern generelle Befindlichkeit (vgl. den Singular 1 Q H I 27). Auch hier gibt es die doppelte Weise, in der das Verlorensein beschrieben werden kann: a) als Sündigkeit; b) als kreatürliche Nichtigkeit. Weil der Mensch Fleisch ist und schwach, unterliegt er der Sünde. Er kann sich nicht selbst befreien, sondern nur seine Sündigkeit vor Gott bekennen. Er ist zugleich Sünder und Gerechter. Wie wird diese Gleichzeitigkeit nun verstanden? Als gespaltenes Verhältnis zum Gesetz. Der Heilsweg ist ja der Weg radikaler Gesetzeserfüllung. Der Mensch strauchelt immer wieder und muß in den Gehorsam zurückfinden. Bei Paulus dagegen ist die Gnade die Befreiung vom Gesetz. (Vgl. zum Ganzen *H. Braun*).

Der Gedankengang von Röm 7, 7—25

V. 7 und 8 zeigen, wie »ich« die Sünde kennenlernte: Durch das Gebot lernte ich mich aufs Sündigen verstehen[8]. »Ohne das Gesetz ist die Sünde tot«, das heißt nicht: Es gibt sie nicht, sondern: sie ist unwirksam. Wenn sie erst mit dem Auftreten des Gesetzes aktiv wird, so setzt Paulus voraus, daß sie schon im Menschen da ist, aber — bildlich gesprochen — schläft. Woher sie kommt, wie sie entstanden ist, darüber reflektiert Paulus nicht. Es gab sie jedenfalls schon vor dem Gesetz, das heißt: Ich bin schon vor der Begegnung mit dem

---

[7] H. Jonas, Augustin und das paulinische Freiheitsproblem, FRLANT NF 27, ²1965, 63 f.
[8] Das Gebot wird zusammengefaßt in: οὐκ ἐπιθυμήσεις.

Gesetz verdorben. Und ich bin es dann auch, der das Gebot verfälscht — zum Mittel der Selbstbehauptung. Ich trete ihm immer schon als Begehrender gegenüber, damit als Betrogener, mich Verfehlender.

Die Aktion der Sünde wird im Stil der Personifizierung geschildert: Die Sünde ergreift die Gelegenheit, betrügt mich, wohnt in mir. Sie erinnert an die Schlange der Paradiesesgeschichte.

Zum Stichwort ἐπιθυμία: Die jüdische Paradieseshaggada weiß, daß Eva von der Schlage geschlechtlich verführt wurde. *Lyonnet*[9] verweist auf Schabb 145 b—146 a: »Warum begehren die gojim? Weil sie nicht am Sinai waren. Als sich die Schlange Eva näherte, legte sie das Begehren in sie.« Der Zusammenhang von Paradies und Sinai bedeutet: Der sündige Zustand wurde durch das Gesetz beseitigt.

Freilich bedeutet dieser Stil keine wirkliche Personifizierung der Sünde zum mythischen Sündendämon. In gleicher Weise spricht Paulus auch personifizierend vom Gesetz.

Schon V. 7 und 8 kann man nicht als Darstellung persönlicher Erfahrung verstehen, die der Einzelne mit der Sünde macht. Er erlebt ja ihr Kommen nicht bewußt. Wenn er es begreift, ist sie längst da, ja bereits erledigt. Daß Paulus nicht empirische Erlebnisse meint, zeigt vollends V. 9: ἐγὼ δὲ ἔζων χωρὶς νόμου ποτέ. Wann, wo, wie? Empirisch, biographisch-psychologisch überhaupt nie!

Deutungsversuche: 1. Die psychologische Deutung: Paulus meine die Zeit der kindlichen Unschuld und das Herauswachsen aus ihr, das Hineinwachsen in Gesetz und Sündigen. Für das jüdische Kind seien ja die Gebote erst in einem bestimmten Alter verpflichtend geworden. Aber die Kindheit ist für Paulus nicht eine Zeit ohne Gesetz, zumal dieses eine geschichtliche Größe ist. Nachdem es einmal da ist, ist es immer da. Deutet man V. 9 a auf den Zustand des Kindes, dann kann man den nächsten Satz nur noch in einem abgeschwächten Sinn verstehen: »Als aber das Gebot kam, lebte die Sünde auf, ich aber starb.« Versteht man das psychologisch, wird das Sterben abgeblaßt zu einem geistlichen Tod. Paulus meint aber ἔζων und ἀπέθανον eigentlich: Ich besaß das Leben; die Sünde hat mich umgebracht, mein Leib ist zum Todesleib geworden. 2. Die mythologische Deutung: Das Ich sei das Ich des Adam (nach Röm 5). Vgl. auch die Ähnlichkeit zwischen Sünde und Schlange. Allerdings ergeben sich sofort Unstimmigkeiten: a) Nach Röm 5 kommt die Sünde durch Adam. Nach Röm 7 ist sie schon da. b) *Lyonnet*[10]: Nach Codex Neofiti ist Adam in den Garten Eden gesetzt, um das Gesetz zu bewahren. Paulus könne dennoch sagen, daß er ohne Gesetz gelebt habe, sofern ihm dieses keine fremde Macht war. Wir haben wieder den Tatbestand, daß der Mythos anklingt, aber nicht konsequent eingehalten wird. Paulus denkt an Adam, aber man darf nicht (nach Röm 5) heilsgeschichtlich objektivieren oder verifizieren. Paulus setzt nicht direkt das Ich mit

---

[9] S. Lyonnet, »Tu ne convoiteras pas« (Rom. VII 7), Suppl. Nov Test 6 (Festschr. O. Cullmann), 1962, 157—165, spez. 162; ders., L'histoire du salut selon le chapitre VII de l'épître aux Romains, Biblica 43, 1962, 117—151, spez. 146.
[10] Biblica 43, 1962, 137 f.

Adam gleich, sondern arbeitet die Adam-Paradies-Vorstellung seinem Weisheitsstil gemäß um. Er setzt sich, den adamitischen Menschen, für Adam ein und zieht so die Zeit in einen Zeitpunkt zusammen[11]. Sobald man nicht objektiviert, macht es keine Schwierigkeit, daß die Sünde von Anfang an da ist (mythologisch: die Schlange im Paradies). Die Erinnerung an Adam ist ja nur noch Darstellungsmittel, um den Horizont des Ich zu beschreiben, den Augenblick der Begegnung. Darum der Ichstil[12]! Der Ichstil ist sachgemäß, weil Gesetz-Sünde-Tod nicht als Phänomene an sich, isoliert von meiner Wirklichkeit, bestimmt werden können. Nur im Horizont des Ich sind sie als transsubjektive Mächte aufweisbar, ohne dabei mythisiert zu werden.

V. 8—12 schildern einerseits das Verhalten des Ich, seine Reaktion auf das Gebot, andererseits das Verhalten der Sünde. Aus diesem Zusammenspiel resultiert das Schicksal des Ich: Es befindet sich im Tod und in der Illusion; es ist »betrogen«. Die Täuschung gelang der Sünde nur mit Hilfe des Gesetzes. Nur durch dieses konnte sie mir das Leben vorgaukeln (vorausgesetzt ist, daß das Gesetz zum Leben gegeben ist). Die Sünde eignet sich den Ruf zum Leben an, der dem Gesetz zugehört. Sie benützt also nicht die Unmoral, sondern das moralische Streben. Durch diese Wirkung, mein durch die Sünde mittels des Gesetzes veranlaßtes Begehren, wird nicht das Gesetz widerlegt, sondern ich: V. 12. Nicht das Gute ist mir zum Übel geworden (V. 13), sondern durch diesen Mißbrauch kann es als das Gute erscheinen. Im selben Verstehensvorgang wird auch die Sünde als das sichtbar, was sie ist. Und damit werde zugleich ich aufgedeckt: Der Widerspruch, in dem ich zum Gesetz stehe, spricht für dieses und gegen mich (V. 14). Der Widerspruch äußert sich darin, daß ich nicht tue, was ich will, das Gute, daß ich also in Widerspruch zu mir selbst trete, und zwar in einen objektiven, sofern meine Taten mir, meinem Streben, widersprechen. Das wird unterstrichen durch die Wiederholung in V. 15b. 18b. 19. Man darf diesen Widerspruch zwischen mir und meinem Tun nicht zu einem ethischen Konflikt im Ich psychologisieren. Paulus sagt nicht, daß mir trotz meines guten Willens manches mißlingt[13], auch nicht, daß mir alles mißlingt; selbst das wäre noch zu wenig. Ein solcher Pessimis-

---

[11] Apk Bar (syr) 54, 19 ff.: Adam ist also einzig und allein für sich selbst die Veranlassung; wir alle aber sind ein jeder für sich selbst zum Adam geworden.
[12] Bornkamm, a. a. O. 59: In dem ἐγώ von Röm 7,7 ff. bekommt Adam von Röm 5, 12 ff. seinen Mund. Vgl. E. Brandenburger, Adam und Christus, WMANT 7, 1962, 214 ff.
[13] Wie das ein verbreiteter Topos der Lebensweisheit ausspricht, an den Paulus in der Formulierung zweifellos anknüpft. Belege bei Lietzmann im HNT z. St. und Hommel a. a. O.; ein Beispiel: video meliora proboque, deteriora sequor (Ovid, Met. VII 20).

mus denkt noch in quantitativen Kategorien[14]. Paulus dagegen formuliert grundsätzlich: Ich bin ständig, notwendig auf das Gute aus und verfehle es ebenso notwendig durch dieses Streben selbst. Der Wille tritt sich selbst in den Weg. Um das zu zeigen, benutzt Paulus die Begriffe νοῦς und ἔσω ἄνθρωπος, und zwar synonym (vgl. V. 22 mit 23). Sie bezeichnen das Ich, sofern es das Gute will, im Unterschied zu dem, was es tut.

Vor dem Einlesen idealistischer Anthropologie ist zu warnen, etwa: der νοῦς sei das geistige Subjekt, das gut sei, also ein von der Sünde nicht erreichter guter Wesenskern. Dann bestünde ein Widerspruch mit Röm 1, 28: παρέδωκεν αὐτοὺς ὁ θεὸς εἰς ἀδόκιμον νοῦν. In Wahrheit besteht dieser Widerspruch nicht:

Paulus sagt nicht, daß ein Teil von mir von der Sünde nicht erfaßt sei und ihr gegenübertrete, sondern daß sie mich ganz und gar bebesitzt (V. 17. 18). Er unterscheidet nicht einen guten und einen schlechten Teil im Menschen, sondern stellt den totalen Widerspruch im Ich fest, der im Auseinanderklaffen von Wollen und Tun erscheint. Der »gute Wille« ist keine positive Größe, ein Anknüpfungspunkt, um das Gute doch noch zu erreichen. Das »Wollen des Guten« ist nur im Widerspruch selbst existent; es ist das Indiz meiner Situation, daß ich der fremden Macht verfallen bin, ein Indiz, das ich nicht einmal als solches begreife, solange ich nicht aus dieser Situation herausgetreten bin: ὁ γὰρ κατεργάζομαι οὐ γινώσκω[15] (V. 15a). Vergleiche den Gedankengang in V. 17 f.: Meine Taten sind mir fremd; ich bin nicht ich.

Das Ich ist nicht eine anthropologische Gegebenheit wie das Bewußtsein oder der Verstand, auch nicht das identische Aktzentrum im Sinne des Idealismus. Es ist keine empirische Größe. Es wird als Ich erst konkret, wenn es schon gespalten ist. Jetzt bin ich, indem ich gegen mich bin. Paulinisch ausgedrückt: Die Sünde wohnt in mir. Dieser Satz ist nicht mythisch-psychologisch gemeint (als Einwohnung eines Dämons). Er zeigt gerade, daß ich durch die servitudo meines arbitrium nicht von der Verantwortung für mich entlastet werde. Wenn ich der fremden Macht unterworfen bin und nicht fähig bin, mich zu befreien, so ist der Sitz meiner Taten eben doch: ich. Ich bin es, der den Zwang der Sünde vollstreckt. Ich bin sozusagen nichts mehr als ihre Behausung.

Paulus kann den Sachverhalt auch in einer anderen Terminologie ausdrücken, indem er zweierlei νόμος unterscheidet. Der eine ist ὁ νόμος τοῦ νοός μου. Dieser Ausdruck besagt: Ich kenne Gottes Willen und stimme ihm zu, da ich ja dasselbe will, nämlich leben. Aber

---

[14] Er sagt auch nicht, daß in jeder guten Tat der Wurm sitze, nämlich ein Rest von Egoismus mitspiele.
[15] Vgl. dazu οἴδαμεν in V. 14 und οἶδα in V. 18. Es handelt sich stets um das *rück*blickende Wissen.

dagegen steht der ἕτερος νόμος ἐν τοῖς μέλεσίν μου, ὁ νόμος τῆς ἁμαρτίας. Hier ist νόμος natürlich uneigentlich gebraucht.

Es gibt keine positive Satzung der Sünde, sozusagen einen Kodex der Unmoral. Paulus meint nicht falsche moralische Anschauungen, sondern jenes »Gesetz«, daß ich mich verfehle.

Die Darstellung mündet in die Klage (V. 24) und sofort in den Dank (V. 25a; vgl. 8, 1 ff.). Es ergibt sich: Die Lehre vom Ende des Gesetzes in Christus ist nicht antinomistisch. Sie setzt gerade die Gültigkeit und Heiligkeit des Gesetzes voraus. Im Glauben kommt zur Wirkung, was das Gesetz intendiert: Röm 3, 28—30.

D. Die Gegenwärtigkeit der Offenbarung

§ 28 DAS WORT ALS DIE KRISE DER SELBSTBEHAUPTUNG

R. Bultmann, Kirche und Lehre im NT (1929), GuV I 153—187 — E. Molland, Das paulinische Euangelion, 1934 — R. Asting, Die Verkündigung des Wortes im Urchristentum, 1939

Das geschichtliche Heilsgeschehen aktualisiert sich im Wort: Vgl. den inneren Aufriß des Offenbarungsverständnisses Röm 1, 16 f. (s. o. § 24 II). Ausführlicher spricht Paulus über das Wesen des Wortes 1 Kor 2, 1 f. Im Zusammenhang des Themas von 1, 18 ff., des λόγος τοῦ σταυροῦ, der den Juden σκάνδαλον, den Griechen Torheit ist, sagt er: κἀγὼ ἐλθὼν πρὸς ὑμᾶς, ἀδελφοί, ἦλθον οὐ καθ' ὑπερβολὴν λόγου ἢ σοφίας καταγγέλλων ὑμῖν τὸ μαρτύριον τοῦ θεοῦ. οὐ γὰρ ἔκρινά τι εἰδέναι ἐν ὑμῖν εἰ μὴ Ἰησοῦν Χριστὸν καὶ τοῦτον ἐσταυρωμένον.

Dieser Inhalt ist also der einzige! Natürlich denkt Paulus nicht an das Ausmalen der historischen Passion, des Bildes vom Schmerzensmann, sondern an die Predigt vom erhöhten Herrn, der nicht anders zu »haben« ist, als indem man an den Gekreuzigten glaubt. Die Predigt führt notwendig das Ärgernis mit sich. Das wird in dreifacher Hinsicht gezeigt: a) an der Verkündigung: Sie hat auf jeden Beweis außerhalb ihrer selbst zu verzichten, auf λόγος und σοφία. b) an der Wirkung, die sich aus der ärgerlichen Predigt ergibt: Sie erregt bei Juden und Griechen Anstoß. Gerade in dieser ärgerlichen Gestalt erweist sie sich als θεοῦ δύναμις und θεοῦ σοφία (1, 24; vgl. zum Stichwort δύναμις Röm 1, 16). c) am Auftreten des Apostels: Es entspricht dem Wesen des Wortes (2, 3—5). Die Predigt will also nicht dem Hörer das Wesen Gottes faßlich machen. Dieses erschließt sich ja keiner wie auch immer gearteten menschlichen Fassungskraft. Denn Gottes δύναμις ist nicht seine Eigenschaft, sondern sein Erweis, der sich nirgends anders als im Wort selbst konkretisiert (1, 18; vgl. V. 24).

Paulus fordert also nicht auf, dem Walten Gottes in Natur und Geschichte nachzuspüren. Seine Macht begegnet, indem der Prediger dem Hörer eine solche Demonstration verweigert und ihn durch den Hinweis auf das Kreuz unmittelbar dem Urteil ausliefert, das ihn so oder so eschatologisch bestimmt, zum Heil oder

Unheil. Ferner: Aus der Mächtigkeit Gottes kann nie eine heimliche Selbstmächtigkeit des Frommen oder des Predigers werden. Das Auftreten des Predigers ist nichts anderes als die ständige Ausführung des Wortes vom Kreuz. Daher entspricht der Gestalt der Predigt auch die Gestalt der Gemeinde: 1, 26 ff.

Es ist deutlich: Die Zerstörung der καύχησις ist weder Walten einer numinosen Macht noch schematische Umkehrung der weltlichen Verhältnisse und Werte[1]. Sie ist nichts anderes als die Darstellung der Freiheit der Gnadenwahl.

Die durch das Evangelium eo ipso herbeigeführte Krise wird nach zwei Seiten entfaltet: gegenüber dem Judentum als das Ende der Gerechtigkeit durch Werke, mit Hilfe des Gesetzes (Röm); gegenüber dem Griechentum als das Ende der Weisheit (1 Kor).

Paulus ist sich bewußt, daß die Destruktion der jüdischen und der griechischen Weise der Selbstbehauptung nur zwei Seiten der Wirkung des Kreuzes sind. Daher bespricht er in thematischen Abschnitten am Anfang des 1 Kor und des Röm jeweils die Grundlagenthematik so, daß beide Formen der Krise in den Blick kommen. Und er führt die Kritik des Judentums und des Griechentums zum selben Zielpunkt hin. Der Satz 1 Kor 1, 29 (ὅπως μὴ καυχήσηται πᾶσα σάρξ (!) ἐνώπιον τοῦ θεοῦ), der im Kontext in erster Linie auf die Weisheit zielt, hat seine Entsprechung in Röm 3, 27, gegen die eigene Gerechtigkeit. Und zwar wird über beide Gruppen, Juden und Griechen, je unter doppeltem Gesichtspunkt gehandelt: Zunächst werden sie als *Kollektiv* betrachtet. Dabei handelt es sich um die Krisis des hier und dort geglaubten Heilsweges, des Gesetzes und der Weisheit, also um die Krisis nicht moralischer oder psychischer Mängel, sondern der höchsten humanen Leistungen. Damit enthüllt sich aber zugleich die Krise des *Einzelnen*. Dieser tritt aus seinem Kollektiv heraus und ist unmittelbar der Botschaft vom Kreuz konfrontiert. Die Krise des Einzelnen ist das Thema von Röm 7, wo nicht der Jude oder der Grieche spricht, sondern das Ich.

Daß Juden und Heiden unter einem höheren Gesichtspunkt zusammengefaßt werden können, ergibt sich aus der Voraussetzung dieser Destruktion. Sie ist nicht durch eine formale Existenzdialektik, eine Anthropologie der ständigen Krise gegeben, sondern durch das Kreuz als den einzigen Inhalt der Predigt. Sie ist nicht Krise um

---

[1] Die Umkehrung ist ein allgemein verbreiteter Topos. Er findet sich im Alten Testament, Judentum (Apokalyptik), in der ganzen Antike. Ein Beispiel im Neuen Testament (in Anlehnung an das Alte) ist Lk 1, 52. Religionsgeschichtlich knüpft Paulus an diesen Topos an. Aber er verwandelt ihn im Sinn der theologia crucis und der Verknüpfung des Heilsgeschehens mit dem Wort, Evangelium.

ihrer selbst willen, sondern das Ende der menschlichen Möglichkeit, sich das Heil zu schaffen, das Ende coram Deo, aus Gnade. Das Primäre ist das Evangelium, nicht die Destruktion.

Wenn beide Gruppen, d. h. für Paulus die ganze Menschheit, vor dem Wort (nicht gleich, sondern) gleich*gestellt* sind, so ist vorausgesetzt, daß das »Gesetz« sachlich nicht auf das jüdische Gesetz begrenzt ist. Gewiß ist für Paulus das jüdische, im Alten Testament offenbarte Gesetz der geschichtliche Ausgangspunkt. Aber er nimmt dieses nicht als Summe von Satzungen. Er versteht es als die Verfassung des menschlichen Existierens in der Welt überhaupt: Der Mensch ist von Gott angesprochen, gefordert, in Bewegung gehalten und bewahrt. Denn das Gesetz ermöglicht das Zusammenleben der Menschen. Wie weit Paulus den Radius dehnt, zeigt Röm 13, 1—7, wo die politische Verfassung der Welt als unentbehrlicher Faktor des Zusammenlebens (und gerade nicht als Faktor des Heils!) dargestellt ist, also als Erscheinungsform des Gesetzes.

Indem Paulus beide Gruppen von der Setzung Gottes bestimmt sieht, kann er zeigen, wie sich ihre Situation angesichts der Verkündigung zwar heilsgeschichtlich-kollektiv und psychologisch unterscheidet, aber eschatologisch nach beiden Seiten, Heil und Unheil, dieselbe ist. Daher stehen Röm 1 und Röm 2 (mit dem Nachweis, daß auch die Heiden das Gesetz nicht nur haben, sondern auch halten) nebeneinander[2].

In welcher Weise die Krise für das eine und das andere Kollektiv konkret wird, beschreibt Paulus 1 Kor 1, 20 ff.: ἐπειδὴ γὰρ ἐν τῇ σοφίᾳ τοῦ θεοῦ οὐκ ἔγνω ὁ κόσμος διὰ τῆς σοφίας τὸν θεόν, εὐδόκησεν ὁ θεὸς διὰ τῆς μωρίας τοῦ κηρύγματος σῶσαι τοὺς πιστεύοντας. ἐπειδὴ καὶ Ἰουδαῖοι σημεῖα αἰτοῦσιν καὶ Ἕλληνες σοφίαν ζητοῦσιν, ἡμεῖς δὲ κηρύσσομεν Χριστὸν ἐσταυρωμένον, Ἰουδαίοις μὲν σκάνδαλον, ἔθνεσιν δὲ μωρίαν...

---

[2] Der aktuelle Sinn dieser Existenzanalyse ist dadurch gegeben, daß sich das Nebeneinander der beiden Gruppen mutatis mutandis in der Zeit der Kirche wiederholt: Das Christentum wird seinerseits ständig wieder zum Gesetz, die Kirche zur gesetzlich verfaßten Institution. Dadurch befinden sich Christen und Nichtchristen insofern in derselben Situation, als sie aus je ihrem Gesetz in die Freiheit des Evangeliums gerufen werden. Damit wird die geistige, weltanschauliche Einstellung, die psychologische Befindlichkeit, die geistesgeschichtliche Situation, der Unterschied zwischen dem Menschen einer früheren Zeit und dem (angeblich) modernen Menschen theologisch durchaus zweitrangig. Die Predigt ist nicht am antiken oder modernen Menschen orientiert, sondern am Menschen, wie er durch das Heilsgeschehen bestimmt ist: als dem Sünder, der seine Befindlichkeit durch das enthüllende Wort der Gnade erst erfährt.

§ 29 DER ZORN GOTTES

F. Büchsel, θυμός, ThW III 167 f. — G. Stählin, ὀργή, ThW V 422 ff. — H. Conzelmann, Zorn Gottes. Im Judentum und NT, RGG³ VI 1931 f. — G. Bornkamm, Die Offenbarung des Zornes Gottes (1935), in: Das Ende des Gesetzes, Ges. Aufs. I, ³1961, 9—33 — G. H. C. MacGregor, The Concept of the Wrath of God in the NT, NTS 7, 1960/1, 101—109

In 1 Kor 1 macht Paulus eine zunächst völkerpsychologische Unterscheidung: Das Wort vom Kreuz ist dem Juden Ärgernis, dem Griechen Torheit. Diese Unterscheidung gewinnt theologische Relevanz, da Paulus zeigt, daß es sich um zwei verschiedene Erscheinungsweisen einer gemeinsamen, also allgemein-menschlichen Haltung gegenüber Gott handelt, der καύχησις, des Vertrauens auf das Fleisch. Der Mensch unterwirft Gottes Äußerung dem menschlichen Urteil. Er macht also Gott zum Objekt des Erkennens und mutet ihm zu, zunächst standzuhalten. Eine illusionäre Haltung, da sie verkennt, daß sie schon im voraus verurteilt ist. Aus dieser Reaktion des Menschen auf das Wort Gottes ergibt sich das Thema des ersten Teils des Römerbriefs.

Seine drei Themen sind: 1. Kap. 1—4: Gottesgerechtigkeit als Glaubensgerechtigkeit. 2. Kap. 5—8: Die Existenz unter der Bestimmung des Glaubens. Diese vier Kapitel heben sich durch ihre Begrifflichkeit ab: Statt Gerechtigkeit und Glaube sind hier Geist und Leben, Sterben mit Christus und Leben in der Neuheit die tragenden Begriffe. 3. Kap. 9—11: Die Erwählung Israels angesichts der Vergangenheit, Gegenwart und Zukunft. Was haben diese drei Themen miteinander zu tun? Stehen drei verschiedene Theorien einer Erlösungslehre nebeneinander, eine juristische, eine physische, eine heilsgeschichtliche? Dabei stellte die mittlere die eigene Meinung des Paulus dar; die juristische eine rabbinische Hilfskonstruktion für die Auseinandersetzung mit dem Judentum die heilsgeschichtliche ebenfalls eine Hilfskonstruktion, die psychologisch zu erklären wäre: Der Jude Paulus muß vor sich selbst und dem Judentum seinen »Abfall« rechtfertigen. Für diese Deutung kann man den dreimaligen Ansatz bei der eigenen Person am Anfang von Kap. 9; 10 und 11 anführen. Die oft behauptete Diskrepanz der drei Briefteile besteht in Wirklichkeit aber nur, wenn man für Paulus einen verengten Begriff von Rechtfertigung voraussetzt[1]. Die drei Teile sind nichts als eine dreifache Erklärung der Rechtfertigung aus Glauben. Zwar fehlt von 5, 2—9, 30 das Stichwort πίστις. Aber durch die Verklammerung von 4, 25 mit 5, 1 ist der Glaube als die Basis der gesamten Ausführungen festgestellt: δικαιωθέντες οὖν ἐκ πίστεως εἰρήνην ἔχομεν. Ebenso ist in Kap. 10 deutlich, daß er die Basis für 9—11 ist. Außerdem ist die Einheitlichkeit der Thematik sichtbar in dem durchgehenden Bezug auf Gesetz und Christus, Gerechtigkeit und Sünde, Erwählung. Das Thema von Röm 1, 16 f. erstreckt sich durch den ganzen

---

[1] Wenn man sie zu einem theoretischen Urteil Gottes über den Menschen verengt, nur dann bedarf die Rechtfertigung der Ergänzung durch die »Heiligung«.

Brief: Die Offenbarung der Gerechtigkeit Gottes im Evangelium für jeden Glaubenden. Zuerst wird der Hintergrund dieser Offenbarung aufgedeckt, der Zorn Gottes (Röm 1, 18—3, 20). Dann wird gezeigt, daß und wie die Gerechtigkeit bereits verwirklicht ist (3, 21—31, mit Schriftbeweis in Kap. 4). Dann wird die These konkretisiert durch die Analyse der »gläubigen Existenz«, deren Bestimmung angesichts der Tatsache, daß das Heilsgut noch nicht sichtbar ist und die Unheilsmächte Sünde und Tod nach wie vor herrschen. Wie verhalten sich nun Gerechtigkeit und Zorn Gottes zueinander?

Paulus sagt nicht: Gott ist zornig, weil er gerecht ist. Vielmehr stehen Gerechtigkeit und Zorn im Gegensatz; vgl. den Zusammenhang von Röm 1, 17 und 18 mit 3, 20 und 21. Es ist zu beachten, daß der Aufweis des Zornes nicht der Ausgangspunkt ist, etwa: Zuerst soll der Hinweis auf den Zorn Gottes erschrecken und dadurch zum Evangelium hintreiben. Vielmehr ist das Thema »Zorn« dem Thema »Offenbarung der Gerechtigkeit im Evangelium« untergeordnet.

Auch das Reden von einer Spannung zwischen Gericht und Gnade beschreibt den von Paulus dargestellten Tatbestand nicht zutreffend. Paulus meint nicht ein zeitloses Nebeneinander von ὀργή und δικαιοσύνη. Beispiele für diese Deutung: *Bernhard Weiß* z. St. (MeyerK): Die Zornesoffenbarung ist ein Moment der Weltregierung Gottes. Sie tritt innerhalb der geschichtlichen Entwicklung zutage. »Der Zorn Gottes ist das nothwendige Correlat der Liebe des heiligen Gottes zu allem Guten.« *Th. Zahn* z. St.: »eine ... während dieses Weltlaufes je und dann geschehende Enthüllung eines Gotteszornes.«

Die zeitlose Deutung wird dem Text nicht gerecht, da er ausdrücklich ein Zeitmoment enthält: νυνὶ δὲ ... (3, 21). Daher erklärt *Lietzmann*, die Offenbarung des Zornes und der Gerechtigkeit seien zwei Epochen der Heilsgeschichte. Die erste sei jetzt abgelöst. Dagegen spricht aber die Parallelität der beiden Präsentia ἀποκαλύπτεται in V. 17 und 18. In Kap. 2 erscheint die Zeit vor dem Kommen Christi nicht als die Zeit des Zornes, sondern der Geduld Gottes. Man steht also vor einem Dilemma: Der Zorn ist einerseits auf eine Zeitepoche begrenzt, andererseits ist er allgemein und trifft jedes Unrecht der Menschen. Man findet die Lösung, wenn man sich wieder aus der objektivierenden Betrachtung Gottes und seines Verhältnisses zur Welt befreit und den Ort erkennt, an dem Paulus diese Feststellungen trifft: Gerechtigkeit und Zorn sind nicht Eigenschaften Gottes und nicht allgemein einsichtige Verhaltensweisen. Seine Gerechtigkeit ist seine heilschaffende Tat, und entsprechend ist sein Zorn sein Gericht. Beide werden »offenbart«. Mit Christus ist eine neue Situation gegeben (νυνί): die der offenbarten Gerechtigkeit, die durch die Verkündigung des Evangeliums konstituiert ist. Der Zorn wurde von jeher vollstreckt und wird auch jetzt weiterhin vollstreckt. Das

Neue seit Christus ist, daß man jetzt, durch die Verkündigung des Evangeliums erkennen kann, wie Gott immer schon über die Sünde urteilte. Die Geschichtlichkeit jenes νυνί ist die Geschichtlichkeit der Offenbarung, die eine geschichtliche Tat ist und in der Predigt immer neu aktualisiert wird. Das Heil ist die heutige Rettung aus dem Zorn, dem ich verfallen war. Das kann ich jetzt verstehen; ich begreife nämlich, woraus ich gerettet bin. Also: Der Zorn wird mir durch die Predigt des Evangeliums sichtbar.

V. 17 und 18 sind parallel gebaut. Aber der Parallelismus wird durchbrochen: Die Gerechtigkeit wird »im Evangelium« offenbart, der Zorn »vom Himmel her«. Der Zorn ist kein Bestandteil des Evangeliums. Dessen Inhalt ist nicht, daß Gott gnädig, aber auch zornig sei. Es sagt überhaupt nicht, was Gott an sich ist. Damit wäre mir nichts Reales über mich gesagt. Es sagt, was er mir tut. Nur so versteht man, was Zorn ist. Folgerung: Die Kirche hat nicht Gericht und Gnade zu predigen. Sie kann nicht den Zorn Gottes als pädagogisches Mittel benutzen, um durch Furcht in den Glauben zu stoßen. Mit dem Zorn Gottes ist nicht zu spielen, auch nicht seelsorgerlich. Die Predigt hat das Heil in der Bedingungslosigkeit anzubieten, in der es im Kreuz da ist. Die Angst, dann werde die Gnade zu billig, ist unbegründet. Sie entsteht nur, wenn Gnade nicht präzise als Gnade bestimmt ist, wenn sie zur Nachsicht des lieben Gottes depraviert wird.

§ 30 DAS WORT ALS TORHEIT (DIE KRISE DER WEISHEIT)

U. WILCKENS, Weisheit und Torheit, BHTh 26, 1959

Die These steht 1 Kor 1, 18. In welchem Sinn ist das Wort »Torheit«? Nicht in dem, daß es unverständlich ist, etwa als Mysterienformel oder als Einweisung in das Numinose, Irrationale. Auch fordert es nicht das sacrificium intellectus. Das wäre ja wieder eine Weise des Urteilens über Gott, Glaube aus Beschluß, Heil durch Leistung. Die Torheit liegt in nichts anderem als im Inhalt der Predigt, also im Kreuz, das als Gottes Heilstat gepredigt wird. Torheit bedeutet, daß diese Predigt die Entscheidung nicht nur fordert, sondern auch mit sich führt.

Ich kann sie also nicht zuerst an Kriterien messen, die von anderswoher bezogen sind. Im Augenblick des Hörens bin ich bereits qualifiziert. Es ist illusionär, sich in diesem Augenblick als neutral Urteilender verhalten zu wollen.

Verlangt Paulus also blinden Glauben? Nein, denn gerade als auf mich zukommende bleibt die Offenbarung, was sie ist: Enthüllung durch das fremde Wort, auf Grund dessen ich meine Lage durchschauen kann. Gerade durch seinen Charakter als Torheit führt das Wort in das Verstehen, in eine Weisheit neuer Art: 1 Kor 1, 23 f.

Die Dative (s. *Wilckens* 21 f.) bezeichnen nicht nur das subjektive Urteil, sondern das objektive Bestimmtsein. Der Zusammenhang mit den Begriffen des Urteilens ist zu beachten. *Schlier*[1] versteht die Weisheit so: Das Dogma erschließt mystische Erkenntnis, eine Erkenntnis im Sinne der ursprünglichen Schöpfungsweisheit, »ein verstehendes Innewerden Gottes durch die lichte Weisung des Seienden aus dem Sein selbst« (210). Die Alternative heißt (225): »Gibt es sie (sc. die Weisheit) ... etwa so, daß der Glaubende immer nur glaubt und sagt: Christus ist die Weisheit, daß er also nur jeweils im Augenblick des Glaubens als Glaubender weise ist? Oder gibt es sie auch so, daß das Kerygma und der Glaube den Glaubenden in die Bewegung ihrer Weisheit entlassen, daß Christus die Weisheit ist, indem er dem Glaubenden durch das Kerygma eine neue Weisheit und ein neues Weise-Sein und Weises-Sagen eröffnet?«

Die notwendige Folge ist, daß der Prediger sich als Weiser produzieren und bewähren muß und daß die törichte Predigt durch psychologische und kosmologische Behauptungen über Welt und Mensch verstellt wird.

Für Paulus ist die Struktur der Torheit eine bleibende. Die Weisheit ist keine neue Gloria, sondern das Erfassen des Endes der καύχησις,

---

[1] H. Schlier, Kerygma und Sophia, EvTh 10, 1950/1, 481—507 (= Die Zeit der Kirche, 1956, 206—232); dazu U. Wilckens, Kreuz und Weisheit, KuD 3, 1957, 77—108.

der bleibenden Fremdheit des Wortes, da Christus Gottes Weisheit ist[2]. Die Torheit des Wortes bedeutet die Destruktion der eigenen, heilschaffenden Aktion des Menschen, also die Realisierung des Kreuzes als Heilsgeschehen. Der Mensch erfährt: Wenn er wähnt, Gott, die Wahrheit zu wählen, ist er schon zum Toren geworden. Die ursprüngliche Möglichkeit, mich in der Welt als Geschöpf frei zu verhalten, ist verloren an die pervertierte Autonomie, das καυχᾶσθαι.

Die Wortgruppe καυχ—[3] bezeichnet weit mehr als ein übersteigertes Selbstbewußtsein, nämlich die Grundhaltung des emanzipierten Menschen einschließlich seines unbewußten Verhaltens. Sachlich bedeutet es keinen Unterschied, ob die Emanzipation säkular oder religiös ist, die Haltung des Griechen oder des Juden, der sich auf seine Werke stützt und den Gehorsam zur Leistung pervertiert. Im 1. Korinther- und im Römerbrief faßt Paulus Juden und Heiden unter der Charakteristik des καυχᾶσθαι zusammen[4].

Der Glaube als der vorbehaltlose Gehorsam hebt die καύχησις auf. Er kennt nur noch das Sich-Rühmen im Herrn (1 Kor 1, 31; 2 Kor 10, 17).

Dieses Sich-Rühmen ist aber keine neue, dem Christsein inhärente Möglichkeit. Es bedeutet nicht, daß der homo christianus sich seiner neuen Weisheit rühmen kann. Der Ton liegt einseitig auf ἐν κυρίῳ, also auf »nicht in mir« (vgl. 1 Kor 4, 7). Ruhm im Herrn heißt: sich des Kreuzes rühmen (Gal 6, 14). Paulus konkretisiert diese neue Weise des Rühmens in seinem »törichten« Selbstruhm (2 Kor 11 f.). Was er vorweisen kann, ist seine Schwachheit (2 Kor 11, 30), und das ist genug (12, 9). Es ist der Ruhm ἐπ' ἐλπίδι angesichts der θλίψεις (Röm 5, 2 f.).

Die Zerstörung der καύχησις ist nicht psychologische Selbstzerknirschung; sie ist ein theologischer Vorgang, nämlich die Verweigerung der Ausweisbarkeit der Offenbarung und des Glaubens, damit positiv die Möglichkeit der Heilsgewißheit.

Nachdem Paulus 1 Kor 1, 18 ff. die Weisheit destruiert hatte, erscheint 1 Kor 2, 6 ff. nun doch eine neue Möglichkeit der Weisheit: Paulus erklärt, daß er außer der Torheit auch eine Weisheit kennt; er habe sie nur noch nicht mitgeteilt, denn die Korinther seien dafür noch nicht reif gewesen. Kennt Paulus also doch zwei Stufen von Einsicht, zwei Stufen von Gläubigen? Wird jetzt doch der religiöse Mensch zum Thema? Nachdem er gezeigt hat, daß der Glaube stets das Ärgernis bei sich hat, scheint er jetzt darzulegen, daß der Pneu-

---

[2] Gegen Wilckens ist festzustellen, daß die »Weisheit« keine Hypostase (mythische Person) ist, sondern ein Begriff; vgl. die Formulierung 1 Kor 1, 30: Christus wurde für uns σοφία ἀπὸ θεοῦ, δικαιοσύνη, ἁγιασμός, ἀπολύτρωσις.
[3] R. Bultmann, καυχάομαι usw., ThW III 646—654.
[4] Verwandt ist auch der Ausdruck πεποιθέναι ἐν σαρκί (Phil 3, 3): Dem Juden ist das Gesetz ein Mittel der Selbstbehauptung.

matiker dieses überfliegen und Einblick in den kosmischen Hintergrund der Offenbarung gewinnen kann.

Reitzenstein deutet Paulus auf Grund dieses Abschnitts psychologisch, als Gnostiker. *Schlier* stützt auf ihn seine Auffassung von der Einweisung in die neue Weisheit. *Bultmann* sieht in diesen Ausführungen einen Lapsus, der dem Paulus im Eifer der Polemik widerfahren sei. Aber der Abschnitt ist nicht polemisch angelegt. Er spiegelt offensichtlich die Schularbeit des Paulus. Er ist intensiv mit Zügen eines pneumatischen Enthusiasmus durchsetzt, wie er ähnlich in Korinth herrscht. Aber im Inneren sind kritische Momente festzustellen, wenn Paulus als den Gegenstand der Weisheitsrede τὰ χαρισθέντα ἡμῖν bestimmt. Die Richtung der Gedankenentwicklung ist deutlich, wenn man auf den religionsgeschichtlichen Ausgangspunkt des Paulus blickt, nämlich das jüdische Motiv von der verborgenen Weisheit. Es wird von Paulus aufgenommen und seine Intention zugespitzt: Weisheit ist keine dem Menschen als solchem eigende Möglichkeit. Auch in diesem Abschnitt vollzieht er die Destruktion der Autonomie und καύχησις. Er arbeitet aus a) die positive Möglichkeit des Verstehens der Offenbarung; b) das Wesen der Offenbarung als Geschenk. Paulus stützt auch hier die Autorität seiner Darlegung nicht auf seine pneumatischen Erlebnisse und Visionen, die er überhaupt nicht zum Gegenstand der Lehre macht. Mit Kap. 3 erscheint auch deutlich wieder die alte Linie: Hier sind die Vollkommenen nicht mehr Pneumatiker im habituellen Sinn, sondern die Vollkommenheit hat sich im Wandel zu erweisen, d. h. sie erweist sich so, daß kein Ruhm möglich ist (V. 3). Das Kriterium ist die Gemeinde. Entsprechend wird das Apostelamt als Dienst bestimmt (V. 5—9) und die Gemeinde als Tempel Gottes (V. 16 f.).

Exkurs: Die Möglichkeit »natürlicher« Gotteserkenntnis[5]?

Die wichtigsten Stellen sind 1 Kor 1, 18 ff. und Röm 1, 18 ff. An beiden fragt Paulus nicht nach der abstrakten Möglichkeit des Menschen, Gott zu erkennen, sondern er geht aus von seinem tatsächlichen Verhalten. Er kennt ja nicht den Menschen an sich, abgesehen von seiner Wirklichkeit, der Sünde. Nun könnte ja die systematische Theologie ein solches Bild entwerfen, um die Wirklichkeit am reinen Wesen des Menschen zu messen und ein allgemein gültiges Kriterium zu gewinnen, mit dem sie auch den ungläubigen Menschen erfassen könnte. Die Frage ist aber, ob sie das nicht mit der Konkretheit des Wortes zu bezahlen hätte.

Paulus setzt nicht bei einer Bestimmung des Aktionsradius der menschlichen Vernunft, ihrer Erkenntnisfähigkeit ein, sondern bei

---

[5] M. Pohlenz, Paulus und die Stoa, ZNW 42, 1949, 69—104 (= Neudr. 1964); G. Bornkamm, Die Offenbarung des Zornes Gottes (s. Lit. zu § 29); S. Schulz, Die Anklage in Röm 1, 18—32, ThZ 14, 1958, 161—173; H. P. Owen, The Scope of Natural Revelation in Rom. I and Acts XVII, NTS 5, 1959, 133—143; J. Jervell, Imago Dei, FRLANT 76, 1960, 289 f. 312 ff.

der Feststellung, daß sich Gott zeigt. Die Gotteserkenntnis ist die ständige Wirklichkeit der Welt. Paulus sagt nicht, daß sich Gott in einer Urzeit zeigte, sondern daß er sich jetzt zeigt: τὸ γνωστὸν τοῦ θεοῦ φανερόν ἐστιν ἐν αὐτοῖς, und: καθορᾶται (Röm 1, 19 f.). Die Welt ist Gottes Schöpfung; Gott läßt sich ständig in ihr erkennen. Das weist Paulus freilich weder an der Struktur der Welt noch der Vernunft nach. Es gilt: ὁ θεὸς γὰρ αὐτοῖς ἐφανέρωσεν. Zweifellos knüpft Paulus an Gedanken der antiken Popularphilosophie an, wenn auch nicht an ihre ursprünglich stoische Form, sondern an deren Umwandlung im hellenistischen Judentum.

Die stoische theologia naturalis steht in einem systematischen Zusammenhang (vgl. *Bornkamm*): Gott ist das Lebensprinzip des Kosmos, der Mensch ist Mikrokosmos. Das All ist durchwaltet vom Logos. Durch diesen erkennt der Mensch die Welt, Gott und in einem damit sich selbst.

Die direkte Voraussetzung des Paulus ist im hellenistischen Judentum gegeben (Sapientia): Hier findet man die Verirrung im Greuel des heidnischen Gottesdienstes, welche konsequent die moralische Verderbnis mit sich führt. Der Weg zur Überwindung ist die Belehrung über das wahre Wesen Gottes, die Aufforderung zu Einsicht und Umkehr. Diese pädagogische Zielsetzung fehlt bei Paulus, »weil die Absicht des Apostels nicht die ist, von der Welt aus Gottes Sein zu erschließen, sondern von Gottes Offenbarung her das Sein der Welt aufzudecken; nicht die Offenbarung Gottes vor dem Urteil der Welt auszuweisen, sondern das über der Welt im Gesetz offenbare Urteil Gottes zu enthüllen« (*Bornkamm* 26).

Nun sagt Paulus nicht einfach, Gott sei offenbar, sondern τὸ γνωστὸν τοῦ θεοῦ. Was ist das? Dieses γνωστόν ist gar nicht quantitativ zu bestimmen. Gemeint ist einfach, daß man Gott nicht sieht, daß aber Gott selbst sein Walten verständlich macht. Vgl. V. 20: Man kann τὰ ἀόρατα αὐτοῦ erkennen; ἡ ἀίδιος αὐτοῦ δύναμις καὶ θειότης ist verständlich. Der Inhalt der Gotteserkenntnis ist ein kritischer: Man kann begreifen, daß Gott nicht Welt ist, nicht als Weltwesen zu erfassen ist; daß gegenständliches Wissen ihn verfehlt. Der Mensch kann ihn nur als den Unsichtbaren kennen, also indirekt, indem er sich selbst als Geschöpf durchschaut und sich entsprechend verhält. Gott gibt also zu verstehen, daß er nicht Welt ist. Der Zielpunkt der Ausführungen des Paulus ist die Feststellung, daß die Menschen diese ihre Möglichkeit, durch die sie wirklich Menschen geblieben wären, nicht verwirklichten. Das ist ein Urteil, das Paulus nicht an der Heilsgeschichte oder am Mythos vom Urfall abliest[6], sondern unmittelbar aus seinem Offenbarungsbegriff gewinnt[7]. Danach modifiziert er die vorgefundenen Gedanken der jüdisch-hellenistischen Polemik gegen das Heidentum: Gott erkennen heißt ihn als Gott anerkennen und ehren. Als Demonstrationsobjekt wählt Paulus die Religion selbst: Die Menschen üben Verehrung, aber nicht gegenüber Gott, sondern gegenüber einem Gottesbild; sie verehren das Numinose in Natur und Geschichte, das gestaltete, d. h. das gestaltbar gemachte Göttliche. Damit ist Gott zum bemächtigten Objekt, zum Weltwesen geworden, wenn auch zum »höchsten Wesen«. Die Folge ist, daß damit in der menschlichen Existenz nicht nur etwas falsch wurde, sondern der Mensch selbst: »Sie wurden zu Toren.«

Die Feststellung der Wirklichkeit der Gotteserkenntnis hat nicht den Zweck, aus der ἀγνωσία hinauszuführen. Jene Feststellung enthält keinerlei positives Moment, auf das sich der Mensch stützen kann. Sie ist lediglich die Folie für die Feststellung seiner Schuld, und zwar als seines ständigen Verhaltens. Die Perversion liegt nicht in einer falschen Religiosität, sondern in der Religion selbst. Die Folge ist, daß die verehrte Welt jetzt in der Tat zur beherrschenden Gottheit wird: Durch die Vertauschung von Gott und Welt ist der Mensch sich selbst anheimgefallen. παρέδωκεν αὐτοὺς ὁ θεός — nicht in ein naturhaftes Schicksal, das von außen mitreißt, sondern in ein Schicksal, das ich als eigene Tat durchführe: ἐπιθυμίαι, πάθη, ἀδόκιμος νοῦς. Das zweite Indiz (neben der Übung der Religion) ist die Verderbnis der Sittlichkeit. Unsittlichkeit wird hier nicht direkt als Sünde bezeichnet, sondern als Strafe für die eine Ursünde der Pervertierung der Gottesverehrung. Auch diese Strafe führt der Mensch in freier Zustimmung durch (Röm 1, 32). Als Modell wählt Paulus diejenige Unsittlichkeit, die für den Juden der greulichste der heidnischen Greuel ist, die Homosexualität; im Stile der jüdischen Apologetik fügt er noch einen großen Lasterkatalog als Heidenspiegel hinzu.

Hier scheint völlig ignoriert zu werden, daß es in der Menschheit und gerade in der Religion ehrliches Suchen, tiefes Empfinden, sub-

---

[6] In Röm 1 spielt er überhaupt nicht auf den Sündenfall an. Wie frei er mit den überlieferten Vorstellungen umgeht, zeigt Röm 7, wo der »Sündenfall« nur noch die Projektion des Ich ist.

[7] Sein Verständnis der ὀργὴ θεοῦ ist direkt aus seinem Verständnis des Evangeliums und der Gerechtigkeit Gottes erhoben. In 1 Kor 1, 18 ff. erscheint die μωρία-Gestalt der Offenbarung als Reaktion Gottes auf das Verhalten der Menschen.

tile Geistigkeit gibt. Bietet Paulus ein frühes Zeugnis des barbarischen Aufstands von Osten her gegen die klassische Kultur, der in der Gnosis drastischen Ausdruck gewinnt und schließlich zur Barbarisierung der Antike führt? Zugleich ein Dokument des Unverständnisses des Judentums für die Feinheit und Tiefe der Mystik, die Schönheit der Götter, den Gehalt des Mythos, die in der Religion gestaltete Erhabenheit des Bildes vom Menschen? Zugleich eines primitiven Mißverständnisses der Götterbilder? Die Antwort ist von aller Apologetik freizuhalten. Paulus ist in der Tat von der griechischen Bildung seiner Zeit unberührt und arbeitet mit den drastischen Mitteln der jüdischen Polemik. Aber wir müssen versuchen, die vorgetragene Sache zu durchdenken. Paulus singt kein Loblied auf die Christen durch Schmähung der Heiden und Juden, sondern stellt das Ende aller eigenen Gerechtigkeit fest — einschließlich der christlichen, wenn sie zur eigenen wird. Es geht ihm nicht um historische, kulturelle, philosophische, psychologische Beurteilung der Religion, um ihre Analyse als ein Bereich des menschlichen Geistes. Er fragt ausschließlich, ob sie mich in das rechte Verhältnis zu Gott bringt. Von der Religion gilt dasselbe wie vom Verhalten des Menschen überhaupt. Würde sie klar als Frage nach Gott gefaßt und hielte sich der Mensch darin selbst in der Frage, so wüßte er, daß er nicht der Fragende, sondern der Erfragte ist. Daß Röm 1 keine psychologische Schilderung und keine moralische Beurteilung ist, zeigt sich auch daran, daß dieser Abschnitt nicht alles enthält, was Paulus über das Heidentum sagt. In Kap. 2 erscheint noch ein völlig anderer Aspekt. Wie sich beide Aspekte zueinander verhalten, darauf ist im nächsten Paragraphen einzugehen.

§ 31 DAS WORT ALS ÄRGERNIS

I. Die Krisis der eigenen Gerechtigkeit

In den Ausführungen 1 Kor 1, 18 ff. stellt Paulus Heiden und Juden ausdrücklich in Parallele: a) Griechen—Weisheit—Torheit; b) Juden—Zeichen—Ärgernis. Die übergeordneten Begriffe sind: Torheit und Weisheit. Paulus kann nun freilich nicht einfach im Sinn einer formalen Parallelität argumentieren. Denn wenn er sich an die Juden wendet, kommt ein geschichtlicher Faktor ins Spiel, der beim Heidentum fehlt: das Gesetz und die geschichtliche Erwählung Israels. Zunächst geht Paulus von dem Gemeinsamen aus: Das Wort vom Kreuz ist hier wie dort die Zerstörung des Selbstruhms. Das bedeutet für den Juden die Aufhebung der Gerechtigkeit auf Grund der Werke des Gesetzes. Dann muß Paulus freilich zeigen, daß nicht das Gesetz sündig ist, sondern nur seine Verwendung zur Erlangung der eigenen Gerechtigkeit. Er muß darüber hinaus den Sinn des Gesetzes positiv bestimmen. Auch im Römerbrief beginnt Paulus, indem er die grundsätzliche Gleichheit der jüdischen und heidnischen Situation zeigt. Röm 1 enthält die Destruktion der heidnischen Religion als Heilsweg. Dieser Argumentation könnte sich der Jude entziehen, da er die rechte Gotteserkenntnis und die rechte Moral besitze. Durch Kap. 2 verbaut Paulus ihm diese Entschuldigung: In der Tat hat der Jude das Gesetz, aber er tut es nicht und verfällt damit dem Urteil Gottes. Denn nach seinen Werken wird Gott jeden richten (Röm 2, 6—10. 13), und zwar allein nach den Werken. Also befinden sich beide Gruppen vor Gott in derselben Position. Paulus geht noch einen Schritt weiter: Auch die Heiden sind nicht ohne Gesetz; sie sind sich selbst Gesetz, da ihnen die Werke des Gesetzes ins Herz geschrieben sind. Das wird durch das Gewissen erwiesen.
Die These vom *Gericht nach den Werken* steht dicht neben der These, daß kein Mensch aus Werken des Gesetzes gerechtfertigt wird, sondern ohne Werke des Gesetzes durch den Glauben (3, 28). Liegt hier ein Widerspruch vor? Erscheint in Röm 2 ein nicht aufgearbeiteter Restbestand jüdischen Denkens? Immerhin steht dieses Kapitel zwischen den beiden Thesen von 1, 16 f. und 3, 21 ff. und trifft sich mit 3, 20 zum mindesten im Negativen, daß kein Mensch faktisch vor Gott gerecht ist.

Lietzmann: In Röm 2 rede Paulus nur theoretisch. Er rechne ja nicht ernsthaft damit, daß jemand durch seine Werke die Seligkeit erreiche. Er stelle sich aber zum Zweck der Argumentation einen Augenblick lang theoretisch auf den Standpunkt des Juden: Gesetzt den Fall, das Gesetz könne tatsächlich retten und das Gericht werde so vollstreckt, daß die Werke abgewogen werden — wie wirst du dann dastehen? Du hast ja das Gesetz nicht erfüllt. Gegen diese Deutung spricht die Tatsache, daß der Gerichtsgedanke bei Paulus nicht nur polemisch-hypothetisch konzipiert ist. Er findet sich auch an Stellen, wo Paulus thetisch formuliert. Die Argumentation in Röm 2 ist für ihn selbst überzeugend, weil sie auf dem wahren Tatbestand über das Gericht beruht. Man versteht das Nebeneinander, wenn man den Begriff der Rechtfertigung nicht auf eine bloße Imputation eines »als ob« verengt (bzw. auf das Negativum der Beseitigung der Sünde) und wenn man die Tatsache, daß Gott die Versöhnung stiftet, nicht zu einer Lehre von den Eigenschaften Gottes abstrahiert. Daß Gott gnädig ist, heißt nicht, daß er von Natur gütig ist, sondern daß er mir die Gerechtigkeit in einer Tat übereignet. Nur um diese Tat verständlich zu machen, kann ich sinnvoll sagen, daß Gott gut sei. Durch die Behauptung der Gnade ist die Aussage vom Gericht nicht aufgehoben, sondern gerade vorausgesetzt. Wenn Gott richtet, dann allerdings nach den Werken; ja, es kommt darauf an, nicht die Spitze abzubrechen: Er richtet *allein* nach den Werken. Paulus spitzt zu, wo der Jude umbiegt. Dieser sagt ebenfalls »nach den Werken«. Er weiß aber, daß sie ihm nicht ganz zur Gerechtigkeit reichen. Darum fährt er fort: Aber Gott ist auch barmherzig. Oder er sagt, daß man im Gericht durch die Werke *und* den Glauben besteht. Paulus entreißt ihm nun diese Möglichkeit, indem er das »allein« betont. Daher bleibt dem Menschen keine andere Möglichkeit als die Gnade, die Gerechtigkeit allein aus Glauben, die das Ende der eigenen ist. Hier ist Gnade nicht mehr die Kompensation dessen, was dem Menschen zur Gerechtigkeit noch fehlt, sondern die ganze Herstellung der Gerechtigkeit durch Gott. Ich kann sie nur empfangen im Verzicht auf die eigene Gerechtigkeit. So werden die Werke an ihren Ort gerückt und der Glaube an den seinen.

II. Israel (»Heilsgeschichte«)

J. MUNCK, Christus und Israel, Acta Jutl. 28 (3), 1956 — CHR. MÜLLER, Gottes Gerechtigkeit und Gottes Volk, FRLANT 86, 1964

Warum ist das Thema »Heilsgeschichte« unter dem Oberthema »Die Krisis Israels« zu besprechen? Die Antwort ergibt sich aus folgendem: Paulus entwirft nicht positiv ein Geschichtsbild, weder der Weltgeschichte noch der Geschichte Israels. Was Paulus unter Heilsgeschichte versteht, geht vielmehr aus seinem Verständnis von Wort und Heilsgeschehen hervor.

Seine Geschichtsauffassung kann nicht geradlinig an das angeschlossen werden, was die alttestamentliche Wissenschaft als den ständigen Prozeß der Selbstdeutung Israels darstellt. Entwurf eines Geschichtsbildes würde übrigens bedeuten, daß wirkliche oder vermeintliche historische Fakten, Abläufe und Zusammenhänge in metaphysischen oder mythischen Kategorien gedeutet würden, also der eigenen Schau unterworfen wären. Der Theologe würde zum Orakeldeuter der Geschichte.

In welchem Sinn ist Israel dann noch Gegenstand der Theologie? Auf Grund der Geschichtlichkeit und Worthaftigkeit der Offenbarung. Ausgangspunkt der Darlegung ist die Thematik von Röm 1—3: Die Offenbarung der Gerechtigkeit Gottes für jeden Glaubenden impliziert die Krisis Israels, sofern dieses durch seine Leistung existieren will, die Krisis seiner vermeintlichen Vorzugsstellung. Paulus bestreitet nicht, sondern bestätigt, daß Israel einen geschichtlichen Vorzug genießt, da ihm die Verheißung anvertraut war. Aber dieser Vorzug ist ein historisch-relativer, kein eschatologisch-absoluter. Im Gericht ist der Jude dem Heiden gleich, weil Gott allein nach den Werken richtet und auch der Jude allein aus Glauben die Gerechtigkeit gewinnt. Dieser systematische Ansatz führt in Röm 9—11 zu einer bestimmten Weise des Umgangs mit der alttestamentlichen Geschichte. Sie wird nicht als Kontinuum dargestellt. Paulus greift nur einzelne Vorgänge heraus, nur solche, an denen er die wesentlichen Faktoren der Existenz Israels aufweisen kann: die freie Erwählung Israels, seine Bestimmung auf den Glauben hin. Nur zu diesem Zweck sind Jakob und Esau, Mose und der Pharao angeführt. Dazu kommt dann noch am Ende der Ausblick in die Zukunft, auf die Einführung Israels in das Heil. Die Kap. Röm 9—11 bieten kein Geschichtsbild, sondern eine Erwählungs- und Gnadenlehre. Gewiß besteht eine Kontinuität, aber eine unanschauliche, die Kontinuität der Freiheit des Erwählens Gottes.

Zur sachlichen Verklammerung im Römerbrief: 9, 1 wirkt als abrupter Neueinsatz, ist aber durch den Schluß von Kap. 8 vorbereitet. Der Sachzusammenhang weist sogar noch weiter zurück: Die Kap. 9—11 sind ein Kommentar zu 3, 1: Was ist der Vorzug Israels? Darauf antwortet 9, 4 f. Der Vorzug ist ein geschichtlich-kollektiver. Er bedeutet nicht bevorzugte Behandlung des einzelnen Juden im Gericht. Aber der Jude steht der Predigt des Evangeliums geschichtlich näher (vgl. 1, 16 πρῶτον). Der Ansatz der Darlegung zu Beginn von Röm 9 erscheint auf den ersten Blick subjektiv; das wiederholt sich in Kap. 10 und 11. Aber es genügt nicht, deshalb hierin eine persönliche Apologie des Paulus zu finden. Die sachliche Thematik erscheint in der Argumentation: Paulus ist Heidenmissionar, nicht obwohl, sondern weil er Jude ist.

Israel ist erwählt — das bleibt gültig. Wie erklärt sich aber dann die Tatsache, daß es den Glauben verweigert und damit die Verheißung verfehlt? Eine Antwort ist nur dadurch zu gewinnen, daß grundsätzlich geklärt wird, was Erwählung ist — und zwar nicht im Sinne einer objektivierten Erwählungstheorie, sondern indem als

ihr Horizont die Verkündigung des Evangeliums an Juden und
Heiden aufgewiesen wird. Es genügt nicht, festzustellen, daß sie
einseitige, freie und unwiderrufliche Tat Gottes ist, die ohne jede
menschliche Betätigung geschieht, die der Mensch nicht im voraus
berechnen oder vorbereiten kann. So richtig das ist, theologisch werden diese Feststellungen erst, wenn sie das heutige Geschehen der
Verkündigung, des Zusammentreffens von Verkündigung und Welt
erklären.

Die Erwählung Israels als Gottes freie Tat führt sofort zu einer
dialektischen Bestimmung Israels: Das Israel als Gegenstand der
Erwählung ist von dem empirischen Israel zu unterscheiden (Röm
9, 6—9). Das beweist Paulus mit den angeschlossenen Beispielen
(V. 10—12). So gewinnt er das Prinzip: ἄρα οὖν οὐ τοῦ θέλοντος οὐδὲ
τοῦ τρέχοντος, ἀλλὰ τοῦ ἐλεῶντος θεοῦ (V. 16). Die freie Erwählung
hat zum Korrelat die freie Verwerfung (V. 18). Jetzt kann Paulus
zeigen, wie sich die radikal verstandene Erwählung und die tatsächliche Verstockung zueinander verhalten. Die Verstockung ist ja
nicht eine allgemeine Haltung (Gottlosigkeit, Irreligiosität), sondern das konkrete Verhalten angesichts der Predigt, die das Heil
ohne Bedingung anbietet und so die Freiheit der Erwählung realisiert. Hier fällt die Entscheidung über Israels Erwählung[1]. Israel
liegt also im Gesichtsfeld, sofern sich an ihm das Wesen der Predigt
(Heil durch das Ärgernis des Kreuzes) erweist. Aus dem Zusammenhang von Erwählung und Predigt wird auch verständlich, in
welchem Sinne man von einem erwählten Kollektiv — Israel —
reden kann. Frei erwählt werden kann ja nur ein Einzelner. Würde
ein Kollektiv erwählt, wäre Gott gebunden. Die Lösung: Das Kollektiv ist in dem Sinn erwählt, daß ihm eine Verheißung vorgegeben
ist. Die Offenbarung erscheint an einem geschichtlichen Ort und hat
ihre menschlichen Beauftragten.

Das ist etwas anderes als die Behauptung, jeder Beauftragte, jeder Angehörige
des Kollektivs werde selig. In diesem Sinn ist also empirisches und wahres
Israel zu unterscheiden. *Müller:* Diese Unterscheidung sei durch den Gottesgedanken verursacht. Nein, sondern durch die Theologie des Kreuzes.

Da sich die Erwählung in der Begegnung mit der Glaubensbotschaft
realisiert, kann es dazu kommen, daß die Heiden da stehen, wo die
Juden stehen sollten (Röm 9, 30—32).

Wenn Paulus zwischen Israel und Israel unterscheidet, sind seine Motive nicht
durchweg einheitlich. Einerseits sagt er, daß Israel seine Privilegien an die Hei-

---

[1] Bultmann II 158.

den verliere, unterscheidet also die Heiden als das wahre Israel vom empirischen Israel. Andererseits hält er doch eine Kontinuität fest, mit Hilfe des Gedankens vom »Rest«, differenziert also innerhalb Israels. Einerseits erklärt er, daß Israel seine Privilegien verliere, andererseits, daß diese nur vorläufiger Art gewesen seien, dazu bestimmt, durch die Erfüllung ersetzt zu werden: das Gesetz, das Testament (Gal 4, 1); der Kult (Gal 4, 8 f.); die δόξα (2 Kor 3, 7 ff.). Das heißt, bei Paulus stehen die Vorstellungen von der Kirche als dem neuen und als dem wahren Gottesvolk nebeneinander. Neues Gottesvolk ist sie, wo die Vorstellung einer heilsgeschichtlichen Ablösung Israels herrscht; wahres, sofern in der Kirche zutage kommt, was in Israel immer schon galt. Dieses Nebeneinander von Gegensätzlichkeit und Kontinuität hat eine bestimmte sachliche Funktion: Es erklärt das Verständnis von Gesetz und Evangelium bzw. die Bezogenheit des Evangeliums auf das Gesetz.

Paulus setzt die Religiosität der Juden nicht herab. Vielmehr bestätigt er ihnen ihren Eifer um das Gesetz (Röm 10, 2 f.). Aber er stellt fest, daß dieser Eifer vergeblich ist. Denn ihre Werke dienen dem Aufrichten der eigenen Gerechtigkeit, und eben dies ist das Verfehlen der Bestimmung. Dennoch bleibt die Offenbarung auf das empirische Israel bezogen; dieses bleibt der geschichtliche Ausgangspunkt. Paulus kann gerade auf Grund der Unterscheidung zwischen dem empirischen und dem erwählten Rest-Israel die Zerreißung vermeiden. So unternimmt er die positive Zuordnung, wieder präzise im Blick auf das jetzige Heilsgeschehen, seine Heidenmission. Diese hat natürlich den unmittelbaren Zweck, unter den Heiden das Amt der Versöhnung auszuüben, darüber hinaus aber den mittelbaren, Israel auf das Heil der Heiden eifersüchtig zu machen, damit es sich bekehrt. So findet Paulus die Einheit zwischen seinem Werk als Heidenapostel und seinem Sein als Jude.
Von dieser Theorie aus, daß die Juden auf die Heiden eifersüchtig werden sollen, entwirft Paulus die Geschichtsprognose, daß sich die Juden am Ende der Geschichte bekehren werden. Aber man kann sich dieses Eifersüchtigwerden als historischen Vorgang nicht vorstellen. Die Juden können ja nur eifersüchtig sein, wenn sie einsehen, daß der Glaube das Heil bringt und daß es die Heiden haben und sie selber nicht. Aber wenn sie das einsehen können, glauben sie ja schon und haben das Heil ebenfalls. Letztlich will Paulus in der Tat zeigen, daß der Glaube nicht ableitbar ist, daß der Glaube nur aus der Predigt entsteht. Er stellt seine Prognose auf Grund des Nachweises, daß der Mensch, wie er sein Heil nicht zu schaffen vermag, dieses auch nicht gegen Gottes Willen vernichten kann. Jede Prognose ist Folgerung aus der Prädestinationslehre, daß sich Gott erbarmt, wessen er will, und daß er verstockt, wen er will. Man muß sich bewußt sein, daß dies nicht ein Satz eines weltanschaulichen

Determinismus ist. Für Paulus stehen Heil und Unheil nicht gleichwertig gegenüber. Der Satz ist gesagt als eine Verheißung des Evangeliums selbst und erweist so das Heil als Gottes freie Gnade. Jedoch verwendet Paulus den Satz, daß Gottes Verheißung sie selbst bleibt, spekulativ, weil er ihn historisch anschaulich machen und aus ihm direkt künftige Ereignisse ableiten will. Freilich ist das spekulative Element insofern geringer, als es uns erscheint, als Paulus nur noch mit einem kurzen Zeitraum bis zum Ende rechnet, also mit der Umkehr seines Volkes noch als Wirkung seiner eigenen Arbeit. Die ursprüngliche Intention bricht durch, wenn zum Schluß noch einmal in hymnischer Steigerung die Unanschaulichkeit des Heilswillens Gottes gepriesen wird: ὅτι ἐξ αὐτοῦ καὶ δι' αὐτοῦ καὶ εἰς αὐτὸν τὰ πάντα (11, 36).

Diese Ausführungen werden vielleicht deutlicher, wenn wir sie uns an unserem eigenen Sein in der Kirche exemplifizieren. Es ist dem Sein des Paulus in Israel insofern analog, als die Kirche unsere Vergangenheit ist, der jetzige Träger der Verkündigung. Wir finden uns in einem geschichtlichen Verhältnis zu ihr vor. In ihr hören wir die Predigt und erfahren, daß wir nicht als Christen gerettet werden, sondern als Glaubende. Die Zugehörigkeit zur Kirche erben wir, nicht aber den Glauben. So ist im Kirchengedanken selbst, wenn die Kirche von der Verkündigung her verstanden wird, die ständige Unterscheidung von wahrer und empirischer Kirche gesetzt. Beides ist nicht auseinanderzureißen — im Sinne der Idee einer rein spiritualen Gemeinschaft. Der empirischen Kirche ist verheißen, daß sie die wahre sei — »in Christus«, gegen den Augenschein.

III. Prädestination und Theodizee

E. Dinkler, Prädestination bei Paulus, Festschr. G. Dehn, 1957, 81—102 — Chr. Müller (s. Lit. zu II) 75—89

Die leitende Frage ist auch hier, ob und inwiefern die Struktur des Glaubens freigelegt wird.

Eine Hemmung für das Verstehen bildet die ausgebaute Prädestinationstheorie des orthodoxen Calvinismus (ewige Vorherbestimmung des Einzelnen zu Heil oder Verdammnis). Im Hintergrund steht ein Gottesbegriff, der mit der Verwandlung des reformatorischen Ansatzes in eine Theorie über Gott und Welt zusammenhängt: Der Satz, daß Gott alles wirkt, ist nicht mehr streng auf die Offenbarung und das Verstehen derselben bezogen, sondern ist selber das credendum geworden. Damit erhebt sich sofort die weltanschauliche Thematik: Wie verhalten sich dann göttliche Bestimmung und menschliche Freiheit, Gottes Alleinwirksamkeit und die Verantwortlichkeit des Menschen zueinander? Kann ich erkennen, wozu ich bestimmt bin? Es handelt sich um Vexierfragen, die von der ursprünglichen Konzeption der Prädestination her als solche zu durchschauen sind. Ursprünglich stellt die Prädestination die Befreiung von der Sorge um mich selbst dar auf Grund des Wortes, das mir sagt, daß mein Heil schon besorgt ist. Ich bekomme nicht etwa eine Antwort auf die Frage der Sorge, sondern die Sorge selbst wird überholt. Gott offenbart nicht eine Prädestinationslehre, sondern seine Gnade. Damit erfahre ich meine Bestimmung. Daß ich erwählt bin, erfahre ich nicht durch Selbstbeobachtung, sondern im Hören. Prädestination meint also ursprünglich nicht eine Theorie über Gottes Walten überhaupt, sondern ist Auslegung dessen, was ich bin, wenn ich das Evangelium höre. Im Hören bin ich Erwählter. An diesem Ort des Hörens ist der Satz, daß Gott alles tut, streng auf die Offenbarung bezogen. Wie stellt sich von hier aus die Frage der menschlichen Freiheit? Die theologische Aussage lautet nicht, daß mein Handeln generell durch fremde Faktoren determiniert sei, sondern daß ich zu meinem Heil nichts vermag. Das servum arbitrium ist die Bedingung der libertas christiana.

Religionsgeschichtliche Voraussetzungen: Paulus greift auf das Alte Testament zurück (Röm 9, 13: Mal 3, 2 f.). Der Gedanke der Vorbestimmung ist in der Apokalyptik ausgebildet: »Und du erkorst dir Isaak, Esau aber verschmähtest du« (4 Esr 3, 16). Er ist zugespitzt in den Qumrantexten (1 Q S III 15 ff.; vgl. 1 Q S XI 10 ff.).

Thematisch handelt Paulus über die Prädestination nur Röm 9—11. Er zieht sie dort in einem Zusammenhang heran, in dem er den Vorgang der Verkündigung analysiert. Die Prädestination ist konstitutives Moment des Predigtgeschehens, d. h. sie hat keine selbständige Funktion als positive Lehre. Sie dient vielmehr der Ausarbeitung des Gnadencharakters der Offenbarung — insofern ist sie im gesamten Schrifttum des Paulus enthalten. Sie sichert das »allein durch Gnade« und damit das »allein aus Glauben«, indem sie verhindert, daß sich der Mensch doch noch einen eigenen Anteil am Heil reserviert.

Die Begrifflichkeit erscheint komprimiert Röm 8, 28 f.

Hier ist die Erwählungs-Terminologie durchsetzt von der mythischen Vorstellung vom Sohn und den Brüdern (s. o.). Das bedeutet sachlich: Wenn Paulus von Gottes Ratschluß redet, setzt er ihn von vornherein in einen doppelten Bezug: a) auf das Heilsgeschehen in Christus; b) auf den von diesem Heilsgeschehen betroffenen Menschen. Was er sagt, gilt nicht von der Menschheit im allgemeinen, sondern nur von denen, die in Christus sind. Dem entspricht die Fortsetzung mit der Kette in V. 30. Es ist methodisch falsch, die einzelnen Begriffe zu systematisieren, als Reihe verschiedener metaphysischer Akte oder verschiedener Stufen der inneren Erfahrung. Die Reihe soll einfach auf den ganzen Umfang des Heils als Gottestat hinweisen.

Konstitutiv dafür ist das Verhältnis von vorgeschichtlichem Ratschluß, προορίζειν, und geschichtlicher Berufung, καλεῖν. Ansatzpunkt für beides ist die Berufung durch die Predigt. Das προορίζειν (bzw. die πρόθεσις) bezeichnet den Horizont, in dem sie verstanden wird bzw. in dem ich mich selbst erblicke. Übrigens ist der Gebrauch der einzelnen Wörter nicht streng; Röm 9, 11 f. ist καλεῖν von πρόθεσις kaum verschieden. Das Ziel der Prädestinationslehre ist nicht, von außen zu erklären, was Erwählung und Verdammung ist, auch nicht, wer Erwählter und wer Verdammter ist. Erwählung und Verdammung sind theologisch ja gar nicht gleichwertig. Von Verdammung ist überhaupt nur die Rede als dem Schatten, den die Erwählung aus Gnade wirft. Sie sichert die Reinheit der Botschaft des Evangeliums.

Die Erwählung impliziert die Destruktion der καύχησις; sie allein verbürgt das Heil des Menschen. Von daher scheidet der begnadete oder verdammte Mensch als Thema der Theologie aus.

Abwegig ist die Alternative, ob die Erwählung primär dem Einzelnen oder einem Kollektiv gelte. Mit der Botschaft ist die Kirche beauftragt; sie ruft den Einzelnen und teilt ihm die Erwählung mit.

Auf Grund seines Ansatzes kann Paulus das Theodizeeproblem einfach abweisen: Das Gebilde hat nicht mit dem Bildner zu rechten. Diese Auskunft erscheint unbefriedigend. Die Frage scheint abgeschnitten zu werden, wo dem Menschen sein Wesen dunkel wird. Paulus gibt in der Tat keine Antwort, wenn Gott als der Allmächtige, als Inbegriff des Absoluten, des Seins objektiviert wird. Seine Auskunft ist aber die einzig mögliche, wenn sie als Hinweis auf den Gott begriffen wird, der seine Gnade in Christus erwiesen hat. Dann ist die Frage als solche überholt. Dann ist klar, daß um des Heils selbst willen wie kein Anspruch, so kein Einspruch gegen Gott möglich ist.

§ 32 DIE KIRCHE

Lit. bei BULTMANN, NT 306 f.; W. G. KÜMMEL, Das Urchristentum, ThR NF 22, 1954, 138 f.; R. SCHNACKENBURG, Nt. Theologie, 1963, 100 f. Anm. 81 f. — N. A. DAHL, Das Volk Gottes, 1941 — L. CERFAUX, La Théologie de l'Église suivant saint Paul, ²1948 — A. OEPKE, Leib Christi oder Volk Gottes bei Paulus?, ThLZ 79, 1954, 363—368 — R. SCHNACKENBURG, Die Kirche im NT, 1961, 146—156 — E. SCHWEIZER, Gemeinde und Gemeindeordnung im NT, AThANT 35, ²1962, 80—94

I. Grundlagen

Paulus übernimmt die heilsgeschichtlich-eschatologische Begrifflichkeit: ἐκκλησία, ἅγιοι, ἐκλεκτοί[1]. Die Kirche ist das Israel Gottes (Gal 6, 16), der neue Bund (2 Kor 3, 6 ff.; vgl. die Abendmahlstradition). Diese Begriffe enthalten folgende Bestimmungen: 1. Es ist letzte Zeit. 2. Die Kirche ist von der Welt geschieden. 3. Sie ist sichtbare Sammlung, zunächst zum Gottesdienst. Für diesen ist das Anrufen des Herrn, die Kyriosakklamation, konstitutiv. Damit ist klargestellt, daß die Kirche nicht eine Größe von dieser Welt ist. Daß der Herr herrscht und die Kirche seine Herrschaft vor der Welt bekanntgibt, ist nur im Bekenntnis selbst sichtbar und — als dessen Folge — im Leiden des Bekenners. Das Wort ἐκκλησία kann die Einzelgemeinde bezeichnen, z. B. wenn es im Plural steht (Röm 16, 4; 1 Kor 16, 1. 19). Doch setzt der Kirchengedanke nicht bei der Einzelgemeinde an. Die Kirche ist primär die Gesamtkirche, die sich in der einzelnen Gemeinde konkretisiert (vgl. den Gebrauch des Singulars: ἡ ἐκκλησία τοῦ θεοῦ Gal 1, 13). Eine übergreifende Organisation der Kirche gibt es für Paulus nicht.

Karl Holl nahm an, die bekannte Kollekte des Paulus für die Gemeinde von Jerusalem sei eine Kirchensteuer gewesen. Sie setze die Anerkennung des Apostelkreises als Kirchenbehörde voraus. Aber sie ist einfach die Darstellung der Einheit der Kirche durch einen Akt der Liebe[2].

Was vom Verhältnis der Kirche zu den Gemeinden gilt, daß die eine Kirche primär ist und die Existenz der einzelnen Gemeinde ermöglicht, gilt mutatis mutandis vom Verhältnis der Gemeinde zum

---

[1] Vgl. das Präskript 1 Kor 1, 1 f.
[2] Vgl. D. Georgi, Die Geschichte der Kollekte des Paulus für Jerusalem, ThF 38, 1965.

Einzelnen: Die Gemeinde ist die vorgegebene Größe, wenn sie auch — empirisch gesehen — natürlich so entsteht, daß Leute gläubig werden und sich zusammenschließen. Aber sie wissen, daß das Wesen ihrer Gemeinschaft nicht durch ihren Zusammenschluß (von ihrem Entschluß her) bestimmt ist, sondern vom Ruf aus der schon vorhandenen Kirche in diese hinein.

Im Verhältnis zur Welt ist die Kirche »heilig«, d. h. ausgegrenzt (in welchem Sinn: s. u.). Sie ist exklusiv[3]: ein Gott — ein Herr; man kann nicht am Tisch des Herrn und am Tisch der Dämonen sitzen. Dadurch ist die Kirche von den Mysteriengruppen unterschieden. Welche praktischen Probleme aus dieser Exklusivität entstehen, zeigt 1 Kor 8—10. Historisch ist die Exklusivität ein Erbe aus dem Judentum. Sachlich drückt sich in ihr aus: Das neue Leben im Geist ist das geschichtliche Leben in der Gemeinschaft. Die Kirche ist nicht nur im Gottesdienst, als kultische Versammlung, existent, sondern ständig. Das stellt sich z. B. in der Fürsorge dar.

Im übrigen ist noch alles frei. Man kann kaum von Organisation reden. Es gibt noch keine definierten Verwaltungsämter[4]. Das Amt der Ältesten ist Paulus unbekannt. Die Distanzierung von der Welt wird nicht organisiert; die Christen scheiden nicht äußerlich aus der Welt aus (wie etwa die Sekte von Qumran). Die Christen brechen die Beziehungen zu ihrer Umwelt nicht generell ab. Sie bleiben in der Welt, nicht nur weil ein Abbruch der Beziehungen unmöglich wäre, sondern aus der Furchtlosigkeit und Freiheit des Glaubens heraus (1 Kor 5, 9 ff.; 8 ff.; Röm 14 f.). Der Glaube an Gott als den Schöpfer wird aktualisiert: Die Erde ist des Herrn. Die Kirche praktiziert die Welthaltung derer, die schon von der Welt befreit sind und daher ihre Distanzierung nicht erst noch organisieren müssen, um sich ins Heil zu bringen.

Das Ausscheiden aus den bürgerlichen Ordnungen würde es erfordern, neue, »christliche« Ordnungen einzurichten, die dann an sich als heilig gelten. Das würde die Organisation eines sakralen Raumes bedeuten. Gerade diese Idee negiert die Kirche. Die Dialektik des Verhältnisses zur Welt ist 1 Kor 7, 17 ff. dargestellt: Paulus ruft auf, in der eigenen κλῆσις zu bleiben. Auch hier wird einfach die Freiheit praktiziert: Kein weltlicher status kann den Glauben verhindern, keiner ihn fördern. Es herrscht die eschatologische, kritische Neutralität zur Welt.

---

[3] S. Bultmann, NT 101 ff.
[4] Phil 1, 1: ἐπίσκοποι und διάκονοι; 1 Thess 5, 12: κοπιῶντες und προϊστάμενοι; unter den Charismen 1 Kor 12, 28: ἀντιλήμψεις und κυβερνήσεις. Zum Ganzen s. H. v. Campenhausen, Kirchliches Amt und geistliche Vollmacht, BHTh 14, 1953.

Diese Gedanken sind schon vor Paulus mindestens angelegt. Das für Paulus Spezifische liegt darin, daß er sie theologisch durchdenkt. Das sei an vier Beispielen aufgezeigt: 1. dem eschatologischen Verständnis der Kirche; 2. dem Gottesdienst; 3. der Stellung des Einzelnen in der Kirche; 4. dem Begriff des »Leibes Christi«.

II. Kirche und Eschaton

Die Kirche lebt noch nicht im neuen Äon, sondern in der letzten Zeit der Welt. Diese stellt sich Paulus als extrem kurz vor (1 Kor 7, 29; Röm 13, 11; Phil 4, 5). Er hofft, das Ende selbst noch zu erleben (1 Thess 4, 17). Was folgert er daraus? Er gibt keine apokalyptische Deutung der Weltsituation, keine Berechnung von apokalyptischen Stationen und Terminen — gerade das lehnt er ab (1 Thess 5, 1 ff.). Sondern: »Laßt uns also die Werke der Finsternis ablegen!« (Röm 13, 12).

Die Eschatologie ist nicht von der Zeitvorstellung gelöst. Aber über die Zeit wird nicht spekuliert. Sie kommt nur als Zeit der Kirche in den Blick, die als Zwischenzeit begriffen wird: Die Kirche ist Stiftung für den Zeitraum von der Auferstehung bis zur Parusie. Dieser Zeitraum wird nicht als neue, weltgeschichtliche Epoche verstanden — Paulus kennt keine christliche Geschichtsdeutung; sondern er wird ausschließlich als die Zeit bestimmt, in der die Kirche den Tod des Herrn verkündigt. Dadurch qualifiziert sie die Welt ständig als eine vergehende, indem sie sie am Eschaton bemißt: Die Leiden der jetzigen Zeit sind nicht ἄξια im Vergleich zur künftigen Herrlichkeit (Röm 8, 18). Dies ist die Zeit, in welcher der Herr durch das Wort herrscht, das seine Herrschaft verkündigt und den Glauben ins Leiden führt.

Diese Bestimmung der Kirche ist religionsgeschichtlich gesehen eine Umdeutung der apokalyptischen Vorstellung vom messianischen Zwischenreich. Die Differenz besteht darin, daß es für Paulus schon jetzt, in der Kirche, da ist. Freilich nennt Paulus diese nicht βασιλεία Χριστοῦ. Herrschaft Christi bedeutet bei ihm die Herrschaftsausübung Christi während dieser Zeit, die Durchführung des Heilswerks, die Unterwerfung der Mächte.

Wie kann eine Gemeinschaft, die sich eschatologisch versteht, d. h. als sichtbare Gemeinschaft, die nicht von dieser Welt ist, praktisch existieren? Ist nicht jede Organisation schon Verweltlichung? Wie ist andererseits ohne Organisation geschichtliche Existenz möglich?

Das leitende Kriterium ist die Frage: Wie ist die Kirche von ihrer Stiftung, der Heilstat, und von ihrer damit gegebenen Aufgabe, der Predigt, her zu gestalten? Welche Rolle spielt der Geist? Für die Organisation ergeben sich folgende Gesichtspunkte: Das Gemeindeleben erhält seine Ordnung von daher, daß Christus für den Bruder gestorben ist. Gegenüber der Welt bestimmt Paulus die kritische Mitte zwischen Weltentsagung und einem Programm der christlichen Weltgestaltung, indem er zeigt, daß die Kirche heilig ist und daß sie ihre Heiligkeit »in Christus« besitzt.

III. Der Gottesdienst

Ist die Heiligkeit bestimmt als fremde Heiligkeit in Christus, die durch das Wort erfahren wird, dann gibt es Kult nur noch im Sinne des Hörens, nicht der eigenen Einwirkung auf Gott. Die einseitige Bewegung von oben nach unten darf im Kult nicht doch wieder umgekehrt werden, wie bei der Darbringung eines Opfers durch den Priester. Wieder geht Paulus vom urchristlichen Ansatz aus und denkt weiter. Die ersten Christen konnten sich noch am jüdischen Kult beteiligen. Aber sie hatten ihn faktisch entwertet, da sie das Heil von ihrem Glauben erwarteten. Konstitutiv für die christlichen Versammlungen sind Predigt, Bekenntnis, Lied, Gebet und die beiden Sakramente. Die Frage ist, wie dieser Gottesdienst nun verstanden wird: etwa als neue Methode der Einwirkung auf Gott, als Opfer oder Darbringung von Gaben, um sein Wohlgefallen zu gewinnen, als Handlung zur Herstellung der Heiligkeit? Die Erlangung solcher Wirkungen wird bald wieder an rituell richtigen Vollzug gebunden sein, an geweihte Personen, Räume, Zeiten, Utensilien (Altar). Welche Rolle spielt der Geist? Wird auch hier die Bewegungsrichtung von oben nach unten gedanklich durchgehalten, oder wird der Geist als Potenz des Aufschwungs zu Gott verstanden werden?

Paulus bestimmt das Kultische im Sinne der theologia crucis, ebenso das Wesen des Geistes und seiner Wirkungen[5]: Der Kult ist nicht Handeln des Menschen auf Gott hin. Sogar das Gebet ist nicht eigene Möglichkeit des Menschen, um auf Gott einzuwirken, sondern

---

[5] 1 Kor, bes. Kap. 10—14.

Wirkung des Geistes (Röm 8, 26), ermöglicht dadurch, daß der Herr bei Gott für uns eintritt (Röm 5, 2; 8, 34). Das Bekenntnis zum Herrn ist Anerkennung seiner Herrschaft und deren Proklamation, nicht geistiger Aufschwung zu ihm. Gar keine Rolle spielt der Liturg, der Raum, der Ritus. Wenn die Galater kosmische Elemente verehren, wird ihnen gesagt, daß sie in die Knechtschaft, in das Gesetz zurückgefallen sind. Die Anwesenheit Gottes oder des Herrn bei der Kirche ist mit keinerlei mystischer Vorstellung verknüpft. Wenn Paulus sagt, Gott sei ἐν ὑμῖν (1 Kor 14, 25), so meint er nichts anderes als: »Wo zwei oder drei versammelt sind in meinem Namen, da bin ich mitten unter ihnen« (Mt 18, 20). Das Erleben hat als solches keinen Eigenwert. Natürlich ist der Gottesdienst ein Erlebnis, das sogar mit ekstatischen Phänomenen auftritt (1 Kor 12. 14). Aber diese tragen ihren Wert nicht in sich; sie müssen sich einem höheren Zweck unterordnen, dem »Aufbau« der Gemeinde. Die οἰκοδομή ist nicht kultisch verstanden, sondern als Ordnung des Zusammenlebens der Christen im Alltag. Der Geist tritt wohl an Einzelnen in Erscheinung: »Denn wie sich die πίστις in einzelnen konkreten Verhaltungen individualisiert, so individualisiert sich auch die göttliche χάρις in einzelnen konkreten Gnadengaben« (*Bultmann*, NT 326)[6]. Darin liegt natürlich eine Verlockung zur Entfaltung eines individualistischen Pneumatikertums. Paulus stellt dem entgegen: Der Geist ist in erster Linie der Gemeinde geschenkt. Daher ist der Pneumatiker gerade durch seine Begabung an diese gebunden. So macht Paulus die Gemeinde unter dem Gesichtspunkt der Erbauung zum kritischen Prinzip für die Erscheinungen des Geistes. Wenn es in Korinth durch die verschiedenen Standpunkte und Äußerungen der Pneumatiker zur Spaltung der Gemeinde kommt, so ist das vom Geist selbst her unmöglich, der ein Geist der Ordnung ist. Paulus muß dort also zugleich mit dem Kirchenverständnis auch das Geistverständnis richtigstellen:

IV. Die Charismata

BULTMANN, NT 155 ff. — E. SCHWEIZER, πνεῦμα, ThW VI 413 ff. passim, spez. 420 — J. BROSCH, Charismen und Ämter in der Urkirche, 1951 — G. FRIEDRICH, Geist und Amt, WuD NF 3, 1952, 73 ff. — E. KOHLMEYER, Charisma oder

---

[6] Röm 12, 6.

Recht? Vom Wesen der ältesten Kirchenrechte, ZSavRG 69, Kanon. Abt. 38, 1952, 2 ff. — E. KÄSEMANN, Sätze heiligen Rechtes im NT, NTS 1, 1954/5, 248—260 (= Ex. Vers. u. Bes. II 69—82) — H. GREEVEN, Die Geistesgaben bei Paulus, WuD NF 6, 1959, 111—120 — I. HERMANN, Kyrios und Pneuma, StANT 2, 1961, 69 ff. — W. SCHRAGE, Die konkreten Einzelgebote in der paulinischen Paränese, 1961, 141—146

Für Paulus ist es selbstverständlich, daß sich der Geist in sichtbaren Wirkungen manifestiert: Ekstasen, Glossolalie, Visionen, Wundern. Aber diese Phänomene sind nicht als solche das Kriterium der christlichen Existenz. Sie bedürfen ihrerseits der Beurteilung. Die Ekstase ist an sich zweideutig. Sie kann auch heidnisch-dämonisch sein (1 Kor 12, 2). Das Kriterium, das Paulus aufstellt, ist ein objektives, das Bekenntnis zum Herrn (1 Kor 12, 3). Das bedeutet, daß die Erscheinungen danach zu beurteilen sind, inwiefern sie die Kirche des Herrn erbauen (1 Kor 14, 26; überhaupt Kap. 14)[7]. So ergibt sich eine Rangordnung: Die verständliche Prophetie hat — entgegen dem Urteil der Korinther — Vorrang vor der unverständlichen Glossolalie. Paulus ordnet die Kirche jenen Phänomenen dadurch über, daß er das Auftreten der Pneumatiker reguliert (1 Kor 14, 39 f.). Wie ist das möglich, wenn doch der Geist weht, wo er will? Der Geist ist frei, aber nicht willkürlich. Er erscheint, wo der Herr bekannt wird. So wird der Geist selbst zum Prinzip der Kirchenordnung.

Die Lehre von den Geistesgaben hat noch eine andere Seite. Bisher war die Rede vom Geist, sofern er sich in einzelnen Phänomenen äußert, also in bestimmten Personen und Augenblicken. Dieses Verständnis ist allgemein urchristlich. Es wurde in Korinth besonders gepflegt, von Paulus aber an das Bekenntnis und die Kirche zurückgebunden. Nicht der Pneumatiker wird zum Gegenstand der Theologie, sondern der Geist, als Faktor des Aufbaus der Kirche. Daneben setzt Paulus voraus, daß der Geist die Gabe ist, die jeden Christen ständig erfüllt. Auch das ist bereits vor Paulus gemeinchristliche Anschauung (*Bultmann*, NT 155 ff.). Paulus aktualisiert auch diese Vorstellung, indem er den korinthischen Enthusiasmus destruiert: Geistwirkung ist nicht allein die Ekstase, sondern jeder Dienst an der Gemeinde (1 Kor 12, 8—11). Als Pneumatiker gelten nun nicht mehr nur hervorgehobene einzelne, sondern alle Christen, sofern und in dem Maße, als sie der Gemeinde dienen. Und zwar hat jeder seine eigene Gabe (1 Kor 12, 4—7; vgl. Röm 12, 3 ff.). Da-

[7] Ph. Vielhauer, Oikodome, 1939, 90 ff.; G. Bornkamm, Zum Verständnis des Gottesdienstes bei Paulus, in: Das Ende des Gesetzes, Ges. Aufs. I, ³1961, 113 ff.

mit ist das Geistverständnis theologisch geworden: Der Glaube versteht sich selber in der Bindung an die Gemeinde. Damit können auch die Ämter der ἐπίσκοποι, διάκονοι usw. theologisch verstanden werden — ohne hierarchischen Amtsbegriff.

Die Wirkungen des Geistes sind nicht Erscheinung des »Ewigen im Heute« (das ist die Anschauung in Korinth). »Das Ewige« erscheint im Kreuz, in der Predigt vom Kreuz. Die Geistwirkungen enthüllen gerade die Vorläufigkeit, in der wir das neue Leben jetzt besitzen. Sie werden mit dieser Welt vergehen. Paulus markiert also den eschatologischen Vorbehalt. Ihnen stellt er gegenüber, was bleibt: Glaube, Hoffnung, Liebe.

Die Reihenfolge der drei Begriffe ist variabel. Vgl. den Aufbau von 1 Kor 12—14: Kap. 13 unterbricht die Ausführungen über die Charismata. Es ist nach vorn und hinten so wenig mit dem Kontext verbunden, daß fraglich ist, ob es nicht erst durch spätere Redaktion hierhergesetzt ist. Andererseits bestehen Querverbindungen zu Kap. 12 und 14. Die nächstliegende Annahme ist: Der Grundbestand von Kap. 13 ist für sich entstanden, von Paulus aber dann in der Weise auf den Kontext bezogen, daß die Liebe das Kriterium der Charismata bildet. Die Exegeten streiten, ob die Liebe selbst ein Charisma sei (*Bornkamm*, Aufs. I 100 Anm. 18: Nein). Aber der Streit ist müßig. Wenn Paulus die Trias 1 Kor 12, 31 als »die größeren« zusammenfaßt, so bezeichnet er sie auf jeden Fall als das Kriterium: Durch ihr Bleiben wird sichtbar, daß die Charismata auf die Zeit der Kirche in der Welt begrenzt sind.

V. Die Einheit der Kirche (σῶμα Χριστοῦ)

H. Schlier, Christus und die Kirche im Epheserbrief, BHTh 6, 1930 — E. Käsemann, Leib und Leib Christi, BHTh 9, 1933 — Ders., Anliegen und Eigenart der paulinischen Abendmahlslehre, EvTh 7, 1947/8, 263—283 (= Ex. Vers. u. Bes. I 11—34) — E. Percy, Der Leib Christi, LUÅ NF 38, 1942 — G. Bornkamm, Zum Verständnis des Gottesdienstes bei Paulus (1952), in: Das Ende des Gesetzes, Ges. Aufs. I, ³1961, 113 ff. — J. A. T. Robinson, The Body, 1952. — E. Schweizer, Die Kirche als Leib Christi in den paulinischen Homologumena, ThLZ 86, 1961, 161—174 (= Neotestamentica, 1963, 272—292). — Ders., σῶμα, ThW VII 1064 ff. — E. Brandenburger, Adam und Christus, WMANT 7, 1962, 151 ff.

Paulus kann — in der Paränese — mit dem Bild vom Körper als gegliedertem Organismus arbeiten (1 Kor 12). Daher wird der Kirchengedanke des Paulus weithin im Sinne eines Organismus aufgefaßt, das Leben der Kirche als Wachstum und Entfaltung in der Welt. Aber bei Paulus ist dieses Bild vom Körper keineswegs Ansatz oder Grundlage oder gar die direkte Darstellung des Kirchengedankens selbst. Es ist ein ad hoc aufgegriffenes Darstellungsmittel, das in der Antike weit verbreitet ist[8]. Paulus benützt es nur, um einen Punkt darzustellen: daß der Einzelne Glied der Kirche ist und nur als solches in seiner Besonderheit existiert.

Vom bildlichen ist ein eigentlicher Gebrauch von σῶμα zu unterscheiden. Hier ist die Kirche nicht nur *wie* ein Leib (ein Organismus), sondern sie *ist der* Leib. Damit wird auch das Glied-Sein anders bestimmt: Der Leib gilt als Sphäre, die ihre Glieder in sich befaßt. Zugrunde liegt eine mythologische, nicht eine realistische Vorstellung vom Leibe.

Diese Unterscheidung von bildlichem und eigentlichem Gebrauch des Wortes ist nicht unbestritten[9]. Der Befund ist in der Tat kompliziert. In 1 Kor 12, 12 ff. stellt Paulus zunächst breit den Leib als Organismus dar. Dann folgt die Formulierung 12, 27: ὑμεῖς δέ ἐστε σῶμα Χριστοῦ. Von hier aus wird auch der Ausdruck in V. 12 beleuchtet: ...οὕτως καὶ ὁ Χριστός. Legt man ihn präzise aus, dann ist Christus der Leib, den wir bilden. Man kann ihn allerdings auch einfach als verkürzten Ausdruck erklären: »So steht es mit Christus und uns.« Aber der nächste Satz (V. 13) fügt sich nicht in das Bild vom Organismus. In diesem ist die Pointe die Verschiedenheit, der individuelle Beitrag jedes Gliedes, hier dagegen die Gleichheit. Nicht die Glieder konstituieren den Leib, sondern umgekehrt der Leib die Glieder (*Bultmann*, NT 311). Dieselbe Einheit erscheint in der Formulierung von Gal 3, 26—28: Ihr seid einer, der eine Mensch.

Im Leibe Christi sind die physischen und sozialen Unterschiede aufgehoben. Die Aufhebung ist von der Idee einer allgemeinen Gleichheit zu unterscheiden: Sie hat ihren Ort »in Christus«. Dieser Gedanke ist nicht vom Organismus her verständlich, sondern nur vom Leib als der umfassenden Sphäre.

Derselbe Gedanke erscheint, im Anschluß an die Abendmahlstradition, 1 Kor 10, 16 f.: Der sakramental erworbene Anteil am Leibe Christi macht uns zum Leibe Christi.

Hier, in der Abendmahlstradition, liegt wohl der Ursprung des Ausdrucks »Leib Christi«. Es gibt kein anderes religions- oder begriffsgeschichtliches Vorbild. Übrigens gebraucht Paulus den Ausdruck außerhalb der Abendmahlstradition nur einmal: 1 Kor 12, 27. Sonst formuliert er: »Ein Leib (in Christus)«. Mit dieser Entstehung des Ausdrucks ist natürlich noch nicht ausgemacht, wie er von Paulus verstanden und mit welchen Vorstellungen er von ihm aufgefüllt ist.

Den religionsgeschichtlichen Ursprung der in diesem Begriff enthaltenen Vorstellungen hat vor allem *H. Schlier* aufgehellt[10]: Er leitet ihn aus der mythischen,

---

[8] Die Fabel des Menenius Agrippa, z. B. bei Livius II 32.
[9] Dagegen: F. Mußner, Christus, das All und die Kirche, TThS 5, 1955; gegen ihn E. Käsemann, ThLZ 81, 1956, 585—590. Vgl. P. Neuenzeit, Das Herrenmahl, StANT 1, 1960, 201—219.
[10] Schlier a. a. O., der für die eigentliche Bedeutung von σῶμα allerdings nur für den Kolosser- und Epheserbrief gelten läßt. Die Stellen im 1. Korinther- und Römerbrief deutet er im Sinne des Organismus-Gedankens.

in der Gnosis belegten Vorstellung vom Urmenschen ab, der sowohl im Himmel als auch in der Welt ist, der die Seinen in sich sammelt und wieder emporführt (als der erlöste Erlöser). Die Untersuchungen wurden weitergeführt von *E. Käsemann*. Er verfolgt das Verständnis von Leib im Griechentum: Dort habe »ich« einen Leib; der Mensch besteht aus Seele und Leib; deren Verhältnis wird etwa bestimmt als das Verhältnis von Form und Stoff. In der Gnosis dagegen gilt: Der Leib hat mich; er ist eine Sphäre. Ausgangspunkt ist nach *Käsemann* der kosmologische Aion-Mythos (Aion = Welt-Gott; die Welt = sein Körper), der in den anthropologischen Urmenschmythos umgewandelt worden sei[11].

H. Hegermann[12] weist auf jüdische Spekulationen hin: In Alexandria wurde die Aion-Vorstellung durch Spekulationen über die Sophia und den Logos modifiziert. Auch *C. Colpe*[13] verweist auf philonische Spekulationen: Die Welt ist »der größte Körper, der die Fülle anderer Körper als seine eigenen Teile umfängt« (Plant 7).

In allen diesen Ableitungsversuchen ist Richtiges gesehen; aber sie befriedigen noch nicht. Die kosmologische Ableitung genügt nicht. Eine Umwandlung des kosmologischen Mythos in einen anthropologischen kann nicht nachgewiesen werden. Vielmehr ist offenbar eine kosmologische und eine anthropologische Komponente zusammengeflossen. Die anthropologische ist noch faßbar in den jüdischen Spekulationen über Adam als den Urmenschen von kosmischen Dimensionen[14]. *E. Schweizer* betont wieder die griechische Komponente: σῶμα sei Umschreibung für die Einheit eines aus verschiedenen Gliedern bestehenden Ganzen. Dazu komme bei Paulus die Vorstellung vom Stammvater, der die Nachkommen in sich befaßt (corporate personality), und der Gedanke vom Leib des Gekreuzigten, der jetzt lebt und das Sein der Getauften bestimmt.

Was ist nun der Sinn dieses Begriffes? *Käsemann* **formuliert: »Denn die Vorstellung von der Kirche als Christusleib ist der adäquate Ausdruck einer im Namen Christi weltweite Mission treibenden Gemeinde und darin den anderen Vorstellungen vom Gottesvolk und der familia dei unendlich weit überlegen.«**[15] **Aber ist die Vorstellung wirklich adäquat? Paulus müßte das dann jedenfalls nicht gemerkt haben, obwohl er die Vorstellung selbst geschaffen hat. Wie macht er nämlich von ihr Gebrauch? Nur sporadisch! Sie wird nicht eigenes Thema. Sie klingt nur ein paarmal an, und zwar kaum in der Soteriologie, nicht im Blick auf die Weltmission (vgl. dazu vielmehr Röm 9—11), sondern in der Paränese (Röm 12, 5). Von »adäquat« kann man schon deswegen nicht reden, weil es sich zunächst um eine mythische Raum- und Kollektiv-Vorstellung handelt. Sie**

---

[11] Naassenerpredigt; Mithras-Liturgie.
[12] H. Hegermann, Die Vorstellung vom Schöpfungsmittler im hellenistischen Judentum und Urchristentum, TU 82, 1961, 148.
[13] C. Colpe, Zur Leib-Christi-Vorstellung im Epheserbrief, BZNW 26 (Festschr. J. Jeremias), 1960, 172—187.
[14] Vgl. Schweizer a. a. O.; Brandenburger a. a. O.; J. Jervell, Imago Dei, FRLANT 76, 1960.
[15] E. Käsemann, Paulus und der Frühkatholizismus, ZThK 60, 1963, 7 (= Ex. Vers. u. Bes. II 245).

ist zudem gefährlich, da sie zu spekulativem Ausbau verlockt. Dann diente sie nicht mehr nur als Interpretament, sondern der Sinn der Vorstellung beruhte ganz auf ihr selbst, sie würde zum Gegenstand der Meditation. Das σῶμα Χριστοῦ wäre als corpus Christi mysticum verstanden. Erlösung würde dann durch die Schau des weltumspannenden Christus gewonnen, der mit der Kirche identisch ist. Es besteht also die Gefahr, daß die Bewegungsrichtung umgekehrt wird, daß »Leib Christi« nicht mehr unsere Aufnahme in das Heilsgeschehen bedeutet, sondern unsere Möglichkeit des Aufstiegs. *Käsemann* stellt selbst fest, daß Christologie und Ekklesiologie nicht austauschbar sind. Das ist richtig, aber gerade das muß Paulus durch andere Ausführungen klarstellen, dazu eignet sich der Ausdruck »Leib Christi« nicht. Was kann die Vorstellung positiv leisten? Sie deutet die »Dimension« der Kirche an, ihr zeitliches Prae: Die Kirche wird nicht durch den Zusammenschluß der Gläubigen hergestellt; sie ist vor ihnen da und ermöglicht erst ihren Zusammenschluß.

Aspekte dieses Prae
a) Der Ort des Heils liegt über der Welt. Damit ist sowohl seine Objektivität als auch die Bewegungsrichtung festgestellt: von oben zu mir. Diese Aussage bleibt noch im Bereich der Vorstellung. Aber sie wird verständlich als Bestimmung der Existenz. Daß das Heilsgeschehen seinen sichtbaren Bereich, die Welt, überragt, besagt sachlich, daß die Predigt mächtig ist, die Welt in ihrer Mächtigkeit zu stellen. Es handelt sich also um einen ganz unmythischen Sachverhalt, die Ermöglichung der Predigt überhaupt. Die Gläubigen ihrerseits existieren in der Welt, nicht aus der Welt. Diese wie ein Gemeinplatz klingende Aussage muß freilich präzisiert werden: In welchem Sinne ist sie zu verstehen? Das Existieren wird nicht mysterienhaft bestimmt. Weder ist die Kirche ein Abbild der Himmelswelt noch ihr Kult ein Abbild des himmlischen Kultes. Ein solcher Gedanke würde in eine phantastische Existenz führen. Faktisch wäre dann Christus durch die Kirche konstituiert, nicht umgekehrt.
b) Im Leibe Christi sind die welthaften Unterschiede aufgehoben (1 Kor 12, 13; Gal 3, 27 f.; vgl. Kol 3, 11). Die physischen, sozialen usw. Unterschiede zwischen den Menschen werden nicht bestritten, sondern in der Welt als selbstverständlich hingenommen, aber in der Kirche außer Kraft gesetzt. Diese Aufhebung kann nicht in ein

christliches Weltprogramm umgesetzt werden. Sonst würden sie in Wirklichkeit gerade — jetzt nur unter christlichem Vorzeichen — reaktiviert. Beispiel: 1 Kor 11, 2 ff. protestiert Paulus gegen die Emanzipation der Frau, durch welche die Frau ihren Stand als Abbild des Mannes zum Inhalt des eigenen Bekenntnisses erhebt. Dagegen stellt Paulus fest, daß die Frau als Frau gerufen ist, daß sie in der Welt bleiben kann, was sie ist, und gerade deshalb nicht den Mann imitieren darf. Die Aufhebung der Unterschiede wird sofort verständlich, wenn man sie als Regel für das Leben der Kirche versteht: Wie sieht eine Gemeinde unter dieser Bestimmung aus? Durch diese Aufhebung wird echte Weltlichkeit möglich. Die Weltordnungen sind vorhanden, aber sie sind im Verhältnis zum Heil neutral. Die Welt wird damit als Bewegungsraum geöffnet.

c) Einen weiteren Aspekt bildet die im σῶμα Χριστοῦ vorgegebene Einheit, die den Appell begründet, einmütig zu sein. Wieder gilt: Die Einheit wird durch das Verhalten der Glieder nicht hergestellt, sondern dargestellt[16].

Zusammenfassung
Paulus modifiziert die an sich zeitlose mythisch-räumliche Vorstellung, indem er sie geschichtlich konzipiert: Er versteht den Leib als den Raum, in dem die Getauften zusammenleben, Neues erfahren, die Neuheit des Lebens praktizieren, also: als den Herrschaftsbereich Christi. Er ist der Lebensraum des Glaubens, bestimmt als Raum der Freiheit, als die Möglichkeit, der Welt entgegenzutreten. Wie ist diese Übersetzung in ein geschichtliches Verständnis möglich? Die Möglichkeit dazu zeigt sich 1 Kor 10, 16 f., wo der ekklesiologische Sinn von σῶμα mit dem sakramentalen verknüpft ist, also mit dem Heilsgeschehen, dem Todesleib Christi[17]. Wir kommen in den Leib Christi hinein, indem wir am Sterben Christi Anteil bekommen. Damit stehen wir in der Gemeinschaft, in der der Gekreuzigte als der gemeinsame Herr verkündigt wird. Damit ist uns der Bruder gegeben, und damit hat das Zusammenleben seinen geschichtlichen Charakter. Es spielt sich nicht kultisch-mysterienhaft ab, sondern im konkreten alltäglichen Geben und Empfangen.

[16] Röm 12, 5 und 1 Kor 12, 13; ausgebaut Eph 4, 4—6.
[17] Röm 7, 4 ist der Leib Christi sein Todesleib.

σῶμα Χριστοῦ und ἐν Χριστῷ

Im Zuge der mythischen Deutung von σῶμα besteht die Neigung, die Formel ἐν Χριστῷ als »im Leibe Christi« zu erklären, nach Analogie von »in Adam« (1 Kor 15, 22)[18]. Es ist in der Forschung weithin anerkannt, daß die ἐν-Formel aus der Vorstellung von Christus als der Universalpersönlichkeit entworfen sei[19]. Nun läßt sich nicht bestreiten, daß sich die Bereiche von σῶμα und ἐν überschneiden: Gal 3, 26—28. Aber sie decken sich nicht. Schon die Ableitung aus »in Adam« ist fraglich. Diese Wendung ist eine ad hoc-Bildung, die aus dem bereits vorausgesetzten »in Christus« gewonnen ist[20]. Die Statistik zeigt, daß die ἐν-Formel viel weiter greift, vor allem in der Soteriologie. Auch die formale Bedeutung von ἐν läßt sich nicht von der Raumvorstellung her erschließen. Die Präposition ἐν hat die Bedeutung einer »allgemeinen Umstandsbestimmung«[21]. Mit der Formel ἐν Χριστῷ verbindet sich nur am Rande eine personalräumliche Vorstellung (an der zitierten Stelle des Galaterbriefes). σῶμα bezeichnet das Umfassende, ἐν Χριστῷ bestimmt den Ort des Heilsgeschehens als außer uns liegend. »In Christus« kann ausgetauscht werden mit »Christus in uns« und mit »im Geist«. »In Christus« ist das Charakteristikum der Zwischenzeit. Daß sich beide Bereiche nicht decken, zeigt schon die Wendung »ein Leib in Christus« (Röm 12, 5).

---

[18] Bultmann, NT 312: Eingefügtsein in das σῶμα Χριστοῦ.
[19] W. G. Kümmel bei H. Lietzmann, An die Korinther I. II, HNT 9, ⁴1949; A. Oepke, ThW II 538.
[20] M. Bouttier, En Christ, 1962, 120.
[21] F. Neugebauer (s. Lit. zu § 24 IV); vgl. die Gegenüberstellung: im Gesetz — in Christus.

§ 33 DAS HEILSGESCHEHEN IN DER VERKÜNDIGUNG: DAS PREDIGTAMT

R. Asting, Die Verkündigung des Wortes im Urchristentum, 1939 — J. Brosch, Charismen und Ämter in der Urkirche, 1951 — H. Greeven, Propheten, Lehrer, Vorsteher bei Paulus, ZNW 44, 1952/3, 1—43 — H. v. Campenhausen und E. Schweizer s. zu § 7 I — E. Käsemann, Amt und Gemeinde im NT, Ex. Vers. u. Bes. I, 1960, 109—134.

Das Amtsverständnis des Paulus kann nicht aus seinem Selbstbewußtsein erklärt werden. Eine solche Erklärung unterläge einem Zirkelschluß. Gewiß ist sein Amtsverständnis durch das Berufungserlebnis bestimmt: Paulus hat seinen Auftrag unmittelbar vom erhöhten Herrn empfangen. Daher ist er Apostel, mit einem präzise umschriebenen Auftrag: den Heiden das Evangelium zu predigen. Theologisch bedeutet dies, daß er das sola fide nicht nur bekanntzugeben, sondern auch zu praktizieren hat. Wenn er von seinem Amt spricht, stellt er nicht seine innere Erfahrung dar, sondern sein äußeres Bestimmtsein durch das Kreuz (2 Kor 4, 7 ff.). Seinen Auftrag kann er als χάρις bezeichnen. Er versteht ihn als Gnade, indem er begreift, daß er nicht von sich aus die Fähigkeit zu seiner Ausführung besitzt (2 Kor 3, 5). Auch das Amtsverständnis leitet Paulus vom Wortcharakter des Heilsgeschehens ab[1]. Die Predigt bestimmt er als »Wort vom Kreuz«. Damit weist Paulus ein mysterienhaftes Verständnis des Heils zurück. Positiv ist damit gesetzt: Diesem Inhalt entspricht a) die Gestalt der Predigt; b) das Auftreten des Predigers; c) die Gestalt der Gemeinde (1 Kor 1, 18 ff.). Die Predigt ist für die Welt Torheit. Wie die Predigt nicht in direkt einsichtige Weisheit überführt werden kann, so gibt es auch keine Autorität des Predigers, die über die Torheit und Schwachheit hinausführt.

Das ist das Hauptthema des 2. Korintherbriefes. In Korinth wird die Autorität des Paulus bestritten: Er zeigt kein überzeugendes Auftreten, besitzt nicht die Macht überzeugender Rede. Dagegen stellt Paulus fest, daß seine Autorität nicht auf seiner Persönlichkeit beruht, sondern auf der Sachgemäßheit der Predigt. Diese fordert, daß der Prediger nicht sich selbst zum Gegenstand seiner Verkündigung macht: οὐ γὰρ ἑαυτοὺς κηρύσσομεν ἀλλὰ Χριστὸν Ἰησοῦν κύριον, ἑαυτοὺς δὲ δούλους ὑμῶν διὰ Ἰησοῦν. Paulus verzichtet programmatisch darauf, seine Stärke als Pneumatiker und Visionär vorzuführen. Die einzig legitime

---

[1] Zur Stiftung der καταλλαγή gehört die Stiftung des λόγος τῆς καταλλαγῆς und dazu die διακονία τῆς καταλλαγῆς. Damit ist der Inhalt der Predigt positiv bestimmt und kritisch abgegrenzt, ebenso die Autorität des Predigers.

Form der Stärke des Predigers ist die dem Kreuz entsprechende. Vom Kreuz her versteht Paulus sein Schicksal, seine Schwachheit: In ihr erscheint die Wirkung des Kreuzes. Die Sätze über die Leidensgestalt seines Auftretens sind kein persönlicher Aufschrei, sondern Auslegung des Vorgangs der Verkündigung (also nicht »Leidensmystik«[2]).

Indem sich Paulus dem Kriterium des Kreuzes unterwirft, besitzt er echte Autorität, weil er sie nicht für sich beansprucht. Es ist die Autorität des Dienstes[3]. Im Sinne dieser Autorität lehnt er es ab, sich gegenüber den Korinthern zu »empfehlen« (2 Kor 3, 1 ff.); er zeigt seine παρρησία und πεποίθησις auf Grund seiner höheren Legitimation. So ergibt sich die Doppelheit: Er ist nichts als Diener — und beansprucht übermenschliche Autorität. Er läßt sich von niemandem richten — und unterstellt sich dem Urteil des Gewissens der Korinther (2 Kor 4, 2; 5, 11). Diese halten ihn für anmaßend. Paulus bestreitet das, weil er seinen Anspruch als Anspruch der Sache erhebt, im Verzicht auf menschliche Ehre. Er enthält sich des Rühmens; rühmt er sich doch (2 Kor 11—12), dann unter dem Vorzeichen, daß er als Narr redet, mit dem Ziel, das Rühmen der Korinther ad absurdum zu führen. Der Verzicht auf Selbstruhm ist die Bedingung, daß er die positive Wirkung des Amtes beschreiben kann: 2 Kor 2, 15 f. Die ursprünglich apokalyptische Vorstellung von Gericht und Scheidung verwendet er hier zur Auslegung der Begegnung mit der Predigt.

Paulus kann das Wesen der Predigt auch in heilsgeschichtlichen Vorstellungen beschreiben: als Dienst am neuen Bund (2 Kor 3, 4—18); ferner in kosmologischen Vorstellungen: als durch die Predigt geschehende Neuschöpfung (2 Kor 4, 4—6; vgl. 5, 17).

Auch sein persönliches Verhältnis zu seinem Amt ist theologisch bestimmt. Er muß beim Gericht über seine Amtsführung Rechenschaft ablegen. Dort wird er seine Gemeinde als den Nachweis seiner Arbeit vorführen (2 Kor 1, 14; 1 Thess 2, 19; Phil 2, 16). Damit scheint er den Verdienstgedanken zu streifen. Aber er fällt nicht in diesen zurück: ἐὰν γὰρ εὐαγγελίζωμαι, οὐκ ἔστιν μοι καύχημα· ἀνάγκη γάρ μοι ἐπίκειται· οὐαὶ γάρ μοί ἐστιν ἐὰν μὴ εὐαγγελίσωμαι. εἰ γὰρ ἑκὼν τοῦτο πράσσω, μισθὸν ἔχω· εἰ δὲ ἄκων, οἰκονομίαν πεπίστευμαι (1 Kor 9, 16 f.). Wegen dieser Rechenschaft ist er darauf angewiesen, daß sich die Gemeinde nicht aufspaltet und daß sich die paulinischen Gemeinden nicht von der übrigen Kirche absondern.

[2] E. Güttgemanns, Der leidende Apostel und sein Herr, FRLANT 90, 1966.
[3] Die Selbstbezeichnungen δοῦλος und διάκονος sind nicht Ausdruck persönlicher Demut, sondern Amtsbezeichnungen; s. das Präskript des Römerbriefes.

Daher ist die Sammlung der Kollekte für die Gemeinde von Jerusalem als sichtbare Darstellung der Einheit der Kirche für ihn eine theologische Notwendigkeit.

Es gibt keine Organisation der Gesamtkirche, nur minimale Ansätze zur Organisation in der einzelnen Gemeinde. Aber keine Organisationsform ist als solche heilsmächtig; es gibt keine heilige, sondern nur eine zweckmäßige Form des Gemeindelebens. Es besteht keine Hierarchie von Ämtern, kein Priesterstand mit heilsmittlerischer Stellung, keine Scheidung von Klerus und Laien, keine feste Regulierung des Kultus, sondern nur gelegentliche Anweisung, wenn der »Betrieb« aus den Fugen zu gehen droht (1 Kor 14). Aber auch da wird nicht eine bestimmte Liturgie eingeführt, sondern der kultische Enthusiasmus abgewehrt. Die Korinther werden nicht in feste Formen des Kultus eingewiesen, sondern zur οἰκοδομή gerufen.

Viel umstritten ist die Verhältnisbestimmung von Geist und Amt[4]. *Rudolf Sohm* stellte beide in Gegensatz: In der ursprünglichen Kirche habe es nur charismatische, keine amtliche Autorität gegeben, also kein Kirchenrecht. Der Charismatiker empfange seine Weisung unmittelbar. Ihm könne sich keine andere Autorität, keine rechtliche Regulierung in den Weg stellen. Gegen *Sohm* stellte *Harnack* fest, in der Kirche habe von Anfang an eine rechtliche Organisation bestanden. *Holl* führte die Synthese herbei, indem er einen doppelten Kirchenbegriff zu finden meinte, den der Urgemeinde (rechtlich verfaßt) und den des Paulus (charismatisch). *Bultmann* (NT 446 ff.) will diese Fragestellung überholen, indem er nach der Legitimität des einen oder des anderen Kirchenverständnisses und nach den Kriterien der Bewertung fragt.

In der Tat kann das Walten des Geistes nicht reguliert werden. Aber der Geist selbst schafft Tradition und damit Recht. Der Inhalt dessen, was die Charismatiker verkündigen, ist nicht einfach durch die Inspiration eingegeben, sondern an das Kerygma gebunden[5]. Konstitutiv ist die Vergegenwärtigung des Heilsgeschehens. Der Geist führt nicht über das Kreuz hinaus. Er wird verstanden als der Geist des Erhöhten, der uns in Predigt und Sakrament faßbar ist als der Gekreuzigte.

---

[4] Vgl. § 7 (I). Dort ist auch die Lit. genannt.
[5] Bultmann, NT 450; E. Käsemann, Sätze heiligen Rechtes im NT, NTS 1, 1954/5, 248—260 (= Ex. Vers. u. Bes. II 69—82).

§ 34 DIE EINGLIEDERUNG IN DIE KIRCHE DURCH DIE SAKRAMENTE

Taufe: W. Heitmüller, O. Cullmann, G. Delling, G. R. Beasley-Murray, G. Braumann und J. Ysebaert s. zu § 7 III — K. Barth, Die kirchliche Lehre von der Taufe (1943), ThEx NF 4, 1947; dagegen H. Schlier, Zur kirchlichen Lehre von der Taufe, ThLZ 72, 1947, 321—336 (= Die Zeit der Kirche, 1956, 107—129) — E. Fuchs, Die Freiheit des Glaubens, 1949, 27 ff. — Ders., Das Sakrament im Licht der neueren Exegese, 1954 — R. Schnackenburg, Das Heilsgeschehen bei der Taufe nach dem Apostel Paulus, MThS I 1, 1950 — G. Bornkamm, Taufe und neues Leben (1952), in: Das Ende des Gesetzes, Ges. Aufs. I, ³1961, 34—50 — O. Kuss, Zur Frage einer vorpaulinischen Todestaufe, MThZ 4, 1953, 1—17 — G. Wagner, Das religionsgeschichtliche Problem von Römer 6, 1—11, AThANT 39, 1962 — E. Lohse, Taufe und Rechtfertigung bei Paulus, KuD 11, 1965, 308—324 — *Abendmahl:* H. Lietzmann, E. Käsemann, G. Bornkamm, P. Neuenzeit, J. Betz s. zu § 7 IV — H. v. Soden, Sakrament und Ethik bei Paulus (1931), in: Das Paulusbild in der neueren deutschen Forschung, 1964, 338—379 — E. Rietschel, Der Sinn des Abendmahls nach Paulus, EvTh 18, 1958, 269—284

I. Vorblick, Probleme

Es wird darüber gestritten, ob man überhaupt das Stichwort »Sakramente« zur Erhebung des paulinischen Sinnes von Taufe und Abendmahl verwenden kann, ob nicht mit diesem Begriff bereits ein sachfremdes Moment eingeführt werde. In der Tat fehlt er bei Paulus.

Ein gemeinsamer Oberbegriff für Taufe und Abendmahl bedeutet ja, daß beide nicht mehr für sich gesehen werden, sondern ihnen eine vorgegebene, übergreifende Vorstellung von der Wirkung von Riten (und vielleicht Substanzen) oder eine allgemeine Verhältnisbestimmung von »Sakrament« und »Wort« übergestülpt wird[1]. Nun kann der Sakramentsbegriff in der Tat irreführende Suggestionen erwecken. Andererseits deutet sich bei Paulus doch in Ansätzen ein Taufe und Abendmahl umfassendes Gesamtverständnis an: 1 Kor 10, 1 ff.[2].

K. Barth bestimmt die Wirkung der Taufe als »signifikativ«. Die Gegenposition vertrat längst W. *Heitmüller:* Die Taufe wirkt ex opere operato[3]. Ein weiteres Problem stellt das Verhältnis von Taufe und Rechtfertigung: *A. Schweitzer* behauptete, beide ständen unverbunden nebeneinander. Wo Paulus von der Rechtfertigung handle — im ersten Teil des Römerbriefs —, dort übergehe er die Taufe; wo er von der Taufe handle, sage er nichts über die Rechtfertigung.

---

[1] Vgl. W. Trillhaas, Dogmatik, 1962, 354 ff.
[2] So mit Recht E. Lohse.
[3] Vgl. H. Schlier, a. a. O. 113.

II. Methode

Es ist von dem Sakramentsverständnis auszugehen, das Paulus in der Gemeinde bereits vorfindet[4]. Vorgegeben ist ihm das Taufbekenntnis, die Taufe im Namen Jesu, der Gedanke von der Übertragung des Heilsgeschehens. Die Wirkung der Taufe besteht in der Sündenvergebung, der Unterstellung unter den Schutz des Herrn, der Verleihung des Geistes. Die Anknüpfung an die vorpaulinische Tradition ist 1 Kor 1, 30; 6, 11; 2 Kor 1, 21 f. sichtbar. Umstritten ist, ob die Taufe schon vor Paulus als Herstellung der Schicksalsgemeinschaft mit dem Tode Christi gedeutet wurde. Das ist anzunehmen, aber hier nicht im Detail zu verfolgen. In der Tradition und bei Paulus selber ist es selbstverständlich, daß der Taufritus reale Wirkung auslöst (1 Kor 5, 5; 15, 29). Reine Symbolhandlungen im modernen Sinn sind damals unbekannt. Allerdings kann man fragen, ob damit ein Rest an magischem Denken unverarbeitet stehengeblieben ist. Das Kriterium wird sein, ob die Realität der Wirkung nur mysterienhaft oder ob sie theologisch verstanden werden kann.

Durch die Analyse des Verhältnisses, in dem Paulus zur Tradition steht, zeigt sich eine einheitliche Richtung in der paulinischen Interpretation der Sakramente. Sie führt hin auf den Gedanken der Rechtfertigung, des Seins in der Kirche, auf Vergegenwärtigung und Konkretisierung im περιπατεῖν (im Sinne des Gesamtverständnisses von Indikativ und Imperativ)[5]. Diese Richtung der Interpretation wirkt sich praktisch in der Abgrenzung von einem ungeschichtlichen Mysterienverständnis aus (1 Kor 10).

III. Sakrament und Ethik

Das Sakrament stiftet das Heil, indem es das Heilsgeschehen auf den Täufling überträgt[6]. Aber diese Übertragung ist keine mysterienhaft-habituelle Verwandlung. Man kann aus dem Heil wieder

---

[4] Vgl. G. Braumann.
[5] Z. B. am Schluß von Röm 6; Stichwort: χάρισμα Vgl. E. Dinkler, Die Taufterminologie in 2 Kor 1, 21 f., Suppl. Nov Test 6 (Festschr. O. Cullmann), 1962, 173—191, spez. 190.
[6] E. Dinkler (s. vorige Anm.) erklärt, der Taufe gehe der Glaube voraus, dem das Heil geschenkt sei. Aber Glaube und Taufe bilden für Paulus keine Alternative. Der Glaube fordert die Taufe.

herausfallen; wir besitzen das Heil nicht in uns, sondern in Christus. Die Taufe führt in den neuen Wandel, in die Gemeinde. Liegt also bei Paulus eine Ethisierung des Kultisch-Magischen vor? Man kann den Befund so bezeichnen, wenn dabei klar ist, daß die Ethik kein autonomes Gebiet ist, daß nicht erst der Wandel dem Sakrament zur Wirkung verhilft, sondern selbst dessen Wirkung ist. Gerade darum gilt: Wenn ich den Gehorsam versage, vernichte ich die Wirkung.

IV. Die Taufe

Vorausgesetzt ist der feste Zusammenhang von Glaube und Taufe; auf ihm beruht das Faktum des Taufbekenntnisses. Da Paulus nun den Glauben durch die Rechtfertigungslehre interpretiert, stehen bei ihm Taufe und Rechtfertigung in enger Verbindung, zumal beide mit dem Kirchengedanken verklammert werden (Gal 3, 26 ff.; Röm 6). Die Behauptung *A. Schweitzers* (und anderer), im Römerbrief seien die beiden Themen Rechtfertigung und Taufe getrennt behandelt, ist daher abwegig. Der Gesamtbefund des Briefes muß berücksichtigt werden[7]: a) In Röm 6 selbst ist die Grundlage der Interpretation das Credo, also der Glaube. b) Der Zusammenhang mit der Rechtfertigungslehre ist durch die Verklammerung zwischen Röm 4, 25 und 5, 1 ff. hergestellt. Kap. 6 knüpft ausdrücklich an Kap. 5 an. Thema ist nicht die Taufe als solche, sondern der durch die Rechtfertigung hergestellte Friede als Freiheit 1. vom Tode (Kap. 5); 2. von der Sünde (Kap. 6), deren Sold der Tod ist.

Wie wirkt die Taufe? Nach der negativen Seite ist festzustellen: nicht durch einen Symbolgehalt des Ritus, in dem das Eintauchen das Mitsterben und das Auftauchen das Mitauferstehen symbolisiert. Die positive Wirkung kann an der Kontroverse zwischen *Fuchs* und *Delling* dargestellt werden. Paulus schreibt: Wir sind getauft εἰς τὸν θάνατον αὐτοῦ; συνετάφημεν αὐτῷ; σύμφυτοι γεγόναμεν τῷ ὁμοιώματι τοῦ θανάτου αὐτοῦ (Röm 6).

Nach *Fuchs* bedeutet das nicht, daß im Taufritus Christi Tod wiederholt und auf uns übertragen wird (wie ja auch die Symbolik der Handlung keine Rolle spielt; s. o.), sondern daß unser Tod in Christi

---

[7] So mit Recht E. Lohse.

Tod vorweggenommen ist, daß wir also in die Gleichzeitigkeit mit seinem Tod versetzt werden[8]. Unser Heil geschieht also nicht in der Taufe, sondern ist in Christus geschehen; es wird so aktualisiert, daß wir in dieses Heil eingeholt werden (in den Leib Christi)[9].
Einwand: Bedeutet die Wendung σύμφυτοι γεγόναμεν τῷ ὁμοιώματι τοῦ θανάτου αὐτοῦ nicht doch, daß wir mit dem Abbild seines Todes zusammengewachsen sind, d. h. mit der Taufe? Dann wäre diese doch das Heilsgeschehen.

Lietzmann erklärt diese Wendung als einen verkürzten Ausdruck: »mit ihm verwachsen durch die Abbildung«. Dann wäre die Taufe die Übertragung. *Bornkamm* zeigt, daß ὁμοίωμα τοῦ θανάτου αὐτοῦ nicht die Taufe bezeichnet. Sonst würde die Fortsetzung unverständlich. Aber was heißt dann: καὶ τῆς ἀναστάσεως ἐσόμεθα? Was bedeutet das Futurum? Die Antwort macht keine Schwierigkeit, wenn man das Futurum »logisch« deutet. Dann entspricht es faktisch dem Präsens. Sollte es aber temporal gemeint sein, wird die Aussage unverständlich. Das Wort ὁμοίωμα fordert dann eine andere Deutung.

ὁμοίωμα bedeutet konkret: die Gestalt des Gekreuzigten (vgl. Röm 7, 4: ἐθανατώθητε ... διὰ τοῦ σώματος τοῦ Χριστοῦ). Paulus muß einerseits sagen, daß wir wirklich mit Christus gestorben sind. Andererseits kann er nicht sagen, wir seien σύμφυτοι τῷ θανάτῳ αὐτοῦ. Das wäre eine mysterienhafte Identifizierung, die für Paulus unmöglich ist[10].

Delling will die Schwierigkeiten so lösen: Paulus meine nicht die Einsenkung in den Christusleib, sondern die Übertragung des Heilswerkes auf den Täufling. Taufen εἰς Χριστόν »bezeichnet das Handeln Gottes am Täufling auf das Heilsgeschehen hin, das mit dem Namen des Christus verbunden ist«[11].

Sowohl *Delling* als auch *Fuchs* sehen Richtiges: Bei Paulus finden sich beide Vorstellungen, die von der Gleichzeitigkeit und die von der Übertragung des Heilswerks. Beide sind ihm bereits vorgegeben und werden nun von ihm nach einer bestimmten Richtung hin entwickelt: a) Die Übertragung des Heilswerks, die Bedeutung des Namens, die Verknüpfung mit dem Kreuz und dem gekreuzigten Leib Christi ist schon durch den Rückgriff des Paulus auf das Credo

---

[8] Vgl. G. Bornkamm, Aufs. I 37: »Wir sind in seinen Tod hineingetaucht«; 38: »Übereignung an Christus«.
[9] G. Bornkamm, a. a. O. 41: »Der Tod, den der Täufling und Christus sterben, ist nur einer, d. h. der Tod Christi selbst und eben dieser wird durch die Taufe der Glaubenden Tod.«
[10] Zu ὁμοίωμα vgl. Röm 8, 3: Gott sandte seinen Sohn ἐν ὁμοιώματι σαρκὸς ἁμαρτίας.
[11] G. Delling, a. a. O. 80. Auseinandersetzung mit E. Fuchs, ebd. 73 Anm. 248.

gesetzt (Röm 7, 4; 1 Kor 1, 13). b) Die Gleichzeitigkeit von Taufe und Christi Tod ergibt sich aus der Verknüpfung der Taufe mit dem Gedanken des Leibes Christi und der Interpretation der Taufe durch die σύν-Χριστῷ-Formel[12]. Die ὑπέρ-Tradition (Übertragung) »vergegenwärtigt« Paulus durch seine Rechtfertigungslehre: Röm 3; 4; 5; 1 Kor 1. Die »Mysterien«-Tradition (Gleichzeitigkeit) interpretiert er durch die σύν-Χριστῷ-Formel: Röm 6.

σύν Χριστῷ bzw. σύν κυρίῳ: Diese Formel ist nicht identisch mit ἐν Χριστῷ. Sie bezeichnet vielmehr einerseits die endgültige Gemeinschaft mit dem Herrn (1 Thess 4, 17: πάντοτε σύν κυρίῳ ἐσόμεθα; vgl. 5, 10), andererseits die sakramentale Gemeinschaft mit ihm. Diese kann nicht innerlich erlebt werden, sondern nur objektiv hergestellt und dann gelehrt werden.

Das spezifisch Paulinische (auch hier wird die Rechtfertigungslehre wirksam) liegt in der Auseinanderlegung der Zeit: Die Rechtfertigung ist schon geschehen, die Auferstehung steht noch aus. An sich besteht ja die Versuchung, das Credo im Mysterienstil umzusetzen: Christus ist gestorben und auferstanden, also sind wir mit Christus gestorben und auferstanden. Paulus formuliert aber in der Gegenrichtung: Wir *sind* mit Christus gestorben, wir *werden* mit ihm auferstehen.

Die Futura sind temporal gemeint. Ihre Deutung als »logische« Futura beruft sich auf den Kolosser- und Epheserbrief. Sie verkennt aber den spezifischen Unterschied zwischen Paulus und den Deuteropaulinen (s. u.). Sie scheitert a) an der Wendung: πιστεύομεν ὅτι καὶ συζήσομεν αὐτῷ (Röm 6, 8); b) an der Konsequenz, mit der die Futura durchgehalten werden. Hierfür ist auch der Befund in 1 Kor 15 zu beachten. Zu dieser Deutung der Tempora stimmt auch die weitere Auslegung des Taufgeschehens durch Paulus, wenn er den Ertrag der Taufe in der Relation von Indikativ und Imperativ konkret als Wandel erfaßt. Vom sakramentalen Ausgangspunkt her wäre ja zu erwarten gewesen, daß er als Ertrag der Taufe die Freiheit vom Tode bezeichnet — zumal nach Kap. 5. Aber entsprechend der Umbiegung des Gedankens in 6, 4 deutet Paulus die Freiheit hier als Freiheit zum neuen Leben. Was also weiterhin über die

---

[12] Diesem zweiten Vorstellungskreis wird Delling nicht gerecht. Vgl. die Unklarheit auf S. 79: »Er (sc. Paulus) sagt in V. 6, daß unser alter Mensch mit Christus am Kreuz gestorben ist, vgl. V. 8, nicht etwa: in der Taufe gestorben ist.« Er stellt zwar zutreffend fest, daß in Röm 6 nicht an ein Eintauchen in den Christusleib = in die Kirche, gedacht ist, sondern nur in 7, 4 auf den Kreuzesleib hingewiesen wird. Aber Gal 3, 26 ff. besteht ein Zusammenhang zwischen der Taufe und dem ekklesiologischen Christusleib.

paulinische Tauflehre zu sagen ist, gehört in den Paragraphen über die »Freiheit«.

V. Das Abendmahl

Den Ausgangspunkt bildet die Analyse der Abendmahlstexte im ersten Teil (§ 7 IV). Es ist bezeichnend, daß Paulus sein Verständnis in Antithese zum korinthischen Enthusiasmus und Sakramentalismus entfaltet. Durch die Taufe befinden sich die Korinther im Besitz des Heils und genießen es immer neu durch die Aufnahme der sakramentalen Substanz. Das bedeutet, daß jeder für sich genießt (ἴδιον δεῖπνον 1 Kor 11, 21). Die Gemeinde wird von Pneumatikern in Gruppen zersplittert. Was hat Paulus dagegenzusetzen? Zunächst den Hinweis auf die tradierte Kultformel (11, 23 ff.). Denn diese stellt den geschichtlichen Stiftungscharakter fest: »Der Herr Jesus in der Nacht, da er verraten ward...« Paulus betont den eschatologischen Ausblick auf die Parusie (»bis daß er kommt«): Das Abendmahl ist nicht schon das Himmelsmahl, sondern Stiftung für die Zwischenzeit, die Zeit der Kirche, die Zeit der Verkündigung des Todes des Herrn. Dieser Tod ist die Heilstat; sie wird uns durch die Verkündigung übereignet, stellt uns aber — gerade weil sie »Evangelium« ist — unter das Kreuz, die Bestimmung der Zwischenzeit. Diese ist die Zeit des Glaubens und der Hoffnung[13].

Es bedeutet sachlich nichts anderes, wenn Paulus die Linie vom sakramentalen Leib Christi zum Leib Christi als der Kirche zieht: »Dies ist mein Leib« wird 1 Kor 10, 16 f. ausgelegt durch den Kirchengedanken, den Gedanken der Gemeinschaft (*Käsemann, Bornkamm*).

Es ist strittig, ob das Abendmahl Anteil am Gekreuzigten oder am Erhöhten gibt? Die paulinische Pointe ist gerade, daß der Erhöhte nicht vom Gekreuzigten zu trennen ist. Wir bekommen Anteil an dem, der als der Gekreuzigte verkündigt wird. Der gekreuzigte Leib (Röm 7, 4) und der »Leib Christi« ist derselbe.

Essen und Trinken verschaffen sowenig wie die Taufe eine magisch-substantielle Sicherung des Heils durch Einverleibung einer feienden Substanz. Paulus hat ein Vorzeichen gesetzt: 1 Kor 10, 1—13. Was dem Volk Israel widerfuhr, ist geschehen πρὸς νουθεσίαν ἡμῶν, εἰς

---

[13] Analoges gilt in Kap. 12—14 für die χαρίσματα: Der Geist als ἀρραβών bezeichnet sowohl Gabe als auch Grenze. Nur in Kap. 15 ist die Hoffnung auf Zukunft bezogen.

οὓς τὰ τέλη τῶν αἰώνων κατήντηκεν. ὥστε ὁ δοκῶν ἑστάναι βλεπέτω μὴ πέσῃ. Das Essen und Trinken führt in den geschichtlich verstandenen Leib Christi, in das verantwortliche Zusammenleben. Weil das Essen und Trinken wirksam ist, ist es unmöglich, das Mahl unwürdig zu begehen, weil man dadurch »den Leib« zerstören würde: 1 Kor 11, 27—29[14]. Das Sakrament stellt in die Wahl, den Tod des Herrn zu verkündigen oder sich am Herrn zu vergreifen (*Käsemann*).

---

[14] Die Forderung der »Würdigkeit« meint nicht einen inneren Zustand als Bedingung des Empfangs, sondern das Verhalten zum Sakrament selbst.

§ 35 DE LIBERTATE CHRISTIANA

R. VÖLKL und R. SCHNACKENBURG s. zu § 11 III — W. SCHRAGE, Die konkreten Einzelgebote in der paulinischen Paränese, 1961 — J. N. SEVENSTER, Paul and Seneca, Suppl. Nov Test 4, 1961 — H. BRAUN, Die Indifferenz gegenüber der Welt bei Paulus und bei Epiktet, Ges. Studien zum NT, 1962, 159—167 — C. SPICQ, Théologie morale du NT, 2 Bde, 1965 — Weitere Lit. s. BULTMANN, NT 331 f. 341

I. Die Freiheit

Paulus kann auf Grund seines Glaubensbegriffs und seiner Anthropologie die Freiheit nicht einfach rein formal bestimmen als die Möglichkeit, zu tun, was man will. Ebensowenig kann er sie als die Freiheit des Subjekts im Sinne des Idealismus definieren, da er die Idee des freien Subjekts gar nicht kennt. Der Mensch ist immer in seinen Bezügen gesehen[1]. Da Paulus nicht über die Freiheit an sich nachdenkt, sondern nur über die Freiheit des Glaubens (und über die Unfreiheit als Verfallensein an Sünde und Fleisch), kommt weder das psychologische Problem der Willensfreiheit noch das kosmologische Problem des weltanschaulichen Determinismus bzw. Indeterminismus in sein Blickfeld. Thema des Paulus sind nicht formale Strukturen des menschlichen Seins, sondern die konkreten Faktoren Sünde und Fleisch, je meine Freiheit von diesen Mächten, die mir nicht schon als Menschen eignet, sondern mir durch die Rechtfertigung übereignet ist. Die Freiheit wird also darzustellen sein, indem das »Einst« und das »Jetzt« konfrontiert wird, indem der Übergang oder die Versetzung aus der Knechtschaft in die Freiheit beschrieben wird, also der Vorgang der Gnade und Rechtfertigung, der Akt der Befreiung. Die Freiheit ist »fremde Freiheit« in Christus.

Paulus kann den Vorgang in rechtlicher Terminologie darlegen, als Befreiung aus dem Rechtsanspruch des Gesetzes (Röm 8, 2 ff.; Gal 4, 2 ff.). Auf welche Weise wir vom Gesetz befreit sind, ist Röm 7, 1—6 ausgeführt: Wir sind dem Gesetz gestorben διὰ τοῦ σώματος τοῦ Χριστοῦ. Damit hat es seinen Rechtsanspruch auf uns verloren. Diesen Vorgang stellt Paulus sachgemäß dar, indem er das Schema Einst—Jetzt anwendet: Röm 7, 5 f. Die Freiheit vom Gesetz wird

---

[1] Röm 7! S. o. § 27.

nach zwei Seiten konkretisiert: a) gegenüber der Gesetzlichkeit 1. der Judaisten (Galater), 2. der Juden (Römer); b) gegenüber dem Libertinismus der korinthischen Enthusiasten. Die Polemik gegen beide überschneidet sich (1 Kor 1, 18 ff.), deckt sich aber nicht. In der Abgrenzung gegen die Gesetzlichkeit ist die heilsgeschichtliche Position der Juden und die Rolle des Gesetzes zu berücksichtigen. Daher ist die innerkirchliche Auseinandersetzung mit der Gesetzlichkeit von anderer Intensität als die mit dem Libertinismus.

An der Feststellung, daß das Gesetz als Heilsweg erledigt ist, hängt für Paulus nicht nur sein persönliches Lebenswerk, sondern das Wesen von Heil und Kirche überhaupt. Er ist zum Heidenapostel berufen. Seine Warnung: »Wenn ihr in das Gesetz zurückfallt, dann vernichtet ihr meine Arbeit«, ist kein sentimentaler Appell: »Ihr könnt mich doch nicht im Stich lassen!« Sein Auftrag zur Heidenmission stellt ja das Wesen des Heils dar: Es wird geschenkt — allein aus Gnade. Auch liegt ihm nicht an der taktischen Seite der Mission. Er argumentiert nicht so: Man kann die Heiden doch nicht auf die Masse der jüdischen Vorschriften verpflichten. Vielmehr stellt er fest, daß sich Evangelium und Gesetz grundsätzlich ausschließen (Gal 1, 6—9). Gelangt man — wie die Judaisten lehren — nur über das Gesetz und die Beschneidung in den Glauben, dann wäre außer und vor dem Glauben eine menschliche Leistung zu erbringen.

Die Gegenmöglichkeit ist der Antinomismus, die allgemeine Abschaffung des Gesetzes auch für die Judenchristen. Aber das wäre wiederum eine Leistung, nämlich negative Werkgerechtigkeit. Vielmehr gilt, daß die Juden die ihnen vertraute Sitte weiter üben sollen, und zwar in Freiheit, da sie nicht mehr durch diese Sitte selig werden. Jeder kann in seiner Position glauben (1 Kor 7, 17—24). Darin sind Juden und Heiden gleichgestellt. So wird das konkrete Verständnis der Freiheit sichtbar: Frei und gleich sind wir nicht, indem wir als Menschen gleich sind, sondern indem jeder an seinem Ort frei ist.

Daher kann der Freiheitsgedanke nicht in ein politisch-soziales Programm umgesetzt werden. Die direkte Ableitung von Recht aus der Rechtfertigung ist nicht möglich. Die Freiheit muß ja nicht erst hergestellt werden, sondern ist gegeben.

Individuell verschieden ist das Maß des Glaubens, das der Herr jedem zuteilte (Röm 12, 3). Verschieden sind die Charismata, mit denen die Einzelnen begabt sind. Ihre Einheit besteht im Bezug auf die Gemeinde und deren Aufbau. Wenn Paulus verlangt, daß jeder in seiner κλῆσις bleibt (1 Kor 7, 20), so ist das eine dialektische Forderung. Sie wird nicht erhoben, weil mein »Beruf« als solcher ein menschlicher — sittlicher, sozialer usw. — Wert oder göttliche Schöpfungsordnung und darum geheiligt wäre, sondern weil er das gerade nicht ist, vielmehr durch das Heilsgeschehen neutralisiert wird zum nur menschlichen, weltlichen Zustand, der mich im Glauben weder fördern noch hindern kann. Darum soll ich bleiben, wo ich mich befinde, um nicht der Illusion zu verfallen, durch eine Veränderung meines menschlichen Status könnte ich etwas für meine Seligkeit leisten. Darum erklärt Paulus den Rückfall der Galater ins Gesetz für unmöglich, weil sie dadurch die Absolutheit der Gnade vernichten (Gal 2, 21). Ich habe alle Freiheit, z. B. zu essen und zu trinken, und auch die, auf dieses Privileg zu verzichten, um des Bruders willen. Ich kann aber nicht die Freiheit selbst aufgeben; für die Galater bedeutet das: Sie dürfen nicht dahin zurückfallen, wo sie vorher standen (Gal 4, 3). Sie können nicht in die Unfreiheit zurückkehren, weil sich sonst die Freiheit selbst aufhebt. Im Bilde: Sind sie in die Sohnschaft aufgenommen, können sie sich nicht mehr als Sklaven benehmen (Gal 4, 3 ff.).

Aber gerade, weil sich Gesetz und Gnade ausschließen, bin ich als Befreiter nicht aus Gottes Forderung entlassen, sondern jetzt erst wirklich in sie hineingenommen. Ich bin ja nicht in einen leeren Raum versetzt, sondern in die Sohnschaft; darum kann ich mich nur noch als Sohn verhalten. Wie der Imperativ an die Feststellung der Freiheit angeschlossen ist, zeigt Gal 5, 1: τῇ ἐλευθερίᾳ ἡμᾶς Χριστὸς ἠλευθέρωσεν· στήκετε οὖν καὶ μὴ πάλιν ζυγῷ δουλείας ἐνέχεσθε. Es drängt sich die Frage auf: Wenn zwar das Gesetz, nicht aber seine Forderung zu Ende sein soll, mit welchem Recht nennt man diesen Zustand überhaupt »Freiheit«? Sie wird beantwortet durch den Aufweis, *wie* wir befreit werden: durch die objektive Heilstat. Von da aus erklärt sich auch, *woraus* und *wohin* wir befreit werden: aus dem Fleisch in den Geist. Dadurch ist es nicht mehr möglich, sich gemäß dem Fleisch zu verhalten, sich von einer fremden Größe beherrschen zu lassen (Röm 8, 12). Wir haben keine Freiheit, zu sündigen. Das wäre ein Widerspruch in sich selbst (Gal 5, 13).

Fleisch und Geist sind beide aktive Mächte. Ich stehe unter der einen oder der anderen; aber das Stehen da oder dort ist nicht gleichwertig, auch nicht formal-ontologisch. Unter der σάρξ bin ich mir entfremdet, im πνεῦμα erfülle ich, was ich bin. Beide Mächte sind transsubjektiv. Aber das πνεῦμα ist mir nicht in dem Sinne fremd, daß es mein Sein verfälschte und vernichtete. Hier bin ich in Wahrheit bei mir selbst (Röm 8, 13). Im Geist werde ich nicht nur »getrieben«, sondern kann mein Existieren angesichts der σάρξ frei, aktiv vollziehen (Gal 5, 16—18).

Frage ich nunmehr, was ich konkret tun soll, so werden in einem Lasterkatalog die »Werke« des Fleisches aufgezählt, dann in einem Tugendkatalog die »Frucht« des Geistes (Gal 5, 19—21. 22 f.). Die Einheit von Freiheit und Gefordertsein (und Erfüllenkönnen) wird vor allem in der Aussage verständlich, die ebenfalls im Zusammenhang von Gal 5, 13 ff. gemacht wird: Das Gebot gilt. Aber die Forderung wird nicht mehr von der einzelnen Satzung her verstanden, das Gesetz ist nicht die Summe seiner Sätze. Es hat seine Summe vielmehr im Liebesgebot (Gal 5, 14; Röm 13, 8—10).

Röm 13, 8—10 ist eine der wenigen Stellen, wo die paulinische Paränese mit der synoptischen bis in den Wortlaut übereinstimmt. Das Liebesgebot als die Erfüllung des Gesetzes gehört — als Überlieferung vom Herrn — zum Grundbestand der frühen Paränese. Dabei ist man sich bewußt, daß dies nicht ein neues Gebot ist, sondern das schon im Alten Testament offenbarte. Man zitiert es in seinem alttestamentlichen Wortlaut.

Im Johannesevangelium dagegen heißt das Liebesgebot mit Nachdruck das »neue« Gebot. Freilich reflektiert Johannes nicht darauf, ob Jesus es neu formuliert hat: »Neuheit« ist eine eschatologische Kategorie und bezeichnet die Qualität dieses Gebotes im Verhältnis zur Welt. Etwas anders der 1. Johannesbrief. Dieser übernimmt zwar den Ausdruck des Johannesevangeliums, will aber im Sinne seines Traditionsgedankens zugleich zeigen, daß dieses Gebot in der Kirche schon längst vorhanden ist: vom Anfang der Kirche an, als von Jesus gegebenes Gebot. So spielt der 1. Johannesbrief mit den beiden Ausdrücken: »altes« und »neues« Gebot. Neu ist es, sofern es von Jesus neu gegeben ist; alt, sofern es in der Kirche längst in Geltung steht. Auf das Alte Testament und dessen Gesetz ist im Johannesevangelium wie im 1. Johannesbrief nicht reflektiert[2].

Die Liebe ist nicht ein sittliches Prinzip, das im Einzelfalle je und je anzuwenden wäre. Man kann in einer gegebenen Situation nicht zu-

---

[2] H. Conzelmann, »Was von Anfang war«, BZNW 21 (Festschr. Bultmann), 1954, 194—201.

erst feststellen, was hic et nunc die Liebe ist, um sie dann zu realisieren. Vielmehr fallen das Feststellen und das Tun zusammen.

Wäre die Liebe ein ethisches Prinzip, gäbe es keine Antwort auf die Frage, wie man Liebe gebieten kann: Du *sollst* lieben! Dieses Gebot ist möglich zum einen unter der Voraussetzung des Evangeliums — sofern dieses nicht nur Lehre ist, sondern das Geschenk des Heils; zum andern als absolutes Gebot. So kann der Glaube den Satz, daß ich lieben soll, sehr wohl verstehen. Die Verklammerung von Liebesgebot und Heilsgeschehen findet im Neuen Testament ihren klarsten Ausdruck in den johanneischen Abschiedsreden (15, 9 ff.). — Liebe ist auch nicht ein Ideal, dem nachzustreben wäre. Sie ist je und je zu verwirklichen, sie soll und kann ganz geübt werden, nicht etwa, wie das gegenüber einem Ideal der Fall wäre, nur annäherungsweise. Im Augenblick der Hilfe vollbringe ich nicht teilweise Liebe, sondern einfach Liebe. Die modernen psychologischen Fragen, ob nicht in meinem Lieben immer noch ein Stück Egoismus stecke, liegen Paulus und dem übrigen Neuen Testament fern. Sie können es: Man kann die gute Tat vorbehaltlos anerkennen, gerade weil man weiß, daß wir nicht durch Werke selig werden.

Was Liebe ist und wie sie möglich ist, wird von dem ihr vorausliegenden Grund her deutlich: der bereits erfolgten Rettung. Damit ist die Möglichkeit gegeben, in der Freiheit von der Sorge um mich das jetzt Gebotene zu erfassen und zu tun, den begegnenden Menschen als Menschen sehen zu lernen, frei zu handeln, ohne nach dem Erfolg fragen zu müssen. Die Liebe kann es sich leisten, nicht das Ihre zu suchen. Man muß zum »du sollst« dieses »du kannst es dir leisten« hinzuhören. Dann wird die Einheit von Forderung und meiner freien Zustimmung sichtbar. Die Spaltung zwischen beidem ergibt sich ja aus der Sorge um mich. Anders ausgedrückt: Die Liebe ist die Konkretisierung des eschatologischen Verhältnisses zur Welt, ermöglicht durch den Glauben, der durch die Liebe wirkt (Gal 5, 6). Dadurch schafft sie Freiheit gegenüber allen menschlichen Konventionen. Ich kann es mir leisten, zu entscheiden, ob ich für oder gegen den Buchstaben einer Vorschrift (auch der biblischen) um des Sinnes, d. h. der Liebe willen zu handeln habe. Diese Entscheidung kann mir keine Instanz abnehmen, auch nicht die als Nachschlagewerk genommene Bibel.

Führt das in subjektive Willkür, in Libertinismus? Das wird dadurch verhindert, daß diese Freiheit ihren Ort im Leibe Christi hat, in dem einer des anderen Last zu tragen hat. Paulus exemplifiziert solche Freiheit an seinem eigenen Lebenswerk (1 Kor 9). Er behauptet seine Macht als Apostel — und verzichtet auf seine Privilegien.

Die Alternative heißt nicht: der Sünde dienen — tun, was man will (u. U. gar nichts), sondern: der Sünde dienen — dem Herrn (bzw. der Gerechtigkeit) dienen. Sie ist scharf ausgesprochen Röm 6, 16. Darum bedeutet die Befreiung: νυνὶ δὲ κατηργήθημεν ἀπὸ τοῦ νόμου, ἀποθανόντες ἐν ᾧ κατειχόμεθα, ὥστε δουλεύειν ἡμᾶς ἐν καινότητι πνεύματος καὶ οὐ παλαιότητι γράμματος (Röm 7, 6). Es gilt: οὐδεὶς γὰρ ἡμῶν ἑαυτῷ ζῇ, καὶ οὐδεὶς ἑαυτῷ ἀποθνῄσκει· ἐάν τε γὰρ ζῶμεν, τῷ κυρίῳ ζῶμεν, ἐάν τε ἀποθνῄσκωμεν, τῷ κυρίῳ ἀποθνῄσκομεν. ἐάν τε οὖν ζῶμεν ἐάν τε ἀποθνῄσκωμεν, τοῦ κυρίου ἐσμέν. εἰς τοῦτο γὰρ Χριστὸς ἀπέθανεν καὶ ἔζησεν, ἵνα καὶ νεκρῶν καὶ ζώντων κυριεύσῃ (Röm 14, 7—9).

Das Gesagte entwickelt Paulus gegenüber dem *Gesetz*. Die Auseinandersetzung mit den korinthischen *Freiheitsenthusiasten* führt im Ergebnis an denselben Punkt wie die mit den galatischen *Nomisten*. Die Sache ist hier und dort dieselbe; nur die Diskussionslage unterscheidet sich. Die Galater propagieren: Glaube und Gesetz. Dagegen setzt Paulus: allein durch den Glauben. Dadurch werden die Freiheit und die Möglichkeit ihrer Erfüllung im Gehorsam verständlich. Die Korinther vertreten: Alles ist erlaubt (1 Kor 6, 12; 10, 23). Dagegen kann Paulus nicht sagen: Nein! Keine Freiheit! Er sagt: Ja, Freiheit, aber Freiheit des Glaubens bzw. Freiheit im Leibe Christi, Freiheit von den Mächten zum Aufbau der Kirche. Von da aus ergibt sich die Regelung über Essen und Enthaltung, über das Verhalten zum Opferfleisch und zu den Dämonen. Hier wie dort ist die Freiheit die eschatologische Existenzform. Das findet seinen schärfsten Ausdruck in dem ὡς μή von 1 Kor 7, in welchem die kritische Mittelposition zwischen Weltseligkeit und Weltverzicht bezogen wird. Warum es keine Weltseligkeit geben kann, ist klar: Die Welt vergeht. Warum keinen Weltverzicht, ist 1 Kor 10, 26 ausgesprochen: τοῦ κυρίου γὰρ ἡ γῆ καὶ τὸ πλήρωμα αὐτῆς; vgl. Röm 14, 14. 20. In Frage steht nicht Reinheit oder Unreinheit als Qualität der Dinge, sondern Gebrauch oder Mißbrauch (1 Kor 7, 29—31). Daß Paulus hier nicht nur im Ausblick auf eine apokalyptische Weltkatastrophe spricht, sondern hinter seinen Ausführungen ein Verständnis der Welt überhaupt angesichts des Daseins Gottes in Christus steht, zeigt 1 Kor 3, 21 ff.: πάντα γὰρ ὑμῶν ἐστιν, εἴτε Παῦλος εἴτε Ἀπολλῶς εἴτε Κηφᾶς, εἴτε κόσμος εἴτε ζωὴ εἴτε θάνατος, εἴτε ἐνεστῶτα εἴτε μέλλοντα, πάντα ὑμῶν, ὑμεῖς δὲ Χριστοῦ, Χριστὸς δὲ θεοῦ.

Aus dem theologischen Ansatz wird verständlich, daß der umfassendste Maßstab, den Paulus für die Beurteilung unserer Taten angibt, negativ, kritisch-abgrenzend formuliert ist, nicht thetisch, nicht als ethisches Prinzip oder als Angabe eines höchsten Wertes. Gerade in dieser kritischen Fassung hat er seinen eminent positiven Sinn: »Alles, was nicht aus Glauben ist, ist Sünde« (Röm 14, 23).

II. Die Freiheit vom Tode

Lit. s. Bultmann, NT 346

Diese folgt aus unserer Befreiung von der Sünde, da der Tod der Sünde Sold ist. Ohne Sünde gibt es keinen Tod; natürlich ist gemeint: keinen ewigen Tod. Wieder einmal stehen zwei Aussagereihen nebeneinander: die aktuelle, in der die Ohnmacht des Todes an uns, den Gläubigen, gezeigt wird; und die objektive, die den kosmischen Zusammenhang aufweist. a) Der Tod ist für uns dadurch erledigt, daß wir mit Christus gestorben sind. So kann der leibliche Tod unsere Gemeinschaft mit ihm nicht zerstören. Wir haben die Gewißheit der Auferstehung. b) Der Tod selbst wird vernichtet. Bezeichnenderweise wird hier nicht zwischen dem körperlichen Sterben und dem ewigen Tod unterschieden. Hier ist der Tod selbst als Macht (in personifizierendem Bilde) angegangen, als der letzte Feind. Seine Vernichtung ist der letzte Akt des Heilswerks (1 Kor 15, 25 f.).

Das bedeutet: Paulus erklärt das Sterben nicht für einen Vorgang, der sich im Vordergrund unseres Menschseins abspielt. Der Tod betrifft uns. Wie wir ganz Sünder sind, so sterben wir auch ganz. Der Tod ist nicht Durchgang der Seele durch ein dunkles Tor. Er vernichtet uns, aber die mit Christus Gestorbenen werden zum ewigen Leben erweckt. Die Hoffnung auf das Leben ist ausschließlich auf die Heilstat gegründet, nicht auf eine Seelenlehre oder den Rhythmus des Stirb und Werde in der Natur. Gewißheit haben wir darin, daß das Leben nicht nur in der Zukunft liegt, sondern im Geist, als Freiheit, im Überstieg schon bei uns ist — in der Form der Hoffnung angesichts der ϑλῖψις, noch nicht in der Form der Auferstehungs-δόξα (Gal 2, 19 f.). Die diesseitige Wirklichkeit des zukünftigen Lebens wird praktisch erfahren in der paradoxen Weise des Leidens, in dem unser tägliches Sterben geschieht (2 Kor 6, 9; Röm 8, 36; 2 Kor 4, 10—12). Dieses Leiden ist der Beweis für die Wahrheit der Hoffnung (Röm 5, 2 ff.).

Paulus fragt nicht allgemein nach dem Warum des Leidens in der Welt. Er erklärt es auch nicht mit Hilfe des Teufels. Er entwickelt keine Theodizee, keine Theorie darüber, wieso Gott das Leiden »zulasse« oder sogar herbeiführe. Die

Frage, wie man trotz des Leidens noch an einen gerechten Gott glauben könne, ist von der paulinischen Theologie her unmöglich. Der Glaube ist gültig — nicht trotz des Leidens, sondern in ihm. So taucht die Frage der Theodizee nur am Rande auf, um sofort als Frage abgewiesen zu werden: So redet man nicht von Gott; so hat man ihn nicht als Gott verstanden. Übrigens wird diese — abgewiesene — Frage nicht anläßlich einer Behandlung des Leidensproblems aufgeworfen, sondern im Zusammenhang der Erwählungslehre. Man kann überhaupt nicht von einem »Problem« des Leidens bei Paulus sprechen, da dieses nicht als allgemeines Phänomen besprochen und ins Lebensganze eingeordnet und darin »erklärt« wird. Es kommt immer nur als je mein Leiden zur Sprache. So finden sich keine allgemeinen Aussagen über den »Sinn« »des« Leidens. Paulus spendet keinen erbaulichen Trost, sondern vermittelt die positive Erkenntnis (im Sinne seiner theologia crucis), daß die Gnade des Herrn in den Schwachen mächtig ist. Das Leiden ist also selbst Indiz der Gnade (2 Kor 12, 7—10).

Das Sichverstehen im Leiden ist ein eschatologisch-christologischer Interpretationsvorgang: Das Leiden ist ein Faktum im vergehenden Äon, dessen Ende durch Kreuz und Auferstehung Christi konstituiert ist (2 Kor 4, 16—18). Stellt man die jetzige und die künftige Welt gegenüber, so erkennt man: οὐκ ἄξια τὰ παθήματα τοῦ νῦν καιροῦ πρὸς τὴν μέλλουσαν δόξαν ἀποκαλυφθῆναι εἰς ἡμᾶς (Röm 8, 18). Man kann einwenden, ein solcher Ausblick auf das schönere Jenseits sei im Augenblick des Leidens selbst ein fragwürdiger Trost, weil sich dieser Augenblick für den Leidenden selbst ins Unendliche dehnt. Aber mit dem eschatologischen Hinweis läßt Paulus nicht einen Silberstreifen am Horizont dieser Welt aufblinken; er vertröstet nicht auf die schönere Zukunft. Durch das Leiden zerschlägt Gott die Stützen meiner Selbstbehauptung, um mir allein die Gnade übrigzulassen (2 Kor 4, 7 und 1, 9). An diesen Stellen erscheint eine pädagogische Deutung des Leidens. Aber man darf den Sinn nicht psychologisierend oder moralisierend verengen, etwa dahin, das Leiden dämpfe den Übermut. Es geht nicht um subjektive Stimmungen, sondern um die allgemeine menschliche Grundhaltung der καύχησις. Die Wirkung des Leidens ist eine objektive: Es kann diese Wirkung an uns nur haben, weil sich in ihm aktualisiert, was zuvor in Christus geschehen ist. Im Leiden vollzieht sich die Heilstat, das Sterben Christi an uns. In unserem Leiden ereignet sich Christi eigenes Leiden: Gal 6, 17[3]; Phil 3, 9 ff.; 2 Kor 4, 10—12.

Man pflegt diesen Gedanken die paulinische Passionsmystik zu nennen. Aber er ist genauso unmystisch gemeint wie der des Sterbens mit Christus in der Taufe. Auch hier ist die Christusgemeinschaft im Sinne des Glaubensbegriffs verstanden, nicht als mystische Einswerdung. Der Apostel leidet nicht dieselben Leiden, wie sie Christus litt. Er führt nicht die Gemeinschaft durch imitatio der Leiden Chri-

---

[3] Die στίγματα τοῦ Ἰησοῦ, die Paulus an seinem Körper trägt, haben nichts mit »Stigmatisation« zu tun.

sti herbei, und erst recht eignet er sich nicht Christi Leiden durch Versenkung in dessen Passion an, sondern versteht sein alltägliches Erleben als die Lebensform, in welche Glaube und Verkündigungsauftrag führen: Das Heil ist nicht welthafter Art, es stellt sich als die Überwindung der Welt dar.

Indem dem Apostel das Sterben Christi widerfährt, überträgt er das Leben Christi auf die Gemeinde. Auch dadurch ist klar, daß es sich nicht um einen mystischen Austausch handelt; Paulus beschreibt einfach die Wirkung der Predigt auf den Prediger und die Gemeinde.

Das Ausgeliefertsein in den Tod und die Freiheit vom Tode fallen also während des irdischen Lebens zusammen. Ihre Einheit verwirklicht sich keineswegs in gelegentlichen Erlebnissen; sie ist vielmehr die alltägliche Realität: Phil 4, 11—13.

III. Das neue Leben

Die Freiheit ist die Folge der Rechtfertigung. Aber beide verhalten sich nicht einfach wie Ursache und Wirkung zueinander: zuerst die Rechtfertigung — das tat ich für dich; dann die Heiligung — jetzt tu du das Deinige für mich. Wenn man das Verhältnis so faßt, ist die Rechtfertigung formalisiert und die Möglichkeit offengelassen, daß sich der fromme Mensch wieder zu etablieren trachtet — durch Aktivierung seiner Frömmigkeit. Aber die Rechtfertigung bleibt die ständige Bedingung der Freiheit.

Auch daß Paulus seine Briefe in einen vorangestellten »dogmatischen« und einen angeschlossenen »ethischen« Teil gliedert, zeigt, daß sich die Ethik nicht als autonomes Thema emanzipieren kann. Es ist kein Zufall, daß die Ethik nicht mit derselben Geschlossenheit behandelt wird wie die Thematik von Glaube, Rechtfertigung, Gesetz. Die Lockerheit der Darstellung ist ein sachliches Indiz: Die Ethik muß offenbleiben als Hinweis auf das offene Feld der Freiheit der Kinder Gottes.

Zu Form und Inhalt: Es gilt weithin, was über die frühchristliche Paränese festzustellen war. Die einzelnen ethischen Forderungen sind nicht spezifisch christlich; denn das Feld der Betätigung ist die Welt, und in dieser weiß man, was sittlich ist. So werden Inhalte der antiken, jüdischen und hellenistischen Moral übernommen. Diese können bürgerlich sein, weil die Begründung eschatologisch ist (Phil 4, 8). Spezifisch christliche Anweisungen tauchen auf, wo das Leben der Gemeinde geordnet wird. Nach Vollständigkeit strebt Paulus nicht. Er hat z. B. kein Interesse am Staat als solchem, an der Kultur, an der sozialen Ordnung, da die Welt und ihre Belange eschatologisch gleichgültig geworden sind. Es ist ein charakteristisches Stilmerkmal, daß in der Paränese immer wieder unvermutet eschatologische Hinweise auftauchen (Röm 13, 11 f.; 1 Kor 7, 31; Phil 4, 5). Allerdings führt die Gleichgültigkeit nicht zu einer — apokalyptisch oder gnostisch motivierten — Abwendung von der Welt, durch die der Weise sich selbst salviert. Das Wissen, am Ende der Welt zu stehen, bringt eine sachliche Erschließung des Verhältnisses zur Welt: Die Eröffnung der Freiheit von der Welt ist die Befreiung von der Sorge um mich, um mein Heil, weil dieses schon besorgt ist, Befreiung vom Zwang der Werke, damit die Freiheit, mich dem Bruder zuzuwenden, mit dem ich als Sünder solidarisch bin, da auch für ihn Christus gestorben ist. Die eschatologische Welthaltung ist in concreto die Liebe. Damit ist klar, daß die Ethik nicht den frommen Menschen beschreibt, sondern das Leben und Walten der Liebe. Gewiß folgt aus dem Indikativ der Imperativ. Aber dieser wird falsch bestimmt, wenn nicht klar ist, daß es Gott selber ist, der das Wollen und das Vollbringen schafft (Phil 2, 13). Wozu dann aber der Imperativ? Er ist gesetzt, weil Gott nicht als Naturgewalt wirkt, sondern durch den Glauben, die Versetzung in die Kindschaft, durch den Geist, der der Geist der Freiheit ist (2 Kor 3, 17). Unter diesem Vorzeichen wird verständlich, wieso wir nun in Bewegung gesetzt sind und was wir zu tun haben: uns zu heiligen (1 Thess 4, 3). Die Heiligung ist nicht das Unternehmen, die Heiligkeit herzustellen. Daß diese schon besteht, ist die Voraussetzung unserer Bewegung. Ethik ist nicht Anleitung zur Seligkeit, sondern Anweisung für die Heiligen, d. h. der Welt Entnommenen zum Leben *in der Welt*. Der Imperativ »Du sollst!« gilt nicht trotz des Indikativs der Heilszusage, sondern entspringt ihm und ist dessen Konkretisierung. Wieso und wie? Weil wir mit dem Geist begabt sind, aber dadurch keine habituelle Verwandlung erfahren haben. Wir befinden uns noch nicht im himmlischen Zustand. Der Geist ist ἀπαρχή (Röm 8, 23), ἀρραβών (2 Kor 1, 22; 5, 5); er bleibt also jenseitige Kraft. Im Begriff des Geistes selbst ist gesetzt, daß er uns nicht das Diesseits überspringen läßt. Er hält uns in der Welt, im Glauben fest. Er ist die Freiheit des neuen Wandels (2 Kor 3, 17)[4]. Ich bin nicht mehr in der Sünde verhaftet, sondern kann mich

---

[4] Die ältere Exegese sprach gern von einer Ethisierung des Geistverständnisses (Bousset). Aber der Denkvorgang ist der umgekehrte: Der Geist bedeutet, daß die Möglichkeit, sich in der Welt frei zu bewegen, ein Wunder ist (Bultmann).

nach vorn bewegen. Weil das aber nicht meine eigene, sondern geschenkte, fremde Möglichkeit ist, ergibt sich die scheinbar paradoxe Regel: εἰ ζῶμεν πνεύματι, πνεύματι καὶ στοιχῶμεν (Gal 5, 25; vgl. Röm 8, 14). Das sachliche Verhältnis von Sein und Sollen in diesen Sätzen ist kein anderes als das von Zukunft und Gegenwart. Diese sind ja für Paulus nicht Zeiträume, die sich ablösen. Zukunft ist die dem Menschen nur durch das Evangelium eröffnete Weise, jetzt an seinem Ort in der Welt, in seiner Zeit zu stehen, nämlich am Ende der Welt. Damit wird diese nicht pessimistisch abgewertet, sondern eschatologisch erschlossen, weil das Heil jetzt wirksam bei und in uns ist.

Dieser sachliche Sinn von Gegenwart und Zukunft zeigt sich klar daran, daß Paulus auch bei der Ausarbeitung des Zusammenhangs von Indikativ und Imperativ nicht frei entwirft. Er ist auch hier Interpret, der das bewußt macht und in einen systematischen Zusammenhang bringt, was in der Gemeindetradition implizit vorhanden ist: das Verständnis des Heils als Unterwegssein, die Begründung der Paränese aus dem evangelischen Sinn der Botschaft. Von Anfang an weiß die Gemeinde, daß das Heilsgeschehen in einen neuen Wandel führt, daß dieser nicht ein Mittel zum Erwerb des Heils darstellt, sondern die Folge des geschenkten Heils, daß er möglich ist auf Grund der Sündenvergebung, als der Dank dafür. In dieser Weise begründet das Gleichnis vom Schalksknecht die Forderung an uns, unsererseits Vergebung zu üben. Daher erteilt die Gemeinde bei der Taufe Paränese. All das findet sich auch bei Paulus und weist deutlich auf feste Tradition zurück. Er erhebt nun aber diese Ansätze auf die Stufe der Reflexion. Dazu gehört die grundsätzliche Bestimmung des Verhältnisses von Forderung und Freiheit: Die Begründung des Gebots im Glauben, die faktisch schon vor Paulus besteht, muß verständlich gemacht werden mit Hilfe eines geklärten Begriffs des Glaubens (wobei immer dessen Bindung an seinen Inhalt mit zu bedenken ist). Anders formuliert: Die Forderung ist darzustellen auf der Grundlage der Rechtfertigungslehre.

Eine Darstellung der paulinischen Ethik kann also nicht von den einzelnen ethischen Forderungen ausgehen. Es ist abwegig, etwa die Tugend- und Lasterkataloge zusammenzustellen, um daraus die paulinische Ethik zu beschreiben. Das Christliche liegt nicht in den Katalogen; diese sind im wesentlichen traditionell und können allerdings gerade dadurch veranschaulichen, worin der besondere Charakter der christlichen Ethik nicht liegt, nämlich in den einzelnen moralischen Forderungen[5]. Natürlich tauchen in diesen Katalogen speziell christliche »Tugenden« auf, etwa die Liebe. Trotzdem liegt das Theologische nicht in den einzelnen Inhalten als solchen. Diese sind aufs Ganze gesehen erstaunlich bürgerlich (Phil 4, 8). Worauf es ankommt, ist, an welchem Ort die Bürgerlichkeit eingeschärft wird: in der Gemeinde, am Ende der Welt (vgl. den Zusammenhang Phil 4, 4—8).

Die systematische Struktur des Ethischen erscheint besonders klar in dem Zusammenhang von Röm 7 und 8. Röm 7 schließt mit dem

---

[5] Luther, Von den guten Werken (Clemen I 231): Von dem Glauben und keinem andern Werk haben wir den Namen, daß wir Christgläubige heißen, als von dem Hauptwerk. Denn alle andern Werke mag ein Heide, Jude, Türke,

Schrei nach Erlösung und dem Dankruf des Erlösten. Damit kann die Situation des Erlösten in ihrer radikalen Neuheit beschrieben werden: Was bin ich jetzt in der Welt? Ich bin auf jeden Fall frei vom Gesetz: Röm 7, 6 wird am Anfang von Kap. 8 aufgenommen. Die geschenkte Freiheit muß jetzt konkret dargestellt werden. Die Grundlage formuliert 8, 1: οὐδὲν ἄρα νῦν κατάκριμα τοῖς ἐν Χριστῷ Ἰησοῦ[6].

Wird Paulus jetzt in höheren Tönen zu jubilieren beginnen: einst mein fleischliches, jetzt mein geistliches Ich mit seinen Eigenschaften und Taten? Die Folge wäre die Pflege eines heiligen Lebens im Zirkel der Enthusiasten, in direkter Entweltlichung durch Askese oder in intensiver gegenseitiger Erbauung — und in der ständigen Angst der geistlichen Gesetzlichkeit vor der Befleckung durch die Welt —, also die Pflege der Heiligkeit im Verzicht auf Freiheit, auf Offenheit zur Welt und damit auf eschatologische Existenz zugunsten einer schwärmerischen.

Die Töne, welche Paulus in Röm 8 anstimmt, sind sehr hohe, die sich bis zum Schluß des Kapitels steigern. Daß er aber nicht das fromme Subjekt preist, ist schon auf Grund von Kap. 7 anzunehmen, wo er ja nicht eigene Erfahrung schildert, sondern eine mir widerfahrene Erschließung von außen her. Es ist kein Zufall, daß er mit Kap. 8 den Ich-Stil verläßt. Der Gedankengang hängt eng mit den drei vorausgehenden Kapiteln zusammen. Kap. 5 (über die Freiheit vom Tode) schloß: οὗ δὲ ἐπλεόνασεν ἡ ἁμαρτία, ὑπερεπερίσσευσεν ἡ χάρις, ἵνα ὥσπερ ἐβασίλευσεν ἡ ἁμαρτία ἐν τῷ θανάτῳ, οὕτως καὶ ἡ χάρις βασιλεύσῃ διὰ δικαιοσύνης εἰς ζωὴν αἰώνιον διὰ Ἰησοῦ Χριστοῦ τοῦ κυρίου ἡμῶν.

Paulus leitet zu Kap. 6 (über die Freiheit von der Sünde) über, indem er gegen diese Feststellung den gedachten Einwand des Juden, des Vertreters des Gesetzes, aufwirft.

Wenn die Regel gilt: Je größer die Sünde, desto größer die Gnade, kann man die Gnade vergrößern — durch Sündigen (6, 1). Diese vermeintliche Logik des Gegners, die dem Paulus Libertinismus unterstellen will, ist absurd. So kann nur folgern, wer nicht weiß, was Sünde ist, weil er nicht weiß, was Gnade ist. Aus der erfahrenen Befreiung weiß ich, wie groß die Gnade sein mußte; damit verstehe ich auch, daß die Sünde mich durch das Gesetz zum Glauben trieb, freilich nicht in einer geradlinigen Entwicklung, als ob der Glaube das direkte Ziel der Sünde gewesen wäre. Die Sünde erzielte diesen Erfolg (den Glauben) wider Willen, als ihr eigenes Sichüberschlagen, in der paradoxen Weise, wie sie Röm 7, 13 formuliert ist. Die Sünde ist Vorbereitung auf das Evangelium nur in der Hand Gottes. Ich kann sie als solche erst verstehen, wenn ich aus ihr befreit bin.

Sünder auch tun. Aber trauen festiglich, daß er Gott wohlgefalle, ist nicht möglich denn einem Christen mit Gnaden erleucht und befestiget.

[6] R. Bultmann, Glossen im Römerbrief, ThLZ 72, 1947, 199, erklärt den Vers als Glosse; dagegen G. Bornkamm, Aufs. I 67 Anm. 33.

Dann ist mir die Lust vergangen, mit ihr zu spielen, sie zur taktischen Anknüpfung zu benützen. Die Sünde ist ein Weg, auf dem mich Gott zu sich führte, nicht ein Weg, den ich einschlagen kann, um Gott zu finden.

Über Kap. 7 hinweg nimmt Kap. 8 die Thematik von Kap. 6 und 5 noch einmal auf. Sie kann jetzt, nach dem Aufweis am Ich, noch schärfer profiliert werden. Gewissermaßen im Kreise führt der Schluß vom Kap. 8 (über die Liebe Gottes in Christus als die Bewahrung des Glaubens angesichts der Mächte) zum Anfang von Kap. 5 zurück.

VIERTER HAUPTTEIL

Die Entwicklung nach Paulus

§ 36 PROBLEME

R. Sohm, Kirchenrecht I, 1892 — A. Harnack, Entstehung und Entwicklung der Kirchenverfassung und des Kirchenrechts, 1910 — K. Holl, H. v. Campenhausen und E. Schweizer s. zu § 7 I — M. Goguel, L' Église primitive, 1947 — H. Lietzmann, Geschichte der Alten Kirche I, ³1953 — L. Goppelt, Die apostolische und nachapostolische Zeit, in: Die Kirche in ihrer Geschichte, Bd 1 (A)

Geht man von Paulus aus, so wird man die nachpaulinische Theologie an seiner Rechtfertigungslehre messen[1]. Dabei entsteht leicht die Gefahr einer ungeschichtlichen Wertung. Es muß festgehalten werden, daß die Rechtfertigungslehre selbst ein *geschichtliches* Kriterium ist. Man kann sie nicht einfach als theoretischen Maßstab anwenden, um zwischen guter und schlechter Theologie, zwischen Rechtgläubigkeit und Ketzerei zu unterscheiden. Die »Anwendung« dieses Maßstabes ist selbst ein theologischer Denkvorgang. Es kommt nicht darauf an, ob man die Sätze des Paulus wiederholt, sondern ob man die Sache im Existieren der Kirche theologisch zu vollziehen versteht — in immer neuen Situationen. Formale Repetition würde die Sache schon aus einem äußeren Grunde nicht bewahren: Paulus formuliert seine Lehre in der aktuellen Auseinandersetzung mit Judentum und Judaismus. In der späteren Zeit tritt die aktuelle Auseinandersetzung mit dem Judentum zurück. Die Mission beschränkt sich im wesentlichen auf die Heiden. Dem entspricht die gedankliche Orientierung der Kirche[2].
Nicht schon das Zurücktreten der paulinischen Formeln bedeutet den Übergang in den »Frühkatholizismus«. Es ist nach dem sachlichen Verständnis von Heil, Heilsübermittlung und Heilsaneignung zu fragen.

[1] Bultmann, NT 446 ff. behandelt das Thema »Die Entwicklung zur Alten Kirche« *nach* der Darstellung der johanneischen Theologie. In dieser Anordnung steckt ein Werturteil: Die Höhe der paulinischen und johanneischen Theologie wird nicht gehalten. Diese Bewertung entspricht protestantischer Tradition: Nach der reinen Urzeit folgt der Niedergang und der Weg in den Katholizismus (R. Sohm). Sie schlägt sich heute in einer unkritischen Handhabung des Stichwortes »Frühkatholizismus« nieder.
[2] Es ist kein Widerspruch dazu, daß ein starker Einfluß der Diaspora-Synagoge besteht. Denn die intensive gedankliche Auseinandersetzung mit dem Judentum ist nicht mehr auf die aktuelle Gewinnung der Juden für den Glauben ausgerichtet; sie dient vielmehr der Besinnung auf das Wesen des eigenen Glaubens. Beispiele: Apg 7, überhaupt Lukas; Hebräer-, Barnabasbrief; vgl. A. Oepke, Das neue Gottesvolk, 1950.

Fragt man nach dem Übergang zum Frühkatholizismus, so beobachtet man eine erhebliche methodische Unsicherheit, die heute stärker ist als früher. R. Sohm hatte noch ein handfestes Kriterium, mit dem er den Übergang genau markieren konnte. Übrigens ist die Unsicherheit auf der katholischen Seite im ganzen größer als auf der evangelischen. Die katholische Geschichtsdeutung ist verständlicherweise von der Tendenz geleitet, die bruchlose Kontinuität in der Entfaltung von Kirche und Lehre darzustellen, deren Gestalt von Anfang an keimhaft da ist. Die Geschichte wird in Analogie zum Wachsen der Pflanze gesehen[3]. Die Reformation bestreitet die Legitimität der Vorordnung der Kirche vor das Verstehen der Glaubensbotschaft. Sie sieht die Überdeckung des ursprünglichen Glaubens durch die Tradition und greift hinter diese zurück zur Schrift[4]. Wird damit die Entwicklung der Kirche kritisch beurteilt, so wird man sie auch historisch als Fehlentwicklung zu fixieren suchen. In der Tat wird man nicht auf historische Kriterien und Urteile verzichten. Aber die Kriterien müssen selbst geschichtlich sein. Wir werden versuchen, das Phänomen des Frühkatholizismus da zu bestimmen, wo es voll ausgebildet ist. Grob skizziert: Frühkatholizismus liegt noch nicht vor, wo ein Traditionsgedanke da ist. Dieser gehört zur Theologie selbst. Der entscheidende Einschnitt liegt da, wo die Tradition institutionell, durch Bindung an ein Amt und an Sukzession in diesem Amt, gesichert wird. Er liegt noch nicht vor, wo eine feste Amtsordnung besteht — mag diese auch bereits eine monarchische Spitze haben —, sondern erst da, wo das Amt heilsmittlerische Qualität erhält, wo die Wirkung von Geist und Sakrament an das Amt gebunden ist. Mit *Bultmann* zu sprechen: Der entscheidende Vorgang ist die Verwandlung der regulierenden Bedeutung des Kirchenrechts in eine konstitutive (NT 449 f.).

Die Schwierigkeit der geschichtlichen Erfassung dieses Zeitraums zeigt sich schon in seiner üblichen Bezeichnung als »nachapostolisches Zeitalter«. Diese verstellt den historischen Tatbestand. Sie suggeriert, daß ein »apostolisches« Zeitalter vorausgegangen sei. Dieses hat es in Wirklichkeit nie gegeben. Das apostolische Zeitalter ist eine Idee, Produkt eines freilich schon früh konstruierten Geschichts*bildes*. Natürlich gab es Anhänger Jesu, die nach seinem Tod den Kern der Urgemeinde bildeten. Deren Gründung ist identisch mit der Konstituierung des Kreises der Zwölf (1 Kor 15, 3 ff.). Aber die Zwölf sind nicht »die zwölf Apostel«. Diese Vorstellung wird erst in »nachapostolischer« Zeit entworfen, und damit wird die »apostolische« Zeit geschaffen. Die Zwölf sind ohne konkrete Wirkung

---

[3] R. Schnackenburg, Nt. Theologie, 1963, 14: »Die neutestamentliche Theologie ist eine noch anfängliche, keimhafte, unentfaltete Theologie, besitzt aber die Kraft der Wurzel und die Fruchtbarkeit der Quelle.« Damit ist gewährleistet: »Im Inhalt und Ergebnis können sich dogmatische und neutestamentliche Theologie nicht widersprechen, da sie nur unter verschiedenem Gesichtspunkt die gleiche Offenbarung durchforschen und erhellen.« Diese These ist nur möglich unter der Voraussetzung, daß die Offenbarung der kirchlichen Institution zur Verwaltung anvertraut ist.
[4] Die Schrift ist nicht als abstrakte Norm aufgefaßt; sie ist auf die vorgegebene viva vox evangelii bezogen.

auf die Theologie der hellenistischen Kirche und überhaupt auf die Gestalt der Kirche. Wirksam werden sie nur als Idee[5].
Die geschichtliche Fragestellung ist also: Was bedeutet es, daß dieses Bild der Kirche und ihrer Geschichte entworfen wurde. Was bedeutet dieser Ausbau des Traditionsgedankens, der eine gewisse Distanz von den Anfängen voraussetzt? Wann, wo, wie, wodurch wird man sich des Abstandes *bewußt?* Nicht nur der tatsächliche Abstand von den Anfängen, die Tatsache, daß die Kirche wider Erwarten lange in der Welt existiert, macht das Phänomen aus, sondern das Bewußtwerden und die Interpretation dieser Distanz. Dieses Bewußtwerden ist da zu fassen, wo man den eigenen Standort historisch bestimmt, indem man sich selbst als die *dritte* christliche *Generation* versteht.

Hier wird die Idee der zwölf Apostel entworfen (vgl. z. B. Lukas). Es ist zu beachten, daß man sich nicht als zweite Generation bestimmt. Man blickt auf das Bild einer vollständig abgeschlossenen Epoche zurück, einer entschwundenen Generation. Daher setzt man bereits Zwischenglieder zwischen jener und sich an, so daß zwischen den Aposteln und der eigenen Zeit die Generation der Apostelschüler steht. Dieses Bewußtsein wird faßbar etwa um die Jahrhundertwende und weit darüber hinaus:

a) Lukas siedelt bereits Paulus in der Zwischenzeit an. Wo dessen Wirksamkeit einsetzt, verschwinden die »Apostel« aus der Darstellung. Lukas gibt den eigenen Standort im Sinn der Vorstellung von der dritten Generation in der Einleitung zu seinem Werk ausdrücklich an (Lk 1, 1—4).

b) Die Pastoralbriefe sind an Schüler »des« »Apostels« gerichtet. Man versucht immer wieder, die Stellung des Timotheus und Titus kirchenrechtlich zu definieren (als eine Art Erzbischöfe). Das gelingt aber nicht, weil sie nicht als kirchenrechtliche Größen fungieren, sondern die Übermittlung der Tradition vom Apostel an die Gegenwart symbolisieren.

c) Analoges ist für den 1. Johannesbrief festzustellen. Vorausgesetzt ist die Idee der dritten Generation im Judas- und 2. Petrusbrief, außerhalb des Neuen Testaments im 1. Klemensbrief, den Ignatiusbriefen, dem Polykarpbrief, bei Papias. Sie hält sich bis zu Irenäus und ist abschließend klassisch formuliert von Euseb in seiner Kirchengeschichte III 32, 7 f., angeblich nach Hegesipp: Bis zum Tode der Neffen Jesu blieb die Kirche eine reine Jungfrau. Als aber der heilige Chor der Apostel verschwand und die Generation derer, die gewürdigt waren, von ihnen persönlich die göttliche Weisheit zu vernehmen, da begann der gottlose Irrtum, die fälschlich sogenannte Gnosis (vgl. 1 Tim 6, 20).

Dieses Selbstbewußtsein der dritten Generation können wir als Schlüssel benutzen, um die Theologie dieses Zeitraums zu verstehen.

Er ist nicht verstanden, wenn man von einer »Entwicklung« spricht. Es herrscht keine logische Konsequenz oder kausale Gesetzmäßigkeit. Andererseits waltet aber auch nicht Zufälligkeit. Denn der geschichtliche Weg der Kirche ist dadurch bestimmt, daß eine Lehre weitergegeben wird, die verbindlich ist, die als Autori-

---

[5] Es ist bezeichnend, daß nicht einmal die Namen aller Mitglieder dieses Kreises eindeutig feststehen. Spuren des Wirkens sind nur bei Petrus zu erkennen, kaum noch bei Johannes, bei den übrigen überhaupt nicht. Ungeklärt ist auch das Verhältnis zwischen den »Zwölf« und dem Herrenbruder Jakobus.

tät übernommen und weitergegeben werden muß. Dadurch ist Kontinuität gesetzt. Zugleich muß diese Lehre im Tradieren angeeignet, aufgearbeitet werden.

Man kann alle theologischen Themen dieser Zeit auf den Generalnenner bringen: Es wird eine neue Stufe der *Reflexion* erreicht. Tradition gibt es von Anfang an. Jetzt aber besinnt man sich auf das Wesen von Tradition, indem man den eigenen Standort in ihr bestimmt. Zur Tradition gehört jetzt ein Bild der Apostel oder des Apostels (Lukas, 2. Timotheus-, 1. Klemensbrief, Redaktion des 2. Korintherbriefs). Damit ist die Geschichtlichkeit der Kirche, ihr Rückbezug auf ihren Ursprung festgehalten. Damit werden Kriterien gewonnen: für die Unterscheidung von echter und falscher Lehre; für die Bewältigung der Probleme der Eschatologie; für die Gestaltung der Kirche (Lehre, Disziplin, Organisation).

Die Idee der apostolischen Zeit hat noch eine weitere Wirkung: Das Credo wird zur *regula fidei*. Das Apostolische wird als Maßstab nicht nur behauptet, sondern festgelegt. Zur Regel tritt mit sachlicher Konsequenz der apostolische Kanon. Seine Abgrenzung ist uns zwar erst später greifbar; aber seine Voraussetzung ist der Traditionsgedanke der dritten Generation.

Die Idee des Kanons suggeriert die Vorstellung einer »neutestamentlichen« Zeit, die selbst eine Idee ist. Sie bewirkt u. a., daß die kanonischen Schriften in anderer Weise im Blickfeld liegen als die gleichzeitigen außerkanonischen. In Wirklichkeit gehören kanonische und außerkanonische Schriften zeitlich unmittelbar zusammen.

Auf Grund des Quellenbefundes ist man zunächst geneigt, den hier zu besprechenden Zeitraum unter der Frage zu beurteilen: Wie stark ist bzw. bleibt die Wirkung des Paulus? Blickt man über den Kanon hinaus, so hat man den Eindruck: überraschend oder erschütternd gering. Immerhin kennt man teilweise Paulus: 1. Klemensbrief, Ignatius, Polykarp (der ihn unermüdlich zitiert).

Das Christentum ist auf einen einigermaßen primitiven Kernbestand an allgemeiner religiöser Überzeugung reduziert, der sich u. a. in einem Bedeutungs- und Stilwandel der Grundbegriffe ausdrückt (πίστις, ἐλπίς, χάρις, δικαιοσύνη, ἁμαρτία usw.). Teilweise ist der Einfluß der hellenistischen Synagoge sehr stark, bes. im 1. Klemensbrief und bei Hermas. Er schlägt sich nicht nur im Gebrauch des Alten Testaments (1. Klemensbrief) und in den Methoden der Auslegung (Barnabasbrief) nieder, sondern auch in liturgischen Formen und Inhalten (1. Klemensbrief, Didache).

Der Glaube ist im wesentlichen Gottesfurcht und Gottvertrauen, dazu Fürwahrhalten der Grund-Sätze der Lehre. Die Bekehrung kann als Gotteserkenntnis charakterisiert werden (1 Clem 59, 2; 2 Clem 17, 1). Bezeichnend ist die Zusammenfassung Herm mand I: πρῶτον πάντων πίστευσον, ὅτι εἷς ἐστιν ὁ θεός, ὁ τὰ πάντα κτίσας καὶ καταρτίσας, καὶ ποιήσας ἐκ τοῦ μὴ ὄντος εἰς τὸ εἶναι τὰ πάντα, καὶ πάντα χωρῶν, μόνος δὲ ἀχώρητος ὤν. πίστευσον οὖν αὐτῷ καὶ φοβήθητι αὐτόν. Gott ist der Schöpfer (1 Clem 20); er ist allmächtig, gerecht und barmherzig (1 Clem 27, 1; 50, 2).

Die kosmologische Eschatologie wird weitertradiert (1 Clem 21, 3; Barn 21, 3; zwei Äonen: 2 Clem 6, 3). Vorherrschend ist aber die Erwartung der Auferstehung des Einzelnen (vgl. die Bedeutung des Wortes ἀνάστασις).

Diesen Lehrinhalten entsprechen die Soteriologie und die Paränese. Die wesentlichen Faktoren des Heils sind — auf Grund der Erkenntnis über Gott, Auferstehung und Gericht — die Buße und die Vergebung der Sünden durch das Heilswerk Christi, der Gottesdienst und der Gehorsam gegen das (»neue«) Gebot.

Das Heilswerk: Christus ist der Hohepriester (1 Clem 36, 1; 61, 3; 64; vgl. Hebräerbrief), der durch seinen Tod das Heil brachte (2 Clem 1; Ign Phld 8, 2). Er war präexistent und wurde inkarniert (Ignatius; 2 Clem 9, 5). Der Ertrag von Menschwerdung und Leiden ist die Erlösung (1 Clem 12, 7), Vergebung der Sünden (Barn 5, 1), Reinigung und Heiligung (Barn 8, 1), Erneuerung (Barn 6, 11) usw. Bedingung ist natürlich die Buße (1 Clem 7 f.; 57, 1; Ign Phld 8, 1). Das Heilsgut ist die Auferstehung und das »Leben«: ζωῆς ἐλπὶς ἀρχὴ καὶ τέλος πίστεως ἡμῶν (Barn 1, 6). πίστις und ἐλπίς sind fast gleichsinnig (1 Clem 12, 7). Sünde und Sündlosigkeit sind wesentlich moralisch verstanden (es herrscht der Plural von ἁμαρτία!). Das Leben des Bekehrten ist durch die Gebote Gottes bzw. Christi bestimmt (1 Clem 1, 3; 3, 4; 13). Christus ist der Bringer des »neuen Gesetzes« (Barn 2, 6), Vorbild demütigen Wandels (1 Clem 16, 17). Er ist selbst das Gesetz (Herm sim VIII 3, 2).

Das Heil ist sowohl künftiger als auch schon gegenwärtiger Besitz. Wie sich Gegenwart und Zukunft zueinander verhalten, wird in verschiedener Weise bestimmt. Einhellig gilt, daß die Vollendung noch in der Zukunft liegt. Dadurch unterscheiden sich die »Apostolischen Väter« grundsätzlich von der Gnosis.

Auch derjenige unter ihnen, der am stärksten gnostisches oder der Gnosis nahes Vorstellungsmaterial aufgenommen hat, Ignatius, ist in dieser Hinsicht kein Gnostiker, wenn auch der Hinweis auf die Künftigkeit der Vollendung (Ign Eph 17, 1) nur noch die Funktion eines Korrektivs hat — und nicht einmal des wichtigsten. In der Abgrenzung von den Häretikern, zur Abwehr des Doketismus, dominiert die Betonung der Realität von Inkarnation und Leiden. Aber auch wenn die Gegenwärtigkeit des Heils aufs stärkste betont ist, so bleibt doch die Distanz zwischen Christus und Erlöstem gewahrt: Christus ist unser Leben. Er fungiert also nicht lediglich als Exponent unseres Ich. Das zeigt sich im Verständnis des Existierens, das sich in der Todes- und Lebensgemeinschaft mit ihm vollzieht. S. *Bultmann*, NT 541 ff.

Steht zwischen der Gegenwart und dem ewigen Leben noch der Tod, die Auferstehung und das Gericht, so wirken doch in der Gegenwart schon die Kräfte des Heils. Sie werden im Gottesdienst, insbesondere in den Sakramenten übermittelt, also in der Kirche. In der Bestimmung des Verhältnisses zwischen Gegenwart und Zukunft ist der Kirchengedanke zu berücksichtigen. Einer seiner wesentlichen Elemente ist die Sicherung der Tradition durch Sukzession (1 Clem 42; 44). Die Kirche wird als Heilsanstalt organisiert: Der Gottesdienst hat heilschaffende Kraft (Did 16, 2). Die hierarchische Gliederung des Klerus wird konstitutiv (Ignatius: Bischof, Presbyter, Diakonen; vgl. z. B. Trall 2 f.). Das Sakrament wird zum Heilsmittel in einem neuen Sinn (Ign Eph 20, 2: φάρμακον ἀθανασίας). Demgegenüber tritt die Überlieferung der Taten Jesu völlig, seiner Lehre fast völlig zurück; sie ist auf vereinzelte Worte begrenzt[6].
Den Gesamteindruck faßt *Bousset* überspitzend zusammen: »Das Christentum ist universal gewordenes, *entschränktes* Diaspora-Judentum, aber es ist auch weithin entschränktes *Diaspora-Judentum*« (Kyrios Christos 291).

Die Quellen
Die Kanonisierung eines Teils des Schrifttums aus dem behandelten Zeitraum suggeriert nicht nur die Vorstellung eines »neutestamentlichen Zeitalters«, sondern auch die eines Hohlraums zwischen einer »neutestamentlichen« und einer »nachneutestamentlichen« Zeit. In diesem Zwischenraum scheint die Überlieferung von Jesus und Paulus sozusagen versickert zu sein — um erst gegen die Mitte des zweiten Jahrhunderts wunderbar wieder aufzutauchen: bei Marcion und in den Anfängen der Kanonbildung, wo »Herr« und »Apostel« verbunden werden. Der Eindruck eines Hohlraums ist teilweise durch den Mangel an Quellen bedingt, ferner durch die Unmöglichkeit, vorhandene Quellen zeitlich genau einzuordnen. Aber dieser Eindruck läßt sich teilweise auch beseitigen, wenn man über die Grenze zwischen kanonischen und nichtkanonischen Schriften hinwegblickt. Es sind doch nicht ganz wenige Quellen, die in die nachpaulinische Zeit gehören: das gesamte neutestamentliche Schrifttum außer den echten Paulinen; die Schriften der »Apostolischen

---

[6] Sie werden nach wie vor mündlich tradiert; s. H. Köster, Synoptische Überlieferung bei den Apostolischen Vätern, TU 65, 1957.

Väter«[7]. Innerhalb dieses Materials lassen sich einige Leitlinien erkennen, vor allem die kontinuierliche Weitergabe und Ausarbeitung des Credo von den frühen Formeln bis zum Romanum[8]. Eine eigene Tradition bildet der Paulinismus[9], in die auch die Sammlung und Herausgabe des corpus Paulinum gehört[10]. Eine bewußte Reflexion auf die (paulinische) Tradition und ihre eigene Stufe innerhalb derselben dokumentieren die Pastoralbriefe und das Geschichtswerk des Lukas[11]. Im Radius des Nachpaulinismus liegen auch noch der 1. Petrus- und — weniger — der Hebräerbrief. An seiner Grenze liegen der Jakobus- (sofern er die Thematik von Glauben und Werken repetiert) und der 1. Klemensbrief. Alles andere steht außerhalb: Judas- und 2. Petrusbrief (letzterer kennt die Briefe des Paulus, ist aber von ihnen substantiell nicht beeinflußt), Markus und Matthäus, Barnabas- und sog. 2. Klemensbrief, Didache und Hermas. Auch das johanneische Schrifttum ist von Paulus unberührt (vollends die Apokalypse).

Es wäre ungeschichtlich geurteilt, wenn man — unter Berücksichtigung der Sonderstellung der synoptischen Evangelien und des Johannes-Evangeliums (samt Johannes-Briefen) — diese Epoche einfach nach Paulus bewertete. Dessen Briefe sind *ein* Faktor der Tradition; sie bilden unzweifelhaft eine starke, prägende Kraft. Aber neben Paulus und der Tradition seiner Schule fließt ein Strom von mündlich und schriftlich tradierter Glaubenslehre, der in seinem Eigenwert anerkannt werden muß.

So ergibt sich insgesamt ein vielschichtiges Bild: Das Credo wird weitergegeben und weitergebildet durch den Ausbau der beiden Artikel über Gott und Christus. Das Alte Testament wird zitiert

---

[7] Didache, 1. Klemens-, sog. 2. Klemens-, Barnabasbrief, die sieben Briefe des Ignatius, der Brief (oder zwei Briefe) des Polykarp nach Philippi, der Hirt des Hermas; dazu eine Anzahl Fragmente: Papias, Reste von apokryphen Evangelien usw. Die Texte sind zugänglich in den Ausgaben der »Apostolischen Väter« und bei E. Hennecke — W. Schneemelcher, Nt. Apokryphen I, ³1959; II, ³1964.
[8] Lit.: A. Hahn, Bibliothek der Symbole und Glaubensregeln der Alten Kirche, ³1897. Weitere Lit. s. § 9.
[9] Allerdings besteht die Einschränkung, daß Echtheitsfragen innerhalb des corpus Paulinum heftig umstritten sind. Daher bleibt die Rekonstruktion hypothetisch. Immerhin kann man versuchen, literarische Kritik und (hypothetische) historische Linienführung aufeinander zu beziehen.
[10] Die Einzelheiten sind nicht bekannt; vgl. die Kanongeschichten.
[11] Auch wenn die Theologie des Lukas nicht von der paulinischen geprägt ist, reiht er sich doch selbst in die apostolische Traditionskette ein, die für ihn von den Aposteln über Paulus in die Gegenwart reicht.

und ausgelegt. Es wird zum Faktor der Gedankenbildung, aber auch zum Medium des Ausbaus der Christologie. Die Entwicklung der Lehre wird ferner durch hellenistische Gedanken beeinflußt, die sich in der Sprache niederschlagen: Es treten bestimmte religiöse Begriffe hervor wie σωτήρ, ἐπιφάνεια, gutes Gewissen (vgl. Pastoralbriefe), griechische Tugendbegriffe (2 Petr 1, 5—7). Zu beachten ist auch, daß die Gnosis in zunehmendem Maße wirksam wird. Das ganze Bild wäre noch farbiger, wenn nicht durch die spätere Ausscheidung der »Häresie« aus der Kirche ein großer Komplex von Quellen vernichtet worden wäre.

Damit ist die Sachfrage gestellt: Gibt es theologische Sachkriterien für die Unterscheidung von Rechtgläubigkeit und Ketzerei, oder müssen wir uns mit der Feststellung begnügen, daß »rechtgläubig« einfach das wurde, was sich in der Kirche durchzusetzen vermochte?

§ 37 DIE REGULA FIDEI

E. v. Dobschütz, J. N. D. Kelly und V. H. Neufeld s. zu § 9 — Weitere Lit. s. Bultmann, NT 471

Das Credo ist Ausgangspunkt der Theologie und zugleich ihr Regulativ — nicht nur von außen, sondern auch von innen, weil sich die Theologie ihrerseits als Auslegung des Credo versteht. Jetzt ist nach dem Funktionieren dieser Regel zu fragen. Damit verbindet sich die Frage, welche Bedeutung dem Ausbau des Credo zukommt: Was geschieht in der Kirche, wenn die Regel a) überhaupt ausgebaut wird; b) so ausgebaut wird, wie es zu beobachten ist? Wie versteht die Kirche darin ihre Botschaft und damit sich selbst? Wie wird dieses Selbstverständnis in ihrer Gestaltung wirksam?

Heilige Formeln[1] gehören zum Phänomen der Religion überhaupt: Gebete, Lieder, Segen und Fluch, Gelübde. Eine dieser Formen ist das »Symbol«. Bekannt ist das islamische Symbol: »Es gibt keinen Gott außer Allah, und Mohammed ist sein Gesandter.« Für das Urchristentum ist das jüdische Symbol bestimmend: εἷς θεός[2]. Dieses hat seinen ursprünglichen Sitz im Kult. Es bedeutet die Anerkennung, daß der Herrschaftsanspruch Jahwes über Israel exklusiv ist. In der jüdischen Diaspora wird der Sinn modifiziert. Es wird zum Programm des Monotheismus und zum »Symbol« Israels gegen Heidentum und Polytheismus. In diesem Sinn steht es Mk 12, 29 in der Antwort Jesu auf die Frage nach dem höchsten Gebot[3]. Auch das christliche Symbol ist auf den Kult bezogen; es konstituiert diesen: Die Homologie κύριος Ἰησοῦς ist ein Herrschaftsakt des Herrn.

Im Bekenntnis als solchem ist der Bezug des Glaubens auf die geschichtliche Offenbarung hergestellt. Wo dieser Bezug verloren geht, weil man etwa die Menschlichkeit des Offenbarers bestreitet, also in der Gnosis, da erfolgt sofort auch eine Umwandlung der Form der Gemeinde (*Bultmann*, NT 475 f.). Dieser geschichtliche Charakter des Credo wird auch in der »dritten Generation« gewahrt, aber in charakteristischer Weise modifiziert. Dabei handelt es sich nicht um eine geradlinige Entwicklung, sondern um Kontinuität und zugleich Umwandlung im Sinne der skizzierten Reflexion: 1. *Kontinuität:* Der Inhalt bleibt. Wo die Formel formal erweitert wird, handelt es sich nicht um mehr oder weniger beliebige neue Inhalte. Es wird vielmehr jetzt ausdrücklich gesagt, was von Anfang an implizit zur

---

[1] G. van der Leeuw, Phänomenologie der Religion, ²1956, 457 ff. (§ 58 ff.).
[2] V. H. Neufeld, a. a. O. 34 ff. — E. Peterson, ΕΙΣ ΘΕΟΣ, FRLANT NF 24, 1926.
[3] G. Bornkamm, Das Doppelgebot der Liebe, BZNW 21 (Festschr. Bultmann), 1954, 85—93.

Überzeugung des Glaubens gehörte, z. B.: ein Gott, Gott ist der Schöpfer, der Vater Jesu Christi. 2. Dazu nun die *Entwicklung:* Der Glaube wird mehr und mehr als zeitlose Lehre verstanden, wird also zur fides quae creditur, und korrespondiert als solche der Überzeugung von der Wahrheit dieser Lehre, der fides qua creditur (*Bultmann,* NT 488). Der ursprüngliche Gegenstand des Glaubens ist die Offenbarung selbst, der sich offenbarende Gott. Jetzt verschiebt sich der Gegenstand in Richtung auf die Lehre über die Offenbarung. Beispiele bieten der Hebräerbrief[4], der Judasbrief[5] usw.

Nun macht diese Verhärtung von der viva vox zum fixierten Bestand der Überlieferung noch nicht den Kern der Sache aus. Dieser liegt vielmehr im Moment der *Reflexion,* das jetzt in das Verständnis des Tradierens hineinkommt. Die Sätze des »Glaubens« verändern ja eo ipso im Wiedergeben ihren Sinn. Sie sind ja nicht zeitlose, etwa logische, ohne weiteres lehrbare Formeln, sondern geschichtliche Sätze, geschichtliche Auslegung der Offenbarung. Diese Sätze sind ursprünglich als enthüllende Mitteilung entworfen, die als solche angenommen werden will und auch als solche verstanden werden kann. Verstehen und Sichverstehen sind dabei eines. Sie verwandeln aber ihren Charakter, wenn sie aus zweiter Hand als fertige Wahrheit weitergegeben werden. Ursprünglich überzeugt das Wort unmittelbar. Mit der Zeit aber muß man sich ausdrücklich auf seine Wahrheit besinnen. Zum Sagen der Wahrheit tritt also die Verbürgung der Wahrheit. Wie ist diese möglich? Nun, im Sinne des Traditionsgedankens selbst: indem man zeigt, woher die Tradition stammt, indem man ihren apostolischen Ursprung nachweist[6]. Zur Behauptung des apostolischen Ursprungs muß natürlich der Nachweis kommen, daß die Überlieferung seither nicht verändert wurde, was eine Verfälschung bedeuten würde. Man muß also eine Traditionskette herstellen.

Beispiele:
1. Hebr 2, 3: die σωτηρία, ἥτις ἀρχὴν λαβοῦσα λαλεῖσθαι διὰ τοῦ κυρίου, ὑπὸ τῶν ἀκουσάντων εἰς ἡμᾶς ἐβεβαιώθη. Dieses εἰς ἡμᾶς

---

[4] E. Gräßer, Der Glaube im Hebräerbrief, Marb. Theol. Stud. 2, 1965.
[5] Jud 3 ruft auf zum Kampf für τῇ ἅπαξ παραδοθείσῃ τοῖς ἁγίοις πίστει.
[6] Jud 17; vgl. 2 Petr 3, 2; Ign Phld 5, 1; Polyk 6, 3. Man verfaßt »apostolische« Schriften: Deuteropaulinen, Katholische Briefe; man sammelt die »Lehre der zwölf Apostel« und faßt sie im Apostolischen Symbol zusammen. Die erste Etappe auf dem Weg zur apostolischen Glaubensregel und zum apostolischen Glaubenskanon zeichnet sich ab.

kann von jetzt an jede folgende Generation sprechen. Das Credo ist in eine Dauerform gegossen.

2. Lukasprolog[7]: Lukas führt seinen Bericht auf die Augenzeugen zurück und stellt die Zwischenglieder fest, die »vielen«, welche die Tradition schriftlich festlegten. Er selbst ist der, der sie zusammenfaßt und in die endgültige Form bringt. Die Kette beweist die Zuverlässigkeit: ἵνα ἐπιγνῷς περὶ ὧν κατηχήθης λόγων τὴν ἀσφάλειαν[8]. Damit ist die Gültigkeit für die Zukunft gesichert. Jetzt gilt es nur noch, das Überkommene treu zu bewahren, im Inneren gegen Irrlehre, nach außen in der Mission und in der Verfolgung. Als frühkatholisch kann diese Position aber nicht bezeichnet werden, da Lukas die Weitergabe nicht durch das kirchliche Lehramt reguliert, sondern durch die verläßliche Niederschrift sichert.

3. Dagegen verknüpfen die Pastoralbriefe die Bewahrung der Tradition mit dem kirchlichen *Amt*. Sie geben Regeln für Bischof, Presbyter und Diakonen. Dennoch sind auch sie nicht frühkatholisch. Denn die Reinheit der Lehre wird nicht durch das Amt konstituiert, sondern umgekehrt das Amt durch die Bewahrung der Lehre[9]. Das geschieht nicht durch amtliche Sukzession, sondern durch die Festlegung des Wortlautes, durch Zitation in formelhafter Zusammenfassung, die auf Paulus zurückgeführt wird (1 Tim 2, 5—7; 2 Tim 2, 8).

Zur Sicherung der Tradition gehört noch ein weiteres Element: Neben der Lehre überliefert man ein Bild des Apostels (2 Tim).

Der auf diese Weise übersichtlich zusammengefaßte Glaube ermöglicht nun die Unterscheidung von echter und falscher Lehre an einem handlichen Maßstab. Das gilt nicht nur für einzelne Lehrpunkte, sondern für das Gesamtverständnis von Offenbarung und Erlösung. Denn das Glaubensbekenntnis hält deren geschichtlichen Charakter fest und liefert daher die Kriterien gegen die Entgeschichtlichung des Glaubens in der Gnosis. Aber dieses nun zur Glaubensregel gewordene Bekenntnis wirkt nicht nur kritisch gegen die Irrlehre, sondern primär positiv: Auch die anerkannten Schriften bedürfen ja der richtigen Auslegung, die ihrerseits eines Kriteriums bedarf.

---

[7] G. Klein, Lukas 1, 1—4 als theologisches Programm, Zeit u. Gesch. (Festschr. Bultmann), 1964, 193—216.
[8] Dieses Moment, die Zuverlässigkeit der Tradition, ist zusammen zu sehen mit zwei weiteren, der Idee von den »Zwölf Aposteln« und der Rolle des Paulus als das Übermittlers.
[9] Die Lehre ist »gesunde Lehre« (1 Tim 1, 10 u. ö.), παραθήκη (1 Tim 6, 20).

Die Schriften werden ja von verschiedenen Gruppen beansprucht. Auf Paulus berufen sich auch Spiritualisten, welche die Werke überhaupt negieren. Die Gegner der Pastoralbriefe, die behaupten, die Auferstehung sei schon geschehen, dürften sich selbst als entschlossene Pauliner verstehen; ebenso die Vertreter einer enthusiastischen Naherwartung, gegen die der 2. Thessalonicherbrief polemisiert. Symptomatisch ist die Warnung des 2. Petrusbriefes (3, 16) vor dem Mißbrauch der teilweise schwer verständlichen Briefe des geliebten Bruders Paulus durch Häretiker.

§ 38 ORTHODOXIE UND HÄRESIE

W. BAUER, Rechtgläubigkeit und Ketzerei im ältesten Christentum, BHTh 10, (1934) ²1964 — M. GOGUEL, La naissance du christianisme, 1946, 442 ff. — H. KÖSTER, Häretiker im Urchristentum, RGG³ III 17—21 — Ders., Häretiker im Urchristentum als theologisches Problem, Zeit u. Gesch. (Festschr. Bultmann), 1964, 61—76 — L. GOPPELT (s. zu § 36) 112 ff.

Den Schlüssel bildet auch hier das Moment der Reflexion. Schon Paulus verwendet das Bekenntnis als kritische Instanz, 1 Kor 12, 3. Es ist das objektive Kriterium für die Beurteilung der Geistesgaben. Aber die Scheidung geschieht in unmittelbarem Zugriff, noch nicht mittels einer theoretischen Reflexion über das Bekenntnis als solches. Mit der nach Paulus eintretenden Formalisierung der Autorität der apostolischen Glaubensregel entsteht ein neuer Stil. Paulus entscheidet, indem er im Bekenntnis den Herrn selbst zur Geltung bringt. Jetzt bringt man das Bekenntnis zur Geltung, indem man auf die Autorität des Apostels zurückweist. Dort wird bekannt und damit entschieden, hier wird außerdem gefragt, was Bekennen und Bekenntnis ist. Ursprünglich führt das Bekenntnis den Überstieg über die Welt durch den Glauben mit sich. Jetzt sieht z. B. der Hebräerbrief die neue Situation so: Das Gottesvolk ist — mit seinem Bekenntnis — lange durch die Welt gewandert und müde geworden. Was nun? Immer wieder das Bekenntnis singen? Ja, aber es genügt nicht mehr, daß das Volk die Homologie auswendig kennt. Man muß diese selbst reaktivieren, aus ihr neue Impulse gewinnen. Wie? Indem man das in ihr geschenkte »Erbe« zeigt, die ἐπαγγελία, das Ziel der Wanderung: die Ruhe, die himmlische Stadt. Dieses neue Verständnis spiegelt sich im Sprachgebrauch des Wortes πίστις: Der Glaube »ist offenbar nicht mehr verstanden als das Heilwerden der Existenz selber (fides iustificans et salvificans), sondern als die Voraussetzung dazu (Pistis als Haltung)«[1]. Hier ist das Bekenntnis auf eine Thematik angewendet, die sich aus der Existenz der Kirche selbst, ihrer langen Dauer in der Welt, ergibt.
Ein weiteres Gebiet der Anwendung des Bekenntnisses ergibt sich durch das Auftauchen der Irrlehre. Dieses Phänomen ist schon an sich selbst Symptom einer gewandelten Form der Kirche. Nicht, als ob am Anfang die Lehre völlig einheitlich gewesen wäre: Sie ist ja kein zeitloser Faktor. Man denke an die Auseinandersetzungen des

---

[1] E. Gräßer, Der Glaube im Hebräerbrief, 1965, 197.

Paulus mit Judaisten und Enthusiasten. Dennoch tritt jetzt ein neues Moment auf: Durch die Verfestigung der Lehre wird die Auseinandersetzung in einem neuen Sinn theoretisch.

Es handelt sich um einen Vorgang, dessen breite Ausdehnung erst *Walter Bauer* zu erkennen lehrte. In unserer Vorstellung wirkt immer noch das alte Geschichtsbild nach (s. o.: Euseb): Auf die erste Zeit der reinen Kirche erfolgte — von außen — der Einbruch der Irrlehre, der mit dem Erkalten der ersten Liebe zusammenfällt. Es besteht aber die Möglichkeit, die Häresie zu überwinden, weil die Kräfte des Heils und Glaubens nach wie vor wirksam bleiben. In heroischem Kampf scheidet die rechtgläubige Kirche die Irrlehre aus. *Bauer* zeigt: Das ist das Geschichtsbild der siegreichen Richtung.

In Wirklichkeit weiß man nicht einfach von Anfang an, was die rechte und was die falsche Lehre ist. Was später als Häresie ausgeschieden wurde, lebte zunächst in der Kirche als eine Weise des Verstehens des Glaubens.

Man ist im Durchschnitt geneigt, gnostische Ideen als Fremdkörper anzusehen, die von außen in die Kirche eindrangen. Aber sie waren von Anfang an da (Paulus!). Das »Christentum« ist ja ein Gebilde in seiner Welt, eine synkretistische Religion. Wenn sich die Gnostiker zu Gruppen formieren, dann tun sie es deshalb, weil sie sich für diejenigen halten, die das Wesen des Glaubens tiefer, ja allein verstehen. Auch sie berufen sich auf die apostolische Tradition[2], die damit zweideutig geworden ist.

Das Neue der Situation kann an der Frage deutlich werden: Warum wird die Gnosis jetzt untragbar? Welche Grenze wurde überschritten? Wie wurde diese Grenze bestimmt? Wie kommt man überhaupt zur Kategorie der Häresie? Ihre Einführung bedeutet ja, daß auch auf der Gegenseite eine Wandlung eingetreten ist. Wenn die »Orthodoxie« meint, den ursprünglichen, unveränderten Glauben zu vertreten, so ist in Wirklichkeit gerade darin eine neue Struktur zu erkennen, nämlich ein neues Verhältnis zum Glaubensgegenstand. Es zeigt sich im Stil der Ketzerpolemik und der sich darin ausdrückenden Lehre.

Zunächst ist die Polemik primitiv: Man behauptet, die Irrlehrer seien moralisch verkommen. Im Hintergrund steht die schon aus der jüdischen Heiden-Polemik bekannte Anschauung, daß falsche Lehre von Gott und falsche Moral ursächlich zusammenhängen. Die Kritik an der Moral der Irrlehrer ist keine realistische Beschreibung, sondern dogmatische Behauptung. Die Lehre der Gegner wird nicht dargestellt, um dann widerlegt zu werden, sondern wird einfach formal bekämpft (Pastoralbriefe). Aber auf die Dauer genügt dieses Verfahren nicht. Man muß sich über die eigene Lehrgrundlage klar

---

[2] Z. B. Ptolemäus an Flora 6, 6 (hg. v. G. Quispel, SC 24, 1949).

werden und das Verhältnis von πίστις und γνῶσις grundsätzlich durchdenken. Dazu setzen die Pastoralbriefe immerhin an: Sie stellen den »Mythen und Genealogien« der Gnosis die παραθήκη gegenüber, die ja die geschichtliche Offenbarung weitergibt, und konkretisieren das, indem sie die gnostische Weltverneinung mit der Existenz der Glaubenden in der Welt konfrontieren. Die dogmatische Basis dafür ist das Bekenntnis zu Gott dem Schöpfer. So halten sie fest, daß die Welt nicht aus dem Bereich Gottes, des Heilsgeschehens ausgeschieden wird, und verhindern, daß Welt und Heil auseinandergerissen werden.

Weiter in der Reflexion kommt — auf der Grundlage der johanneischen Theologie — der 1. Johannesbrief. Für die Theologie des Johannesevangeliums ist die Zusammengehörigkeit von Glauben und Erkennen fundamental: Der Glaube will verstanden werden; und er kann verstanden werden, weil er darauf angelegt ist. Diesen Gedanken hebt nun der 1. Johannesbrief auf die Stufe der Reflexion: Er kämpft nicht nur gegen die Häretiker, sondern er besinnt sich auch auf das Wesen der Häresie, indem er das Wesen des Glaubens als Rechtgläubigkeit bestimmt. Das Johannesevangelium erklärt: Im Hören der Glaubensbotschaft kann man die Wahrheit verstehen. Der 1. Johannesbrief fragt: Wie kann sich der Glaube als wahr, als richtiger Glaube erkennen? Die Antwort gibt er durch die neuartige Verwendung des Bekenntnisses als Erkenntnisprinzip. Ursprünglich führt das Bekenntnis in die Entscheidung für oder gegen den Glauben, jetzt in die Entscheidung für oder gegen bestimmte Gruppen in der Kirche. Im Johannesevangelium vollzieht sich in Glauben und Erkennen die Enthüllung der Welt durch die Offenbarung, die Scheidung zwischen Kirche und Welt, zwischen Wahrheit und Lüge. Im 1. Johannesbrief dagegen stehen sich verschiedene christliche Gruppen gegenüber, deren jede die Wahrheit für sich beansprucht. Jetzt muß geklärt werden, welches die »richtige« Wahrheit ist. Die Reflexion verschafft sich einen bezeichnenden Ausdruck: Joh 6,69 formuliert: »Und wir haben geglaubt und erkannt, daß du der Heilige Gottes bist.« Dagegen sagt 1 Joh 2,3: »Und daran erkennen wir, daß wir ihn erkannt haben...«; woran? »...wenn wir seine Gebote halten«. Die Auseinandersetzung wird dadurch kompliziert, daß sich auch die Gegner auf das Bekenntnis berufen: »Jesus ist der Sohn Gottes.« Diese Formel genügt also nicht mehr zur Unterscheidung. Daher muß jetzt zum Bekenntnis noch dessen richtige Auslegung treten: a) ἐν τούτῳ γινώσκετε τὸ πνεῦμα τοῦ θεοῦ·

b) πᾶν πνεῦμα ὃ ὁμολογεῖ 'Ιησοῦν Χριστὸν ἐν σαρκὶ ἐληλυθότα ἐκ τοῦ θεοῦ ἐστιν (1 Joh 4, 2).

Der Verfasser versteht ἐν σαρκί nicht als neue Lehre, als Zusatz zur Lehre, sondern als ihre richtige Auslegung. Wer diesen Satz bestreitet, lehnt nicht nur einen Teil des Glaubens ab, sondern *den* Glauben, da dieser unteilbar ist. Wir sehen hier erste Ansätze für den Ausbau des Dogmas durch positive Entfaltung der Glaubenserkenntnis und kritische Abwehr der falschen Lehre.

§ 39 DIE KIRCHE ALS INSTITUTION

H. v. Campenhausen und E. Schweizer s. zu § 7 I – J. Brosch s. zu § 33 – Weitere Lit. s. Bultmann, NT 446

Paulus kennt keine feste Organisation. Es gibt zwar bestimmte Tätigkeiten und Stellungen (Phil 1, 1; 1 Kor 12, 28), aber keine Hierarchie. Es gibt kirchliche Ordnung, aber sie stellt nicht als solche das Wesen der Kirche dar. Die Ordnung ist nicht heilig, sondern zweckentsprechend.

H. v. Campenhausen weist darauf hin, daß es bei Paulus keine Ältesten gibt, weil dieses Amt für Paulus offenbar schon zu institutionell war. Zur Beleuchtung der Probleme kann die Kontroverse zwischen *Sohm* und *Harnack*[1] dienen, von der *Bultmann* (NT 447) mit Recht sagt, daß sie bis heute nicht abgeschlossen sei. *Sohm:* Rechtsordnung widerspricht dem Wesen der Kirche; in ihr kann es nur charismatische Autorität geben. *Harnack:* Es gab von Anfang an Rechtsordnung; sie widerspricht dem Wesen der Kirche nicht. Die Urkirche hatte eine doppelte Organisation, a) die der einzelnen Gemeinde; b) die der Gesamtkirche. Die Ämter der Einzelgemeinde waren Verwaltungsämter, die Gesamtkirche leiteten die Charismatiker. Wenn z. B. der Kassenverwalter der Gemeinde von Philippi nach Thessalonich übersiedelte, bekam er nicht ohne weiteres auch dort wieder ein Amt. Wenn dagegen ein Charismatiker, ein Prophet, von Gemeinde zu Gemeinde wanderte, war er überall Prophet und besaß überall Autorität. Zur Kritik: a) *H. Greeven*[2] und *H. v. Campenhausen* (65 f.) weisen darauf hin, daß Apostel, Lehrer und Propheten nach 1 Kor 12, 28 gerade zu der einzelnen Gemeinde gehören. Das ist allerdings noch kein Einwand gegen *Harnack*. Die Propheten usw. können ja wandern und bleiben trotzdem, was sie sind. b) Weiter führt *Bultmann*, zunächst in der Frage der doppelten Organisation. Er sagt, man sollte nicht von einer solchen sprechen; »denn als Organisation kann das Wirken der Apostel, Propheten nicht bezeichnet werden. Richtig ist aber, daß die Tätigkeit der Presbyter und Episkopen auf die Einzelgemeinde beschränkt ist, während sich in den Personen der Apostel, Propheten und Lehrer und in ihrem Wirken die ἐκκλησία als die *eine* darstellt. Aber diese Einheit ist zunächst keine organisatorische, sondern eine charismatische« (NT 456).

Vor allem präzisiert *Bultmann* die Erfassung der Sachproblematik. *Harnack* ging von der empirischen Gestalt der Kirche als rechtlich verfaßter Institution aus, *Sohm* von ihrem Wesen. *Bultmann* will die Alternative überwinden: Man muß »sich den Unterschied deutlich machen zwischen der Ekklesia als einem historischen Phänomen und der Ekklesia als der eschatologischen, vom Walten des Geistes geleiteten Gemeinde« (447 f.). Nicht Rechtsordnung als solche steht im Widerspruch zum Wesen der Kirche. Denn der Geist selbst schafft Recht, Tradition[3]. Der Widerspruch entsteht erst, wenn »das Recht aus einem regulierenden zu einem konstituierenden wird« (449 f.), wenn also nicht mehr das Recht der Ordnung der Kirche dient, sondern die Kirche als solche zur Rechtsanstalt wird und sich an der Rechtsordnung mißt. Das geschieht, wenn z. B. das Urteil, ob die

---

[1] Vgl. oben § 7 und 36; dort auch die Literaturangaben.
[2] H. Greeven, Propheten, Lehrer, Vorsteher bei Paulus, ZNW 44, 1952/3, 1—43.
[3] E. Käsemann, Sätze heiligen Rechtes im NT (s. o. S. 294 Anm. 5).

Kirche in Ordnung ist, von einer bestimmten Art der Organisation, ihrer hierarchischen Verfassung abhängig gemacht wird; wenn das Amt zum Kriterium des Geistes und dieser seinerseits an das Amt gebunden wird; wenn die Lehre an Amtssukzession, die Wirksamkeit der Sakramente an Weihen und Ämter geknüpft wird; wenn die kirchliche Disziplin nicht mehr pneumatisch ist, sondern von einem Amt reguliert wird, und zwar so, daß das Befolgen des Kirchenrechts Heils- und Unheilswirkung hat.

Die äußere Entwicklung führt dahin, daß die beiden Verfassungstypen — der paulinische und die Ältesten-Verfassung — verschmelzen[4]. In den Pastoralbriefen, ebenso bei Lukas, finden wir Älteste (vgl. 1. Klemensbrief). Es bildet sich die Grundform der Ämterordnung, welche für die Zukunft bestimmend wird. Die Synthese, die bei Ignatius erreicht ist, sieht dann so aus: An der Spitze steht der monarchische Bischof, unter ihm seine Presbyter und die Diakonen. Darüber erhebt sich als ideelle Spitze das Amt der Apostel, in denen sich die Einheit der Kirche darstellt. Dies ist freilich schon ein Endpunkt. Im Neuen Testament und in Schriften seiner Umgebung sind die Dinge noch in Bewegung. Die Amtsbezeichnungen sind noch nicht streng definiert. Beispiele: Die ἐπίσκοποι (Apg 20, 28; im Plural) sind von den Presbytern (20, 17) nicht zu unterscheiden. Die Pastoralbriefe sprechen vom ἐπίσκοπος immer im Singular, von den Presbytern im Plural. Ist hier schon ein monarchischer Episkopat vorhanden? Kaum, denn die Anweisungen, die jeder von beiden erhält, überschneiden sich, so daß der Eindruck entsteht, es handelt sich um zwei Bezeichnungen für dieselbe Stellung. Die Trennung nach Singular und Plural kann von der Benutzung fester Formulare herrühren (*Dibelius*). Der Hebräer- und Barnabasbrief sowie die Didache halten noch an der Gemeinde als freier Gemeinschaft fest. In Did 15 haben die Bischöfe dieselbe Funktion wie die Charismatiker. Vgl. *H. v. Campenhausen 76*.

In die Zuständigkeit der Beamten fällt der Kult. Hier ist eine analoge Wandlung festzustellen. Bei Paulus ist der Gottesdienst als λογικὴ λατρεία bestimmt. Darin steckt ein kritisches Element, die Krisis der Vorstellung, auf Gott durch Darbringung von Opfern einwirken zu können. Es gibt nur die worthafte Form der Darbringung, das Gebet. Das Verständnis des Gottesdienstes ergibt sich aus der Heilstat. Aber schon bald wird der Gottesdienst wieder zum Kult im Sinne direkter Einwirkung: a) zur Darbringung des christlichen Opfers als des Gott Wohlgefälligen (erste Andeutungen in der Didache, bei Ignatius, im 1. Klemensbrief; ausgebildet bei Ju-

---

[4] H. v. Campenhausen, a. a. O. 82 ff.

stin); b) zur Begehung des christlichen Mysteriums, durch das die Kräfte der jenseitigen Welt in den Mysten einströmen (Ignatius). Natürlich wird dies als Wirkung von Gottes Heilstat verstanden. Bei Ignatius hängt die Realistik des Sakramentsverständnisses unmittelbar mit der Christologie zusammen, der Betonung der Realität der Menschwerdung (im Kampf gegen die doketische Häresie). Trotzdem ist faktisch das Verständnis der Wirkung des Kults nicht mehr nur aus dem Heilsgeschehen abgeleitet. Das zeigt sich daran, daß das Sakrament jetzt durch die dafür bestimmten Personen vollzogen werden muß, die Priester. Die Kirche wird zur Heilsanstalt. Die erste Etappe auf dem Weg zur katholischen Institutionalisierung der Kirche ist erreicht. Zur Verwaltung des Kults kommt die Aufsicht über die Lehre (kräftig geübt von Ignatius). Natürlich wird der Ausbau der Lehraufsicht durch das Auftreten der Häretiker begünstigt.

Erinnerung an § 38: Es steht nicht von vornherein fest, was Häresie ist. Die Maßstäbe müssen erst gewonnen werden. In diesem Vorgang hat die Formierung des Amtes konstitutive Bedeutung.

Die Ausbildung der Organisation und der dogmatischen Kriterien greifen ineinander. Dazu müssen praktische Normen für das Zusammenleben erarbeitet werden; das wiederum hat zur Folge, daß zugleich die dauernde Instanz geschaffen werden muß, welche diese Normen handhabt[5]. Freilich hat man sich vor Schematisierung zu hüten, sowohl hinsichtlich des Verlaufs der Entwicklung als auch hinsichtlich des Urteils über diese. Daß man nach festen Regeln und Ordnungen sucht, entspricht zunächst einfach den Erfordernissen, ist also noch kein »Abfall«, keine grundsätzliche Verwandlung der Kirche. Man kann auf die Dauer nicht die ursprüngliche freie Regulierung von Fall zu Fall durch den Geist konservieren, schon deshalb nicht, weil man es jetzt mit kollektiven Phänomenen neuer Art zu tun hat (Häresie). Hier helfen nur Regeln und Maßnahmen. Die Frage ist aber wieder, ob die Regulierung als solche für das Heil konstitutiv wird. Das Paradigma bietet die Entwicklung der Buße bis zum ausgebildeten katholischen Bußinstitut. Als Leitfaden kann das Problem der sog. zweiten Buße dienen. Für Paulus kann dieses überhaupt nicht existieren: Die Kirche ist heilig und muß — durch den Geist selbst — heilig gehalten werden (1 Kor 5, 1 ff.; vgl. Apg 5, 1 ff.). Wird aber eine Dauerform der Regulierung gefunden, so ist die Frage, wie verhält sich diese zum Wesen der Kirche?

[5] Bultmann, NT 578 ff.

Das Problem taucht zuerst Hebr 6, 4—6 auf: Die Möglichkeit einer zweiten Buße und Vergebung wird rundweg abgelehnt. Allerdings ist der scheinbare Rigorismus dieser Aussage dadurch erweicht, daß sich die Verweigerung der zweiten Buße nur auf schwere Sünden bezieht: Abfall, Unzucht, Ehebruch (12, 16 f.; 13, 4), bzw. auf die »freiwilligen« Sünden (10, 26). Die Unterscheidung von Todsünden und läßlichen Sünden bahnt sich an. Wie ist nun die Verweigerung der zweiten Buße sachlich zu beurteilen? *E. Gräßer*[6] beruft sich auf *Luthers* Urteil, der Hebräerbrief habe in Kap. 6 und 10 einen »harten Knoten«, und meint: »... es ist nicht zu sehen, wie er zu lösen wäre.« *Gräßer* sieht, daß die Verweigerung der zweiten Buße theologisch begründet wird, nämlich in der Einmaligkeit des Opfers Christi, aber durchaus nicht logisch-notwendig: »Geschichtlich ist sie (sc. die Verweigerung der zweiten Buße) zu sehen auf dem Hintergrund jener eschatologischen Entwicklung, die schließlich zur Preisgabe der Dialektik gläubiger Existenz führt.« Sie hängt zusammen mit der »Depravation des urchristlichen Glaubensverständnisses«, ist keineswegs Ausdruck der urchristlichen Gewißheit, »daß der Glaube sein Ziel erreichen wird« (gegen *E. Fuchs*, Aufs. II 242).

Hier ist eine Linie der Entwicklung richtig gesehen. Die pauschale Erklärung von *Fuchs* hellt den exegetischen Befund nicht genügend auf. Dennoch ist das theologische Urteil *Gräßers* zu kurz geschlossen. Denn das Sündenverständnis des Hebräerbriefs ist durch die Vorstellung vom wandernden Gottesvolk bestimmt, also an einem Kollektiv orientiert: Sünde ist Zurückbleiben hinter dem wandernden Volk; unbildlich gesprochen: Abfall, Preisgabe des Bekenntnisses und Glaubens, damit des Heils. Außerdem kommt in der Verweigerung der zweiten Buße zur Geltung, daß die Vergebung kontingent ist. Man kann nicht im voraus einberechnen, daß Gott großzügig sein und noch ein weiteres Mal vergeben wird. Vergebung kann man nur in der Buße erbitten, also je zum letzten Mal. Daß Gottes Gnade jeden Morgen neu ist, kann man nur als Bekenntnis des Dankes sprechen, nicht als Grund dafür geltend machen, daß man mit neuer Vergebung rechnen darf. Endlich ist nicht zu übersehen, daß im Hebräerbrief die Vergebung noch nicht in die Regie einer Institution übergegangen ist. Die Kirche kann sie nur »verwalten« im Sinne des Wortes.

[6] E. Gräßer, Der Glaube im Hebräerbrief, 1965, 192—198. Die folgenden Zitate stehen auf S. 197 f.

Das den Hebräerbrief charakterisierende Nebeneinander von grundsätzlicher Lösung und praktischer Regulierung findet sich auch im 1. Johannesbrief[7], freilich mit einer anderen materialen Lösung: a) Die praktische Regulierung erfolgt ähnlich wie im Hebräerbrief. Aber die Unterscheidung von »Todsünden« und leichteren Sünden ist deutlicher. Der Umfang der Todsünden wird nicht definiert. Praktisch handelt es sich ungefähr um denselben Bestand wie im Hebräerbrief. b) Die grundsätzliche Lösung entfernt sich von der des Hebräerbriefs. Denn hier taucht der Gedanke auf, daß wir immer wieder auf neue Vergebung angewiesen sind und daß uns diese zugesagt ist. Daran kann die weitere Entwicklung anknüpfen. Sie führt freilich in die Regulierung der immer neuen Vergebung durch die kirchliche Institution. Davon ist im 1. Johannesbrief noch nicht die Rede.

---

[7] R. Bultmann, in: In Memoriam E. Lohmeyer, 1951, 192 ff., erklärt 1 Joh 5, 14—21 als Zusatz der »kirchlichen Redaktion«.

§ 40 DIE ESCHATOLOGIE

M. GOGUEL, La naissance du christianisme, 1946, 296 ff. — E. GRÄSSER, Das Problem der Parusieverzögerung in den synoptischen Evangelien und in der Apostelgeschichte, BZNW 22, 1957 — A. STROBEL, Untersuchungen zum eschatologischen Verzögerungsproblem, Suppl. Nov Test 2, 1961 — O. KNOCH, Die eschatologische Frage, ihre Entwicklung und ihr gegenwärtiger Stand, BZ NF 6, 1962, 112—120 — O. CULLMANN, Heil als Geschichte, 1965

Auch hier wird auf das Auseinandertreten von Orthodoxie und Häresie zu achten sein. Dabei wird sich noch ein neuer Aspekt zeigen.
Erinnerungen: a) Lukas, der die Naherwartung durch ein Bild der Heilsgeschichte ersetzt, gehört in diesen Zeitraum. — b) Die Interpretation der Eschatologie hat in der Forschung zu folgenden Positionen geführt: 1. Konsequente Eschatologie[1]: Die gesamte Entwicklung ist durch das Ausbleiben der Parusie bestimmt. Dadurch ist die Kirche gezwungen, sich gedanklich und organisatorisch in der Welt einzurichten. 2. Realisierte Eschatologie (*C. H. Dodd*): Die futurische Eschatologie ist eine sekundäre Stufe. 3. Entwürfe einer heilsgeschichtlichen Interpretation des Neuen Testaments (*O. Cullmann* u. a.).
Es ist festzustellen, daß das Ausbleiben der Parusie da und dort als Problem empfunden wurde (2. Thessalonicher-, 2. Petrusbrief), aber keine Grundlagenkrise auslöste. Die Frage, die sich dem Historiker stellt, lautet nicht: Wie wurde die Kirche mit der durch die Parusieverzögerung bewirkten Erschütterung der Grundlagen ihres Glaubens fertig[2]? Sondern: Warum brach keine Krise aus, obwohl die frühe Kirche die Parusie in Bälde erwartete[3]?
Schon bei Paulus, bevor die Verzögerung bewußt wurde, also bevor man sich mit ihr auseinandersetzen mußte, sind die Gedanken konzipiert, durch die das Problem der zeitlichen Distanz der Parusie im voraus als Problem überholt wird. Paulus ist überzeugt: »Der Herr ist nahe«; aber diese Überzeugung ist für ihn kein Satz des Credo. Er begründet die Hoffnung nicht mit dieser apokalyptischen Vorstellung, sondern mit dem Credo, das von Terminen unabhängig ist. Daher belehrt er die Gläubigen, daß sie sich um Termine keine

---

[1] M. Werner, Die Entstehung des christlichen Dogmas, ²1953.
[2] So M. Werner (s. vorige Anm.).
[3] Mit O. Cullmann.

Die Eschatologie 339

Sorge zu machen brauchen, weil sie schon Kinder des Tages, des Lichtes sind (1 Thess 5, 1 ff.). Eschatologie ist von Anfang an primär nicht apokalyptische Vorstellung, sondern Verstehen des Seins im Glauben. Die Hoffnung bleibt dem Warten vorgeordnet. Ist das verstanden, wird die Verzögerung der Parusie nicht zum Existenzproblem des Glaubens. Aber ist diese Bedingung in der Kirche erfüllt[4]?
Wollen wir einerseits die verschiedenen Versuche, das Problem der Parusieverzögerung zu lösen, andererseits die Tatsache verstehen, daß es weithin gar nicht auftaucht, müssen wir uns des geschichtlichen Charakters des Verhältnisses zum Eschaton bewußt sein: Es handelt sich ja weder nur um einen zeitlosen Lehrsatz über den Termin der Ankunft des Herrn noch um das psychologische Moment, daß man sich durch die Verzögerung bedrängt fühlte. Das eigentliche Problem ist vielmehr in der eschatologischen Erwartung selbst angelegt. Die Behauptung, es sei von Anfang an im Glauben sachlich überholt, steht damit nicht in Widerspruch. Sachlich ist es in der Tat überholt, wenn auch die Erwartung zunächst in apokalyptischen Vorstellungen dargestellt wird. Eben diese Einsicht muß nun gedanklich erarbeitet werden. Dafür bieten sich zwei Möglichkeiten: Entweder man geht von den apokalyptischen Vorstellungen aus; in diesem Fall ist eine Lösung nur zu finden, wenn der Existenzsinn der Bilder aufgezeigt werden kann. Oder man setzt beim Glaubensverstehen ein. Beide Wege sind beschritten worden, in beiden Fällen gibt es wieder verschiedene Typen von Lösungsversuchen.
1. Lösungsversuche von der Vorstellung her: a) Apokalypse: Aufbau des endzeitlichen Dramas mit apokalyptischem Material; b) Lukas: Interpretation der Zeit vor der Parusie als Zeit der Kirche.
2. Lösungsversuche vom Glaubensverstehen her: Kolosser-, Epheser-, Hebräerbrief, Johannesevangelium.
Von heute aus gesehen scheint der erste Weg der einfachere und näherliegende zu sein. Andererseits ist es verständlich, daß man im Wirkungsbereich des Paulus seine Denkarbeit aufnimmt und von ihr aus weiterdenkt. Gegenüber dem ersten Lösungsversuch ist er sogar im Vorteil, da er nicht die Schwierigkeiten, aus denen er herausführen soll, ständig mit sich weiterführen muß. Das Problem entsteht ja gerade aus der Tatsache, daß man die Hoffnung zwar

---
[4] Bultmann, NT 497 ff. 507 ff.

anschaulich machen kann, indem man sie in Bildern des Erhofften darstellt (der himmlischen Stadt usw.), daß man aber *nur* solche Bilder tradieren kann; die Hoffnung selbst jedoch, die eschatologische Einstellung, die Naherwartung, ist nicht tradierbar. Die Sätze, die sie aussprechen, können zwar wiederholt werden, aber die Einstellung wandelt sich, je länger man warten muß.

Doch muß das Problem noch schärfer gefaßt werden: Die Einstellung wandelt sich nicht nur im Ablauf der Zeit, sondern »mit« der Zeit. Es ist zu unterscheiden: a) die *Zeitvorstellung,* die man hat; b) die *Zeit selbst,* in der man lebt. Nicht nur die Zeitvorstellung bestimmt die Erwartung, sondern auch die sich dehnende Zeit selbst. Die primäre Frage ist nicht: Wie und wie nahe sieht man das Weltende? sondern: Wie verhält man sich zu ihm — in der Gestaltung der Kirche und damit des eigenen Lebens? Wie stellt man sich nicht nur auf den Himmel ein, sondern welche Folgerungen werden — im Blick auf den Himmel bzw. die Zukunft — für die Gegenwart in der Welt gezogen?

Ist die ablaufende Zeit selbst Faktor bei der Ausbildung der Eschatologie, kann es eine einheitliche neutestamentliche oder gar christliche Eschatologie überhaupt nicht geben. Infolgedessen ist es abwegig, die verschiedenen eschatologischen Entwürfe gegeneinander auszuspielen, etwa den des Paulus gegen den des Lukas. Ihre Lösungen sind nicht beliebig, sondern haben je ihre Zeit. Es gilt, sie an ihrem kirchen- und theologiegeschichtlichen Ort zu verstehen, als Entwürfe des Horizonts, in dem sich die Kirche jeweils sieht, der sich ständig zeitlich-geschichtlich verschiebt. Auch hier darf man natürlich keine logische Entwicklung postulieren, sondern kann verschiedene Zugriffe auf das Problem konstatieren. Vor dem theoretischen Durchdenken liegt die praktische Einstellung der Kirche auf andauerndes Existieren in der Welt durch Ausbildung der kirchlichen Ordnung (s. § 39). Das bedeutet ja, daß sich die Kirche nicht mehr unmittelbar am Ende sieht, sondern in einer Weltepoche. Freilich ist diese nicht von der Welt und der Weltgeschichte, sondern vom Ablauf der Heilsgeschichte her verstanden, als die Zeit der Herrschaft des erhöhten Christus, d. h. — im Blick auf die Welt — als Zeit der Kirche (Lukas) oder als Zeit der Wanderung des Gottesvolks (Hebräerbrief). Aus dieser Verschiebung des Aspekts folgt: a) Das Reich Gottes (bzw. Reich Christi) wird nicht mehr in erster Linie zeitlich — als das kommende Reich — gesehen, sondern überzeitlich-räumlich — als das himmlische Reich (2 Tim 4,18; Kolosser-, Hebräerbrief; Lukas; Apokalypse[5]). — b) Von Anfang an stehen unausgeglichen nebeneinander die kosmologische Erwartung der allgemeinen Totenauferstehung und die individuelle Erwartung, im Augenblick des Todes in die Seligkeit einzugehen. Es ist verständlich, daß mit der Zeit die zweite Form der Erwartung stärker hervortritt. — c) Das Verhältnis zwischen Eschatologie und Ethik ändert sich und damit auch Form und Inhalt der Ethik. Vergröbert skizziert: An die Stelle des eschatologischen Bußrufs und des Aufrufs zum »Wachen« (1 Thess 5, 1 ff.) tritt die Regulierung der vita Christiana — in bürgerlichem Stil in den Pastoralbriefen, in kirchlichem im Hebräerbrief (Regeln für die Wanderung), wieder anders im 1. Johannesbrief. Hinzu kommt die sich intensivierende Einstellung auf Verfolgung und Martyrium (1. Petrusbrief; Apokalypse). Natürlich droht nun die Gefahr, daß die Regulierung des Lebens zur Bedingung des Heils wird, daß der Gehorsam nicht mehr (wie bei Paulus) die Darstellung des neuen Lebens ist, sondern die Voraussetzung für seinen Erwerb, daß also das ethische Gebot wieder als neues Gesetz verstanden wird.

Das Urteil über diese Veränderung muß wieder die Geschichtlichkeit des Vorgangs berücksichtigen, nicht abstrakt-ungeschichtlich »werten«. Die Verschiebung des eschatologischen Aspekts und damit der Einstellung zur Welt ist selbst zeitbedingt im wortwörtlichen Sinn. Also ist Vorsicht mit negativen Werturteilen geboten. Eine Konservierung der Naherwartung wäre nur eine künstliche, in Wirklichkeit eine unmögliche Lösung gewesen, weil sie zur Schwärmerei geführt hätte. Daß dies in einzelnen Fällen tatsächlich eintrat, davon gibt es noch Spuren: Der 2. Thessalonicherbrief ist gegen Leute geschrieben, welche die Naherwartung pflegen und sich dafür auf Paulus berufen, formal mit Recht, aber ohne Sachverstand, nämlich ohne Zeitverstand.

Beispiele für Lösungsversuche des Vorstellungstyps

Der *2. Petrusbrief*[6] entwickelt seine Gedanken im Kampfe gegen Häretiker. Er verteidigt die ursprüngliche Naherwartung. Aber die formale Berufung auf die Tradition genügt nicht mehr, obwohl sie

---

[5] R. Schnackenburg, Gottes Herrschaft und Reich, 1959, 224 ff.
[6] E. Käsemann, Eine Apologie der urchristlichen Eschatologie, ZThK 49, 1952, 272—296 (= Ex. Vers. u. Bes. I 135—157); A. Strobel, a. a. O. 87—97.

mit Pathos vorgetragen wird. Wie sehen die sachlichen Argumente aus? Der Brief arbeitet mit dem alten Motiv, daß das Ende plötzlich einbricht, und mit der Relativierung der Zeit: Vor dem Herrn sind tausend Jahre wie ein Tag (3, 8). Das heißt, der Verfasser hat in Wirklichkeit die Naherwartung selbst aufgegeben. Das Argument von 3, 8 kann auch gegen ihn gekehrt werden. Das neue Element, das unter der Hand eingetreten ist, ist das latente »Dennoch«: Man muß trotz allem an der Überlieferung festhalten. Die Apologetik ist als solche ja schon ein Symptom dafür, daß die Naherwartung geschwunden ist. Im Grunde ist die Erwartung im 2. Petrusbrief zeitlos: »Zwei Welten stehen sich gegenüber« (*Käsemann* 144). Die Eschatologie ist von der Christologie gelöst. Sie blickt aus auf die Verwandlung der »Natur«. Christus ist im wesentlichen als Richter vorgestellt.

Wesentlich tiefer dringt der *Hebräerbrief*[7]. Auch hier greifen Zeit- und Raumvorstellung, Ausblick nach vorn und nach oben ineinander. Sachlich dominieren die Raumbegriffe. Zwar werden die Sätze der Naherwartung wiederholt (1, 2; 9, 26; 10, 25. 37), aber sie bestimmen nicht die Eschatologie, sondern dienen primär der paränetischen Einübung (10, 36: der Geduld). Unter den Stichworten der Naherwartung bereitet der Brief seine Leser in Wirklichkeit auf die lange Zeit der Mühen und Leiden vor. Wie sich die Kirche versteht und in welchem Verhältnis sie sich zum verheißenen, erhofften Heil sieht, spricht das Bild vom wandernden Gottesvolk aus. In ihm verbinden sich ja das Zeit- und Raumelement zur Wanderung durch die Zeit: Das Heil ist künftig, das Ziel ist die künftige Stadt (13, 14). Aber diese existiert schon, als das obere Jerusalem (12, 12—25). *Gräßer* stellt mit Recht fest, daß die Pointe nicht die Künftigkeit ist, sondern die Gewißheit — trotz der Länge des Weges. Diese Vorstellung prägt die einzelnen Begriffe: Glaube ist Verbleib in der wandernden Gruppe, Sünde Zurückbleiben hinter ihr. Das Durchhalten (ὑπομονή) ist praktisch gleichbedeutend mit dem Glauben, speziell angesichts der Ermüdung auf der Wanderung. Diese Gefahr droht der Kirche, gegen sie kämpft der Brief an — nicht durch eine ausmalende Beschreibung der himmlischen Stadt, sondern durch die Aufforderung, an Jesus Christus, dem Anfänger und Vollender des Glaubens, festzuhalten (10, 32 ff.), durch die Einübung der Homolo-

---

[7] E. Käsemann, Das wandernde Gottesvolk, FRLANT NF 37, ²1957; F. Schierse, Verheißung und Heilsvollendung, MThS I 9, 1955, 92 ff.; R. Schnackenburg, Nt. Theologie, 1963, 126 ff. (Lit.); E. Gräßer, Der Glaube im Hebräerbrief, 1965.

gie, in der die Gemeinde die ἐπαγγελία, die Verheißung der künftigen Ruhe, hat. Der Garant ist Christus, der Hohepriester, der Vollbringer des einmaligen, endgültigen Opfers. Durch diese christologische Begründung der Hoffnung und durch die christologische Deutung der Kirche ist eine Erklärung der Parusieverzögerung nicht mehr erforderlich. Der lange Weg ist konstitutiv für das Wesen der Kirche[8]. Die Zwischenzeit braucht weder heilsgeschichtlich erklärt noch durch apokalyptische Mythologie übersprungen zu werden; sie wird durchmessen. Hoffnung ist nicht nur Ausblick ins Jenseits. Die ἐπαγγελία ist einerseits schon verwirklicht; die Gläubigen sind bereits Bürger der himmlischen Stadt (12, 22—25); sie sind durch die Taufe erleuchtet und haben die himmlische Gabe und die Kräfte des künftigen Äons gekostet. Andererseits sind sie zur Ruhe erst unterwegs, aber unter dem Zeichen der Verheißung und Hoffnung. Sie haben den Glauben und die Möglichkeit, von dessen elementaren Inhalten (6, 1 f.) aufzusteigen zum λόγος τέλειος. Gegenwart und Zukunft sind durch den Gottesdienst, die Homologie verknüpft, in der das Heil nicht nur immer wieder in Worten versichert, sondern real übermittelt wird[9].

Damit ist aber die Grenze dieses Lösungsversuches bezeichnet: Die Verheißung gilt dem Volk; der Einzelne kommt nur als Glied des Kollektivs ins Blickfeld.

Ein Motiv zur Ausformung der Eschatologie bildet die Verfolgung. Sie kann sich als Reintensivierung der Naherwartung auswirken; so im *1. Petrusbrief,* vor allem aber in der *Apokalypse des Johannes.* Auch hier greifen Zeit- und Raumvorstellung ineinander. Thema ist das Weltende, das Nachzeichnen des eschatologischen Dramas. Aber die himmlische Welt, die sich in der Zukunft manifestieren wird, ist bereits existent. So merkwürdig es klingen mag: Gerade in der Johannesapokalypse bemerkt man eine eigentümliche Eliminierung der Zeit: Sie wird vom apokalyptischen Bild aufgesogen. Das zeigt sich vor allem im Verständnis der Kirche, ihrer Stellung in der Welt[10]. Die Kirche ist das Zwölf-Stämme-Volk, aber über das vorchristliche Israel wird nicht reflektiert. Es gibt keinen heilsgeschichtlichen Rückblick. Dazu paßt, daß keine Zeitlinie von Christus über die Apostel in die Gegenwart gezogen, kein Traditionsgedanke aus-

---

[8] Zum Ganzen vgl. E. Gräßer, a. a. O. 171 ff.
[9] G. Bornkamm, Das Bekenntnis im Hebräerbrief (1942), in: Studien zu Antike und Urchristentum, Ges. Aufs. II 188—203.
[10] E. Schweizer, Gemeinde und Gemeindeordnung, AThANT 35, ²1962, 117 ff.

gebildet wird. Statt dessen herrscht die unmittelbare Schau des Sehers, der Blick in die himmlische Welt, auf das Lamm im Himmel. Die Zeit erstreckt sich nur von der Gegenwart nach vorne, durch die Wehen zum Sieg. Aber der Blick des Sehers — und durch seine Vermittlung des Gläubigen — dringt schon bis zum Ziel vor[11]. Daß Christus im Himmel regiert und der Satan schon gestürzt ist, wirkt sich auf den apokalyptischen Grundriß und das Verständnis des Heils und Endes aus[12]. Durch die Orientierung am Heilswerk Christi ist es möglich, Wesen und Aufgabe der Kirche in der Zwischenzeit zu deuten: Ihr Leiden gehört zu ihrem Wesen, und ihre Aufgabe ist das Zeugnis, das sie durch das Leiden in die Herrlichkeit führt.

Beispiele für Lösungsversuche des zeitlosen Typs

Dieser entwickelt sich in der Schule des Paulus. Das wichtigste Indiz für die Abwandlung des eschatologischen Verständnisses ist die Umsetzung der paulinischen Futura in Präterita in Kol 2 und Eph 2[13].

Kolosserbrief[14]
Noch wird ein zeitlicher Ausblick auf die Parusie angedeutet: ὅταν ὁ Χριστὸς φανερωθῇ, ἡ ζωὴ ἡμῶν, τότε καὶ ὑμεῖς σὺν αὐτῷ φανερωθήσεσθε ἐν δόξῃ (3,4). Aber daß diese Enthüllung bald erfolgen wird, steht nicht da. Der Ton liegt auf der Gegenwart: daß Christus unser Leben ist (vgl. Phil 1, 21). Der Ausblick auf die Parusie ist für die Theologie des Briefes sachlich bedeutungslos. Es dominiert der Raumaspekt, der sich z. B. im Stichwort σῶμα (Christi) aus-

---

[11] Bultmanns Erklärung (NT 525 f.), daß in der Apokalypse grundsätzlich dasselbe Verhältnis zwischen Zukunft und Gegenwart bestehe wie in der jüdischen Apokalyptik, wird dem Tatbestand nicht gerecht. S. W. G. Kümmel, Einleitung in das NT, [13]1964, 337; R. Schnackenburg (s. S. 341 Anm. 5) 232 ff.; E. Lohse, Die Offenbarung des Johannes, NTD 11, [2]1966, 3 f.
[12] Anders als das Danielbuch und andere jüdische Apokalypsen greift der Verfasser nicht in die Vergangenheit zurück; er verfolgt nicht einen göttlichen Plan durch Etappen des Weltablaufs.
[13] Kol 2, 12: συνηγέρθητε — διὰ τῆς πίστεως; Eph 2, 6 f.: συνήγειρεν καὶ συνεκάθισεν ἐν τοῖς ἐπουρανίοις — χάριτι. Die Affinität und zugleich Abgrenzung zur Gnosis ist deutlich.
[14] Bultmann, NT 526 ff.; G. Bornkamm, Die Hoffnung im Kolosserbrief, TU 77, 1961, 56—64; E. Lohse, Christusherrschaft und Kirche im Kolosserbrief, NTS 11, 1964/5, 203—216.

drückt[15]. In dem Hymnus Kol 1, 15 ff., den der Verfasser schon vorgefunden hat, bedeutet σῶμα ursprünglich die Welt. Der Verfasser deutet es um auf die Kirche. Aber der kosmische Hintergrund bleibt bestehen: Die Welt ist der Raum des Heilsgeschehens; dieses verwirklicht sich in der Kirche, die sich in kosmischer Dimension erstreckt. Sie reicht so weit wie das Werk Christi, die Unterwerfung aller feindlichen Mächte. Der unspekulative Sinn ist: Die Herrschaft Christi ist in der Kirche erfahrbar als Freiheit. Der Ort der Offenbarung ist die empirische Welt, die durch die Verkündigung des »Geheimnisses« in die Herrschaft Christi nicht nur gefordert, sondern wirksam gestellt wird. Der Ton liegt also darauf, daß das Heil schon gegenwärtig ist. Durch Kreuzigung und Aufstieg Christi sind wir schon aus der Macht der Finsternis in das Reich seines geliebten Sohnes, das »Reich des Lichtes«, versetzt (1, 13 f.). Die Orientierung an der Gegenwart der Heilsgüter läßt den Sinn von »Hoffnung« erkennen: Dieses Wort bezeichnet das im Himmel verwahrte erhoffte Gut (1, 5). In die gleiche Richtung weisen die Begriffe des Erkennens und der Weisheit. Weisheit ist Einblick in das Geheimnis (2, 2 f.), von dessen Offenbarung in dem charakteristischen Revelationsschema die Rede ist (1, 26—28)[16].

Natürlich muß man fragen, ob der eingeschlagene Weg nicht geradlinig in die Gnosis führt. Die Antwort gibt der Brief selbst: Er polemisiert gegen Gnosis. Aber ist seinem Verfasser die Abgrenzung wirklich gelungen? Er könnte ja gnostisch infiziert sein, ohne es selbst zu merken. Aber in der Tat weist er die Gnosis an einem entscheidenden Punkt zurück: Er durchleuchtet ihre Praxis, also ihr Verhältnis zur Welt, die rituellen Begehungen, die Verehrung der Elemente. Diese sind Ausdruck einer ungeschichtlichen Erlösungslehre und Christologie: Christus ist für die Häretiker Inbegriff des Kosmos, der durch die Verehrung der Elemente zu sich selbst gebracht wird. Demgegenüber insistiert der Kolosserbrief darauf, daß die Welt in der Tat der Leib Christi ist, ihr Sein aber geschichtlich verstanden werden muß. Die Erlösung erfolgte durch die geschichtliche Heilstat des Kreuzes. Sie führt nicht in eine spekulative Weltschau hinein, sondern begründet das Zusammenleben der Gläubigen in der durch den Glauben erschlossenen Freiheit von der Schuld und

---

[15] Gegenüber Paulus ist eine Weiterentwicklung eingetreten, durch Kombination von σῶμα mit κεφαλή; ebenso im Epheserbrief.
[16] D. Lührmann, Das Offenbarungsverständnis bei Paulus und in paulinischen Gemeinden, WMANT 16, 1965. Vgl. oben § 11 I.

von den Mächten. Positiv wird das Verhältnis zur Welt konkretisiert in der Relation von Indikativ und Imperativ (3, 1—4). Die Forderung τὰ ἄνω ζητεῖτε lädt nicht zum Aufstieg durch Meditation und Sittlichkeit ein, sondern fordert paradox, den Ort aufzusuchen, an dem wir uns schon jetzt, wenn auch unanschaulich, uns selbst verborgen, in der Weise des Geheimnisses, befinden.

Epheserbrief
Der Zeitfaktor ist bis auf den unauflösbaren Rest ausgeschieden, der notwendig ist, um ein Phänomen überhaupt darstellen zu können, nämlich die Kirche als Verwirklichung der göttlichen οἰκονομία[17]. Ein Beispiel bietet Eph 2, 11 ff.: Die einstigen Juden und die einstigen Heiden sind in der Kirche Eins geworden. Die Vergangenheit wird nicht heilsgeschichtlich zurückverfolgt, sondern ist lediglich Folie der jetzigen Einheit. Wohl gibt es noch den Ausdruck »der kommende Äon« (1, 21); aber er wird mit dem jetzigen zusammengefaßt unter dem Gesichtspunkt, daß Christus jetzt und in Zukunft zur Rechten Gottes thront. Die Ansätze des Kolosserbriefs werden planmäßig ausgebaut: die Umsetzung der Tempora (2, 4 ff.); der Kirchengedanke (σῶμα und κεφαλή); das Revelationsschema (3, 4 ff.). Der Epheserbrief kombiniert die mythisch-kosmologische Vorstellung vom Leibe Christi mit der mythisch-anthropologischen vom »erlösten Erlöser«: Christus ist der »vollkommene Mann«, der die Seinen in sich sammelt und zu sich selbst emporführt. Er ist Ausgangs- und Zielpunkt und Raum dieser Aufwärtsbewegung; das Haupt des Leibes und zugleich das Ganze; Haupt und Leib; Haupt des Kosmos und Haupt der Kirche. Das Heil ist in der Kirche verwirklicht. Ihr Ort ist der Kosmos, der nach oben offen ist — bis zum höchsten Punkt, wo Gott thront und Christus zu seiner Rechten sitzt.
Sind also Christus und Kirche in gewisser Weise identifiziert, so kann diese Bestimmung doch nicht umgekehrt werden. Die Identität geht von Christus aus als dem, der das Geheimnis an die Kirche enthüllt. Die Kirche repräsentiert Christus, sofern sie das Geheimnis in der Welt bekanntgibt. Sie kann aber nicht ihrerseits Christus für sich beschlagnahmen. Dadurch würde Christus zur leeren Chiffre für das, was die Kirche tut und darstellt.

---

[17] Zum Begriff s. J. Reumann, Nov Test 3, 1959, 282—292 und TU 78 (Stud. Patr. III), 1961, 370—379.

Damit ist auch für den einzelnen Gläubigen die Grenze zur Gnosis gezogen: Seine Bewegung ist die des Aufstiegs zum Haupt. Aber es ist Aufstieg »in Christus«, nicht eigene Aufwärtsbewegung. Die Gläubigen besitzen die volle Wirklichkeit des Heils; sie sind schon in die ἐπουράνια versetzt — im Glauben, unter dem Imperativ: Eph 2, 6—10. Der zeitliche Ausblick auf das künftige Heil ist durch das Verstehen des offenbarten Geheimnisses ersetzt (3, 1 ff.).
Bei näherem Zusehen enthüllen die auf den ersten Blick hochspekulativen und meditativen Formulierungen des Briefes einen überraschend nüchternen Gehalt[18]. Gegenstand der Lehre ist nicht die Spekulation, die mythische Kosmologie und Soteriologie als solche. Obwohl die Formulierungen weitgehend einen gnostischen Hintergrund[19] erkennen lassen — Identität von Erlöser und Erlöstem; Zeitlosigkeit; der Erlöste ist schon über die Welt hinausgetragen —, beschreiben alle diese Ausdrücke und Motive das Sein der Kirche in der Welt und das Sein der Christen in der Kirche als Freiheit, als Bewegung im Glauben, nicht als Zutand im Schauen. Die Vorstellung, daß sich die Kirche in die ἐπουράνια hinein erstreckt, bedeutet, daß sie mächtig ist, durch ihre Predigt die Welt als Welt zu stellen, daß sie von der Welt nicht überwältigt werden kann. Beschrieben wird also Wesen und Möglichkeit der Predigt und die Freiheit der Gläubigen, die sich darin konkretisiert, daß sie den Mächten entgegentreten können. Dem entspricht die breite Ausführung der Paränese in Kap. 4—6 mit dem wuchtigen Schlußakzent. Wie im Kolosserbrief wird auch im Epheserbrief durch die Paränese klargestellt, daß unser Sein als Himmelsmenschen kein habitus ist. Wir werden nicht eingeladen, uns in mystischer Meditation über die Welt hinauszuschwingen, sondern in der Welt das Gebotene zu tun, an unserem Ort, in der Kirche, dem gemäß zu leben, was wir in Christus schon sind[20].

Rückblick und Vorblick
Religionsgeschichtlich beurteilt, boten sich damals zwei Möglichkeiten an, die Jenseitigkeit des Heils darzustellen: 1. Zur Rechten die *Apokalyptik*. Sie stellt die Zukunft im Zukunftsbild vor. Für diesen Entwurf scheint die Zeit in hohem Maße konstitutiv zu sein, da er das Heil in eine Zukunft verlegt. In Wirklichkeit ist er zeitlos ge-

---

[18] Vgl. M. Dibelius — H. Greeven, HNT 12, ³1953.
[19] H. Schlier, Christus und die Kirche im Epheserbrief, BHTh 6, 1930.
[20] Den zeitlosen Typ vertritt auch Ignatius; s. Bultmann, NT 541 ff.

dacht, da er sich am Bild des Künftigen orientiert, nicht an der Zeit selbst. Aber die ursprüngliche Intention bleibt gewahrt: die Unweltlichkeit des Heils darzustellen. 2. Zur Linken die *Gnosis*. Auch sie hat die Zeit formal eliminiert. Inhaltlich lehrt sie die direkte Entweltlichung, die Preisgabe der Welt. Zwischen diesen beiden Grenzen bewegen sich auch die Möglichkeiten der christlichen Darstellung des Heils. Auf der rechten Seite liegt der lukanische Entwurf der Heilsgeschichte mit dem Schema von den zwei Adventen, auf der linken, in Fortführung der paulinischen Lehre, die Eliminierung der Zeit. Doch kommt es nicht zur Entweltlichung, wie in der Gnosis, sondern zur Distanz von der Welt im Sinne der Glaubensfreiheit. Auf derselben Seite liegt die nun zu besprechende Theologie des Johannes.

FÜNFTER HAUPTTEIL

Johannes

§41 DER GESCHICHTLICHE ORT DES JOHANNEISCHEN SCHRIFTTUMS

BULTMANN, NT 354 ff. (Lit.) — Ders., Das Evangelium des Johannes, MeyerK II ¹⁷1962 (mit ErgH 1957; dort Lit.) — R. SCHNACKENBURG, Nt. Theologie, 1963, 107 ff. — Ders., Das Johannesevangelium I, HThK 4, 1965 — W. F. HOWARD, The Fourth Gospel in Recent Criticism and Interpretation, rev. by C. K. Barrett, ⁴1955 — E. HAENCHEN, Aus der Literatur zum Johannesevangelium 1929—1956, ThR NF 23, 1955, 295—335 — C. H. Dodd, The Interpretation of the Fourth Gospel, ²1953

I. Einleitungsfragen

W. G. KÜMMEL, Einleitung in das NT, ¹³1964, 127—173 — R. SCHNACKENBURG, Das Johannesevangelium 1—196

Unter dem Namen des Johannes (gemeint ist der Zebedaide) sind ein Evangelium, drei Briefe und eine Apokalypse überliefert. Letztere nimmt eine Sonderstellung ein, und zwar nach Stil und Inhalt. Sie kommt für die Erhebung der »johanneischen« Theologie nicht in Betracht. Evangelium und Briefe sind nahe verwandt. Der Verfasser ist unbekannt; es kann auf keinen Fall der Zebedaide sein. Umstritten ist, ob das Evangelium und die Briefe (oder wenigstens der erste Brief) vom selben Verfasser geschrieben sind. Der Befund weist wohl am ehesten dahin, daß die Briefe aus der Schule des Evangelisten stammen[1]. — Der Verfasser des Evangeliums ist kein Augenzeuge der Geschichte Jesu. Er gibt nicht persönliche Erinnerungen, sondern theologische Deutung. Er benützt bereits schriftliche Quellen[2]. Damit erhebt sich die Frage: In welchem Verhältnis steht er a) zu den synoptischen Evangelien; b) zur synoptischen Tradition? Diese Frage ist nicht nur eine rein literarische; sie muß in einem weiteren Rahmen gesehen werden: Läßt sich der geschichtliche Ort dieses Buches und dieser Theologie feststellen oder wenigstens eingrenzen? Dabei ist zu unterscheiden a) der kirchengeschichtliche; b) der religionsgeschichtliche Ort.

---

[1] Daß ein Kreis von Schülern bestand, beweist Joh 21. Vgl. E. Haenchen, Neuere Lit. zu den Johannesbriefen, ThR NF 26, 1960, 1 ff. 267 ff.
[2] Andere nehmen allerdings an, daß er nur mündliche Überlieferungen verarbeitet (C. H. Dodd; B. Noack, Zur johanneischen Tradition, 1954).

II. Der kirchengeschichtliche Ort

Seine Feststellung ist nur in Abgrenzungen möglich. Wie der Verfasser des Buches unbekannt bleibt, so läßt sich auch keine genaue Zeit, keine bestimmte Gemeinde, der es zuzuordnen ist, ausmachen.

Als Entstehungszeit wird heute auf Grund von zwei Papyrusfragmenten die Zeit gegen das Jahr 100 angenommen. Es handelt sich um den P 52 (Rylands 457) mit zwei Stücken aus Joh 18, geschrieben am Anfang des 2. Jh.s; und um P. Egerton 2 mit Fragmenten aus einem »unbekannten Evangelium«.

Es ist also zu versuchen, das Verhältnis zu anderen Schriften zu bestimmen, vor allem natürlich zu den Synoptikern, dann zu Paulus.

1. Johannes und die Synoptiker

Fragen:
a) Ist Johannes von den Synoptikern überhaupt abhängig?
b) Wenn ja, von welchen?
c) Wie faßt Johannes dann sein Verhältnis zu diesen auf?
d) Ist er unabhängig, wie ist dann sein Verhältnis zur synoptischen Tradition zu erklären?

Die Verschiedenheiten fallen sofort, vom Prolog an, ins Auge. Vom *Erzählungsstoff* der Synoptiker bringt Johannes nur ein Minimum. Es gibt nur eine Ausnahme, die Passionsgeschichte. Das hängt mit deren besonderem literarischen Charakter zusammen. Dazu kommen einige Wunder: Speisung der Fünftausend; Seewandel; eine Variante der Geschichte vom Hauptmann von Kapernaum[3]. Eine Entsprechung hat ferner der Bericht über die Taufe Jesu. Es fehlen Exorzismen. Vom synoptischen *Redestoff* fehlen die Gleichnisse völlig. Dafür finden sich zwei »johanneische« Gleichnisse: vom Hirten und vom Weinstock. Gemeinsam sind endlich noch einige wenige Logien.

Verschieden ist der *Stil:* Der johanneische Jesus spricht nicht in Sprüchen und Gleichnissen. Er hält symbolgefüllte Reden: »Ich bin...«

Verschieden ist die *Thematik.* Jesus sagt nicht das Kommen des Gottesreiches[4] an, sondern das jetzige Gericht, das sich im Glauben

---

[3] Zwei Wunder bei Johannes haben keine synoptische Parallele: die Hochzeit zu Kana und die Erweckung des Lazarus.
[4] Dieser Ausdruck kommt nur Joh 3, 1 ff. vor, in der johanneischen Abwandlung eines »synoptischen« Logions.

oder Unglaubens selbst abspielt. Er belehrt nicht über Fragen des Gesetzes (Fasten), über die Selbstgerechtigkeit; er setzt sich nicht mit den Schriftgelehrten auseinander, sondern mit den »Juden«. Innerhalb derselben wird nicht mehr differenziert. Kirche und Synagoge stehen sich in festen Fronten gegenüber. Die Juden repräsentieren die Welt, die den Glauben verweigert.

Die synoptische und die johanneische *Darstellung* können historisch nicht miteinander ausgeglichen werden. Der geschichtliche Jesus kann nicht so und so gepredigt haben. Johannes ist sich dessen bewußt: Er gestaltet die Reden Jesu — in Anlehnung an wenige überlieferte Worte — völlig frei. Auch die Logien, die er übernimmt, formt er im Sinne seiner Theologie um; vgl. Joh 3, 3 mit Mk 10, 15. Ist also die Selbständigkeit der johanneischen Darstellung ohne weiteres deutlich, so kann er andererseits von der synoptischen Tradition nicht völlig unabhängig sein. Seine Passionsgeschichte stimmt mit der synoptischen weithin überein. Die Analyse zeigt, daß er eine Quelle benutzt, die dem Grundbestand der markinischen Passion nahe verwandt ist. Diese versieht er dann mit seinen kommentierenden Zusätzen.

Auch der Aufriß seines Buches ist bei aller Eigenart nicht unabhängig vom Typ des literarischen Evangeliums, den wahrscheinlich der Verfasser des Markusevangeliums schuf. Es ist jedoch umstritten, ob Johannes die vorliegenden Synoptiker (oder einen Teil von ihnen) kannte und benutzte. Es wäre auch möglich, daß er verwandte Quellen verarbeitete oder lediglich aus der mündlichen Tradition schöpfte, die sich zum Teil mit den in den Synoptikern erhaltenen Überlieferungsstoffen deckte. Im letzteren Falle (Benutzung mündlicher Tradition) wäre er — unter dem Gesichtspunkt der Traditionsgeschichte — den Synoptikern nicht nach-, sondern gleichgeordnet.

In dieser Richtung suchen konservative Forscher[5] die Lösung des johanneischen Rätsels. Sie folgern aus dieser Gleichordnung, daß die johanneische Darstellung denselben Geschichtswert hat wie die der Synoptiker.

Es wurden alle überhaupt möglichen Lösungen vorgeschlagen[6]:
1. Johannes kennt alle drei Synoptiker;
2. Johannes kennt Markus und Lukas;
3. Johannes kennt Markus (oder eine Markusquelle);

---

[5] B. Noack, Zur johanneischen Tradition, 1954; C. H. Dodd, Historical Tradition in the Fourth Gospel, 1963. Zur Kritik: G. Strecker, Gnomon 36, 1964, 773 ff.
[6] Eine Übersicht gibt W. G. Kümmel, Einleitung in das NT, ¹³1964, 136 ff.

4. Johannes kennt Lukas (besonders wegen Berührungen in der Passionsgeschichte);

5. Johannes kennt keines der synoptischen Evangelien, sondern nur gemeinsame Traditionen.

Literarische Abhängigkeit von einem der Synoptiker ist in keinem Falle zwingend erwiesen. Da, wo die Ähnlichkeit am größten ist, in der Passionsgeschichte, läßt sich zeigen, daß Johannes eine Quelle benützt, die mit der synoptischen Urform der Passion nicht identisch, sondern nur verwandt ist. Entsprechendes gilt auch von den gemeinsamen Wundergeschichten. Johannes verwendet eine schriftliche Quelle, die sich von der synoptischen Fassung unterscheidet[7]. Die gemeinsamen Logien scheint er aus mündlicher Tradition übernommen zu haben. Damit ist nicht gesagt, daß Johannes von den anderen Evangelien nichts weiß. Das ist schon daraus zu folgern, daß er sein Buch nach dem literarischen Muster des Evangeliums gestaltet. Aber er verwertet sie nicht als seine Quellen.

Warum nicht? Es ist eine alte Streitfrage: Will Johannes die Synoptiker ergänzen oder ersetzen? In Wirklichkeit ist dies keine echte Alternative. Natürlich will er sie nicht in dem Sinn ergänzen, daß man zunächst eins der synoptischen Evangelien lesen sollte und dann auch noch das seine. Seine Darstellung steht auf sich selbst: Wenn man sein Buch gelesen hat, weiß man, was man zum Glauben braucht (20, 30 f.). Aber er will auch nicht andere Bücher verdrängen. Er schreibt für eine Sondergruppe in der Kirche; für diese schuf er das »vollkommene Evangelium«[8].

Der am meisten kennzeichnende Bestandteil des Johannesevangeliums sind die großen Reden, die Jesus hält. Es sind zwei Gruppen zu unterscheiden: die öffentlichen Reden und die Abschiedsreden vor dem Kreis der Jünger. *Bultmann* erschließt auf Grund subtiler Stilanalysen eine schriftliche Quelle für die Reden, die »Offenbarungsreden«, die der Verfasser übernommen und mit seinen Ergänzungen kommentiert habe. Diese Quelle sei vorchristlich-gnostisch[9]. Gegen die Annahme einer Redenquelle bestehen jedoch folgende Einwände: a) Die Stilanalyse ist nicht so klar, daß die Eruierung einer Quelle zwingend erwiesen wäre[10]. — b) Wenn

---

[7] Bultmann: σημεῖα-Quelle. Eine Analyse bietet E. Haenchen, Johanneische Probleme, ZThK 56, 1959, 19—54 (= Gott und Mensch, 1965, 78—113).

[8] Clem. Alex. (bei Euseb H. E. VI 14, 7; s. K. Aland, Synopsis 539): πνευματικὸν εὐαγγέλιον.

[9] Diese These wurde weitergeführt (mit Rekonstruktion der Quelle) von H. Becker, Die Reden des Johannesevangeliums und der Stil der gnostischen Offenbarungsrede, FRLANT 68, 1956.

[10] E. Haenchen, Neuere Lit. zu den Johannesbriefen, ThR NF 26, 1960, 25 ff.:

eine selbständige gnostische Redenquelle vorlag, ist schwer zu erklären, daß einzelne Reden auf Wundergeschichten zugeschnitten sind (die Rede vom Brot). — c) Die Unterscheidung von öffentlichen und esoterischen Reden ist johanneisch. Sie entspricht dem Aufbau des Evangeliums. Eine analoge Gliederung ist für eine gnostische Quelle schwer vorstellbar. — d) Religionsgeschichtlich setzt die Annahme einer Redenquelle voraus, daß auch der gnostische Offenbarer eine Geschichte in der Welt hat. Das ist nicht nur ohne Analogie, sondern überhaupt unmöglich. — Man nimmt daher am besten an, daß der Verfasser des Evangeliums die Reden geschaffen hat. Unabhängig vom Quellenproblem kann festgestellt werden: Die Reden sind das Mittel, durch das der Verfasser dem Leser den Sinn der Ereignisse erschließt. Nachdem er im Prolog den Sinn der Inkarnation im ganzen dargelegt hat, deutet er durch die Reden
1. den Sinn der Wunder Jesu (komprimiert in den ἐγώ-εἰμι-Worten);
2. den Sinn des Todes Jesu (Abschiedsreden).

Der Vergleich des Johannes mit den Synoptikern wirft eine Reihe von Problemen auf, die hier zu behandeln sind. Für die *Wundergeschichten* benutzt Johannes eine Quelle, in der das mirakelhafte Element drastisch gesteigert ist (Auferweckung des Lazarus!). Wie verhält sich dazu die Deutung der Wunder in den Reden, in denen ihr Sinn auf einen rein symbolischen reduziert wird: »Ich bin...«? Die Deutung ist so intensiv, daß hinter ihr die Frage, ob nach der Meinung des Evangelisten die Wunder wirklich geschehen sind, zu verschwinden scheint (*Bultmann*). Außerdem fügt er selbst in die Quelle Hinweise ein, die in dieselbe Richtung deuten. Joh 4, 48 schiebt er ein: »Wenn ihr nicht Zeichen und Wunder seht, wollt ihr nicht glauben.« Vgl. 6, 26. *E. Haenchen* folgert daraus, daß für Johannes das Wunder nur »Zeichen« sei, Hinweis auf Höheres. Es gelte, Jesus selbst zu suchen, nicht etwas durch ihn. Diese spirituale Deutung ist für den Evangelisten in der Tat das Wesentliche. Aber sie setzt das Mirakel in seiner Massivität voraus.

Eine ähnliche Spannung zwischen massivem Realismus und spiritualer Deutung herrscht in den *Ostergeschichten*. Bei Johannes finden wir die theologia crucis in der schärfsten Pointierung. Bei Paulus ist das Kreuz das Heilsereignis; es gehört aufs engste mit der Erhöhung zusammen; den Erhöhten kennen wir nur als den Gekreuzigten. Johannes geht noch einen Schritt weiter: Die Kreuzi-

---

Was Bultmann (Festg. für A. Jülicher, 1927, 138—158) im 1. Johannesbrief rekonstruiert, ist reine Spruchprosa.

gung ist selbst schon die Erhöhung. Mit dieser Identifizierung scheint ein realistisches Verständnis von Auferstehung und Himmelfahrt unvereinbar zu sein. Die Vorstellung ist offenbar in Deutung, in Gnosis aufgelöst. Aber in keinem anderen Evangelium sind die Ostergeschichten so massiv wie im Johannesevangelium. Man kann das damit erklären, Johannes habe eben Geschichten von solcher Massivität in seiner Quelle vorgefunden. Aber dann ist zu fragen, warum er sich gerade diese Quelle aussucht. Auf diese Frage gibt es bis heute keine überzeugende Auskunft.

Dasselbe Problem besteht hinsichtlich der *Sakramente*. Das Sakrament verschwindet bei Johannes bis auf geringe Spuren. Warum? Ist es dem Evangelisten unwichtig geworden im Vergleich zum Verstehen von Jesu »Ich bin«? Oder setzt er das Sakrament einfach als Gegebenheit voraus, über das er nichts weiter zu sagen braucht, weil seine Übung selbstverständlich ist, so daß sich der Evangelist auf die Deutung konzentrieren kann? Dieselbe Frage besteht endlich für die *Eschatologie*. Wenn aller Nachdruck darauf liegt, daß die Stunde des Gerichts schon da ist, bestreitet Johannes damit die volkstümliche futurische Eschatologie? Oder setzt er sie gerade voraus, aktualisiert sie aber und bringt sie zu tieferem Verstehen?

2. Johannes und Paulus

Paulus schreibt keine Geschichte Jesu. Die Frage: Kennt Johannes die Briefe des Paulus? kann also nur darauf gehen, ob Johannes zur Deutung des Heilswerkes Jesu Gedanken des Paulus aufgreift. Beide treffen sich ja immerhin darin, daß das Kreuz das Heilsereignis ist. Literarische Abhängigkeit des Johannes von Paulus läßt sich jedenfalls nicht erkennen.

Man kann das Verhältnis zwischen beiden auch nicht in ein Entwicklungsschema zwängen: Johannes stelle die Weiterentwicklung und Vollendung der paulinischen Theologie dar. Das ist sachlich richtig: Bei Johannes werden die Intentionen des Paulus, ja der ganzen frühchristlichen Theologie auf den Begriff gebracht. Aber damit ist keine direkte Abhängigkeit bewiesen, auch keine bewußte gedankliche Aufnahme und Weiterentwicklung im theologischen Labor. Es handelt sich nicht um eine geradlinige Fortführung, sondern um selbständige neue Interpretation der Tradition. Dabei tritt eine eminente Vereinfachung in den Vorstellungen ein. Es fehlt z. B. die anthropologische Terminologie des Paulus, die hellenistisch-jüdisch bestimmt ist: συνείδησις, νοῦς, ἔσω ἄνθρωπος, φύσις, ψυχή, ἀρετή.

Will man Gemeinsamkeiten und Unterschiede beurteilen, so ist zu berücksichtigen, daß beide, Paulus und Johannes, nicht einfach frei

formulieren. Beide stehen in der Denk- und Sprachtradition der Gemeinde. Bei beiden sind Motive einer mythischen Soteriologie aufgenommen. Es ist also damit zu rechnen, daß Ähnlichkeiten nicht nur auf literarischer Abhängigkeit beruhen, sondern durch ein gemeinsames religionsgeschichtliches Milieu gegeben sind. Daß die christologische Titulatur im wesentlichen identisch ist, ergibt sich daraus, daß beide auf das Credo der Gemeinde zurückgreifen.
Nicht nur im Material besteht Verwandtschaft, sondern auch in der Aufarbeitung, der theologischen Intention: Beide arbeiten mit dem Begriff κόσμος, und beide haben kein kosmologisches Interesse. κόσμος bedeutet hier und dort primär die Menschenwelt. Beide gebrauchen das Wort auch im qualifizierten Sinne: »diese« Welt — gleich: die böse Welt. Dabei verstehen beide die Bosheit der Welt nicht mythisch-kosmologisch, sondern im Sinne des Sündengedankens: Die Welt ist gefallene Schöpfung. Die Identität des Schöpfers und Offenbarers wird festgehalten. Der Offenbarer, der Sohn Gottes, ist präexistent; er hat die Welt geschaffen. Er ist vom Vater aus Liebe »gesandt«; er ist gehorsam, indem er stirbt. Nach der Vollendung seines Heilswerks kehrt er an seinen himmlischen Ort zurück.
Auch die Situation des Menschen wird dort und hier grundsätzlich gleich beurteilt: Der Mensch ist der Sünde verfallen. Sünde ist nicht die einzelne Verfehlung, sondern die gesamte Befindlichkeit, der Widerstand gegen Gott, die Selbstbehauptung gegen ihn. Johannes gebraucht wie Paulus überwiegend den Singular ἁμαρτία[11]. Gegenwart und Zukunft, Indikativ und Imperativ sind so aufeinander zugeordnet, daß der sachliche Sinn sich hier und dort deckt: Das künftige Leben ist schon wirksam gegenwärtig. Den Gläubigen ist der Geist geschenkt; dieser ist die Freiheit der Bewegung in der Welt, die Möglichkeit der Liebe. Die Übermittlung des Heils begründet das Gebot, das im Liebesgebot zusammengefaßt wird: ἐντολὴν καινὴν δίδωμι ὑμῖν, ἵνα ἀγαπᾶτε ἀλλήλους, καθὼς ἠγάπησα ὑμᾶς ἵνα καὶ ὑμεῖς ἀγαπᾶτε ἀλλήλους (13, 34). Bei Johannes ist freilich die Feststellung, daß das ewige Leben schon Gegenwart ist, ungleich intensiver als bei Paulus. Damit kommen wir zu den Unterschieden[12]: ὁ τὸν λόγον μου ἀκούων καὶ πιστεύων τῷ πέμψαντί με ἔχει ζωὴν αἰώνιον, καὶ εἰς κρίσιν οὐκ ἔρχεται ἀλλὰ μεταβέβηκεν ἐκ τοῦ θανάτου εἰς τὴν ζωήν (5, 24). Nimmt man diesen Satz für sich,

---

[11] Auch bei Johannes fehlen μετάνοια und ἄφεσις ἁμαρτιῶν.
[12] D. Mollat, Remarques sur le vocabulaire spatial du quatrième évangile, TU 73 (Stud. Ev. I), 1959, 321—328.

klingt er gnostisch. Aber Johannes wahrt die Distanz, wenn er betont: Das gilt für den Glaubenden. Er hebt nicht die Dialektik auf, daß wir — paulinisch gesprochen — im Glauben wandeln, nicht im Schauen. Zwar redet Johannes, anders als Paulus, viel vom Schauen der Herrlichkeit, und zwar einem gegenwärtigen Schauen. Aber damit meint er weder mystische Innenschau noch mythische »Erkenntnis höherer Welten«, sondern das verstehende »Sehen« des Sohnes durch das Hören und Glauben seines Wortes.

Der wesentliche Unterschied liegt im Umgang mit den Elementen objektivierender Vorstellungen. Paulus zeigt den aktuellen Sinn der Eschatologie in der Auslegung der Gegenwart auf, aber er läßt den kosmologischen Rahmen stehen: Parusie auf den Wolken, Auferstehung der Toten beim Weltende. Bei Johannes dagegen wird die apokalyptische Vorstellung abgestreift. Umstritten ist lediglich, ob ein äußerster Rest (ein Ausblick auf den jüngsten Tag) bleibt, der aber jede Bildhaftigkeit eingebüßt hat, oder ob auch dieser Rest fehlt. Die Eschatologie wird jedenfalls konzentriert auf ihren Sinn, die Auslegung der Befindlichkeit des Glaubens in der Welt.

Wie die Zeitdimension nach vorne fehlt, so auch die nach rückwärts: Es gibt keine heilsgeschichtliche Ausdehnung der Zeit, keinen Rückblick auf die Geschichte Israels. Ja, sogar die zeitliche Distanz zwischen Jesus und der Gegenwart der Kirche spielt keine Rolle[13]. Dementsprechend fehlt auch die heilsgeschichtliche Begrifflichkeit: die Bezeichnung der Kirche als ἐκκλησία (auch σῶμα), der Christen als ἅγιοι, ἐκλεκτοί. Dabei erkennt man noch Spuren, daß diese Vokabeln dem Verfasser bekannt waren (ἐκλέγεσθαι: 6, 70; 13, 18; 15, 16. 19; ἅγιος: 17, 17. 19), aber sie werden nicht mehr technisch gebraucht. Wie der heilsgeschichtliche Rückblick fehlt, so die Deutung der Kirche in den ihm entsprechenden Kategorien. Sie versteht sich bei Johannes nicht als das wahre oder als das neue Israel, sondern stellt sich in Antithese zu den »Juden« dar. Natürlich weiß Johannes, daß die Kirche im Judentum entstanden ist. Er sagt das auch ausdrücklich (er ist wohl selbst Judenchrist): Aus diesem Volk stammt der Messias; »das Heil kommt von den Juden« (4, 22); die Schrift zeugt von Jesus. Aber die Juden haben sich dem Glauben verweigert und sind dadurch »die Juden« geworden. Daher wird

---

[13] Vgl. E. Schweizer, Der Kirchenbegriff im Evangelium und den Briefen des Johannes, TU 73 (Stud. Ev. I), 1959, 363—381 (= Neotestamentica, 1963, 254—271); anders O. Cullmann, Heil als Geschichte, 1965, 245 ff.

nicht ein positiver Zusammenhang entfaltet, sondern die kritische Antithese.

Natürlich ist diese Polemik nicht »antisemitisch«. Sie dient ausschließlich der Darstellung des Glaubens, der dem Angriff der Welt ausgesetzt ist. Die Juden repräsentieren die Welt in ihrer Haltung gegenüber dem Glauben. Beispiel: 8, 30—59. Nur zum Zwecke der kritischen Auseinandersetzung greift Johannes auf Gestalten des Alten Testaments zurück: Abraham, Mose[14].

Das Heilsgut kann im ganzen Neuen Testament als »Friede«[15] bezeichnet werden. Die »Stimmung« des Friedens ist die Freude: »Siehe, ich verkündige euch große Freude« (Lk 2, 10). Friede und Freude bezeichnen die eschatologische Befindlichkeit — in der Welt. Auch Johannes arbeitet mit dieser Begrifflichkeit: 14, 27; 17, 13. Der eschatologische Sinn ist klar. Das eigenartig Johanneische liegt in der christologischen Konzentration: »mein Friede«; »meine Freude«. Es sind die Worte des Scheidenden, der die Seinen zunächst in der »Trauer« zurückläßt. Aber sein Scheiden ist die Bedingung für die Stiftung des Friedens. Damit ist diese Stiftung enger als sonst im Neuen Testament mit der Kirche verknüpft: Der Friede wird sichtbar als die Bruderliebe. Die Gemeinde ist die Gruppe derer, die einander lieben, sich dadurch den Haß der Welt zuziehen und gerade so den Frieden erfahren, da der Geist in der Gemeinde waltet und sie in alle Wahrheit führt.

Es fehlt weiter die paulinische Terminologie der *Rechtfertigung*. Zwar spielt das Verbum πιστεύειν bei Johannes eine zentrale Rolle. Aber das Substantiv πίστις fehlt[16]. Das Stichwort χάρις steht nur im Prolog, an der einzigen Stelle, wo die paulinische Antithese von Gesetz und Gnade erscheint (1, 16 f.). Hier klingen in der Tat Begrifflichkeit und Gedanken des Paulus an. Aber die Basis ist zu schmal, um literarische Abhängigkeit zu erweisen. Außerhalb dieser Stelle spielt die Problematik von Gesetz und Rechtfertigung bei Johannes keine Rolle. Der Begriff χάρις wird nicht entfaltet. Er ist bezeichnenderweise durch einen johanneischen Begriff ergänzt und damit beleuchtet: καὶ ἡ ἀλήθεια. Entsprechend fehlt auch die Antithese Werke — Glaube und der Begriff der »Gerechtigkeit Gottes«[17]. Der Glaube wird in anderer Richtung entfaltet als bei Pau-

---

[14] E. Gräßer, Die antijüdische Polemik im Johannesevangelium, NTS 11, 1964/5, 74—90.
[15] Röm 5, 1; Phil 4, 7: Friede Gottes; Lk 2, 14.
[16] Anders im 1. Johannesbrief.
[17] δικαιοσύνη kommt nur in den Abschiedsreden vor (16, 8—10). Jesu Gerechtigkeit ist sein Sieg in der Auseinandersetzung mit der Welt.

lus, nicht in der Antithese zum Gesetz, sondern auf den Zusammenhang von Glauben und Erkennen hin[18].

Es fehlt die *ethische Begrifflichkeit* des Paulus, so die Termini, die bei Paulus die Haltung des Menschen im Ganzen charakterisieren: καυχᾶσθαι, ἐπιθυμεῖν, μεριμνᾶν.

Von besonderem Interesse ist der Gebrauch bzw. Nichtgebrauch von σάρξ und πνεῦμα. Dieses Begriffspaar hätte sich gut in die Reihe der johanneischen Antithesen einordnen lassen: Licht und Finsternis, Oben und Unten, Leben und Tod, Wahrheit und Lüge. Zwar kennt Johannes den Gegensatz von Geist und Fleisch, wie zwei Stellen zeigen: 3, 5 ff.; 6, 63. Er verwendet ihn aber nicht zu einer umfassenden Bestimmung des Menschen.

Tritt also der Hauptteil der paulinischen Begrifflichkeit bei Johannes — bis zum Verschwinden — zurück, so rückt dafür jene antithetische Begrifflichkeit in die Mitte, die bei Paulus nur gelegentlich angedeutet ist: der Gegensatz von Licht und Finsternis[19]. Er führt uns auf die Frage nach dem religionsgeschichtlichen Standort.

III. Der religionsgeschichtliche Standort

W. Bauer, Das Johannesevangelium, HNT 6, ³1933 — R. Bultmann, Das Evangelium des Johannes — C. H. Dodd, Interpretation 10 ff. — Ableitung aus dem Judentum: F. M. Braun, Jean le théologien, 1959, 65 ff. — O. Böcher, Der johanneische Dualismus im Zusammenhang des nachbiblischen Judentums, 1965 — Qumran: G. Baumbach, Qumran und das Johannes-Evangelium, 1958 — K. G. Kuhn, Johannes-Evangelium und Qumrantexte, Suppl. Nov Test 6 (Festschr. O. Cullmann), 1962, 111—122 — H. Braun, Qumran und das NT I, 1966, 96 ff.

Folgende Ableitungen der johanneischen Begrifflichkeit und Motive werden vorgeschlagen: 1. vom Alten Testament (traditionell); 2. aus dem Judentum im allgemeinen (*Böcher*); 3. spezieller aus der Weisheit (*F. M. Braun*); 4. aus Qumran (*Baumbach*); 5. aus der Gnosis (*Bultmann*). Jede dieser Thesen kann sich auf Material berufen. Die Frage ist nur, auf welcher Stufe der Verarbeitung es sich bei Johannes befindet.

---

[18] Es herrscht durchweg verbaler Sprachgebrauch: Wie πίστις so fehlt auch γνῶσις.
[19] Vgl. Paulus: Kinder des Lichts (1 Thess 5, 1 ff.).

Beispiele: 1. Altes Testament: Der erste Satz des Evangeliums deutet auf die alttestamentliche Schöpfungsgeschichte zurück. Aber der Logos als Schöpfer ist so wenig von dort abzuleiten wie der Dualismus von Licht und Finsternis.
2. Judentum: Dualistische Ideen finden sich im nachbiblischen jüdischen Schrifttum. Aber ihr Aufkommen im Judentum ist selbst ein Problem; im Johannesevangelium sind sie außerdem in ganz anderer Fassung vorhanden als dort.
3. »Weisheit«: Der Logos ist in der Tat der Sophia verwandt (Sapientia, Philo). Aber gerade in der Sapientia und bei Philo findet sich eine Komponente, die ihrerseits erklärt werden muß. Bei Philo besteht ein frühgnostischer Einschlag[20]. Wichtig ist, daß in der Weisheitsliteratur die Eliminierung der Zeit vorgebildet ist.
4. Qumran: Hier findet sich dualistische Begrifflichkeit, und es fehlt — anders als in der Gnosis — das Denken in Substanzen. Darin treffen sich die Texte von Qumran und das Johannesevangelium. Aber in Qumran fehlt die mythische Vorstellung vom Abstieg und Aufstieg des Offenbarers. Qumran kennt keine Erlösergestalt, nicht den Gedanken der Wiedergeburt, nicht johanneische Grundbegriffe wie »Leben«[21].
5. Gnosis: Das beste Vergleichsmaterial liefern gnostische Schriften, christliche (Oden Salomos, Ignatius) wie nichtchristliche (hermetische und mandäische Schriften). Die gnostische Literatur ist allerdings — mit bezeichnenden Ausnahmen — viel stärker mythisch geprägt als das Johannesevangelium. Sendung, Abstieg, Ruf, Sammlung der zerstreuten Lichtteile und Aufstieg sind dort in ganz anderer Weise selbständige Themen als hier. Bei Johannes fehlt der mythische Hintergrund: der Fall des Urmenschen und die Zerstreuung der Lichtteile, der Gedanke der Konsubstantialität von Erlöser und Erlöstem. Es fehlt der kosmologische Apparat (Etappen des Abstiegs durch die Sphären usw.). Johannes schildert keine jenseitigen Szenen von der Entsendung des Offenbarers durch den obersten Gott, keine Himmelsgespräche. Das Motiv des Himmelsgesprächs hat er auf einen Punkt konzentriert: Jesus erklärt, daß er den Vater sah und hörte. Aber er gibt keinen anderen Inhalt des Gesprächs als sein ἐγώ εἰμι, und daß der Vater für ihn zeugt und er für den Vater. Johannes kennt die Präexistenz des Logos, aber nicht die Präexi-

---

[20] Johannes ist nicht von Philo abhängig; in der Gestalt des Logos wird aber ein gemeinsamer religionsgeschichtlicher Hintergrund sichtbar.
[21] S. H. Braun a. a. O.

stenz der Seelen. Die Erlösung ist nicht substanz- oder naturhaft verstanden, sondern als freie Erwählungstat. Johannes hält die Einheit von Schöpfung und Erlösung fest.

Es ist umstritten, ob die Mythik schon am Anfang der Entwicklung der Gnosis voll ausgebildet vorliegt, als deren Voraussetzung, und ob sie dem Johannes schon in dieser Form bekannt war: Dann wäre die Richtung seines Denkens die radikale Reduktion des Mythos (*Bultmann*). Oder für Johannes ist nur eine Gnosis in statu nascendi vorauszusetzen: Dann hätte sich Johannes in erheblich stärkerem Maße auf gnostische Ideen eingelassen als irgendein anderer Theologe vor ihm.

IV. Der »Zweck« des Buches

Es bestehen folgende Thesen: Das Johannesevangelium ist eine Missionsschrift 1. für die Welt; 2. für Juden; 3. modifiziert: für Diasporajuden[22].

Demgegenüber ist festzustellen, daß das Buch keinen missionarischen Charakter hat. Israel und Welt sind für den Verfasser keine Alternative. Die Juden repräsentieren die Welt (s. o.). Dem johanneischen Kirchengedanken entspricht nicht der Gedanke der Mission, sondern das »Zeugnis«, die Stärkung des Glaubens. Das spiegelt sich schon im Aufbau des Evangeliums: Der erste Teil schildert die Offenbarung der Herrlichkeit vor der Welt; der zweite die vor der Gemeinde.

---

[22] Zu 1.: C. H. Dodd, Interpretation; zu 2.: K. Bornhäuser, Das Johannesevangelium eine Missionsschrift für Israel, 1928; zu 3.: J. A. T. Robinson, The New Look on the Fourth Gospel, TU 73 (Stud. Ev. I), 1959, 338—350, und W. C. van Unnik, The Purpose of St. John's Gospel, ebd. 382—411.

§ 42 DIE CHRISTOLOGIE

BULTMANN, NT 385 ff. — R. SCHNACKENBURG, Nt. Theologie 110—115 — E. M. SIDEBOTTOM, The Christ of the Fourth Gospel, 1961 — J. BLANK, Krisis, 1964

Man kann sagen, die gesamte johanneische Theologie sei Christologie, aber ebensogut auch, sie sei Soteriologie (bzw. Anthropologie). Das gleiche gilt freilich auch für Paulus und das gesamte urchristliche Denken, für Johannes aber doch in einem anderen Sinn als dort. Er konzentriert die Christologie auf die Selbstenthüllung des Offenbarers: »Ich bin es.« Der kosmologische Rahmen ist völlig abgestreift.
Beispiel: Paulus kann Christus einmal als Gottes εἰκών bezeichnen (2 Kor 4, 4). Das ist ein christologischer Gedanke, der aus der jüdischen Weisheitsspekulation übernommen ist[1]. Die personifizierte Weisheit ist ja die göttliche Offenbarungspotenz. In Jesus fand man erfüllt, was man von Gott und seiner Offenbarung, also von der »Weisheit« erwartete. Nun ist die Gestalt der Weisheit mit der des Wortes verwandt. Wenn Johannes also Jesus als den λόγος vorstellt, scheint er in der Nähe jenes paulinischen christologischen Gedankens zu stehen und das, was dort nur angedeutet ist, auszuführen. Aber so einfach verhalten sich die Dinge nicht. Es handelt sich nicht um eine geradlinige Weiterführung, sondern um eine neue Konzeption. Diese liegt natürlich nicht schon darin, daß Paulus εἰκών sagt, Johannes dagegen λόγος. Bei Paulus steht die Hypostase der Weisheit zwar im Hintergrund, aber die Bezeichnung Jesu als εἰκών dient nur der Charakterisierung, sie ist noch nicht zum Titel geworden. Wenn Paulus das Stichwort Weisheit gebraucht (1 Kor 1, 20 ff. 30), operiert er nicht mit der Gestalt der Weisheit. Er geht vom Abstraktum Weisheit aus. Er stellt fest, daß die Griechen Weisheit suchen, und zeigt, daß ihre Weisheit angesichts der Weisheit Gottes Torheit ist und daß Gottes Weisheit »uns« zur Weisheit wurde. Das ist eine pointierte Formulierung, eine Identifizierung in semitischem Stil, nicht eine wirkliche Personifizierung (vgl. 2 Kor 5, 21: Wir sind in Christus Gottes Gerechtigkeit geworden.).
Bei Johannes dagegen ist der Logos a priori als Person gedacht. Johannes sagt nicht: »der Logos Gottes«, sondern absolut: »der Lo-

---

[1] Vgl. Kol 1, 15 ff.: εἰκών ist mit σοφία synonym.

gos«. Der Satz »Jesus ist der Logos« ist nicht ein pointierter Ausdruck oder eine rhetorische Zuspitzung; er ist wörtlich gemeint, als direkte Beschreibung des Wesens Jesu. Alle anderen christologischen Titel dienen bei Johannes im Grunde nur der Auslegung dieses einen fundamentalen Titels.

Gewiß schimmert noch der eigentümliche Sinn der einzelnen Titel durch, den sie im Credo besitzen. Es kommt aber darauf an, daß Johannes sie auf die Konzeption »Logos« = »Sohn« = Gesandter zuordnet und sie alle in diesem Sinne prägt. Er dokumentiert das dadurch, daß er den Logostitel seinem Buche thematisch voranstellt, nachher aber nicht mehr mit ihm arbeitet. So ist dieser Titel sozusagen exempt.

Um jenen Satz, Christus sei Gottes Weisheit, auszulegen, beschreibt Paulus den Inhalt der offenbarten Weisheit: 1 Kor 2. Johannes dagegen kann solche inhaltlichen Angaben nicht bieten. Denn der Logos ist selbst der ganze und ausschließliche Inhalt. Das bedeutet, daß Offenbarer und Offenbarung im strengen Sinn identisch sind. Die Offenbarung bietet keine wißbaren Inhalte, außer daß der Offenbarer »es« ist.

Damit ist die Thematik der johanneischen Christologie gegeben:
 I. Der Logos;
 II. Die Entwicklung der traditionellen christologischen Titel;
 III. Die Darstellung der Offenbarung in den ἐγώ-εἰμι-Sätzen.

I. Der Logos

C. H. DODD, Interpretation 263—285 — E. KÄSEMANN, Aufbau und Anliegen des johanneischen Prologs (1957), Ex. Vers. u. Bes. II 155—180 — R. SCHNACKENBURG, Logos-Hymnus und johanneischer Prolog, BZ NF 1, 1957, 69—109 — S. SCHULZ, Die Komposition des Johannesprologs und die Zusammensetzung des 4. Evangeliums, TU 73 (Stud. Ev. I), 1959, 351—362 — Ders., Komposition und Herkunft der Johanneischen Reden, BWANT 5. Folge 1, 1960, 7—61 — E. HAENCHEN, Probleme des johanneischen Prologs, ZThK 60, 1963, 305—334 (= Gott und Mensch, 1965, 114—143) — Vgl. die Kommentare zu Joh 1, 1 ff.

Die religionsgeschichtliche Problematik der Herkunft dieses Titels wird hier als bekannt vorausgesetzt. In ihr wiederholt sich die Frage nach der religionsgeschichtlichen Einordnung der gesamten johanneischen Sprache und Gedankenwelt, bzw. sie ist in ihr in nuce komprimiert.

Überblick über die Versuche einer Ableitung
1. Es handle sich um eine von Johannes geschaffene Definition. Aber dann ist die Frage, wie er zu ihr kommt.
2. Der Titel sei aus dem Alten Testament entwickelt. Dort spielt das Wort Gottes eine bedeutende Rolle. Vor allem: Gott schuf die Welt durch sein Wort. Johannes lehnt sich ja mit dem ersten Satz seines Buches bewußt an den ersten Satz der Bibel an:

ἐν ἀρχῇ   a) ἦν ὁ λόγος
             b) ἐποίησεν ὁ θεὸς τὸν οὐρανὸν καὶ τὴν γῆν.

Dann heißt es, daß der Logos der Schöpfungsmittler sei. Aber vom Alten Testament her kann der johanneische Sinn von Logos nicht erklärt werden. In der Schöpfungsgeschichte spricht Gott zwar und schafft dadurch die Welt. Aber sein Wort ist eben Wort, nicht eine Person. Auch steht das Stichwort Logos nicht im Schöpfungsbericht. Das »Wort« ist im Alten Testament nirgends eine Hypostase, sondern immer das gesprochene Wort Gottes. Der Begriff wird auch nicht absolut-technisch gebraucht (»das« Wort).
3. Der Begriff Logos stamme aus der griechischen Philosophie. In diese habe ihn Heraklit eingeführt, im Prolog zu seinem Werk: »Diesen Logos, der immer ist, begreifen die Menschen nicht, weder bevor sie davon gehört noch sobald sie davon gehört haben. Denn obwohl alles gemäß diesem Logos geschieht, gleichen sie Unerfahrenen.« Dieser Logos ist keine Person und kein Schöpfer. — Später ist Logos einer der kosmologischen und anthropologischen Grundbegriffe der Stoa. Aber wenn auch die Stoiker gelegentlich in personifizierender Ausdrucksweise vom Logos reden können, zur Person wird er auch hier nicht. Logos bleibt Begriff. Auf der anderen Seite hat der johanneische Logos nichts mit rationalem Weltverstehen zu tun.
4. Schon oben wurde als Doppelgänger des Logos die jüdische Weisheit genannt. Zudem ist bei Philo auch der Logos mit personalen Zügen ausgestattet: Er heißt δεύτερος θεός, ist Mittler der Schöpfung und Offenbarung. Allerdings wird er nicht zur wirklichen Person. Seine Gestalt bleibt schwebend. Aber immerhin bemerkt man im Hintergrund eine Gestalt, die mit der Weisheit verwandt ist. Spuren derselben finden sich auch sonst, vor allem in der Gnosis, z. B. CH I 6: τὸ φῶς ἐκεῖνο, ἔφη, ἐγὼ Νοῦς ὁ σὸς θεός ... ὁ δὲ ἐκ Νοὸς φωτεινὸς Λόγος υἱὸς θεοῦ[2].

---

[2] Weiteres s. Bultmann, Das Evangelium des Johannes, und W. Bousset, Kyrios Christos, ⁵1965, 304 ff.

Johannes
Das Wesen des Logos wird nicht definiert. Er wird als eine Gestalt eingeführt, die der Gemeinde des Johannes bekannt ist.

Das wird auch durch die literarkritische Analyse des Prologs erwiesen. Zugrunde liegt ein vorjohanneisches Lied, das der Evangelist kommentiert. Es handelt von dem präexistenten Wort als der zweiten, der Offenbarungs-Stufe der Gottheit und vom Walten dieses Wortes: der Erschaffung der Welt, der Erleuchtung der Menschen. Das bedeutet: Das Wort macht den Menschen die Welt als Schöpfung und zugleich sie selbst als Geschöpfe verständlich. Johannes hat dieses Lied offenbar in seiner Gemeinde vorgefunden. Einige Probleme: 1. Der Logos ist bei Gott, und er ist Gott. Herrscht hier Ditheismus? Die jüdische Weisheit ist das erste Geschöpf und damit von Gott abgerückt. Der johanneische Logos dagegen ist nicht geschaffen. In der Tat schimmert die Vorstellung von zwei Göttern durch. Anders *Bultmann:* Der Prolog gestalte bewußt das Paradox, daß der Logos einerseits mit Gott gleichgesetzt, andererseits zugleich von ihm unterschieden werde. Diese Paradoxie sei sachgemäß. Sie sei mit dem Gedanken der Offenbarung selbst gegeben, nämlich »daß im Offenbarer wirklich Gott begegnet, und daß Gott doch nicht direkt, sondern nur im Offenbarer begegnet«. Damit ist die letzte Intention in der Tat getroffen. Aber die Vorstellung ist nicht so restlos entmythisiert, wie *Bultmann* meint. 2. »Und das Licht scheint (Präsens) in der Finsternis, und die Finsternis hat es nicht angenommen.« Ist das vom präexistenten oder vom geschichtlichen Logos gesagt? Die Antwort hängt von der Literarkritik und der religionsgeschichtlichen Bestimmung der Quelle ab. a) Literarkritik: Der Evangelist schob V. 6—8 in die Quelle ein (die Sätze über Johannes den Täufer). Er bezieht V. 5 also auf das geschichtliche Auftreten Jesu. Verstand aber auch die Quelle so? b) *Bultmann* hält diese für vorchristlich und charakterisiert sie als Offenbarungslied im Stil jüdischer Gnosis, das wohl aus Kreisen stamme, die den Täufer als den Offenbarer verehrten. Der Evangelist habe daraus ein christliches Lied gemacht[3]. In der Quelle beziehe sich V. 5 auf das präexistente Walten des Logos und seine Ablehnung während der Präexistenz. Freilich stimmt dann das Präsens φαίνει nicht mehr, und *Bultmann* muß postulieren, daß in der Quelle das Präteritum stand. Er stützt sich für seine Deutung auf den Aufbau: Bis V. 12 werde das präexistente Walten des Logos beschrieben, von V. 14 an das geschichtliche[4]. — Gegen *Bultmanns* Interpretation spricht: Der Satz ὁ λόγος σὰρξ ἐγένετο (V. 14) gehört zur Quelle[5]. Und dieser Satz ist weder im Judentum noch in der Gnosis möglich. Er ist genuin christlich. Damit ist die Quelle christlich. Von vornherein ist also nicht an einen mythischen Logos gedacht, sondern an Jesus als den Logos. Daher bezieht sich V. 5 schon in der Quelle auf die geschichtliche Offenbarung[6].

---

[3] Dieses Verfahren ist nicht undenkbar; dasselbe nimmt E. Käsemann für Kol 1, 15 ff. an (Ex. Vers. u. Bes. I 34 ff.). Die beiden Psalmen Lk 1, 46 ff. (Magnificat) und 1, 68 ff. (Benedictus) sind wahrscheinlich täuferischen Ursprungs.
[4] V. 13 ist redaktionell.
[5] Gegen Käsemann, der sie mit V. 12 enden läßt. Aber V. 15 sprengt den Zusammenhang zwischen V. 14 und 16, ist also redaktionell. V. 14 und 16 gehören damit zur Quelle.
[6] So auch Käsemann. Aus der Verwendung der ursprünglich mythologischen Gestalt ergaben sich Unstimmigkeiten auf seiten der Vorstellung, und zwar schon für die Quelle.

Was ist der Logos? Was soll uns verständlich gemacht werden, wenn Jesus mit diesem Begriff gedeutet wird? Der Sinn besteht nicht in mitteilbaren Gedanken über das Sein der Welt und des Menschen. Bei Johannes gibt es keine materiale Kosmologie und Anthropologie als Inhalt der Heilslehre. Der Sinn ist kein anderer als: Er selbst — als der Menschgewordene. Die Pointe ist gerade, daß das Wort nicht von der Person des Offenbarers abgelöst und als freier Inhalt mitgeteilt werden kann. Es gründet sich ausschließlich auf sein Dasein, kann also nicht als Wissensstoff gelehrt und gelernt werden. Das Heil hat, wer die Person hat, d. h. wer an ihn glaubt.
Aber was ist das: an ihn glauben? Welchen konkreten, faßlichen Inhalt hat der Glaube? Im Kommentar, den das Evangelium bietet, erfahren wir: Der Inhalt ist, daß »er es ist«. Diese Auskunft scheint jedoch keine zu sein, sondern die Frage nach dem Glaubensinhalt erst recht herauszufordern. In der Tat muß dieses »Ich bin« nun ausgelegt und konkretisiert werden. Das geschieht auch: Ich bin das Licht, das Brot, der Weg, die Wahrheit, die Auferstehung, das Leben.

II. Die christologischen Titel

J. Dupont, Essais sur la Christologie de S. Jean, 1951 — S. Schulz, Untersuchungen zur Menschensohn-Christologie im Johannesevangelium, 1957 — W. Thüsing, Die Erhöhung und Verherrlichung im Johannesevangelium, NTA 21 (1/2), 1960 — E. Haenchen, »Der Vater, der mich gesandt hat«, NTS 9, 1962/3, 208—216 (=Gott und Mensch, 1965, 68—77) — J. Blank, Krisis, 1964

Auch Johannes knüpft bewußt an die Überlieferung der Kirche an, schon von Kap. 1 an: a) In das Lied vom Logos fügt er die Erwähnung des Täufers ein. Dabei wird sofort sein eigener Stil sichtbar: Er interpretiert den Täufer nicht als die apokalyptische Gestalt des »Vorläufers«, des Elia redivivus, sondern deutet ihn durch die Kategorie des Zeugen. b) Das wird in 1, 19 ff. kommentiert, zunächst negativ, was der Täufer nicht ist: Er ist nicht der Messias oder Elia oder der Prophet (Titel der apokalyptischen Vorstellung), sondern der Zeuge. c) Dann wird ausgeführt, daß Jesus der Messias ist. Aber sein Wesen wird völlig anders bestimmt als in der jüdischen und frühchristlichen Apokalyptik. Johannes gibt gleich in Kapitel 1 eine planvolle Übersicht über die Titulatur, die Jesus zukommt, die also sein Wesen und Werk zutreffend beschreibt. Die erste Stelle, 1, 18, einer seiner Zusätze zum Prolog, ist textkritisch leider nicht sicher. Es stehen sich die beiden Lesarten gegenüber: (ὁ) μονογενὴς θεός (p 66. 75 ℌ) und ὁ μονογενὴς υἱός (ℜ Θ latt sy^c). Die erstere ist vorzuziehen. In V. 29 folgt das Zeugnis des Täufers: Jesus ist das »Lamm Gottes« (vgl. V. 36). Der Täufer erklärt diesen Titel selbst: Er ist gleichbedeutend mit der »Sohn Gottes« (V. 34). Die Bezeichnung Jesu als Lamm enthält natürlich den Opfergedanken: Er trägt die Sünde der Welt weg. Es folgt in V. 41 der Messiastitel[7] (mit beigefügter griechischer Übersetzung); im Gespräch mit der samaritanischen Frau wird der Sinn erläutert: Jesus enthüllt sich als der Erfüller der Erwartung der Juden und der Samaritaner (4, 25). Die Frau »weiß, daß der Messias kommt, der sog. χριστός«. Darauf erwidert Jesus: ἐγώ εἰμι. Das theologische Interesse des Johannes am Messiastitel wird 1, 45 sichtbar: Er ist der, ὃν ἔγραψεν Μωϋσῆς ἐν τῷ νόμῳ καὶ οἱ προφῆται. 1, 49 wird zum ersten Mal das formulierte Bekenntnis der Gemeinde in direkter Anrede gesprochen: σὺ εἶ ὁ υἱὸς τοῦ θεοῦ, σὺ βασιλεὺς εἶ τοῦ Ἰσραήλ. Der Titel Menschensohn schließt die Übersicht über die christologische Titulatur ab (V. 51).

Wie bei den Synoptikern wird dieser nicht in der Anrede und in der Bekenntnisformel gebraucht, sondern nur in Selbstaussagen. Der Sinn ist aber in johanneischem Stil abgewandelt. Bei den Synoptikern ist der Menschensohn der Kommende, der Leidende und der Gekommene. Der Gedanke der Präexistenz fehlt. Bei Johannes wird mit »Menschensohn« das konstante himmlische Wesen des Präexistenten, Menschgewordenen und Erhöhten bezeichnet. *Odeberg*[8] und *Bultmann* dagegen meinen, der johanneische Menschensohn sei gar nicht dieselbe Gestalt wie der synoptische; er stamme nicht aus der jüdischen Apokalyptik, sondern stelle eine analoge Ableitung vom gnostischen Urmenschen dar. Aber abgesehen davon, daß für diese Hypothese alle Belege fehlen, ist der Zusammenhang mit der urchristlichen Menschensohn-Tradition evident.

Den bewußten Rückgriff auf die Gemeindetradition zeigen weitere Stellen: die johanneische Variante des Petrusbekenntnisses (6, 69); der kleine Katechismus im Gespräch mit Martha (11, 27 ff.). Hier wird deutlich: Die sachgemäße Erwiderung auf Jesu Ich-bin ist das kirchliche Bekenntnis. Traditionell ist in diesem Vers auch die Verknüpfung mehrerer Titel, vor allem von Messias und Gottessohn; vgl. die Matthäusfassung des Petrusbekenntnisses (Mt 16, 16); bei Johannes findet sie sich noch 20, 31. Kurz vorher, bewußt erst nach der Auferstehung, führt Johannes endlich den Kyriostitel ein, im Bekenntnis des überwundenen Thomas ὁ κύριός μου καὶ ὁ θεός μου (20, 28).

---

[7] Es wird bewußt die jüdische Form verwendet, ebenso 4, 25. Sonst wird sie im NT nicht gebraucht.   [8] H. Odeberg, The Fourth Gospel, 1929.

III. Der Sinn der Abgrenzung in der Titulatur

Johannes legt den Sinn der christologischen Titel aus 1. durch ausdrückliche Abgrenzung von der jüdischen Messianologie; 2. durch positive Interpretation in seiner eigenen Terminologie von Sendung und Zeugnis. — Bei der Abgrenzung von der jüdischen Messianologie stellt Johannes die jüdische Messiaserwartung nicht historisch getreu dar. Er sieht sie bereits aus der Perspektive der christlichen Lehre. Unzutreffend ist schon, daß er eine einheitliche jüdische Lehre über den Messias voraussetzt.

Er knüpft daran an, daß das Alte Testament nicht nur den Messias, sondern Jesus verheißt (5, 39). Die Auseinandersetzung mit den »Juden« führt Johannes aber nicht als exegetische Diskussion darüber, wer die Schrift richtig auslege. Seine Technik ist die des Mißverständnisses: Die Juden wissen, welchen Stammbaum der Messias hat: Er muß von David abstammen; er muß in Bethlehem geboren werden (7, 42). Zugleich wissen sie, daß für Jesus beides nicht zutrifft: Er ist der Sohn Josefs (6, 42); er stammt aus Nazareth, und was kann aus Nazareth Gutes kommen (1, 46)? Kein Prophet erstand je aus Galiläa (7, 52). Der Irrtum der Juden liegt nicht darin, daß sie über die physische Abstammung Jesu falsch informiert wären. Sie sind richtig informiert. Aber sie irren, weil sie meinen, mit dieser Kenntnis Jesu wahres Wesen beurteilen zu können.

In der literarischen Technik des Mißverständnisses drückt sich das johanneische Gesamtverständnis von Offenbarung, von Verheißung und Erfüllung aus. Die Schrift zeugt von Jesus. Die Juden verstehen das so, als lasse sich aus der Bibel eine Art Steckbrief erheben, mit dem man den Messias bei seinem Auftreten identifizieren könne. Damit ist aber das Wesen des »Zeugnisses« mißverstanden, das den himmlischen Gesandten gerade nicht menschlichem Urteil ausliefert. Die Schrift weist in der Weise auf ihn voraus, daß man ihn hören kann, wenn er kommt, daß man seinen Ruf: »Ich bin es« verstehen und damit seinen Anspruch als wahr begreifen kann. Allein in diesem Verstehen seiner Botschaft, dem Verstehen des Glaubens, zeigt sich, daß man die Schrift verstanden hat. Es gibt kein Verstehen der Schrift außerhalb des Glaubens. Sie nicht zu verstehen, ist identisch mit dem Unglauben an ihn. Das Unverständnis der Gegner enthüllt sich darin, daß sie von Jesus Zeichen fordern (6, 30). Das tut nur der Unverstand, der mit dem Unglauben identisch ist. Denn die Zeichen sind ja da; man muß sie nur sehen. Jene

machen ihm zum Vorwurf, daß er sich nicht dem Sabbatgebot unterwirft, daß er sich Gott gleichstelle (5, 18). Sie erkennen nicht, daß das gerade sein Wesen ist. Die Folge ist — und darin kommt das Versagen menschlicher Maßstäbe gegenüber der Offenbarung an den Tag: Wenn einer im eigenen Namen auftritt und den messianischen Anspruch zu Unrecht erhebt, dann verfallen sie ihm (5, 43).
Seine Behauptung, er sei von Gott gesandt, muß Jesus natürlich nachweisen. Wie soll man sonst ihre Wahrheit erkennen? Er begründet sie in der Tat. Aber er kann nur einen Beweis führen, der der Offenbarung selbst gemäß ist. Wunder, die Jesus tut, können nach Meinung des Johannes durchaus beweiskräftig sein; aber als solche erschließen sie sich nur dem Glauben. Die sachgemäße Begründung sieht auf den ersten Blick wie ein Negativum aus: Sie besteht darin, daß Jesus es grundsätzlich ablehnt, sich vor einer menschlichen Instanz auszuweisen. Er nimmt keine Ehre von Menschen an (5, 41), ja, er sucht überhaupt keine Ehre (8, 50). Dadurch ist erwiesen, daß er nicht im eigenen Namen auftritt. Wenn seine Zuhörer die Liebe zu Gott in sich hätten, würden sie das begreifen (5, 42 f.; 7, 16 ff.). Man kann Jesus nicht beurteilen, ohne sich auf Gottes Willen einzulassen. Wieder erscheint der christologische Zirkel: Diesen Willen erfährt man — von Jesus. — Ist damit blinder Glaube gefordert? Nein, vielmehr führt der Glaube in alle Wahrheit und damit in das Verstehen und das Sichverstehen. Gottes Wille erschließt sich als die Wahrheit über die Welt und über mich. Der Glaube kommt zum Erkennen.
Dieses Offenbarungsverständnis findet seinen Ausdruck in der Verhältnisbestimmung zwischen Vater und Sohn und in der Begrifflichkeit von Sendung und Zeugnis.

§ 43 DER VATER UND DER SOHN

Lit.: wie zu § 42 II; Lit. zu »Sohn« s. § 10 II

Im Prolog schimmert noch die mythologische Vorstellung durch, daß zwei Gottwesen nebeneinander existieren. Die nächste Analogie bietet das Nebeneinander von jenseitigem Gott und Gesandtem in der Gnosis. Vgl. auch Philo: Der Logos ist πρωτόγονος υἱός und δεύτερος θεός; C H I 6: Der Logos ist der Sohn des Vaters, des Nus. Bei den Mandäern heißt der Gesandte Manda d'Haije, »der Sohn des großen Lebens«. Für die Gnosis bedeutet dieses Nebeneinander kein Problem: Der Sohn ist dem Vater substanzgleich, als erste Stufe der Emanation. Gleiche Substanz wie er haben auch die zu Erlösenden. Am Ende kehrt alles in die göttliche Ureinheit, das Licht zurück. Daher kann die Gnosis die Zahl der Gesandten beliebig vermehren. Der Jude Philo löst das Problem dadurch, daß er den Logos als Geschöpf charakterisiert. »Gott« ist er nur im Verhältnis zur Welt. Für Johannes ist die Lösung viel schwieriger. Im Unterschied zur Gnosis macht er den Logos nicht zur Emanationsstufe, im Unterschied zu Philo nicht zum Geschöpf. Sonst würde der Offenbarungsgedanke durchkreuzt: Die Offenbarung gehörte zum Bestand des Weltseins. Durch die Weigerung, den Logos zum Geschöpf zu erklären, wehrt Johannes die kosmologische Spekulation ab, z. B. über einen Urzustand des Schweigens. Im Vergleich mit Philo und der Gnosis klingen die johanneischen Bestimmungen vage und unpräzis: ἦν πρὸς τὸν θεόν; θεὸς ἦν. Formuliert Johannes absichtlich so, um die Konkretion nicht in der Spekulation zu suchen, sondern in der Auslegung des Weltseins? Es ist kein Zufall, daß der Johannesprolog nichts über ein An-sich-sein Gottes und des Logos sagt. V. 1 und 2 stecken nur den Horizont für die Auslegung der Offenbarung ab: Der Logos schafft die Welt (V. 3 ff.). Er ist Gott, sofern sich Gott der Welt erschlossen hat und hier, im Logos, erfahrbar wird. Indem Johannes alle Aussagen auf die Offenbarung bezieht, vermeidet er die Gefahr des Ditheismus. Gott und sein Sohn werden nicht zum Gegenstand metaphysischer Lehre. Aussagen über sie werden nur in der Welt gemacht, als Glaubensaussagen, als Auslegung der Situation, die durch das Eintreffen des Wortes in der Welt entsteht. Der Satz ἐν ἀρχῇ ἦν ὁ λόγος hat den kritischen Sinn, jede Aussage über Gott außerhalb seines Wortes abzuweisen und zu dem Punkt hinzuführen, wo sich Gott in der Welt finden läßt. Damit wird der Satz zur positiven Auslegung der Offenbarung: Im Sohn sieht man den Vater selbst. Wir bekommen nicht eine Lehre über Gott, sondern werden Gott selbst konfrontiert, und zwar in der Welt, nicht erst am Endpunkt eines Aufstiegs zu ihm. Daß der Logos der Schöpfer ist, besagt ja, daß Gott in ihm zugänglich wird. Damit, daß Schöpfungs- und Christusoffenbarung identisch sind, kann keine »natürliche Theologie« vor die Theologie des Wortes treten. Das heißt: Die Verhältnisbestimmung von Vater und Sohn erklärt die Möglichkeit des Glaubens. Der Bezug des Glaubens zu seinem Gegenstand, dem Sohn und dessen Angebot, wird verständlich, indem das Werk des Sohnes als »Sendung« ausgelegt wird. Die Stichworte »Sendung«, »Gesandter« besagen, daß Gott selber der Veranstalter des Heils ist (3, 16; den Zusammenhang mit der Tradition zeigt Röm 8, 32. 39). Weil Jesus der Gesandte ist und sonst nichts, ist er mit dem Vater eins. Ihre Einheit ist die Einheit des Heilswerks. Damit ist ein metaphysischer Ditheismus kein Problem mehr: πιστεύετέ μοι, ὅτι ἐγὼ ἐν τῷ πατρὶ καὶ ὁ πατὴρ ἐν ἐμοί (14, 11). Das bedeutet: ὁ ἑωρακὼς ἐμὲ ἑώρακεν τὸν πατέρα (14, 9). Dieses Sehen ist nichts anderes als der Glaube an den Sohn.

Die nächste Stufe, auf der Johannes den Vorgang der Offenbarung darlegt, ist dadurch bezeichnet, daß dem Verhältnis des Sohnes zum Vater das Verhältis der Seinen zum Offenbarer entspricht (14, 20). Für die Seinen wird im Glauben an ihn sein Verhältnis zum Vater verständlich, damit zugleich, daß für sie selber kein Verhältnis zu Gott besteht außer durch ihn. Das bedeutet nicht, daß durch ihn ein Aufstieg zu Gott möglich wäre, sondern daß die Seinen *in ihm* ein unmittelbares Verhältnis zu Gott haben (17, 20—23)[1]. Dieser Endpunkt der Darlegung wird sachgemäß in den Abschiedsreden erreicht. Jetzt kann Jesus zeigen, daß die Voraussetzung dieses Verhältnisses sein Weggang ist, der die Unmittelbarkeit erschließt. Jetzt kann er zum Glauben an Gott aufrufen (14, 1). Damit wird der Weg geöffnet (14, 8 ff.); die Gläubigen sind seine Freunde geworden (15, 14).

---

[1] W. Grundmann, Zeugnis und Gestalt des Johannes-Evangeliums, 1961, 65 ff.

§ 44 DIE SENDUNG DES SOHNES

Lit.: wie zu § 42 II

I. Präexistenz und Inkarnation

Zum Schema Präexistenz — Inkarnation paßt an sich nicht die Parusie, sondern nur die Rückkehr in den Himmel mit der Inthronisation als Abschluß. Das ist die christologische Vorstellung von Phil 2, 6 ff.; Kol 1, 15 ff.; 1 Tim 3, 16. Damit besteht freilich die Gefahr der Mythisierung, daß die Menschwerdung als bloßer Durchgang erscheint, daß sich der Glaube am himmlischen Bild des Erhöhten orientiert und dann zum Mittel des Aufstiegs wird. Es ist die Frage, ob die Realität der Menschwerdung in der Gegenwart des Glaubens in der Welt, angesichts der Erhöhung, gedanklich durchgehalten wird. Das geschieht nicht schon dadurch, daß sie als tatsächliche Menschwerdung behauptet wird (und nicht nur — wie im Doketismus — als scheinbare)[1]. Es genügt auch noch nicht, daß Jesu Tod als ein tatsächlicher festgestellt wird[2]. Es kommt vielmehr darauf an, ob dieser Tod wirklich ausgelegt werden kann, d. h. als die Form des Daseins des Gestorbenen in der Welt bei den Seinen, den Glaubenden. Die Entscheidung hängt davon ab, ob die Einheit von Tod und Weggang mythische Vorstellung bleibt oder ob sie als »Wort« verständlich wird.

Über welche Mittel zur Interpretation verfügt Johannes? Er erweitert das Schema Inkarnation—Wiederaufstieg — in Übereinstimmung mit der geläufigen Gemeindechristologie — durch die Verknüpfung mit der Parusie. Eine Einheit kann natürlich nur entstehen, wenn auch diese in die johanneische Umsetzung, die Bestimmung des Glaubens, miteinbezogen wird. Aber nicht erst der Endpunkt, die Parusie, sondern schon der geschichtliche Anfangspunkt, die Inkarnation, darf nicht mythische Idee bleiben, und ebensowenig deren Voraussetzung, die Präexistenz.

In Phil 2 ist die Zeit zwischen Inkarnation und Tod gewissermaßen hohl; als leere Zeit ist sie gar keine Zeit. Das Leben, die Taten Jesu sind für das Schicksal des Inkarnierten unwesentlich. Er tut nichts als — sterben. Seine Leistung ist einzig sein Gehorsam bis zum Tod. Dadurch wird — mit mythischen Ausdrucksmitteln — gesagt, daß die Offenbarung nicht Weltpotenz, Weltgeschehen ist. Sie bleibt unanschaulich.

Johannes füllt den Zeitraum zwischen Inkarnation und Tod mit dem Bericht über die Taten des Erschienenen, seinen Weg durch die

---

[1] Phil 2, 6 ff. kann leicht doketisch gedeutet werden, so in den Exc. ex Theod. 35: ἐκένωσεν ἑαυτόν bedeutet, daß der Offenbarer aus dem Pleroma herausgetreten ist und den Horos überschritten hat.
[2] Die Wirklichkeit des Todes können auch Gnostiker anerkennen, vgl. das sog. Evangelium Veritatis 20, 25 ff.

Welt. Er läßt ihn nicht nur kommen und gehen, sondern unter uns »wohnen«. Dieses Wohnen wird erzählerisch veranschaulicht — als Epiphanie des θεῖος ἀνήρ. Johannes ergänzt also die Inkarnationschristologie durch die Epiphaniechristologie. Bleibt diese Kombination eine bloße äußere[3], oder kann Johannes mit Hilfe der Synthese von inkarniertem Gott und epiphanem θεῖος ἀνήρ zeigen, daß und wie das Heil in der Welt geschieht und zum Menschen gelangt?
Bultmann: Ja. Allerdings kann das nicht von den Taten des θεῖος ἀνήρ, sondern nur vom Wortcharakter der Offenbarung (also der Inkarnation) her gezeigt werden. Die Inkarnation bedeutet nämlich den Wort- und Ärgernischarakter der Offenbarung, für die das Ärgernis konstitutiv ist: Es zeigt an, daß die Offenbarung nicht aus der Welt stammt. Von hier aus ist auch das Verständnis der Taten des Offenbarers bestimmt. Die Wunder sind Zeichen, Enthüllung seiner Herrlichkeit; aber als Zeichen sind sie zweideutig, Enthüllung nur für den Glauben. Es wird die Dialektik sichtbar: Die Offenbarung trifft die Welt, geht aber nicht so in sie ein, daß sie zum Bestandteil der Welt wird, daß diese sich ihrer als Mittel des Lebens bemächtigen kann.

Bultmann erkennt richtig, daß das Ärgernis zur Struktur der Offenbarung gehört, also nicht nur ihre vorläufige Erscheinungsform ist. Man muß aber dieses johanneische Ärgernis noch präziser bestimmen: Nicht die Inkarnation als solche ist das Ärgernis[4], sondern die Art und Weise der Erscheinung Jesu, der Weg des Inkarnierten in den Tod — im Verzicht auf Ehre von den Menschen. Ärgerlich sind auch die Wunder nicht, sofern sie paradoxe Phänomene sind. Sie erwecken Ärger über den Inkarnierten, sofern die Zuschauer sie als Mirakel auffassen und nicht als Zeichen erkennen. Ärgerlich wird die Menschwerdung durch den Unglauben, der ohne Glauben schauen und die Offenbarung seinen Kriterien unterwerfen will.

Zur Richtung der johanneischen Gedankenentwicklung siehe *Blanks* Kritik an *Bultmann:* Er setze den Akzent falsch, wenn er das Verhältnis von Herrlichkeit und Kreuz-Ärgernis so erkläre: » Die Stunde des δοξασθῆναι ist die Stunde der Passion.« Man müsse gerade umgekehrt formulieren: »Die Stunde der Passion ist bereits die Stunde des δοξασθῆναι.« Aber beide Formulierungen sind keine wirkliche Alternative. Die Formulierung Blanks hat ihren Sinn dort, wo das Kreuz etwa als peinlich und ärgerlich zurückgedrängt wird; *Bultmanns* Formulierung hat ihre Funktion gegenüber einer theologia gloriae, die das Kreuz hinter der Glorie verschwinden läßt. Damit trifft er die Intention des Evangelisten.

[3] Das Schema von Phil 2, 6 ff. mit dem Inhalt eines »Evangeliums«.
[4] Vgl. Käsemann (s. Lit. zu § 42 I): Inkarnationsglaube war damals geläufig.

Blank dagegen denkt nicht historisch, sondern urteilt von der katholischen Dogmatik her.

Johannes gewinnt eine einheitliche Konzeption, indem er die Inkarnation nicht isoliert von ihrer Voraussetzung, der Präexistenz, und ihrer Fortsetzung, dem Weg und Werk des Inkarnierten. Er kann diese Vorstellungen zusammenfügen — unter einer Bedingung: daß er ihre mythische Veranschaulichung vermeidet. Weder die Präexistenz[5] wird geschildert noch der Vorgang der Inkarnation[6]. Sie fallen unter die radikale johanneische Reduktion. Geschildert wird nur, was sich nach der Inkarnation ereignet, das Auftreten Jesu in der Welt. Präexistenz und Inkarnation bilden die Folie dieser Schilderung: Sie bezeichnen das unanschauliche Woher. Innerhalb dieses Rahmens tritt Jesus als θεῖος ἀνήρ auf. Als solcher erweist er sich durch sein wunderbares Wissen (in seinen Worten) und durch sein wunderbares Können (in seinen Wundern). Beides, Reden und Tun, ist eine Einheit. Sie ist möglich durch die Reduktion auf den Sinn. So sind — für den Glauben — beide zusammen die einheitliche Darstellung der Offenbarung als Tat.

II. Das wunderbare Wissen des Gesandten: das »Zeugnis«

Der θεῖος ἀνήρ ist allwissend (16, 30). Er kennt die himmlischen Dinge (3, 11 f.): Er kommt von oben, hat den Vater gesehen und mit ihm gesprochen. Er kennt Dinge, die sich in der Ferne abspielen (1, 42. 47 f.; 11, 4. 11 ff.), die Vergangenheit des Menschen (4, 17 f.), das Innere (2, 24 f.). Natürlich kennt er auch seine eigene Zukunft (6, 64. 70; 13, 21 ff.). Das alles entspricht traditioneller Vorstellung. Die johanneische Reduktion wird nun darin sichtbar, daß Jesus nicht den Inhalt jenseitiger Geheimnisse enthüllt. Er entwirft keine Bilder von der Himmelswelt, teilt keine jenseitigen Formeln mit, beschreibt keine Wege des Aufstiegs, weiht in keine Mysterien des Wissens und Begehens ein[7]. Sein Wissen bietet er dar, indem er sich selbst darbietet. Er legt von Gott Zeugnis ab und damit von sich selbst als dem Gesandten seines Vaters. Inhaltlich lehrt er nichts an-

---

[5] Johannes erzählt keine Himmelsgespräche des Sohnes mit dem Vater vor seiner Inkarnation.
[6] Es gibt keine Jungfrauengeburt!
[7] Bultmann, NT 414—416.

deres als: daß er es ist und daß sein Zeugnis wahr ist. Jesu Rede bewegt sich bewußt im Zirkel, darum ist sie ein σκληρὸς λόγος (6, 60): Die Wahrheit seines Zeugnisses wird dadurch bewiesen, daß Gott für ihn zeugt. Gottes Zeugnis aber ergeht durch ihn. In ihm sind Vater und Sohn in eins vernehmlich. Ist dieser Paradoxie ein Sinn abzugewinnen, der über das Paradox als solches hinausreicht? Sie stellt dar, daß sich die Offenbarung weltlichen Kriterien entziehen muß, um Offenbarung zu sein. Dieser negative Sachverhalt besagt positiv: Was Jesus über sich selbst sagt, ist eo ipso Aufdeckung der Welt, also treffendes und verstehbares Wort. Wie bewußt diese Dialektik ist, zeigen Aussagen, die sich formal widersprechen; vgl. 5, 30—34 mit 10, 25; weiter 14, 10; 15, 22. 24. Einerseits erklärt Jesus: Wenn ich für mich selbst Zeugnis ablege, dann ist mein Zeugnis nicht wahr (5, 31); andererseits: dann ist mein Zeugnis wahr (8, 14). Dieser Widerspruch drückt den Gedanken der Offenbarung aus: Gott kann sich nur selbst bezeugen. Sein Wort erweist sich als Gotteswort in der Selbstevidenz und Suffizienz der Offenbarung.

Jesu wunderbares Wissen konkretisiert sich also nicht als mythologische Lehre, sondern darin, daß er alles durchschaut und die Menschen enthüllt. Dadurch legt er den Glauben frei als das Angebot an sie, seine Freunde zu werden. Damit schenkt er das Leben und öffnet die Zukunft: Indem er die Nachfolge auf seinem Weg ermöglicht, ist der Weg in die himmlischen Wohnungen frei, auf dem er vorangeht. Diese Nachfolge ist nicht gnostisch verstanden, als ob wir in seine Aufstiegsbewegung mit hineingerissen würden. Vielmehr kehrt Jesus nach seinem Tod zu den Seinen in die Welt zurück. Er bleibt selbst der Weg.

III. Das wunderbare Können des θεῖος ἀνήρ: die Zeichen

Die Wundergeschichten des Johannesevangeliums sind massiver als die der Synoptiker. Das ist sicher durch seine Quelle mit bedingt. Aber warum übernimmt sie Johannes, und in welchem Sinn bearbeitet er sie? Darüber gibt der johanneische Gebrauch des Wortes σημεῖον Auskunft[8].

---

[8] R. Bultmann, Das Evangelium des Johannes; K. H. Rengstorf, σημεῖον, ThW VII 241 ff.

Der literarkritische Befund: *Bultmann* dürfte mit seiner Annahme recht behalten, daß der Evangelist eine Quelle mit Wunderberichten benützt, in der das Mirakelhafte stärker ausgearbeitet war als in der synoptischen Tradition. Es ist möglich, daß sich das Stichwort σημεῖον bereits in dieser Quelle fand; sicher ist es nicht. Die Analyse macht vielmehr (gegen *Bultmann*) wahrscheinlich, daß es überall redaktionell vom Evangelisten eingefügt ist. *Bultmann* argumentiert, die Zeichen seien in der Quelle gezählt worden (2, 11; 4, 54), diese Zählung passe aber nicht zum jetzigen Bericht, da Johannes inzwischen weitere Wunder erwähne. Sie müsse also von ihm vorgefunden sein. Dagegen ist festzustellen, daß zwischen 2, 11 und 4, 46 immerhin keine weiteren Wunder erzählt werden und daß die Zählung nicht fortgesetzt wird. Sie ist deshalb als redaktionell anzusehen. Das gilt vollends vom Schluß des Buches (20, 30 f.). Auch die übrigen σημεῖον-Stellen stammen eindeutig vom Evangelisten. 4, 48: »Wenn ihr nicht Zeichen und Wunder seht, dann glaubt ihr nicht« ist eine gewaltsame, den Zusammenhang sprengende redaktionelle Einfügung in die Quelle.

Die Wunder sind nicht nur für die Quelle, sondern auch für den Evangelisten Demonstration der »Herrlichkeit« Jesu (2, 11). 2, 23: Viele glauben, weil sie seine Zeichen sehen. 3, 2: Nikodemus weiß von Jesu Wundern und erkennt sie an (vgl. 6, 2. 14; 7, 31; 9, 16; 12, 18). Am Ende des Buches wird das gesamte Wirken Jesu zusammenfassend als Bewirken von Zeichen charakterisiert. Dies ist die eine Seite. Die andere: Der Glaube auf Grund der Zeichen wird als fragwürdig dargestellt. 6, 2: Die Menge folgt ihm, weil sie seine Wunder sah. 6, 14 f.: Die Menschen folgern, daß er der Prophet ist — ein zwielichtiges Wissen! Er ist es, aber nicht so, wie sie meinen. Sie wollen ihn zum König machen — und Jesus entzieht sich ihnen. Das Spiel setzt sich 6, 26 fort: »Ihr sucht mich nicht, weil ihr Zeichen gesehen habt, sondern weil ihr von den Broten gegessen habt und satt geworden seid.« Sie haben also das Wunder erfahren, es aber nicht als Zeichen begriffen. Sie wollen nicht den wahren Sinn des Wunders verstehen, der jenseits des Sichtbaren liegt, nämlich in dem Wort: »Ich bin das Brot des Lebens.« Sie wollen gerade das Vorläufige, die augenblickliche Befriedigung des βίος, und hoffen auf weitere derartige Akte. Sie denken nur an den augenblicklichen, vergänglichen Bedarf, der neuen Bedarf nach sich zieht. Sie haben nicht empfangen, was Jesus anbot: das Brot, das für immer sättigt. Das Wunder ist Machterweis, aber die Erzählung wird immer wieder durchkreuzt: »Wenn ihr nicht Zeichen und Wunder seht, glaubt ihr nicht« (4, 48). Wer ein Zeichen als Beweis fordert, wird abgewiesen (2, 18; 6, 30)[9]. Man kann das Wunder sehen und dennoch den Glauben verweigern (12, 37). Wie ist der Befund zu erklären?

---

[9] Wie in den Synoptikern ist das Wunder kontingent: Man kann es nicht verlangen, sondern nur als Geschenk empfangen.

Johannes hält den Ausgangspunkt, den Mirakelglauben der Gemeinde, fest. Auch seine Weiterführung vollzieht sich zunächst noch auf Grund des in der Gemeinde allgemein herrschenden Wunderverständnisses: Das Wunder versteht nur der Glaube. Aber dieser Sachverhalt wird nun in die spezifisch johanneische Interpretation des Glaubens einbezogen. Das Wunder ist erst verstanden, wenn man begreift, daß Jesus nicht *etwas* anbietet, sondern *sich* selbst — sich als das Brot, als das Leben; wenn man also das »Ich bin es« versteht, das in jedem Wunder dargestellt wird. Dann verlangt man keine Mirakel mehr als Beweis. Das Wunder ist zweideutig im Sinne der Zweideutigkeit der Offenbarung, die mit dem Offenbarer identisch ist. Vor dem Buchschluß, in dem der ganze Inhalt als Bericht über die Zeichen Jesu zusammengefaßt ist, steht: »Selig, die nicht sehen und doch glauben« (20, 29). Einen weiteren Hinweis gibt 1, 14. Es ist nicht zufällig, daß hier in der ersten Person geredet wird: Wir sahen (nicht: man sah) seine Herrlichkeit. Es ist das Wir der bekennenden Gemeinde. Von der Welt kann es nur heißen, daß sie Jesus, der sich ihr in greifbarer Nähe darbot, nicht annahm.

Was bedeutet also das Wunder im Sinne des Johannes nach dem Abschied Jesu? Für Paulus ist das Bleibende das verkündigte Kreuz. Er hat keinen historischen Stoff aus dem Leben Jesu, kann also ohne Rücksicht darauf den Wortcharakter der Offenbarung ausarbeiten. Läßt sich aber auch eine Geschichtserzählung im selben Sinn theologisch aufarbeiten? Kann man Wunder so erzählen, daß eine Vergegenwärtigung nicht nur möglich, sondern notwendig ist, weil das Wunder erst verstanden ist, wenn es als auf uns zielend und uns bestimmend begriffen wird? Gerät man dann nicht in ein unwirkliches Weltbild oder in reinen Symbolismus: ταῦτα δὲ ἐγένετο μὲν οὐδέποτε, ἔστι δὲ ἀεί (Sallustius, περὶ θεῶν καὶ κόσμου § 4)? Im Sinn des Johannes wird man sagen können: Die Antwort darauf ist nicht vom Historischen bzw. vom Mirakel, sondern nur vom Wort, der Offenbarung im Wort her zu gewinnen. Die Frage löst sich auf, wenn die Predigt nicht Mitteilung wißbarer Lehre ist, sondern heutige Enthüllung des Menschen, heutige Erschließung des Glaubens als der Möglichkeit zu leben. Das kann sie nur sein, wenn sie das Ärgernis nicht überspringt — nicht das Ärgernis am Mirakel, sondern das Ärgernis, daß Gotteswort nur als Menschenwort da ist. Wo das als Heil verstanden ist, ist das »Wunderproblem« kein Thema der Theologie mehr.

Die johanneische Reduktion, die Konzentration auf den Punkt, an dem die Offenbarung in der Welt eintrifft, ohne in ihr aufzugehen, erscheint noch deutlicher im anderen Erweis der wunderbaren Macht Jesu, in der Passion.

IV. Die Passion

E. HAENCHEN, Historie und Geschichte in den johanneischen Passionsberichten, in: Zur Bedeutung des Todes Jesu, 1967, 55—78

Die Stellung der Passionsgeschichte hat im Aufbau des Evangeliums einen spezifischen Sinn:
1. Offenbarung vor der Welt;
2. Offenbarung vor den Seinen (Deutung des Kommenden in den Abschiedsreden);
3. Passion — wieder vor der Öffentlichkeit. Jetzt wird dieser nichts angeboten außer der Ohnmacht. Der Glaube versteht, daß gerade dies die Enthüllung der Herrlichkeit ist: Das Kreuz ist die Erhöhung.

Die Passion Jesu ist die Reaktion der Welt auf seinen Anspruch. In der Art und Weise, wie sie reagiert, zeigt sich, daß sie in Wirklichkeit nicht der aktive, sondern der passive Teil ist. Sie hat gar nicht die Wahl, ob sie sich so oder anders verhalten will. Ihr ist die Alternative vorgeschrieben, zu glauben — dann ist sie, was sie in Wahrheit ist: Welt, Schöpfung —, oder sie hält an sich selbst fest und konstituiert sich damit angesichts der Offenbarung als »Welt« im negativen Sinn. Das kann sie nur, wenn sie die Offenbarung aus sich entfernt. Aber ihre Aktion ist vergeblich. Nachdem sie den Offenbarer getötet hat, erfährt sie, daß er nicht im Tode bleibt. Gerade so bekommt die Offenbarung eine Bleibe in der Welt: In der Gemeinde lebt die Krisis der Welt fort. Die Ohnmacht der Welt wird erzählerisch dargestellt: Immer wieder versuchen die Gegner, sich Jesu zu bemächtigen. Jeder Anschlag mißlingt. Jesus ist nicht zu greifen, bevor seine Stunde gekommen ist (7, 30. 44; 8, 20. 59; 10, 39). Jesus geht seiner Stunde frei entgegen. Die Gegner erreichen ihn erst, nachdem er sein ἐγείρεσθε, ἄγωμεν ἐντεῦθεν gesprochen hat (14, 31). Man hat den Eindruck, ein unweltliches Wesen ziehe durch die Welt, erscheine, entschwinde. Aber nun betont Johannes die Wirklichkeit des Menschseins Jesu, indem er die Wirklichkeit seines Todes anschaulich macht.

Doch genügt das, um die Offenbarung als geschichtlichen (nicht mythischen) Vorgang zu erweisen? Ist Jesu Tod in Wirklichkeit mehr als ein bloßer Durchgang? Die Probe wird darin bestehen, welche Spur dieses Himmelswesen in der Welt zurückläßt: Wird es gelingen, zu zeigen, daß die Offenbarung in der Welt bleibt, ohne Welt zu werden?

Wenn wir dieser Frage nachgehen, kommen wir in engste sachliche Nähe zu Paulus: Der Berührungspunkt von Offenbarung und Welt ist das Kreuz. Für Johannes ist dieses nicht der äußerste Punkt der Erniedrigung, die der Erhöhung vorausgeht, sondern sie ist als der Tiefpunkt selber schon die Erhöhung. Johannes spielt ja mit dem Doppelsinn von »Erhöhen«: 3, 14; 8, 28; 12, 34.

Thüsing: »Erhöhung« meine bei Johannes in erster Linie die Kreuzigung. Sie sei der einzige, sicher feststellbare Inhalt, so oft Johannes von »Erhöhung« redet. Aber das Wort »Erhöhung« enthält ja mehr als das Kreuz. Dieses ist auch nach dem Weggang, in der Zeit der Herrschaft Jesu beim Vater, die bestimmende Wirklichkeit des Heilswerkes. »Erhöhung« stellt den Offenbarungscharakter des Kreuzestodes heraus: Das Kreuz ist das bleibende Strukturprinzip der Offenbarung. Vgl. *Blank* 84: Das »Mehr« ist schon vorgegeben. Die Erhöhung ist die Einsetzung in die Würde. Das Neue ist, daß das Kreuz in den Vorgang der Erhöhung hineingenommen ist. Der Scheidende ist schon verherrlicht (12, 23. 28), und doch geschieht die Verherrlichung im geschichtlichen Ablauf der Passion (13, 31 f.; 17, 1). Sie vollendet sich im Augenblick des Sterbens: τετέλεσται (19, 30)[10].

Wenn die Kreuzigung schon die Erhöhung ist, warum unterscheidet Johannes dann noch Kreuzigung, Auferstehung und Himmelfahrt als Ereignisse? Warum läßt er Jesus nicht im Augenblick des Sterbens vom Kreuz in den Himmel fahren? Weil diese Vorstellung konsequent in den Doketismus führen würde. Dann wäre nur der Geist in den Himmel aufgestiegen, aber der Körper zurückgeblieben. Damit wäre das ὁ λόγος σὰρξ ἐγένετο annulliert. Der Realismus der Osterberichte ist bei Johannes keine Inkonsequenz. Er ist notwendig, um die Einheit von Inkarnation und Erhöhung, Kommen und Gehen darzustellen. Johannes geht von der tradierten Vorstellung über die Auferstehung aus, bringt sie dann aber in die für ihn typische Schwebe: Er schließt sein Buch ohne Abschiedsszene und Himmelfahrtserzählung. Das letzte Wort Jesu lautet: »Selig sind, die nicht sehen und doch glauben« (20, 29). Dann setzt Johannes seinen Schlußpunkt: 20, 30 f. Jesu Wort an Thomas negiert nicht die Historie, sondern es setzt sie voraus und will zeigen, in welcher Weise sie gegenwärtig bleiben kann: durch die Konzentration auf die Selbstdarstellung des Offenbarers im »Ich bin es«. Das läßt sich aus der Erzählung selbst ersehen: Johannes geht mehrfach von der Vorstellung der Tradition aus. Aber dann identifiziert er Karfreitag, Ostern und Himmelfahrt. Indem Johannes ferner den Auferstandenen — noch nicht Aufgefahrenen — den Geist verleihen läßt, setzt er auch Ostern und Pfingsten gleich. Schließlich identifiziert er Ostern und die Parusie, indem er die Zukunft in die Gegenwart einbezieht. Hier liegen die Dinge natürlich anders als im Verhältnis zwischen Ostern und Passion. Die — im Sinne des Johannes — historischen Vorgänge der Passion und Auferstehung werden gedeutet, aber sie gehen nicht in der Deutung auf. Anders die künftigen »Ereignisse«. Diese verschmelzen völlig mit ihrer gegenwärtigen Bedeutsamkeit. Damit ist das Problem der johanneischen Eschatologie gestellt.

---

[10] Bultmann betont die Paradoxie: Die Stunde der *Verherrlichung* ist die Stunde der *Passion. Blank* 269 will die Akzente umsetzen: Das *Kreuz* ist bereits die *Erhöhung.* Aber im Sinne der johanneischen Theologie ist das keine Alternative.

§ 45 DIE SELBSTDARSTELLUNG JESU: ἐγώ εἰμι

E. Schweizer, Ego Eimi, FRLANT NF 38, ²1965 — R. Bultmann, Das Evangelium des Johannes, 167 f. (Anm. zu Joh 6, 35) — H. Becker, Die Reden des Johannesevangeliums und der Stil der gnostischen Offenbarungsrede, FRLANT 68, 1956 — H. Zimmermann, Das absolute 'Εγώ εἰμι als die nt. Offenbarungsformel, BZ NF 4, 1960, 54—69. 266—276

Johannes legt die Verkündigung des Glaubens an Jesus, der auf das ganze Heilswerk — einschließlich Kreuz und Auferstehung — bezogen ist, dem historischen Jesus in den Mund. Damit stellt sich ein hermeneutisches Problem; es betrifft die Möglichkeit, diese Reden auszulegen. Man pflegt zu sagen, Johannes lasse den irdischen Jesus bereits als den Erhöhten handeln und sprechen. In der Tat will er am Menschgewordenen seine Herrlichkeit veranschaulichen (1, 14). Wie ist das darstellerisch möglich? Bei den Wundern liegen die Dinge insofern einfacher, als sie das mirakulöse Element enthalten. Aber in den Reden? In ihnen spricht zwar der Verherrlichte, der gegenwärtige Jesus, aber dennoch sind sie als historische, vergangene Reden gestaltet. Warum? Warum nicht als direkte heutige Offenbarungsrede im Geist? Weil Johannes darauf hinweisen muß, daß man durch die Wiederholung der Reden noch nicht die Wahrheit erlangt. Die Wahrheit ist der Redende selbst. Er selbst muß daher sozusagen in seine Reden einbezogen sein, so daß sich der Leser heute in der Kenntnisnahme der Rede zu ihm selbst hinführen lassen kann. Das geschieht durch die heutige Verkündigung der Kirche. Diese ist für den Verstehensvorgang konstitutiv. Johannes macht das durch die Einführung des Parakleten klar (s. u.): Nach Tod und Auferstehung ist es nicht mehr möglich, etwas von Jesus zu erfahren, ohne ihn als den heute Redenden zu erfahren. Durch den dialektischen Offenbarungsbegriff findet Johannes eine Darstellungsform jenseits der Alternative, entweder ein historisch vergangenes oder ein mythisch-gegenwärtiges Bild (bzw. mythische Offenbarungsrede) zu gestalten. Die Bedingung, unter der er dieser Alternative entgeht, besteht darin, daß er die konkreten Vorstellungsinhalte aus den Reden heraushalten muß — außer der einen Aussage: »Ich bin es« und deren Auslegung. Erlaubt diese Reduktion des Glaubens auf einen nur aus Subjekt und Kopula bestehenden Satz überhaupt noch, von einem faßbaren Inhalt zu sprechen? Aber ebenso stellt sich die Gegenfrage: Wodurch ist wirkliche Konkretion zu erreichen? Etwa durch eine möglichst plastische Schilderung Christi als Himmelswesen? ein Geschichtsbild? eine Zukunftsschau in glühenden Farben? Wären das nicht in Wirklichkeit Abstraktionen, Bilder statt der Sache selbst?

Johannes gewinnt die Konkretion gerade durch den Verzicht auf Bilder. Statt solche vorzuführen, macht er klar, daß die Offenbarung je hic et nunc geschieht, so, daß der Mensch sich auf den Umgang mit dem Offenbarer verstehen lernt und darin sich selbst durchsichtig wird. Inhalt der Offenbarung ist nicht die Beschreibung von physisch oder metaphysisch Seiendem, nicht die Darstellung des Erleuchtungsvorgangs im religiösen Subjekt. Die Offenbarung ist erhellende Anrede. Das Verstehen ist immer nach vorn offen, in Bewegung. Ich kenne Christus nicht, wenn ich eine Definition seines Wesens weiß, sondern wenn ich verstehe, was er jetzt für mich ist, weil er das Wort an die Welt ist. Jesu »Ich bin es« ist die konkrete Auslegung von Gottes ständigem Reden mit der Welt. Die Verweigerung schildernder »Anschaulichkeit« und aller »faßlicher« Inhalte über Jesu Selbstdarbietung hinaus — dieses scheinbare Negativum weist einen eminent positiven Sinn auf: Der Inhalt des Glaubens zeigt sich im Vorgang meiner Enthüllung, die mir als Heil verständlich wird; der Offenbarer wird erfahrbar als das Brot, das Licht, das Leben. Der Glaube führt in die Konkretheit der Freiheit, in der Welt in dem Frieden zu leben, der sich als weltliche Entsicherung und damit als die Möglichkeit der Liebe realisiert.

Natürlich läßt Johannes Jesus nicht nur in einem formalen Sinn »Ich bin es« sagen. Er muß ja die Heilsbedeutung dieser Selbstaussage verständlich machen. Er muß zeigen, nicht nur daß, sondern wie sich in diesem Satz der Geber als die Gabe darbietet. Er benützt dazu das Schema[1]:

6, 35: ἐγώ εἰμι ὁ ἄρτος τῆς ζωῆς. ὁ ἐρχόμενος πρὸς ἐμὲ οὐ μὴ πεινάσῃ, καὶ ὁ πιστεύων εἰς ἐμὲ οὐ μὴ διψήσει πώποτε.

8, 12: ἐγώ εἰμι τὸ φῶς τοῦ κόσμου. ὁ ἀκολουθῶν μοι οὐ μὴ περιπατήσῃ ἐν τῇ σκοτίᾳ, ἀλλ' ἕξει τὸ φῶς τῆς ζωῆς.

Dazu kommt das Bild von der Tür (10, 9), dem Hirten (10, 11. 14), dem Weinstock (15, 1. 5). An anderen Stellen ist der Sinn nicht symbolisch ausgedrückt, sondern direkt: die Auferstehung und das Leben (11, 25), der Weg und die Wahrheit und das Leben (14, 6).

In dem Satz »Ich bin das Licht« faßt *Bultmann* »ich« als Prädikat auf: »Das Licht bin ich.« Jesus grenze sich gegen ein falsches Heilsangebot ab. Ausgangs-

---

[1] Zur Verbreitung der Formel s. E. Schweizer, R. Bultmann und H. Becker.

punkt sei der absolute, feststehende Sinn von Licht als Heil. Nun erkläre Jesus: »Ich bin es.« In der Tat enthält der Satz eine Abgrenzung; aber diese steht nicht im Vordergrund. Der primäre Sinn liegt vielmehr in der positiven Auslegung des Wesens Jesu. »Ich« ist also Subjekt.

Ansatzpunkt für das Verständnis der Ich-bin-Sätze ist das tradierte Bekenntnis der Gemeinde: Jesus ist der Sohn Gottes. Dieses wird von Johannes in seiner Symbolsprache interpretiert, und zwar so, daß die Interpretation Jesus selber in den Mund gelegt wird.

Schon im Alten Testament ist das Licht Symbol des Heils (Lebens) und der Offenbarung: »Der Herr lasse sein Angesicht leuchten.« »Dein Wort ist meines Fußes Leuchte und ein Licht auf meinen Wegen.« »In deinem Lichte sehen wir das Licht.« Der Knecht Jahwes ist zum Licht der Völker gemacht. Aber hier ist noch nicht der johanneische absolute Sinn von Licht erreicht: »das« Licht. Obwohl bei Deuterojesaja, der den Knecht Jahwes als das Licht bezeichnet, die Ich-bin-Formel auffällig hervortritt, läßt sich der Sprachgebrauch des Johannes nicht geradlinig von dort ableiten. Im Alten Testament ist »Licht« immer Bild, auch wenn der Knecht Jahwes rhetorisch so genannt wird. Bei Johannes dagegen liegt nicht bildliche, sondern eigentliche Rede vor. »Das Licht« bezeichnet das Wesen Jesu direkt. Er ist nicht wie ein Licht, sondern *ist* »*das* Licht«. Er *ist der* Weinstock, *das* Brot usw. Das hat *Bultmann* richtig erkannt: Was uns als Licht erscheint, ist nicht das *wahre* Licht, nämlich die Lebenskraft. Wenn wir nach Brot greifen, suchen wir in Wirklichkeit nicht Brot, sondern Leben. Das bietet Jesus an, indem er sich anbietet. In der Tat ist damit auch eine Abgrenzung gegeben; aber diese ist nicht der Ausgangspunkt für die Formulierung.

Der Satz »Ich bin das Licht« fällt ein Urteil über die Welt und vollstreckt es zugleich — als Enthüllung: Sie kommt als das »ans Licht«, was sie ist: als Welt.

§ 46 WELT UND MENSCH (DIE ENTHÜLLUNG)

Die Welt ist finster, aber nicht an sich (etwa weil sie Materie wäre): Johannes entwirft kein mythisches Weltbild, keinen Mythos vom Fall usw. Wohl ist die Welt gefallen, aber ihr Fall geschieht in der aktuellen Konfrontation mit der Offenbarung. Das Wort Kosmos bezeichnet primär die Menschenwelt (1, 10 f.), freilich nicht einfach die Summe der einzelnen Menschen. Durch sein Verhalten ist der Kosmos transsubjektive Macht geworden, eine Sphäre, welcher der Einzelne nicht entrinnen kann, die er selbst ständig mit konstituiert. An sich ist die Welt Schöpfung, gut, erleuchtet, d. h. sich als Schöpfung darbietend und als solche verständlich. Sie ist ja vom Logos geschaffen, der das Licht der Menschen »war«. Böse ist sie, wenn bzw. sofern sie sich nicht ihrem Wesen gemäß als Schöpfung verhält. Dadurch wird sie »diese« Welt[1]. Aber auch nach dem Abfall hat Gott sie nicht preisgegeben. Sie kann nur Welt im negativen Sinn sein, weil ihr das Licht scheint. Ihr Verhalten ist die ständige Auflehnung gegen ihren Ursprung (3, 19). Nun ist eine eigentümliche Doppelheit zu beobachten: Wenn das Scheinen des Lichtes das geschichtliche Auftreten Jesu bezeichnet, ist Sünde einerseits die Ablehnung Jesu, der Unglaube. Dann entsteht die Schwierigkeit: Gibt es Sünde erst, seit Jesus auftrat? Das kann Johannes natürlich nicht sagen. Er kann nicht erklären, daß die Welt vor Jesu Auftreten in Ordnung war; denn dann würde die Inkarnation sinnlos. Ebensowenig kann er feststellen, daß vor Jesu geschichtlichem Auftreten keine Beziehung zwischen Gott und der Welt bestand. Daß diese bestand, daß es keine Welt »an sich« gibt, ist ja durch die Präexistenz des Logos gesagt, durch seine Stellung als Mittler der Schöpfung. Daraus ergibt sich nun andererseits: Die Welt war schon vor Jesus der Sünde verfallen — aber schon diese Sünde war Ablehnung des Logos. Johannes kann deshalb beides sagen — sowohl, daß die Welt schon vor dem Auftreten Jesu sündigte, als auch, daß sich die Sünde in der Begegnung mit ihm vollzieht —, weil er die kosmologische Objektivierung vermeidet. Würde er die Vorstellung ausbauen, müßte er ein zweimaliges Kommen des Logos in die Welt berichten. Im Prolog streift er tatsächlich hart an eine solche Vorstellung. Was Johannes aber wirklich sagen will, ist dies: Die Offenbarung ist geschehen, und in der Konfrontation mit ihr erfährt man,

---

[1] Vgl. Paulus: »dieser Äon«. Schon Paulus spricht nicht vom »kommenden Äon«, vollends Johannes nicht, da er die Welt nicht apokalyptisch objektiviert.

was Sünde ist. Dann weiß man zugleich, daß die Welt schon immer mit der Offenbarung konfrontiert war und sich dieser Konfrontation entziehen wollte. Das heißt, die kosmologische Vorstellung von dem präexistenten Dasein des Logos wird dem Einzelnen verständlich als Enthüllung seiner eigenen Vergangenheit, seiner Solidarität mit der Welt, der Sünde. Die Offenbarung deckt der Welt ihr Wesen auf, indem der Welt gesagt wird, was sie am Anfang war. Die bekannten johanneischen Antithesen: Licht und Finsternis, Oben und Unten, Wahrheit und Lüge, Freiheit und Knechtschaft, sind sämtlich geschichtlich-soteriologisch gemeint; sie dienen der Bestimmung der jetzt erschlossenen Beziehung zu Gott, damit zur Welt und zu mir selbst. »Licht« ist die Manifestation Gottes in Christus, das Angebot des Lebens. Wo kein Licht ist, d. h., wo das Licht nicht angenommen wird, wo der Glaube versagt wird, da ist Finsternis, da befindet sich der Mensch in der Unwahrheit über sich selbst. Wahrheit ist kein formaler Begriff, um die Richtigkeit einer Aussage festzustellen, sondern bedeutet qualifiziert die göttliche Wahrheit, die mit dem Wort identisch ist[2]. Entsprechend ist die Lüge nicht nur das Sagen einer Unwahrheit oder die Haltung der Unwahrhaftigkeit, sondern eine generelle Befindlichkeit: In der Unwahrheit über sich befindet sich, wer im Unglauben bleibt. Er zeigt das, indem er sich der Entdeckung entzieht (3, 19—21).

Trotz der antithetischen Begrifflichkeit ist nur mit Vorsicht von einem johanneischen Dualismus zu reden. Wie kein kosmologischer Dualismus entfaltet wird, so auch kein anthropologischer[3]. Licht und Finsternis sind weder kosmische Potenzen noch Bestandteile des gefallenen Menschen, sondern Möglichkeiten des Existierens. Man mag von einem Entscheidungsdualismus[4] sprechen, wenn man dabei beachtet: »Möglichkeit« bedeutet nicht die subjektive Wahl, die ich in einem freien Entschluß treffe; vielmehr zeigt mir die Offenbarung, woher ich bin. Ich bin das, woher ich bin. Natürlich meint Johannes das nicht biologisch, wie er an den Juden illustriert: Sie stammen von Abraham ab, aber sie sind nicht Abrahams Kinder, sondern des Teufels Kinder, da sie nicht glauben. Johannes bezeichnet zwei objektive Grundmöglichkeiten des Menschen: von oben oder von unten zu sein[5]. Die letztere ist die Unmöglichkeit,

---

[2] J. de la Potterie, L'arrière-fond du thème johannique de vérité, TU 73 (Stud. Ev. I), 1959, 277—294.   [3] Es gibt keine Seelenlehre, keine Abwertung des Körpers.
[4] Vgl. den unmythologischen Entscheidungsdualismus in Qumran.
[5] 3, 6 werden beide konfrontiert: τὸ γεγεννημένον ἐκ τῆς σαρκὸς σάρξ ἐστιν, καὶ τὸ γεγεννημένον ἐκ τοῦ πεύματος πνεῦμά ἐστιν.

und diese ist es, die vom Menschen, von der Welt gewählt wurde. Es stehen sich gegenüber: ἐκ τοῦ θεοῦ (7, 17; 8, 42) = ἄνωθεν (3, 3. 7; vgl. 8, 23) = ἐκ τῆς ἀληθείας (18, 37) und ἐκ τοῦ διαβόλου (8, 44) = ἐκ τῶν κάτω (8, 23) = ἐκ τούτου τοῦ κόσμου (8, 23) = ἐκ τῆς γῆς (3, 31).

In diesen Begriffen — sein, kommen usw. »aus« — wird das johanneische Verständnis der Prädestination deutlich: Der Mensch kann sich das Heil nicht selbst schaffen. Es kommt zu ihm, er vernimmt es im Wort, und zwar so, daß er zugleich das objektive Prae des Heils erfährt. Der Gedanke der Erwählung ist geschichtlich gefaßt. Der Mensch kann an sich nichts anderes sein als das, was er ist: Weltwesen, d. h. er ist der Sünde verfallen. Daher ist er nicht frei, über sein Heil zu entscheiden. Die Welt hat schon über sich entschieden. Aber dieser Zustand bleibt kein schicksalhaftes Verhängnis; er wird durch die Offenbarung zur Entscheidungssituation. Durch diese vollzieht sich die Krisis, in der zutage tritt, was die Welt war. Der Glaube wird möglich, indem er von der Offenbarung erschlossen wird. Angesichts des Wortes, das den Menschen aufdeckt, wird er frei, sich zu transzendieren, — in der Sprache der johanneischen Prädestination: eine neue Vergangenheit zu gewinnen. Der Prädestinationsgedanke schließt die freie Erwählungstat Gottes nicht aus, sondern bildet deren Horizont (Joh 15, 16). Die bisherige Vergangenheit wird nicht ignoriert, sondern aufgehoben. Damit ist festgestellt, daß die Erwählung Wunder ist und daß sie das ganze Sein umfaßt. Paulus spricht in diesem Sinn von der neuen Schöpfung, Johannes von der Wiedergeburt (3, 3). Der Wundercharakter der Erneuerung ist 3, 8 ausgesprochen.

Das Wort kann nur verstehen, wer aus der Wahrheit ist. Die Möglichkeit, aus der Wahrheit zu sein, wird eben jetzt durch dieses Wort angeboten. Im Hören wird man Erwählter, d. h. Verstehender, oder Verlorener. Vom Heil ist das Gericht nicht zu trennen. Für Johannes gilt dasselbe wie für Paulus: Die Botschaft bietet nicht eine Lehre über Heil und Unheil an; sie bietet das Heil an — dem Glauben. Das Heil ist der einzige Zweck der Sendung des Sohnes (3, 17; 12, 47)[6]. Das Gericht ist zwar nicht der Zweck, wohl aber ein tatsächliches Ergebnis der Offenbarung. Es ist identisch mit der Entscheidung des Unglaubens selbst.

---

[6] Das Gegenteil steht 5, 22: Der Vater richtet niemanden, sondern er hat das Gericht insgesamt dem Sohn gegeben.

§ 47 DIE GEMEINDE IN DER WELT

E. Schweizer, Der Kirchenbegriff im Evangelium und den Briefen des Johannes, TU 73 (Stud. Ev. I), 1959, 363–381 (= Neotestamentica, 1963, 254–271)

Dieses Thema bildet den Inhalt der Abschiedsreden. Die Existenz der Gemeinde ist dadurch eng mit dem Weggang Jesu aus der Welt verknüpft. Sein Weggang vollzieht die grundsätzliche Trennung von Gemeinde und Welt: Die Gemeinde verfällt dem Haß der Welt, und zwar notwendig. Ihr Haß ist kein beliebiger, der psychologisch oder zeitbedingt zu erklären wäre. Er entsteht aus dem Wesen der Offenbarung einerseits, dem Wesen des Kosmos andererseits, aus dem Zusammentreffen des Lichtes und der Finsternis, die sich behaupten will. Das Ärgernis, das die Offenbarung mit sich bringt, ist mit der Sache selbst gesetzt.

Deshalb gibt es auch keine Möglichkeit für die Kirche, sich durch irgendeine Taktik dem Haß zu entziehen, etwa indem sie der Welt durch ihr Verhalten ihre Rechtlichkeit und Harmlosigkeit demonstriert oder ihre Lehre als positiven Beitrag zur Weltordnung ausgibt.

Durch die Trennung von der Welt, die rein esoterische Bestimmung des Zusammenlebens der Gläubigen, bekommt die johanneische Gemeinde das Aussehen einer Sekte, die im Rückzug aus der Welt ihr religiöses Leben pflegt.

Diesen Zug unterstreicht *E. Schweizer:* Es herrscht nicht mehr die Vielheit der Geistesgaben, sondern die eine Gabe des Geistes. Wer — im Sohn — den Vater geschaut hat, bedarf des Bruders eigentlich nicht mehr. Andererseits wird das Gebot der Bruderliebe eingeschärft, aber eben nur der Bruderliebe; Johannes formuliert kein allgemeines Liebesgebot. Diese Gemeinde treibt keine Mission; an ihre Stelle tritt das Zeugnis durch die Bruderliebe. *Schweizer* spricht von einer Gefahr der Entgeschichtlichung. Doch ist der johanneische Kirchengedanke damit noch nicht vollständig beschrieben:

Die Lehre, die in der Gemeinde gepflegt wird, wird nicht — wie in einer Sekte — zur Geheimlehre. Sie führt in das öffentliche Bekennen des Glaubens. Der Weggang Jesu aus der Welt und seine Rückkehr in die Gemeinde als Erhöhter bedeutet die Niederlegung der Grenzen, welche die Menschwerdung setzte. Wenn die Kirche als in sich geschlossene Bruderschaft lebt, so ist doch ihr Dasein die ständige Konfrontation der Offenbarung mit der Welt, an die damit das Angebot des Glaubens ergeht.

§ 48 DIE ESCHATOLOGIE (AUFERSTEHUNG, GERICHT, DER PARAKLET)

J. Behm, παράκλητος, ThW V 798—812 — J. Blank, Krisis, 1964, 316 ff. (Lit.)

Die Eschatologie des Johannes wird oft als präsentisch charakterisiert: Das ganze Heilswerk ist vollbracht; es bedarf keiner Ergänzung durch neue Fakten mehr, z. B. die Parusie. Die apokalyptische Parusieerwartung ist ausgeschieden; damit gibt es auch kein künftiges Gericht, keine künftige Auferstehung mehr (3, 18 f.; 5, 21—25).

Es ist umstritten, ob nicht wenigstens ein Rest an apokalyptischer Erwartung vorhanden ist (vgl. 5, 28 f. und ähnliche Stellen). *Bultmann* weist diese futurischen Sätze der von ihm sog. kirchlichen Redaktion zu[1]. Dagegen erklärt *Schweizer:* Auch wenn man *Bultmanns* Analyse annimmt, bleibt ein Bestand von futurischen Aussagen übrig, die die Vollendung erst in der Zukunft erwarten (6, 27; 12, 25; 14, 2 f.; 17, 24; vgl. 11, 24). Noch weiter geht in seiner Kritik *Blank: Bultmann* vernachlässige die Christologie, er mache sie zu einer Funktion der Eschatologie. Bei Johannes gelte aber das Umgekehrte. *Blank* exemplifiziert an 5, 19 ff.: Die eschatologische Aussage 5, 21 ff. sei ermöglicht durch die christologische Voraussetzung 5, 19 f. Der Passus καὶ μείζονα τούτων δείξει markiere den Übergang von der Christologie zur Eschatologie. Diese sei die Explikation der christologischen Grundlegung. Dann führe aber die Linie konsequent zu V. 28 f.: Wir haben das Heil, aber wir haben es im Glauben, sind also auf eine künftige Vollendung hin orientiert. Der Hinweis auf den Glaubensbegriff ist sachgemäß (s. u.). Aber auf Grund seiner Stellung im Kontext erweckt V. 28 f. den Verdacht einer Interpolation.

Mit dieser Vergegenwärtigung des Heils streift Johannes unmittelbar die Gnosis. Aber seine Korrektive markieren den Unterschied. Die Präsenz des Heils gilt für den Glauben. Das Element der Künftigkeit ist nicht ausgeschieden, sondern aktualisiert. Johannes braucht keine apokalyptischen Sätze, um echte Künftigkeit darzustellen. Die Zukunft ist in der Tat die Orientierung des Glaubens. Natürlich kennt Johannes die Erwartung der Parusie (wie der Auferstehung und des Gerichts). Er scheidet sie nicht aus, sondern integriert sie in das gegenwärtige Heilsverständnis. Das Heilswerk ist vollständig. Aber das verwirklichte Heil muß nun in der Welt präsent bleiben, muß immer neu geschehen, von oben her. Johanneisch gesprochen: Der Gestorbene muß in die Welt zurückkommen und so in ihr da sein, daß dasselbe Heil angeboten wird wie das, das Jesus

---

[1] Zur Kritik vgl. L. van Hartingsveld, Die Eschatologie des Johannesevangeliums, 1962, der die apokalyptischen Stellen für authentisch hält.

anbot: er selbst. Dann kann kein hohler Zwischenraum zwischen dem Tod und der Parusie liegen: Ich gehe und komme zu euch (14, 28); bzw. der Zwischenraum wird in einen Punkt zusammengezogen (16, 16). Dieser Satz bezieht sich zunächst auf das Kommen Jesu an Ostern, enthält aber darüber hinaus den Blick auf die endgültige Rückkehr und Präsenz Jesu für den Glauben, welche die apokalyptische Parusie ersetzt.

Hart neben der Verheißung der Rückkehr Jesu steht die Prophezeiung, daß er gehe und einen anderen als Stellvertreter schicken werde, den *Parakleten,* den Geist (»der Wahrheit«). Dieser wird weitere Offenbarung bringen und in alle Wahrheit leiten. Hier scheint neben die Hypostase Logos noch eine zweite, der Geist, zu treten. Was ist der Sinn dieser merkwürdigen Verdoppelung? Ist die Belehrung durch Jesus ungenügend? Worin soll die zusätzliche Lehre bestehen? Wird den Gläubigen innere Erleuchtung, mystische oder visionäre Schau verheißen?

Windisch[2]: Der Geist bringt christologische und eschatologische Lehre: 15, 26; 16, 7b—11. 13. Man kann das so formulieren, wenn man den johanneischen Charakter dieser Christologie und Eschatologie präzise bestimmt.

So wie Jesus macht auch der Paraklet keine inhaltlichen Aussagen über das Jenseits und die Zukunft. Er bringt also nicht nun doch noch metaphysische Lehre. Wenn er aber keine neuen Inhalte bringt, was dann? Die Antwort ergibt sich aus der Bestimmung seines Verhältnisses zum Logos: Der Logos ist wirkliche Hypostase — die einzige. Beim Geist ist die Hypostasierung Bild, auch wenn im Hintergrund eine mythologische Figur stehen mag. Faßt man den Parakleten als wirkliche Hypostase, so werden die Aussagen über Jesus und den Geist rätselhaft. Der Paraklet hat keine selbständige Existenz neben dem Logos. Er ist auf ihn bezogen, bzw. er *ist* der Bezug auf ihn. Seine »Lehre« besteht nicht in positiven Sätzen, sondern darin, daß er ständig die Wahrheit der Offenbarung erschließt. Er *ist* die Erschließung der Wahrheit. Was inhaltlich über Jesu Lehre hinausgeht, ist nur dies Eine, daß jetzt sein Tod und seine Auferstehung in die Lehre einbezogen sind.

Rückblick und Vorblick entsprechen sich: Wie Johannes die Offenbarung nicht nach rückwärts auf eine heilsgeschichtlich vorgestellte Vergangenheit zuordnet, sondern auf die Präexistenz des Logos und das Woher der Welt, so entwirft er auch kein apokalyptisches Zu-

---

[2] H. Windisch, Die fünf johanneischen Parakletsprüche, Festg. für A. Jülicher, 1927, 110—137.

kunftsbild. Was hat der Gläubige dann noch von der Zukunft zu erwarten? Nichts, was er nicht schon hätte. Das Leben hat er bereits. Was er erwarten kann, ist, daß er es nicht mehr in der Welt, im Ausgesetztsein, zu führen hat. Der Abschied Jesu bedeutet, daß er in die himmlischen Wohnungen vorausgegangen ist, um dort den Seinen den Platz zu bereiten. Das scheint eine radikale Individualisierung der Jenseitshoffnung[3] zu sein. In der Tat: Ich kann für *mich* hoffen, das ist mir eröffnet. Aber die Hoffnung ist ja die Hoffnung derer, die in der Welt die eschatologische Bruderschaft bilden. Der scheidende Jesus hinterließ sein Wort, durch das er den Frieden stiftete. Er schuf damit die eschatologische Freiheit, die sich als Liebe konkretisiert. Der Geschiedene ist zurückgekehrt und ermöglicht heute das Leben dieser Gemeinde, ermöglicht den Glauben, ermöglicht es, die Welt auszuhalten und darin das Leben schon im Vorgriff zu haben.

---

[3] Das Wort ἐλπίς fehlt im Johannesevangelium.

AUTORENREGISTER

Aalen, S. 125 f.
Adam, A. 27, 197
Adler, N. 64
Aland, K. 64, 354
Althaus, P. 215, 252
Asting, R. 45, 78, 260, 292

v. Baer, H. 171
Barrett, C. K. 54, 187
Barth, G. 164 f., 167, 169
Barth, K. 23, 64, 70, 178 f., 211, 295
Bartsch, H.-W. 169
Bauer, W. 63, 68, 72, 94, 236, 238, 329 f., 360
Baumbach, G. 360
Baur, F. Chr. 20 f., 176
Beasley-Murray, G. R. 64, 295
Becker, H. 354, 381 f.
Becker, J. 240
Beer, G. — Holtzmann, O. 29
Behm, J. 388
Betz, J. 67, 295
Billerbeck, P. 29 u. ö.
Black, M. 151
Bläser, P. 187
Blank, J. 363, 367, 374 f., 380, 388
Böcher, O. 360
Boers, H. W. 81, 91
Bonsirven, J. 187
Boobyer, G. H. 158
Bornhäuser, K. 362
Bornkamm, G. 67 ff., 73 f., 97, 116, 136, 141 f., 164 f., 167, 169, 175, 203 f., 244 f., 252, 257, 263, 268 f., 285 f., 291, 295, 298, 300, 313, 325, 343 f.
Bousset, W. 21, 26, 29, 93 f., 101, 104, 127, 151, 177, 311, 322, 365
Bouttier, M. 232, 234 f., 291
Brandenburger, E. 197, 210, 218, 220, 257, 286, 288
Braumann, G. 64, 131, 295 f.
Braun, F. M. 360
Braun, H. 19, 29, 72, 95, 97, 117, 121, 123, 135, 138, 140 ff., 164, 200, 240, 252, 255, 302, 360 f.
Brosch, J. 284, 292, 333
Brun, L. 86
Büchsel, F. 232, 234, 263
Bultmann, R. 11 ff., 19, 23 ff., 26, 49, 100, 115 ff., 144 ff., 157, 159, 175, 179 f., 182, 192, 195, 203, 207, 213, 215, 218, 237, 252, 260, 267, 275, 313, 337, 351, 355 u. passim
Burkill, T. A. 157 f., 160

v. Campenhausen, H. 58 f., 62, 84 f., 292, 317, 333 f.
Cerfaux, L. 27, 280
Colpe, C. 27, 288
Conzelmann, H. 63, 78, 81, 84, 115 f., 125, 159, 169, 263, 281, 305
Cullmann, O. 45, 49, 63 f., 67, 70, 81, 91, 95, 101, 103 f., 129, 147 ff., 151, 295, 338, 358
Cumont, F. 26

Dahl, M. E. 209
Dahl, N. A. 46, 52, 107, 131, 222, 280
Dalman, G. 151
Davies, W. D. 136, 200
Deißmann, A. 78, 232 f.
Delling, G. 63 f., 66, 157, 245, 295, 297 ff.
Descamps, A. 175
Dibelius, M. 21, 61, 71, 97, 105, 108, 110, 115 f., 121, 136, 148, 157, 160, 175, 204, 334, 347
Diehle, A. 139
Dinkler, E. 150, 277, 296
Dittmar, W. 61
v. Dobschütz, E. 45, 81, 106, 325
Dodd, C. H. 45, 81, 126, 129, 131, 160, 187, 189, 338, 351, 353, 360, 362, 364
Dupont, J. 367

Ebeling, G. 116 f., 244
Ebeling, H. J. 158

Elert, W. 246
Ellis, E. E. 187 ff., 213
Ellwein, E. 252
Eltester, F.-W. 196

Feine, P. 23
Fitzer, G. 89
Flender, H. 169
Foerster, W. 101, 103
Fridrichsen, A. 157
Friedrich, G. 78, 103, 284
Fuchs, E. 116, 247, 252, 295, 297 f., 336
Fuller, R. H. 157

Gabathuler, H. J. 100
Gaertner, B. 104
Geldner, K. F. 42
Georgi, D. 98, 188, 197, 280
Goguel, M. 67, 181, 317, 329, 338
Goldschmidt, L. 29
Goppelt, L. 45, 317, 329
Gräßer, E. 125, 161, 326, 329, 336, 338, 342 f., 359
Grant, R. M. 157
Graß, H. 84 ff., 183
Greeven, H. 57, 285, 292, 333, 347
Greßmann, H. 26, 29
Grundmann, W. 26, 64, 95, 117, 207, 236, 238, 372
Güttgemanns, E. 293
Gunkel, H. 21, 54, 177
Gutbrod, W. 195, 244
Gyllenberg, R. 192

Haenchen, E. 27, 141, 155, 160 f., 219, 351, 354 f., 364, 367, 379
Hahn, A. 323
Hahn, F. 45, 87, 91, 93 f., 96, 101ff., 147—152, 156
Hansliek, R. 157
Harnack, A. 58 f., 187 f., 294, 317, 333
van Hartingsfeld, L. 388
Hegermann, H. 197, 288
Heim, K. 219
Heitmüller, W. 64 f., 67, 295
Held, H. J. 164
Hennecke, E. — Schneemelcher, W. 323
Hermann, I. 101, 209, 285
Hoffmann, P. 213
Holl, K. 22, 58 f., 61, 81, 106, 179, 280, 294, 317
Holtzmann, H. J. 19, 21

Hommel, H. 252, 257
Horst, F. 239
Howard, W. F. 351
Humbach, H. 42
Hummel, R. 164, 169

Iber, G. 115, 155

Jeremias, J. 32, 64, 67, 70, 74 f., 84, 98, 100, 104, 117, 121 f., 126, 131 f., 136, 151
van Jersel, B. M. F. 147
Jervell, J. 196, 213, 268, 288
Joest, W. 252
Jonas, H. 26 ff., 201, 252, 254 f.
Jüngel, E. 181, 212, 218, 220, 237

Käsemann, E. 52, 59, 67, 70, 73, 90, 97, 116, 157, 197 f., 204, 224, 232, 234, 237, 242, 245 f., 285—289, 292, 294 f., 300 f., 333, 341 f., 364, 366, 374
Kamlah, E. 107, 110
Kattenbusch, F. 81
Kautzsch, E. 29
Kelly, J. N. D. 45, 81, 325
Kittel, G. 26
Klein, G. 62, 170, 327
Klostermann, E. 94
Knoch, O. 338
Koch, K. 239
Köster, H. 322, 329
Kohlmeyer, E. 284
Kramer, W. 45, 91, 222, 232, 235
Kümmel, W. G. 45, 49, 52, 59, 64, 68, 74 f., 84, 90, 117, 121, 125, 129 f., 147, 151, 169, 175, 181 f., 195, 203, 252 f., 280, 291, 344, 351, 353
Kürzinger, J. 203
Kuhn, H.-W. 92
Kuhn, K. G. 71, 92, 101, 127
Kuß, O. 192, 295

van der Leeuw, G. 325
Leipoldt, J. 26, 64
Leisegang, H. 254
Léon-Dufour, X. 117
Leuba, J. B. 59
Lidzbarski, M. 105
Lietzmann, H. 57, 63, 67 f., 70 f., 79, 81 f., 101, 187 f., 241, 257, 264, 273, 295, 298, 317
Lightfoot, R. H. 115, 160, 162, 204

Autorenregister

Lindars, B. 61, 187, 189
Lindeskog, G. 32
Linnemann, E. 131
Linton, O. 51, 58
Ljungman, H. 192
Lohmeyer, E. 67, 70, 160, 162 f., 209, 232
Lohse, E. 29, 125, 153, 169, 295, 297, 344
van der Loos, H. 157
Luck, U. 169
Lührmann, D. 107, 222, 345
Luther, M. 19, 137, 176, 188, 215, 224, 238, 312, 336
Luz, U. 158
Lyonnet, S. 256

Manson, T. W. 117, 126
Manson, W. 117
Marxsen, W. 158, 161 ff.
Matthiae, K. — Ristow, H. 115, 117
Maurer, Chr. 204 f., 244
Mayer, R. 29
McGregor, G. H. C. 263
Meinertz, M. 24
Meyer, A. 79
Michel, O. 81, 187
Moffat, J. 236
Molland, E. 260
Mollat, D. 357
Moore, G. F. 29
Müller, Chr. 237 f., 240 f., 273, 275, 277
Müller, H. 187
Munck, J. 273
Mundle, W. 213
Mußner, F. 287

O'Neill, J. C. 169
Neuenzeit, P. 67, 287, 295
Neufeld, V. H. 45, 81, 325
Neugebauer, F. 232, 235, 291
Neuhäusler, E. 135
Nilsson, M. P. 26 f.
Noack, B. 351, 353
Norden, E. 81

Obrist, F. 49
Odeberg, H. 368
Oepke, A. 45 f., 49, 237, 241, 280, 291, 317
Ott, W. 169

Otto, R. 22, 116
Owen, H. P. 268

Paret, O. 102
Percy, E. 232, 234, 286
Perrin, N. 117
Pesch, W. 135, 141
Peterson, E. 325
Pohlenz, M. 204 f., 244 f., 268
de la Potterie, J. 385
Preisker, H. 26 f.
Preuß, R. 163
Prümm, K. 26, 157

v. Rad, G. 239
Reicke, B. 26
Reitzenstein, R. 177, 201, 208, 268
Rengstorf, K. H. 62, 84, 175, 376
Reumann, J. 346
Riesenfeld, H. 95
Rietschel, E. 295
Rigaux, B. 175
Robinson, J. A. T. 154, 198, 286, 362
Robinson, J. M. 117, 160
Robinson, W. C. 169, 171
Rost, L. 52
Rudolph, K. 105
Rustow, A. 131

Sasse, H. 36
Schaeder, H. H. 104 f.
Schenke, H.-M. 197
Schierse, F. 342
Schlatter, A. 23, 192, 237 ff., 241
Schlier, H. 19, 266, 268, 286 f., 295, 347
Schlingensiepen, H. 157
Schmauch, W. 232, 234
Schmidt, K. L. 49, 51, 125
Schmithals, W. 62, 69
Schnackenburg, R. 19, 24, 58, 108, 125, 135, 156, 280, 295, 302, 317, 341 f., 344, 351, 363 f.
Schneider, J. 64
Schniewind, J. 159, 181
Schoeps, H. J. 180 f., 187, 247
Schrage, W. 52, 285, 302
Schreiber, J. 164
Schrenk, G. 122, 238
Schroeder, O. 112
Schubert, K. 29, 117
Schürer, E. 29
Schürmann, H. 75, 125

Schulz, A. 109
Schulz, S. 102, 156, 160, 164, 169, 268, 364, 367
Schwantes, H. 207, 209, 212
Schweitzer, A. 22, 65, 116, 126, 137, 144, 175, 177 f., 209, 232, 247, 295, 297
Schweizer, E. 45, 49, 54, 58, 67, 74, 84, 94, 96, 151, 153—155, 160, 165, 198, 200, 212, 280, 284, 286, 288, 292, 317, 333, 343, 358, 381 f., 387
Seeberg, A. 45, 81 f.
Sevenster, J. N. 302
Sidebottom, E. M. 363
Simon, M. 46
Sjöberg, E. 158, 160
Smits, C. 61, 187
v. Soden, H. 70, 75, 205, 295
Sohm, R. 58 f., 294, 317 f., 333
Spicq, C. 135, 302
Stacey, W. D. 195
Stählin, G. 263
Staerk, W. 105
Stagg, F. 24
Stauffer, E. 23
Stelzenberger, J. 204
Stendahl, K. 164, 204
Strack, H. L. 29
Strecker, G. 98, 158, 164 f., 168 f., 353
Strobel, A. 64, 245, 338
Stuhlmacher, P. 176, 237—242
Suhl, A. 160 f.

Tarn, W. W. 26
Thomas, J. 65
Thüsing, W. 367, 380
Thurneysen, E. 137
Thyen, H. 65
Tödt, H. E. 115, 125, 151, 153
Tondrian, J. 27

Trillhaas, W. 246, 295
Trilling, W. 164 f., 169

Ulonska, H. 187 f., 190
van Unnik, W. C. 362

Vielhauer, Ph. 87, 91, 101 ff., 125, 127, 151 ff., 155, 160, 164, 169, 285
Vögtle, A. 49, 110, 115, 222
Völker, W. 254
Völkl, R. 108, 302
Volz, P. 29, 33, 93
Voss, G. 169

Wagner, G. 67, 295
Wallace, R. S. 157
Wegenast, K. 186
Weinel, H. 19, 21 ff., 54, 119, 177
Weinreich, O. 157
Weiß, B. 264
Weiß, J. 57
Weizsäcker, C. 45
Wellhausen, J. 151
Wendland, P. 26
Werner, M. 338
Wernle, P. 179
Wetter, G. P. 94., 236
Whiteley, D. E. H. 195, 207
Whitley, W. T. 236
Wibbing, S. 110 f.
Wilckens, U. 108, 169, 183, 227, 247, 266 f.
Windisch, H. 130, 157, 389
Wißmann, E. 192
Wobbe, J. 236
Wood, H. G. 182
Wrede, W. 21, 158 f., 177

Ysebaert, J. 64, 295

Zahn, Th. 264
Zimmermann, H. 381

SACHREGISTER

Abendmahl 67 ff., 300 f.
Abschiedsreden 354 f., 372, 387
Äon 35 ff., 230, 288
Allegorese 189 f.
Altes Testament (s. auch Israel) 61, 187—191, 323 f.
Amt 58 ff., 61, 281, 286, 292 ff., 327, 333 ff.
Anthropologie (s. auch Fleisch, Geist, Leib) 202 ff., 252 ff., 270
Apokalyptik 11, 40, 178, 339, 341 ff., 348
Apostel 62 f., 292, 319, 327
Apostel, die zwölf 318 f.
Apostolische Väter 319 ff.
Askese 108 f., 141, 307
Auferstehung Jesu 83, 88, 226 ff., 355 f., 380
Auferstehung der Toten 88, 208 ff., 299, 308, 321, 341, 358, 388

Bekehrung 320 f.
Bekenntnis(formeln) 82 f., 106 f., 329, 383
Besitz 41, 140 f.
Blut Christi 89
Bund 293
Bundesopfer 74 f., 228
Buße 65, 138, 321, 335 ff.

Charismen 57, 284 ff.
Christus 40, 83, 91 ff., 96, 149 f., 222 f., 229, 232 ff., 282, 299, 321, 346, 367 ff.
Credo 82 ff., 149, 222, 320, 323, 325

Doxa 196 f., 212, 374, 377
Dualismus 41, 360 f., 385
Dynamis 260

Eikon 100, 196 f., 225, 363
Engel 31 f.
Enthusiasmus 11, 233, 303
Entscheidung 13, 386
Epheserbrief 346 f.

Epiphanie 97, 99, 374
Erhöhung 86, 98 f., 361, 373, 379 f.
Erkenntnis 193, 268 ff., 321, 331
Erlösung 89, 234
Erwählten, die 50 f., 59, 280
Eschatologie 22, 40, 52, 109, 143 ff., 207 ff., 282, 311, 321, 338—348, 356, 358, 388 ff.
Ethik (s. auch Forderung Gottes) 109 ff., 296 f., 310 ff., 360
Evangelium 78, 223, 242; literarisch 115 f.

Fleisch 99 f., 177, 195, 198 ff., 212, 217 ff., 304 f., 360
Forderung Gottes (s. auch Ethik) 135 ff., 143 ff., 247, 304, 341
Freiheit 299 f., 302—314
Friede 359
Frühkatholizismus 14, 317 f.

Gehorsam 193
Geist 21 f., 54 ff., 65 f., 99 f., 171, 177, 201 f., 228 f., 233 f., 283 f., 285 f., 294, 304 f., 311 f., 360, 389
Gemeindeordnung (s. auch Amt) 58 ff.
Gerechtigkeit (Gottes; s. auch Rechtfertigung) 237—243, 263 ff., 272 f.
Gericht 39 f., 88, 133, 142, 293, 386
Gericht nach den Werken 167, 272 f.
Gesetz 37 ff., 244—251, 252 ff., 262, 272, 302 ff., 307, 321
Gesetzlichkeit 142, 165, 303
Glaube 79, 81, 179 f., 192 ff., 207 f., 224, 234 f., 242 f., 273, 307, 320 f., 329, 331, 342, 358
Gnade 234, 236 f., 278 f., 284, 313 f., 359
Gnosis 27 f., 321, 330, 345, 348, 361 f.
Gott 118 ff., 143 ff., 229, 241 f., 268 ff., 277 f., 321, 325, 368
Gottesdienst 63 f.

Häresie 317, 324, 329 ff.
Haupt 196 f., 346

Sachregister

Haustafel 112
Hebräerbrief 342 f.
Heiligen, die 50 f., 59, 280 f.
Heiligung 89, 311, 321
Heilsgeschichte s. Israel
„Hellenisten" 46 ff.
Herr s. Kyrios
Herrscherkult 27
Hierarchie 322
Himmel 31 f.
Himmelfahrt Christi 86, 356
Höllenfahrt Christi 100
Hoffnung 88, 207 ff., 229, 308, 321, 338 f., 390
Hoherpriester 321, 343
Homologie 81 ff., 101, 325, 329

Ignatius 321
Inkarnation 97 f., 224, 226, 321, 361, 373 ff.
Israel (s. auch Altes Testament) 48, 60, 165, 170 f., 190 f., 246 ff., 273—277, 340, 358

Jerusalem 61
Jesus 15 f., 130, 157
Johannes-Apokalypse 343 f.
1. Johannesbrief 305, 319, 331 f.
Johannes-Evangelium 349—390

Kanon 320
Ketzerpolemik 330 f.
Kirche 49 ff., 59, 142, 167, 280—291, 322, 333 ff., 345 ff., 387
König 94, 119 f., 368
Kolosserbrief 344 ff.
Koordination 226
Kreuz Jesu 226 f., 261, 286, 292 f., 309 f., 355 f., 379 f.
Kult 63 f., 283, 334 f.
Kyrios 101 ff., 222 f., 226, 368

Leben (ewiges) 321 f.
Lehre (s. auch Reflexion) 326
Leib 195, 198 ff., 209 f., 212, 344 ff.
Leib Christi 286—291, 300 f.
Liebe 207 f., 225 f., 228, 314
Liebesgebot 137, 140, 305 f., 357
Logos, der 100, 363 ff., 372 f., 384 f., 389
Lohn 141 f.
Loskauf 89, 228
Lukas-Evangelium 169 ff., 319, 338

Markus-Evangelium 115 f., 160 ff.
Matthäus-Evangelium 164 ff.
Mensch (s. auch Anthropologie) 37, 215 ff.
Menschensohn 151—156, 368
Messiasgeheimnis 158 f.
Monotheismus 325
Mystik 207, 232 f.

Nachapostolisches Zeitalter 318
Nachfolge 109
Nazoräer 104 f.

Offenbarung, Offenbarer 357, 366, 371 f., 379 f., 387

Paradies 32
Paränese 108 ff., 305 f., 321, 347
Parusie 88, 170 f., 226, 338 f., 358, 373, 388 f.
Pastoralbriefe 319, 327 f.
Paulinismus 323
Paulus 175—314, 356—360
1. Petrusbrief 343
2. Petrusbrief 319, 328, 338, 341 f.
Prädestination 194, 274 f., 277 ff.
Präexistenz 223 ff., 226, 373 f.
Predigt 107 f., 292 ff.
Prophet, der 103, 367, 369

Qumran 41, 47, 51, 361

Recht, heiliges 59
Rechtfertigung (s. auch Gerechtigkeit) 89 f., 176, 297, 303, 310, 359
Rechtfertigungslehre 317
Rechtgläubigkeit 317, 324
Reflexion 320, 326, 329
Reich Gottes (s. auch Eschatologie) 125 ff., 135, 138, 157, 340
Revelationsschema 53, 107, 345 f.
Rühmen 237, 251, 261, 263, 266 f., 279, 293

Sakrament 295, 322, 356
Sakramentalismus 70, 77, 207, 300, 335
Satan 35
Sendung Jesu 372 ff.
Sohn 147, 223, 225, 228 f., 371 ff.
Sohn Davids 93, 150
Sohn Gottes 94 ff., 147 ff., 368

Söhne Gottes 224, 228 f.
Stellvertretung 74, 89, 228
Subordination 226
Sühnopfer 74 f., 89 f., 100
Sünde 39, 217 ff., 231, 249 ff., 252 ff., 297, 302, 308, 313 f., 321, 357, 384
Sukzession 322, 334
Synoptiker 352—356

Taufe 64 ff., 297 ff.
Theologiegeschichte 19 ff., 175 ff.
2. Thessalonicherbrief 328, 338
Tod 257, 297 ff., 308 ff.
Torheit 266 ff., 270, 292
Tradition(sgedanke) 169, 320, 322, 326 f.
Traditionsgut 115, 186 ff.
Tugend- und Lasterkatalog 110 ff., 312

Unterwelt 33

Vater 120 ff., 225, 371 f.
Vergebung 65, 321
Versöhnung 89, 231 f., 292
Vertrauen 194
Volk Gottes 59 f., 288, 342

Weisheit 260, 267 f., 363
Weissagung 190, 369
Welt, 31 f., 35, 195, 215 f., 229 f., 345 f., 357, 384, 387
Wiedergeburt 66
Wort (s. auch Logos) 260 ff., 266 ff., 273 ff., 278, 292, 371 f.
Wunder 157 f., 355, 376 ff.

Zeichen 369 f., 376 ff.
Zorn 263 ff., 270
Zwölf, die 62

STELLENREGISTER

1. Altes Testament (einschließlich Apokryphen und Pseudepigraphen)

Genesis
1, 27   196 f.
2, 7   196 f., 201

3. Makkabäer
5, 7   120
6, 3. 8   122

Psalmen
2   91, 95, 104, 148
22   61
110   87, 93, 154

Sapientia Salomonis
2, 10 ff.   95, 104
2, 16   120
13—15   108
14, 3   120

Psalmen Salomos
17, 21   93, 95
17, 32   91
18, 7   91

Hosea
6, 2   85

Jona
2, 1   85

Jesaja
42, 1 ff.   104, 148
53   61, 89, 104

Daniel
2, 44   127
3, 33   127
7, 13   88
7, 13 f.   127, 151 f., 154
9, 13—18   239

Oracula Sibyllina
III 767   127

äth. Henoch
37—71   152

slav. Henoch
65   35 f.

Assumptio Mosis
10, 1   127

4. Esra
3, 16   278
8, 35 f.   39, 240
13   152

Apc. Baruch (syr.)
54, 19   191, 257

Testamentum Levi
4   92, 95
18   92

Testamentum Judae
21   92

2. Außerbiblische nichtchristliche Literatur

Sektenregel
1 QS III 15 ff.   42, 278
    IV 15 f.   42
    IX 11   92, 103
    XI   9 ff.   255, 278
    XI 12   39, 240
1 QSa II 11 ff.   92

Damaskusschrift B
XIX 10 f.   92
 XX 1   92

Hodajoth
1 QH I 27   255
    IV 30   240

Yasna
30, 3—4   42

Philo

De op. mund. 25	196
De plant. 7	288

Corpus Hermeticum

I 6	365, 371
I 12	197
VIII	196
XI 15	196

3. Neues Testament

Matthäus

1. 2	149
4, 1 ff.	148, 157
4, 15 f.	164
5—7	109, 136—141, 166
5, 3 ff.	164
5, 11	152, 154
5, 16	123
5, 17—20	143, 165 f.
5, 21 ff.	140 f.
5, 31 f.	136
5, 35	120
5, 38 f.	136
5, 44 f.	141, 166
5, 45	109, 120
5, 46	141
5, 48	123, 135
6, 1. 8	123
6, 9 ff.	121 f.
6, 25 ff.	120
6, 32	123
6, 33	135, 165
6, 34	139
7, 2	139
7, 7—11	120
7, 12	135, 139
7, 13	132
8, 11 f.	132
8, 20	151, 153
10, 7	128
10, 23	154
10, 26 f.	167
10, 28	142
10, 32 f.	155 f.
10, 33	122
10, 39	132
10, 42	164
11, 12	130
11, 18 f.	153 f.
11, 25	120
11, 25—27	122
11, 27	121, 147
12, 18	104
12, 27	157
12, 28	62, 131
12, 32	154
12, 40	154
12, 50	121
13, 24—30	131, 167
13, 33	131
13, 37 ff.	167
13, 41	94
13, 44—46. 47—50	131
16, 16	368
16, 17	123
16, 18 f.	49 f.
18	166
18, 6. 10	164
18, 12—14	131
18, 23	120
20, 1—15	142
21, 9	94
21, 43	130
22, 14	132
23, 1 ff.	165 f.
23, 9	120, 123
23, 10	150
25, 31 ff.	109, 133 f., 167
26, 26—29	71
26, 53	123
28, 16—20	165
28, 19	66, 121

Markus

1, 1	149, 161
1, 4	65
1, 9—11	148
1, 11	96 f., 104
1, 14 f.	128, 224
1, 21 ff.	157
1, 24 f. 34	158
2, 10	153
2, 18 f.	141
2, 28	153
3, 11 f.	148, 158
3, 27	131, 148
3, 35	121
4, 1 ff. 10—12	158
4, 26—29. 30—32	131
5, 7	119, 148
6, 52	158, 161

7, 21	206	2, 10. 14	359
8, 17 ff.	161	2, 35	206
8, 29 f.	83, 91, 150, 158, 162, 222	4, 1 ff.	148
8, 31	153	4, 13	171
8, 38	155 f.	6, 20	130
9, 1 ff.	148	6, 20 ff.	136
9, 7	96 f.	6, 22	152, 154
9, 9. 12	153	6, 32 ff.	109
9, 31	153, 162	6, 35	119
9, 32	159	6, 36	123, 135
9, 33—50	109	7, 33 f.	141, 153 f.
9, 41	150	9, 24	132
9, 42	142	9, 26	121
9, 43. 45	132	9, 58	153
9, 47	130, 132, 142	9, 60	132
10, 11 f.	136	9, 62	130
10, 15	130, 353	10, 9	128
10, 17	134	10, 21	120
10, 17 ff.	140 f.	10, 21 f.	122
10, 18	118	10, 22	121, 147
10, 21	141	10, 23 f.	130
10, 23—25	130	11, 2	121
10, 24—27	132	11, 20	131, 144
10, 33 f.	153, 162	11, 30	154
10, 43 ff.	109	11, 31 f.	132
10, 45	89, 154	12, 8 f.	155 f.
10, 48	150	12, 9	122
11, 10	94, 150	12, 10	154
11, 25	123	12, 30	123
12, 1 ff.	147	12, 32	120, 123, 130
12, 29	325	13, 1 ff.	133
12, 34	130	15, 1—10	131
12, 35—37	93, 150	16, 16	130, 171
13, 21 f.	149 f.	16, 18	136
13, 26	154	17, 20 ff.	129
13, 28 f.	133	17, 21	131
13, 29	128 f.	17, 22 ff.	155
13, 32	121, 147	17, 33	132
13, 35—37	109	17, 34 f.	133
14, 21	153	19, 10	154
14, 22—25	73 f.	19, 38	94
14, 36	122	22, 3	171
14, 61 f.	149, 154	22, 15 ff. 19 f.	75 f.
15, 26	94, 150	22, 29	122
15, 32	150	22, 35 f.	171
15, 39	148	24, 26	150
		24, 27	84
Lukas		24, 39	212
1. 2	149, 366	24, 46	150
1, 1—4	115, 170, 319, 327	24, 49	122
1, 17	56		
1, 32. 35.		*Johannes*	
76	119	1, 1—18	364 ff., 371 f.

Stellenregister

1, 10 f.	384	10, 9. 11. 14	382
1, 14	226, 374, 378, 381	10, 25	376
1, 16 f.	359	11, 25	382
1, 19 ff.	103, 367	11, 27	368
1, 29. 34.		12, 13	94
36. 41	368	**12, 23**	380
1, 42	375	12, 25	388
1, 45	368	12, 37	377
1, 46	369	12, 47	386
1, 49	368	13, 18	358
1, 51	156, 368	13, 31 f.	380
2, 11. 18. 23	377	13, 34	305, 357
2, 24 f.	375	14, 1—11	372, 382, 388
3, 1 ff.	352 f., 377, 386	14, 27	359
3, 5 ff.	360, 385 ff.	14, 28	389
3, 11 f.	375	14, 31	379
3, 13 f.	156, 380	15, 1. 5	382
3, 16	226, 372	15, 9 ff.	306
3, 17	386	15, 14	372
3, 18 f.	388	15, 16	358, 386
3, 19—21	384 f.	15, 19	358
3, 31	386	15, 26	389
4, 17 f.	375	16, 7 ff.	359, 389
4, 22	358	16, 16	389
4, 25	368	16, 30	375
4, 48	355, 377	17, 1	380
5, 18	370	17, 13	359
5, 21—25	357 f., 386, 388	17, 17. 19	358
5, 27	156	17, 24	388
5, 28 f.	388	18, 33 ff.	94
5, 30—34	376	18, 37	386
5, 39	369	19, 30	**380**
5, 41—43	370	20, 28	368
6, 2 f.	377	20, 29	378, 380
6, 27	388	20, 30 f.	354, 368, 377, 380
6, 30	369		
6, 35	382 f.	*Apostelgeschichte*	
6, 42	369	1, 22	84
6, 51b—58	76	2, 17 ff.	54
6, 60	376	2, 22—24	97, 115, 163
6, 63	360	2, 30 ff.	84
6, 69	331, 368	2, 33	55
6, 70	358, 375	2, 38	57, 65
7, 16 ff.	370	2, 42	68
7, 17	386	3, 13	104
7, 30	379	3, 15	84
7, 42	369	3, 22	103
7, 52	369	4, 25 f.	91
8, 12	382 f.	4, 27—30	104
8, 14	376	6, 5 ff.	56 f.
8, 23	386	7	47, 108
8, 42. 44	386	8, 12 ff.	66
8, 50	370	8, 36	65

10, 19	55 f.	5, 9	89
10, 38	56, 97, 115	5, 12 ff.	189 ff., 197, 199 f., 210 f.,
10, 40 ff.	53, 84		218 ff., 230 f., 248, 252
10, 44 ff.	66	5, 12	218
13, 6 ff.	157	5, 13	220
13, 17 ff.	108	5, 17	240, 243
13, 34 ff.	84	5, 19	243
17, 2 f.	93, 150, 222	5, 20 f.	237, 250
19, 14 ff.	157	5, 21	218, 240
20, 17. 28	334	6, 1 ff.	67, 228, 252 f., 297 ff.,
22, 16	103		313
22, 17 ff.	172	6, 3	64
		6, 6	199, 218
Römer		6, 12 f.	198
1, 2	190	6, 14	243
1, 3 f.	82, 93, 96, 187	6, 16	306
1, 16 f.	223 f., 236, 260, 263	6, 23	218
1, 17	188, 190, 239 f., 242, 264 f.	7, 1—6	253, 302
1, 18 ff.	108, 191, 215, 244, 262,	7, 4	76, 290, 298 f., 300
	264, 268 ff., 272	7, 5	108, 253
1, 18	239, 264 f.	7, 6	247, 253, 306 f., 313
1, 20	202	7, 7 ff.	183, 191, 203, 218 ff.,
1, 21	206		250—259, 261, 312 f.
1, 24	198, 206	7, 7	246
1, 28	202 f.	7, 10	247
1, 32	203	7, 14	218, 253
2	262, 264, 272 f.	7, 22	202
2, 5	206, 209, 212	7, 23	203
2, 9	200	7, 24	199 f.
2, 15	204, 206	8, 1	313
2, 28 f.	200	8, 2—17	228 f., 253, 302
3, 3—5	241	8, 3	97, 223 f., 228, 230, 249,
3, 10—18	188 f.		298
3, 20	200, 247, 250, 264, 272	8, 4	92
3, 21 ff.	218, 242, 244, 264	8, 9 ff.	57, 199, 235
3, 24 ff.	90, 187, 234	8, 9	201, 233
3, 25	89, 228, 242	8, 10	240, 253
3, 27 ff.	191, 259, 261, 272	8, 12—14	253, 304, 312
4, 1 ff.	190 f., 264	8, 14—17	224
4, 1	195	8, 15	122, 218
4, 3	243	8, 16	202
4, 5	237	8, 18	282, 309
4, 13	240	8, 23	54, 224, 311
4, 15	220, 248	8, 24—26	214, 229, 282
4, 18	214	8, 27	206
4, 25	82, 89 f., 187, 214, 263, 297	8, 28—30	278
5—8	88, 263, 313 f.	8, 31—39	223, 225 f., 372
5, 1 ff.	208, 213 f., 221, 243,	8, 34	222, 284
	263, 297, 359	8, 35 ff.	211, 223, 308
5, 2	192, 237, 284	8, 38 f.	196, 217
5, 2 f.	267, 308	8, 39	223, 234, 237, 372
5, 5 ff.	226	9—11	170, 190, 237, 263,
5, 8	92, 237		273—278

9, 8	200	3, 1 ff.	268
9, 11 f.	279	3, 17	59
9, 14	241	3, 21 ff.	307
9, 30—10, 6	243	4, 5	206
9, 33	189	4, 7	267
10, 4	230, 246 f., 250	4, 15	234
10, 9	79, 81 ff., 187	5, 1 ff.	335
10, 10	243	5, 3	198, 202
10, 11	189	5, 5	296
10, 13	101	5, 7	76, 89, 228
10, 16	189	5, 9 ff.	281
11, 6	243	6, 2 f.	209
11, 8—10	188	6, 9 f.	111
11, 32	237	6, 11	233, 243, 296
12, 1	63, 109, 198	6, 12	205, 307
12, 2	202 f.	6, 13 ff.	198
12, 3	193, 303	6, 15 f.	198
12, 3 ff.	110, 285	6, 16 f.	202
12, 5	288, 290 f.	6, 20	89, 198, 228
12, 19 f.	189 f.	7	109, 208, 307
13, 1	200	7, 4	198
13, 1—7	217, 245 f., 262	7, 17 ff.	281, 303 f.
13, 5	204	7, 23	89, 228
13, 8—10	246, 305	7, 29	208, 282, 307
13, 11 f.	109, 192, 208, 282, 311	7, 31	311
13, 14	218	7, 32 ff.	218
14, 1	193	7, 34	198, 202
14, 7—9	307	8—10	205 f., 281
14, 9	187, 222	8, 1—6	108, 186
14, 14. 20	109, 233, 307	8, 6	102, 106, 225 f.
14, 17	233	8, 7	205
14, 23	308	9, 1 f.	233
15, 15 f.	237	9, 9	189
15, 17	234	9, 16 f.	293
16, 4	201, 280	9, 27	199
16, 25—27	107	10, 1 ff.	188, 190 f., 296, 300
		10, 3 f.	73
1. Korinther		10, 14 ff.	68
1, 2	101, 234, 280	10, 16 f.	73, 76, 287, 290, 300
1, 4	234	10, 18 ff.	76 f., 103, 200
1, 10	201	10, 23	307
1, 13	299	10, 26	109, 307
1, 18 ff.	227, 260—263, 266 ff., 272, 292, 303, 363	10, 27 f.	205
		11, 2 ff.	68, 196 f., 290
1, 24	260	11, 17 ff.	68, 69 f.
1, 29	261	11, 23—25	71—74, 81, 300
1, 30	243, 267, 296, 363	11, 27—29	301
1, 31	267	12—14	54, 56 f., 68, 213, 284 ff., 300
2, 1 f.	227, 260		
2, 3—5	260	12, 2	285
2, 4	56	12, 3	83, 102, 285, 329
2, 6 ff.	33, 107, 267 f.	12, 12—27	286 f.
2, 10 ff.	55, 57, 201 f.	12, 13	64, 289 f.

12, 28	281, 333	5, 21	89, 225, 228, 233, 243, 250, 363
13, 3	198	6, 2	191
13, 13	208, 286	6, 9	308
14, 13 ff.	202	8, 9	225
14, 21	189	9, 7	206
14, 25	284	10, 3	195
15, 1	192	10, 15	193
15, 3 ff.	53, 59, 84 ff., 92 f., 186, 190, 208, 210 ff., 222, 227 f., 300, 318	10, 17	267
		11 f.	267, 293
15, 3	81	11, 2 f.	222
15, 8—11	184	12, 7—10	309
15, 21 f.	197, 211, 291	12, 15	201
15, 23—28	94, 226 f., 308	13, 3	222, 234
15, 29	296	13, 5	192
15, 31	234		
15, 35 ff.	209—212	*Galater*	
15, 44 ff.	197	1, 4	89
15, 45	201	1, 6—9	303
15, 50	200	1, 11 ff.	183 f.
15, 55 ff.	200	1, 13 f.	52, 280
15, 58	234	2, 4	234
16, 1. 19	280	2, 15	195
		2, 16 ff.	232—234, 243
2. Korinther		2, 19 f.	308
1, 9	309	2, 20	223, 233, 235
1, 12	205, 243	2, 21	304
1, 14	293	3, 6 ff.	190, 240, 243, 246—248
1, 19 f.	234	3, 8	190
1, 21 f.	296	3, 11 f.	190, 247
1, 22	54, 66, 206, 311	3, 13	89, 228
2, 14	233	3, 17	246
2, 15 f.	293	3, 19	250
3	191, 276, 280, 293	3, 20	247
3, 5	292	3, 22	218, 237
3, 17	102, 177, 233, 311	3, 24	250
3, 18	197	3, 26 ff.	66, 287, 289, 291, 297, 299
4, 2	205, 293	4, 1	276
4, 4	100, 197, 216, 225, 293, 363	4, 2 ff.	108, 224, 228, 302, 304
4, 6	206, 293	4, 4	188, 223 f., 246
4, 7 ff.	211, 213, 292, 309	4, 5	89
4, 10—12	200, 308 f.	4, 6	122, 206
4, 16—18	202, 309	4, 8 f.	276
5, 1—10	197, 200, 209, 213	4, 13	200
5, 5	54, 311	4, 22 ff.	189 f.
5, 7	213	5, 1	304
5, 9	186	5, 4	237, 243
5, 10	88	5, 5 f.	207 f., 232, 243, 306
5, 11	205, 293	5, 13	304
5, 12	206	5, 14	246, 305
5, 14	228	5, 16 f.	198, 218, 305
5, 16 ff.	53	5, 17	195
5, 17—21	230—232, 234 f., 293	5, 19 ff.	217

5, 20	195	2, 2 f.	345
5, 24	218	2, 12	344
5, 25	312	3, 1—4	344, 346
6, 14	267	3, 5. 9 f.	110
6, 16	280	3, 11	289
6, 17	309		

Epheser

		1. Thessalonicher	
		1, 3	208
1, 7	89	1, 9 f.	88, 106, 209
1, 21	346	2, 4	206
2, 4—10	344, 346 f.	2, 19	293
3, 1 ff.	347	3, 8	192
3, 4 f. 9 f.	107, 346	4, 1 ff.	110
4, 4 f.	106, 290	4, 3	**311**
4, 9 f.	33, 100	4, 13 ff.	88, 186, 190, 208 f.
4, 17	108	4, 15	55
4, 22—24	110	4, 17	282, 299
5, 2	89	5, 1 ff. 9 f.	186, 282, 339, 341, 360
5, 14	254	5, 8	208
5, 25 f.	89	5, 12	281
		5, 23	196, 198

Philipper

		1. Timotheus	
1, 1	281, 333	1, 10	327
1, 17	201	2, 5—7	89, 327
1, 21—23	186, 195, 208 f., 344	3, 16	82, 96, 99, 373
2, 1	202	4, 3 f.	109
2, 2	201	6, 13	106
2, 6 ff.	97 ff., 100, 197, 225 f., 373 f.	6, 20	319, 327
2, 8	223	*2. Timotheus*	
2, 12 f.	194, 311	1, 9 f.	107
2, 16	293	2, 8	93, 96, 327
3, 2—9	38 f., 183, 218, 251, 253, 267	4, 18	340
3, 9 ff.	309	*Titus*	
3, 9	233, 243	1, 2 f.	53, 107
3, 13	215	3, 5	66
3, 14	234		
3, 20	105	*Philemon*	
3, 21	197, 213	16	195
4, 5	109, 128 f., 208, 282, 311		
4, 7	202, 359	*Hebräer*	
4, 8	111, 245, 310, 312	1, 2	342
4, 11—13	310	2, 3	326 f.
		2, 17	89
Kolosser		6, 1 f.	343
1, 4 f.	208	6, 4—6	54, 66, 336
1, 13 f.	345	9, 13	89
1, 15 ff.	100, 197, 225, 345, 366, 373	9, 26	342
1, 20	89		
1, 26—28	107, 345		

10, 22	65	20	321
10, 22—24	208	21, 3	321
10, 25	342	21, 6—9	112
10, 26	336	27, 1	321
10, 30	189	36, 1	321
10, 32 ff.	342	42. 44	322
11	108	50, 2	321
12, 12—25	342 f.	57, 1	321
12, 16 f.	336	59	104, 321
13, 4	336	61, 3	321
13, 14	342	64	321
13, 20	89		

1. Petrus

Ignatius

1, 2. 18 f.	89	Eph 7, 2	96
1, 21 f.	208	10, 3	96
2, 2	65	17, 1	321
2, 6 ff.	189	18, 2	94
2, 21—24	89, 100	20, 2	322
3, 18 ff.	96, 100	Magn 13, 2	96
4, 14	56	Trall 2 f.	322
		9, 1	94
		Phld 5, 1	326
		8, 1 f.	321

2. Petrus

1, 5—7	324	Sm 1, 1	96
3, 2	326	3, 3	96
3, 8	342	12, 2	96
3, 16	328	Pol 1, 2	96
		2, 2	96

1. Johannes

Polykarp

2, 2	89	4, 2—6, 3	112, 326
2, 3	331		
4, 2	332	*2. Klemens*	
4, 10	89	1	321
4, 15	81, 83	6, 3	321
5, 5	81	9, 5	321
5, 14—21	337	17, 1	321

Judas

Barnabas

3, 17	326	2, 6	321
		6, 11	321
		8, 1	321

4. Außerbiblische christliche Literatur

		17, 1	321
		19, 5—7	112

1. Klemens

Hermas

1, 3	112, 321	mand I	321
3, 4	321	sim VIII 3, 2	321
7 f.	321		
12, 7	321	*Didache*	
13	321	4, 9—11	112
16, 17	321	7, 1—4	65 f.

9 f.	71, 104	*Exc. ex Theodoto*	
14, 1	69	35	35
16, 2	332	78, 2	28

Justin
Apol I 61   66   *Euseb*
    I 65—67   68 f.   H. E. III 32, 7 f.   319, 330